Windows 7

POUR

LES NULS

Windows 7 pour les Nuls

Andy Rathbone

Windows 7 Pour les Nuls

Titre de l'édition originale : Windows 7 For Dummies
Pour les Nuls est une marque déposée de Wiley Publishing, Inc
For Dummies est une marque déposée de Wiley Publishing, Inc

Collection dirigée par Jean-Pierre Cano
Édition : Pierre Chauvot
Traduction : Bernard Jolivalt
Maquette et illustration : MADmac

Edition française publiée en accord avec Wiley Publishing, Inc.

Éditions First
60 rue Mazarine
75006 Paris
Tél. : 01 45 49 60 00
Fax : 01 45 49 60 01
e-mail : firstinfo@efirst.com
ISBN : 978-2-7540-1504-2
Dépôt légal : 3e trimestre 2009
Imprimé en France

Sommaire

Cinquième partie : Musique, films et souvenirs....................... 311

Sixième partie : À l'aide ! 365

Septième partie : Les dix commandements 415

Introduction

Bienvenue dans *Windows 7 Pour les Nuls,* le plus vendu des livres sur Windows 7.

Le succès de ce livre est sans doute dû au simple fait que beaucoup de gens désirent devenir un as de Windows. Ils adorent interagir avec des boîtes de dialogue. Certains appuient sur des touches au hasard, espérant découvrir une fonctionnalité cachée, non documentée. Certains mémorisent de longues chaînes de commandes informatiques en prenant leur douche.

Et vous ? Vous n'êtes pas nul, ça c'est sûr et certain. Mais on ne peut pas dire que les ordinateurs en général et Windows en particulier vous passionnent. Vous voulez qu'ils vous servent à faire votre travail, un point, c'est tout, après quoi vous passez à plus important. Vous n'avez pas l'intention de changer, et n'y a pas de mal à cela.

C'est là que ce livre devient intéressant. Au lieu de vouloir faire de vous un as de Windows, il se contente de fournir l'information qui vous sera vraiment utile, au moment où vous en aurez besoin. Au lieu de devenir un expert de Windows 7, vous apprenez uniquement ce qu'il vous faut pour devenir rapide et efficace, avec un minimum de peine afin que vous puissiez ensuite passer aux bonnes choses de l'existence.

À propos de ce livre

Plutôt que de lire ce livre d'une seule traite, considérez-le comme un dictionnaire ou une encyclopédie. Allez directement à l'information dont vous avez besoin et lisez-la attentivement. Mettez-la ensuite en pratique.

Ne vous ennuyez pas à mémoriser tout le jargon de Windows 7, du genre « Sélectionnez l'option de menu dans la boîte de liste déroulante ». Laissez cela aux allumés d'informatique. En fait, les informations techniques qui apparaissent dans ce livre sont signalées par un pictogramme. Selon votre humeur du moment, vous vous jetterez voracement dessus ou passerez dédaigneusement votre chemin.

Au lieu de vous complaire dans du jargon technique – oncques telles choses ne furent de si belle manière dites ni ouient –, ce livre aborde les sujets suivant en français de tous les jours, y compris les dimanches et les jours fériés :

- Préserver la sûreté et la sécurité de votre ordinateur
- Trouver un programme, le démarrer et le quitter
- Localiser les fichiers que vous avez enregistrés ou téléchargés précédemment
- Configurer l'ordinateur afin que toute la famille puisse l'utiliser
- Copier des données depuis et vers un CD ou un DVD
- Utiliser votre appareil photo numérique et réaliser un diaporama
- Numériser et imprimer votre travail
- Créer un réseau d'ordinateurs afin de partager une connexion Internet ou une imprimante
- Corriger Windows 7 quand il fait des siennes

Il n'y a rien à mémoriser et rien à apprendre. Il vous suffit d'aller à la page idoine, lire une brève explication et vous mettre au travail. Contrairement à d'autres livres, celui-ci vous permet de laisser tout ce qui est technique de côté et de ne vous occuper que de vos tâches.

Comment utiliser ce livre ?

Certains points de Windows 7 vous laisseront sans doute perplexe. Aucun autre programme n'est aussi fourni en boutons, barres et autres bricoles qui s'affichent joyeusement sur l'écran. Si quelque chose vous semble mystérieux, reportez-vous à l'index ou à la table des matières de ce livre. La table des matières vous permet de localiser une information d'après le titre des chapitres et des sections. Plus précis, l'index contient une liste de sujets suivis du numéro des pages où il en est question. D'une manière ou d'une autre, vous parviendrez toujours à l'information recherchée.

Si vous vous sentez en verve et voulez en savoir plus, lisez les paragraphes à puces à la fin de chaque section. Vous y trouverez des détails supplémentaires, des conseils ou des références croisées. Mais rien ne vous y oblige, si cela ne vous intéresse pas ou si vous n'avez pas le temps.

Les saisies à effectuer au clavier sont en gras, comme ici :

- Saisissez **Lecteur Windows Media** dans le champ Rechercher.

Dans cet exemple, vous tapez les mots *Lecteur Windows Media* et vous appuyez sur la touche Entrée. La saisie étant parfois un peu compliquée, une description suit, et explique ce que montre l'écran.

Chaque fois qu'un message, une information ou une adresse Internet est affiché à l'écran, il est présenté sous cette forme :

✓ `www.andyrathbone.com`

Ce livre ne vous envoie jamais balader par une formule du genre «Pour plus d'informations, consultez le manuel». Il ne contient pas, non plus, d'informations concernant des logiciels spécifiques, comme Microsoft Office. Windows 7 est bien assez compliqué à lui seul. Fort heureusement, d'autres titres de la collection *Pour les Nuls* détaillent à foison les logiciels les plus connus.

Enfin, n'oubliez pas que ce livre est un *ouvrage de référence.* Il n'a pas été conçu pour vous apprendre à utiliser Windows 7 comme un expert. Il vous livre tout ce qu'il faut savoir afin que vous n'ayez justement pas à apprendre Windows.

Et vous ?

Il se peut que vous possédiez déjà Windows 7 ou que vous comptez l'acquérir. Vous seul savez ce que vous voulez faire avec votre ordinateur. Le problème, c'est d'obtenir de l'ordinateur qu'il fasse ce que vous attendez de lui. Vous y êtes parvenu d'une manière ou d'une autre, peut-être avec l'aide d'un passionné d'informatique, ou aidé par le type qui s'y connaît, au bureau, ou par un copain de fac.

Mais si vous n'avez personne sous la main, ce livre pourra peut-être vous dépanner de temps en temps (gardez une tranche de lard au fond du tiroir du bureau, des fois qu'il faille graisser la patte ; parce que si l'informatique n'est pas de l'art, c'est du cochon).

Comment ce livre est organisé ?

Tout ce qui trouve dans ce livre a été passé au peigne fin. Il est divisé en sept parties contenant chacune des chapitres thématiques. Avec un peigne encore plus fin – le peigne à puces de Joe mon cocker –, j'ai divisé chaque chapitre en sections encore plus petites qui vous dévoileront quelques-unes des étrangetés de Windows. Vous trouverez parfois ce que vous recherchez dans un petit encadré, ou alors, vous devrez parcourir toute une section ou tout un chapitre. Cela dépend de vous et de la tâche en cours.

Voici les diverses parties (vous pouvez maintenant me graisser la patte) :

Première partie : Les éléments de Windows 7 que vous êtes censé déjà connaître

Cette partie dépiaute l'ossature de Windows 7 : son écran d'accueil et les boutons d'utilisateurs, le plantureux menu du bouton Démarrer, qui contient tout ce qui est important, le Bureau de l'ordinateur, où vous placerez tous vos programmes. Vous apprendrez comment déplacer des fenêtres, et cliquer sur les bons boutons au bon moment. Cette partie détaille les éléments de Windows que tout le monde croit que vous connaissez déjà.

Deuxième partie : Programmes et fichiers

Windows 7 est accompagné d'un certain nombre de programmes (des logiciels, si vous préférez). Les trouver et les démarrer n'est pas toujours facile. Vous apprendrez ici comment les mettre en œuvre. Si un important fichier ou programme a disparu dans la nature, vous verrez comment faire pour que Windows 7 le recherche dans tout l'ordinateur et vous le ramène dare-dare.

Troisième partie : Place nette pour Internet

Vous vous familiariserez ici avec le fabuleux outil de communication et d'information qu'est l'Internet. Vous apprendrez à échanger du courrier électronique et surfer sur le Web. Mais surtout, tout un chapitre explique comment faire cela en toute sécurité, à l'abri des virus, espiogiciels et fenêtres publicitaires indésirables.

Une section est consacrée aux outils de sécurité d'Internet Explorer. Ils détectent les infects sites contrefaits et empêchent les parasites du Web de s'accrocher à votre planche (de surf).

Quatrième partie : Personnalisation et mise à jour de Windows 7

Si Windows a besoin qu'on lui secoue les puces, corrigez-le à l'aide d'une des commandes nichées dans le Panneau de configuration, lequel est décrit là. Un autre chapitre explique comment procéder soi-même à certaines tâches de maintenance, ce qui vous fera faire des économies. Vous découvrirez aussi comment partager l'ordinateur avec plusieurs membres de la famille ou de la colocation, sans que personne ne puisse farfouiller dans les données d'autrui.

Et si d'autres ordinateurs arrivent, reportez-vous au chapitre sur les réseaux pour savoir comment relier les ordinateurs afin qu'ils partagent la connexion Internet, les fichiers et l'imprimante.

Cinquième partie : Musique, films, souvenirs et photos

C'est ici que vous trouverez les informations pour écouter de la musique et regarder des vidéos. Achetez quelques CD vierges et réalisez vos propres compilations avec vos morceaux préférés. Ou faites-en une copie pour que le CD original ne risque pas d'être rayé dans la voiture.

Les possesseurs d'appareil photo numérique se doivent de lire le chapitre consacré au transfert des images de l'appareil photo à l'ordinateur, à leur archivage et à leur envoi aux amis par courrier électronique. Vous avez acheté un caméscope ? Une section vous explique comment monter vos séquences avec Movie Maker – un programme de Windows Live – et comment graver votre chef-d'œuvre sur un DVD afin de l'infliger à, je veux dire, d'en faire profiter vos amis.

Sixième partie : Au secours !

Bien que rien ne pousse quand Windows se plante, ça fait mal. Dans cette partie, vous trouverez du baume pour calmer les irritations les plus insupportables (c'est-à-dire les vôtres), ainsi que quelques pistes pour vous tirer d'affaire.

Des problèmes pour faire migrer vos fichiers d'un ancien ordinateur vers le nouveau ? Vous trouverez aussi de l'aide ici. Si vous passez de Windows XP ou Vista à Windows 7, reportez-vous à l'Annexe, qui fournit toutes les explications.

Septième partie : Les dix commandements

Tout le monde adore Franz Liszt qui n'est pas l'inventeur des listes, ou Gustav Mahler qui n'est pas l'inventeur du bonheur (mais aimez-vous Brahms ?). Cette partie contient des listes thématiques, comme les dix points les plus exaspérants de Windows 7, et comment les corriger. En prime pour ceux qui ont un portable – je ne parle pas du mobile, qui est celui du crime –, j'ai réuni les dix outils les plus utiles pour leur ordinateur, que j'ai placés dans un chapitre, avec des instructions pas à pas pour les tâches les plus fréquentes.

Les pictogrammes de ce livre

Il suffit de feuilleter ce livre pour constater qu'il est truffé de pictogrammes, qui sont un peu dans la littérature ce que les icônes sont à la micro-informatique. Voici à quoi ils correspondent :

Attention les yeux ! Ce pictogramme signale des informations techniques. Passez au large si vous êtes technophobe.

Ce pictogramme indique une information qui vous facilite la vie. Par exemple : comment ne pas prendre froid en ouvrant une fenêtre dans Windows.

N'oubliez pas de vous rappeler de ce qui est écrit là. Ou au moins, écornez la page pour ne pas oublier de vous en souvenir.

Vous passez de Windows Vista à Windows 7 ? Ce pictogramme signale une fonctionnalité à présent complètement différente dans Windows 7.

Si vous utilisiez Windows XP – de nombreux utilisateurs ont boudé Vista –, ce pictogramme signale les fonctions qui sont très différentes dans Windows 7. Mais lisez aussi les paragraphes signalés par le pictogramme précédent. On ne sait jamais…

Et maintenant ?

Vous voilà prêt à passer à l'action. Feuilletez le livre pour vous en faire une idée. N'oubliez pas qu'il est votre arme contre les allumés d'informatique qui ont concocté ce programme affreusement compliqué qu'ils vous infligent sans vergogne. N'hésitez pas à souligner les passages intéressants, à entourer au crayon ceux qui le sont plus encore, à surligner les notions clés et à coucher dans la marge les éclaircissements sur toutes ces complications.

Plus vous annoterez votre livre, plus il vous sera facile de retrouver toutes les informations dont vous avez besoin.

Première partie

Les éléments de Windows 7 que vous êtes censé déjà connaître

"J'annonce B7 !"
"- Coulé !"

Dans cette partie...

Beaucoup de gens se retrouvent avec Windows 7 sans qu'ils en aient vraiment eu le choix, cette version étant déjà installée par défaut sur leur nouvel ordinateur. Ou alors, l'entreprise a opté pour Windows 7 et tout le monde a dû suivre le mouvement, excepté le patron qui n'a toujours pas d'ordinateur. Ou encore, vous avez cédé aux sirènes (marketing) de Microsoft.

Quelle que soit votre situation, cette partie vous rappelle les bases de Windows ainsi que les notions comme le glisser-déposer, copier, couper et coller ou comment retrouver une barre d'outils qui a disparu.

Cette partie explique en quoi Windows 7 est mieux, mais met aussi le doigt sur ce qui n'est pas encore tout à fait au point dans cette nouvelle version.

Chapitre 1

C'est koâ, Windows 7 ?

Dans ce chapitre

- Faire connaissance avec Windows 7
- Découvrir les nouvelles fonctionnalités de Windows 7
- Comprendre en quoi Windows 7 affecte vos anciens programmes
- Déterminer si votre PC est assez puissant pour Windows 7
- Connaître la version de Windows 7 dont vous avez besoin

Il est plus que probable que vous connaissiez déjà Windows : les panneaux et les fenêtres, et aussi le pointeur de la souris qui apparaissent quand l'ordinateur est allumé. Tandis que vous lisez ces lignes, des millions de gens de par le monde découvrent la version 7 en pianotant sur leur clavier. Presque tout nouvel ordinateur vendu actuellement l'est avec Windows préinstallé.

Qu'est Windows 7 et pourquoi l'utiliser ?

Édité et vendu par la société Microsoft, Windows n'est pas comme les logiciels que vous utilisez pour écrire le roman morose de votre besogneuse vie ou envoyer un message de mots roses à l'élue de votre cœur qui les supprime au fur et à mesure en grignotant des chips. Eh non, car Windows est un système d'exploitation, autrement dit le programme qui régit votre façon de travailler avec l'ordinateur. Il existe depuis une vingtaine d'années et sa dernière mouture, nommée *Windows 7,* est visible à la Figure 1.1.

Figure 1.1 : Windows 7, la toute dernière version de Microsoft Windows, est préinstallée dans la plupart des nouveaux PC.

Windows, qui signifie « fenêtres » en anglais, doit son nom aux panneaux (fenêtres) qui apparaissent à l'écran. Chacune contient des données : le logiciel que vous utilisez, une photo ou un épouvantable message d'alerte de Windows. Plusieurs fenêtres peuvent être ouvertes simultanément et vous pouvez passer de l'une à l'autre et changer ainsi de programme et/ou de tâche. Vous pouvez aussi agrandir une fenêtre afin qu'elle emplisse tout l'écran.

Comme la préposée qui surveille les scolaires à la cantine, Windows ne perd rien de ce qui se passe dans l'ordinateur et garde un œil sur tout. Après l'allumage de l'ordinateur et le chargement de Windows, ce dernier apparaît et supervise tous les programmes ouverts. Il veille à ce que tout se déroule bien, même lorsque les programmes commencent à se lancer des boulettes de pain et de la sauce les uns sur les autres.

En plus de contrôler l'ordinateur et faire la loi parmi les programmes, Windows 7 apporte les siens. Bien que l'ordinateur puisse s'en passer, il est utile de les avoir, car ils permettent d'effectuer diverses tâches, comme écrire une lettre et l'imprimer, aller sur des sites Internet, écouter de la musique et même présenter un diaporama de vos photos de vacances, et les graver facilement sur un DVD.

Pourquoi utilisez-vous Windows 7 ? Comme la plupart des gens, vous n'avez guère le choix car depuis l'automne 2009, la plupart des ordinateurs sont vendus avec Windows 7 préinstallé. Quelques utilisateurs de Windows ont fait une infidélité en passant au Mac – plus design et plus cher –, une minorité utilise des ordinateurs sous Linux, mais en ce qui vous concerne, il y a de fortes chances pour que vos voisins, vos collègues de travail, vos enfants à l'école et des millions d'autres personnes dans le monde utilisent Windows.

- Microsoft s'est efforcée de faire de Windows 7 la version la plus sûre de Windows (demandez à ceux qui utilisaient une version précédente).
- Windows facilite l'utilisation d'un seul ordinateur par plusieurs personnes. Un compte particulier est attribué à chacune d'elles. Quand elle clique sur son nom, sur l'écran d'accueil de Windows, elle retrouve son propre espace de travail, exactement tel qu'elle l'avait laissé. Un contrôle parental permet de limiter le temps que les enfants passent sur l'ordinateur, ainsi que les programmes auxquels ils ont accès.
- Windows est doté d'un nouveau logiciel de sauvegarde qui facilite ce que vous devriez faire régulièrement : effectuer chaque soir une copie de vos fichiers les plus importants, une tâche décrite au Chapitre 12.

Grâce au puissant nouveau moteur de recherche et le système de bibliothèque de Windows 7, vous pouvez oublier où vos fichiers sont stockés. Pour trouver un fichier, cliquez sur le menu Démarrer et saisissez ce que le fichier contient : quelques mots du document, le nom du groupe qui interprète le morceau, voire l'année à laquelle votre album de jazz préféré est sorti.

Séparer la pub des fonctionnalités

Microsoft a beau clamer que Windows est le compagnon idéal de votre ordinateur et qu'il se soucie de votre intérêt, ce n'est pas tout à fait vrai. En fait, c'est l'intérêt de Microsoft que Windows défend. Vous vous en rendrez compte rapidement le jour où vous aurez besoin d'aide pour que Windows fonctionne correctement. Aux États-Unis, il vous en coûte plus de 50 dollars l'appel.

Microsoft se sert aussi de Windows pour mettre en avant ses propres produits et services. Par exemple, les favoris d'Internet Explorer – l'emplacement où vous mémorisez les sites Web que vous désirez revisiter – sont truffés de sites Web de Microsoft.

Bref, Windows ne fait pas que contrôler votre ordinateur. Il sert aussi de vaste support publicitaire pour Microsoft. Traitez sa pub comme vous le faites avec les prospectus qui envahissent votre boîte aux lettres.

Dois-je vraiment passer à Windows 7 ?

Microsoft espère bien que tout le monde passera immédiatement à Windows 7. C'est quasiment certain pour la majorité des acheteurs d'un nouveau PC, où Windows 7 est déjà préinstallé, mais Microsoft cible deux autres groupes d'utilisateurs : ceux qui sont sous Windows Vista, et les irréductibles qui utilisent encore Windows XP.

Les deux prochaines sections décrivent ce que Windows 7 offre aux utilisateurs de Vista et à ceux qui s'accrochent mordicus à Windows XP.

Pourquoi les utilisateurs de Vista aimeront Windows 7 ?

Beaucoup d'utilisateurs de Vista adopteront Windows 7 parce que selon beaucoup de gens, ce système d'exploitation est ce que Vista aurait dû être. Windows 7 n'est certes pas parfait, mais il est une bonne continuation de Vista. Voici pourquoi :

- **Une mise à niveau facile :** Il suffit d'insérer le DVD de mise à niveau dans le lecteur. Vos programmes, imprimante et quasiment tout ce qui fonctionnait sous Vista continue de fonctionner sans problème sous Windows 7. Les utilisateurs de Windows XP devront se préparer à une rebutante corvée : effacer tout le disque dur et tout réinstaller de zéro.
- **Disparition de l'agaçant panneau de permission :** La fonctionnalité la plus décriée de Vista était incontestablement ce panneau de contrôle des comptes d'utilisateurs qui demandait à tout bout de champ si c'est bien vous qui avez commandé telle ou telle action. Windows 7 est doté d'une version allégée de ce panneau qui se contente de vous prévenir qu'un événement crucial risque de se produire. Vous pouvez même régler le niveau de mise en garde, de « complètement parano » à « cool, calme et zen ».
- **Des commandes rationalisées :** Vista exigeait beaucoup de clics et d'appui sur des touches pour faire ce que Windows 7 réalise avec quelques-unes seulement de ces actions. Par exemple, éteindre l'ordinateur sous Vista passait par deux icônes et une flèche affichant un menu de sept options. Windows 7, lui, fait d'un seul clic sur le bouton Arrêter ce que tout le monde désire : enregistrer le travail en cours, fermer les programmes puis éteindre l'ordinateur.

- **De meilleures sauvegardes :** Pour simplifier la sauvegarde du PC, Vista recopiait tout, même si vous ne vouliez sauvegarder que quelques fichiers ou dossiers. Par contre, Windows 7 permet lui aussi de tout sauvegarder, mais il offre en plus une option pour ne sélectionner que certains éléments.
- **Un meilleur fonctionnement sur un ordinateur portable :** L'indolence de Vista avait énervé bon nombre d'utilisateurs d'ordinateurs ultracompacts. Les modèles les plus compacts, notamment les miniportables, ou notebooks, destinés à se connecter sur Internet en voyage ou faire du traitement de texte ne parvenaient même pas à utiliser Vista, obligeant Microsoft à repousser à deux reprises la date de fin de support technique de Windows XP.

De quoi seront privés les utilisateurs habitués à Vista ?

Windows 7 apporte son lot de nouveautés, mais quels sont les éléments que l'on y trouvera plus ? Ils sont nombreux. Microsoft a en effet envoyé les programmes suivants dans le Goulp (ou à la trappe, pour ceux qui ne connaîtraient pas les Shadoks) :

- **Les programmes gratuits :** (NdT : Pas si gratuits que cela, car leur coût est bien évidemment intégré à celui de Windows) : Windows Mail, la Galerie de photos Windows, Windows Movie Maker et le Calendrier Windows ne sont plus livrés avec Windows 7. Eh oui, incroyable mais vrai, Windows 7 ne possède plus de logiciel de messagerie. Vous pourrez cependant les télécharger depuis le Web. Le logiciel de remplacement de Windows Mail est décrit au Chapitre 9 et ceux pour la photo et la vidéo le sont au Chapitre 16. Et le calendrier ? Je crains bien ne pas disposer de suffisamment de place...
- **La barre de lancement rapide :** Ce réceptacle fort commode pour les programmes favoris ne se trouve plus dans la barre des tâches, à côté du menu Démarrer. Microsoft a préféré que la barre des tâches contienne à la fois les programmes favoris et ceux actuellement ouverts. Nous y reviendrons au Chapitre 2.
- **InkBall :** Bien que priver de ce jeu ne soit pas aussi gênant qu'abandonner la messagerie, beaucoup regretteront ce sympathique programme pour flemmards, où il faillait diriger des balles vers des trous.
- **Le volet Windows :** Placé contre le côté droit du Bureau, il contenait des gadgets affichant l'heure, la météo, les cours de la Bourse, les titres de la presse, *etc.* Le volet Windows a disparu, mais les gadgets sont restés, sauf qu'ils peuvent désormais être placés n'importe où sur le Bureau.

Pourquoi les utilisateurs de Windows XP devraient passer à Windows 7 ?

Microsoft sort une nouvelle version de Windows tous les tant et tant d'années. Si vous avez acheté votre PC entre 2001 et 2006, vous vous êtes sans doute habitué à Windows XP. Alors, pourquoi passer à Windows 7 si la version XP rend les services que j'attends d'elle ?

À vrai dire, si Windows XP vous convient, vous n'êtes pas obligé de passer à Windows 7. Mais comme votre PC peut avoir jusqu'à six ans – une antiquité, dans le petit monde high-tech – Microsoft espère bien que les nouveautés suivantes vous séduiront et vous inciteront à dégainer votre carte bancaire plus vite que votre ombre :

- **La gravure des DVD :** Plus de cinq après que des graveurs de DVD aient été mis en vente, Windows parvient enfin à les exploiter sans devoir recourir à des logiciels tiers. Windows 7 copie des fichiers et des vidéos sur DVD aussi bien que sur CD. Le programme Création de DVD Windows réunit vos photos de vacances et en fait un beau diaporama qu'il grave sur un DVD, prêt à être visionné chaque fois que vous recevrez amis et famille. Ils seront contents, contents, contents.
- **Une recherche plus facile des fichiers :** Windows XP traînait vraiment des pieds pour rechercher des fichiers. Leur localisation d'après le nom de fichier exigeait plusieurs minutes sur un disque dur bien plein, et si vous recherchiez un fichier d'après un mot ou une phrase à l'intérieur du document, c'était carrément interminable. Windows 7 profite de vos moments d'inactivité pour peaufiner un index contenant chacun des mots figurant dans le disque dur. Tapez un mot d'un nom de fichier ou de son contenu dans le champ Rechercher, et Windows 7 trouve immédiatement le ou les fichiers.
- **Une nouvelle mouture d'Internet Explorer :** La version 8 du célèbre navigateur Web vous permet de surfer sur l'Internet plus facilement et avec une meilleure sécurité. Il possède toujours les caractéristiques d'avant – navigation par onglets, flux RSS et filtre alertant d'un risque d'hameçonnage –, avec en plus quelques fonctionnalités nouvelles décrites au Chapitre 8.
- **Windows Media Center :** Ce centre de loisirs lit non seulement les DVD et la musique, mais il permet aussi de regarder la télévision sur le PC et même de l'enregistrer sur le disque dur pour la regarder ultérieurement. L'enregistrement de la télévision exige un tuner TV pour PC, un accessoire facile à installer.

- **La barre des tâches :** Microsoft avait fait des efforts pour donner une apparence 3D à Vista. La nouvelle barre des taches de Windows 7 affiche des miniatures contenant davantage d'informations (Figure 1.2), permettant ainsi de retrouver plus facilement une fenêtre égarée. Cliquez du bouton droit sur une miniature pour obtenir des informations supplémentaires, comme un historique de navigation, ainsi que le montre la Figure 1.3.

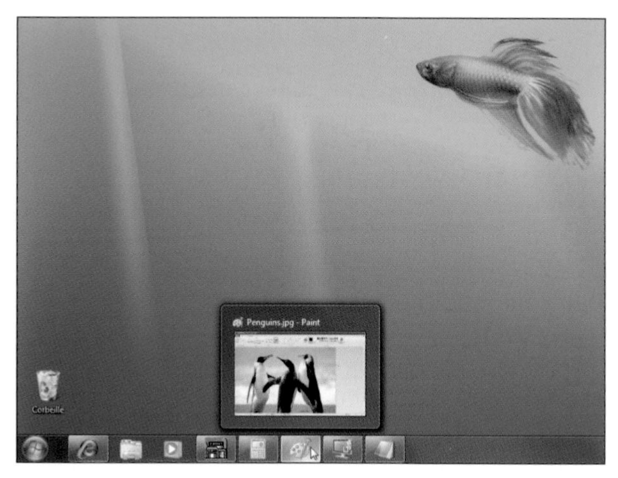

Figure 1.2 : La barre des tâches de Windows 7 contient des miniatures de toutes les fenêtres ouvertes sur le Bureau.

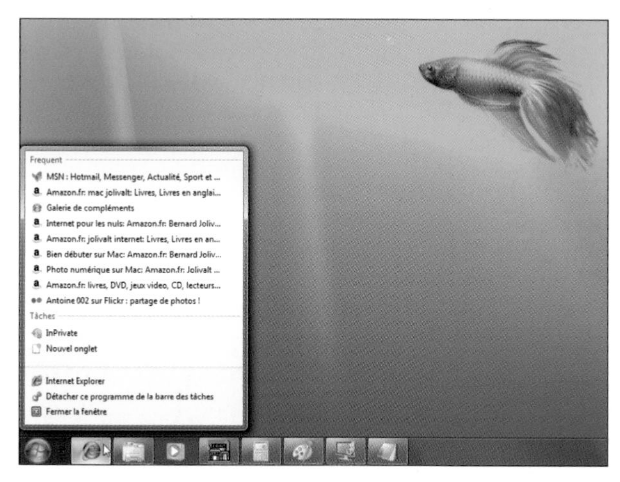

Figure 1.3 : Cliquez du bouton droit sur une miniature de la nouvelle barre des tâches.

Windows 7 tournera-t-il sur mon PC ?

Si votre PC est déjà équipé de Windows Vista, il s'accommodera probablement de Windows 7. En fait, Windows 7 fonctionnera mieux encore que Vista sur la plupart des ordinateurs portables.

Si votre PC tourne sous Windows XP, il tournera probablement sous Windows 7, mais peut-être pas avec les meilleures performances. Mettre l'ordinateur à niveau sera sans doute une bonne chose. Vérifiez notamment :

- **Carte graphique :** Windows 7 exige une carte graphique performante pour afficher ses effets 3D les plus spectaculaires. En changer si cela s'avère nécessaire n'est pas onéreux : une centaine d'euros environ. Le problème est que vous n'en trouverez pas pour votre portable. Si la carte graphique n'est pas assez puissante, Windows 7 tourne quand même, mais sans les effets 3D.
- **Mémoire :** Windows 7 aime la mémoire. Pour de bons résultats, l'ordinateur doit comporter au moins 1 Go de mémoire vive. Comme les barrettes de mémoire sont bon marché et faciles à installer, ne lésinez pas.
- **Lecteur de DVD :** Contrairement à Windows XP, qui était livré sur un CD, Windows 7, tout comme Vista, est livré sur un DVD. La plupart des PC actuellement en service sont équipés d'un lecteur de DVD, mais ce n'est peut-être pas le cas d'un ordinateur portable un peu ancien.

Windows 7 est capable de faire tourner n'importe quel programme destiné à Windows Vista, ainsi qu'un grand nombre de programmes pour Windows XP. Mais certains vieux logiciels ne fonctionneront pas, notamment ceux chargés de la sécurité, comme les antivirus, les pare-feu et les programmes de protection. Vous devrez contacter l'éditeur pour savoir s'il propose une mise à jour, gratuite si possible.

Vous envisagez d'acheter un nouvel ordinateur pour Windows 7 ? Pour savoir comment il se comporte sous Windows, allez dans un showroom où il fonctionne, cliquez sur le bouton Démarrer, puis sur le bouton Panneau de configuration. Cliquez sur la catégorie Système et sécurité, puis sur Système. Cliquez ensuite sur le lien Afficher l'indice de performance Windows. Après un bref test, Windows affiche un indice de base, de 1 (pas génial) à 7,9 (extraordinaire).

Vous n'êtes pas sûr de votre version Windows ? Cliquez sur le bouton Démarrer, puis cliquez du bouton droit sur le bouton Ordinateur et choisissez Propriétés. La version est mentionnée dans la fenêtre qui apparaît.

Accélérer Windows 7 sur un portable ou sur un PC ancien

Windows Vista et Windows 7 affectionnent tous deux les beaux graphismes, mais ces bordures translucides et ces couleurs acidulées peuvent ralentir un portable d'entrée de gamme ou un vieil ordinateur. Procédez comme suit pour désactiver tous ces effets et accélérer Windows 7 au maximum :

1. **Cliquez sur le bouton Démarrer, puis cliquez du bouton droit sur Ordinateur et choisissez Propriétés.**

   Le bouton Ordinateur se trouve dans la colonne de droite du menu Démarrer.

2. **Dans le volet de gauche, cliquez sur le lien Paramètres système avancés.**

   Il se peut que le mot de passe d'un compte Administrateur soit demandé pour pénétrer dans cette mystérieuse zone (NdT : Ce n'est pas le cas si vous êtes le seul utilisateur de l'ordinateur, ou si le compte actif est du type Administrateur).

3. **Dans la zone Performances, cliquez sur le bouton Paramètres. Choisissez l'option Ajuster afin d'obtenir les meilleures performances. Cliquez ensuite sur OK.**

Ces étapes ramènent Windows 7 à une ère où il ne se parait pas de tous ces graphismes un peu tape-à-l'œil. Pour rétablir l'apparence normale de Windows 7, répétez ces étapes mais, à l'Étape 3, choisissez l'option Laisser Windows choisir la meilleure configuration.

Les six variantes de Windows 7

Windows XP était livré en deux versions bien distinctes : une édition familiale et une édition professionnelle. Windows Vista, lui, était décliné en cinq versions, à cinq prix et fonctionnalités différents, ce qui compliquait pas mal les choses. Windows 7 en rajoute une couche avec six versions, mais elles sont heureusement plus faciles à différencier les unes des autres.

La grande majorité des consommateurs choisira l'Édition familiale Premium et la plupart des professionnels opteront pour Windows 7 Professionnel. Mais pour que tout soit clair, les six versions sont décrites dans le Tableau 1.1.

Tableau 1.1 : Les six versions de Windows 7.

Version de Windows 7	*Fonctionnalités*
Windows 7 Starter	Version bridée destinée principalement aux ultracompacts trop peu puissants pour faire autre chose que de la navigation sur le Web et du traitement de texte. Trois applications seulement peuvent être ouvertes simultanément.
Windows 7 Édition familiale Basique	Conçue pour les pays en développement, cette version est comparable à Windows 7 Starter, mais avec de meilleures capacités graphiques, le partage de la connexion Internet et l'exploitation sur des ordinateurs portables plus performants.
Windows 7 Édition familiale Premium	Conçue pour répondre aux besoins de la plupart des consommateurs, cette version permet de regarder la télévision sur le PC et de créer des DVD contenant les vidéos tournées avec un caméscope.
Windows 7 Professionnel	Visant le marché des entreprises, cette version contient toutes les fonctionnalités de Windows 7 Édition familiale Premium, mais avec des outils de réseau supplémentaires et des outils pour l'entreprise.
Windows 7 Entreprise	Cette version est destinée à la vente groupée, en grandes quantités, aux grandes entreprises.
Windows 7 Édition Intégrale	Cette version est destinée aux spécialistes de l'informatique qui passent leur vie devant leur ordinateur. En tant que lecteur de ce livre, vous n'êtes sans doute pas concerné.

Choisir entre ces six versions n'est pas bien compliqué. Et comme toutes se trouvent dans le seul et unique DVD que vous avez acheté, il est à tout moment possible de passer à une version plus performante en déverrouillant la clé de la version supérieure, moyennant finances bien entendu.

Voici quelques recommandations pour choisir la version dont vous avez besoin :

- Pour un usage à la maison, choisissez **Windows 7 Édition familiale Premium**.
- Si vous devez vous connecter à un domaine au travers d'un réseau d'entreprise, il vous faudra **Windows 7 Professionnel**.

- Si vous êtes un professionnel de l'informatique, vous opterez pour **Windows 7 Édition Intégrale** car elle contient tout ce qui se trouve dans les autres versions.
- Si vous êtes un technicien travaillant pour une entreprise, discutez avec votre directeur pour savoir s'il doit opter pour **Windows 7 Professionnel** (petite société) ou pour **Windows 7 Entreprise** (grande entreprise).

Si vous possédez un petit – tout petit – ordinateur portable tournant sous Windows 7, vous pourrez passer à une version plus puissante directement depuis le menu Démarrer.

La peu chère – comme on dit à Marseille – Édition familiale Basique n'est pas en vente aux États-Unis, ni dans d'autres pays riches. Elle est vendue dans les pays en développement, comme la Malaisie (c'est moins un geste de bonne volonté qu'une tentative de réduire le piratage informatique).

Chapitre 2

Bureau, menu Démarrer, barre des tâches, gadgets, *etc.*

Dans ce chapitre

- Démarrer Windows 7
- Saisir un mot de passe
- Se connecter à Windows 7
- Le Bureau et autres fonctionnalités
- Se déconnecter de Windows 7
- Éteindre l'ordinateur

Ce chapitre propose un tour du propriétaire de Windows 7. Vous allumez l'ordinateur, démarrez Windows puis vous consacrez quelques minutes à regarder bêtement ce qui s'y trouve : le Bureau, la barre des tâches, le menu Démarrer et la Corbeille (vous pourrez y déposer délicatement les fichiers dont vous ne voulez plus, mais pas vos vieux chewing-gums longuement mâchouillés).

Les programmes que vous utiliserez se trouveront sur le Bureau, qui est en réalité une métaphore du bon vieux bureau. La barre des tâches sert à passer d'une application à une autre. Pour accéder à d'autres programmes, cliquez sur le bouton démarrer : le menu Démarrer qui apparaît est truffé de boutons pour les lancer.

Vous voulez vous débarrasser d'un élément ? Rien de plus facile : déposez-le dans la Corbeille d'où vous pourrez éventuellement le récupérer si besoin.

Si vous comptez installer Windows 7 ou procéder à une mise à niveau, vous trouverez les instructions complètes dans l'annexe à la fin de ce livre.

Bienvenue dans le monde de Windows 7

Pour démarrer Windows 7, il suffit d'allumer l'ordinateur. Mais avant de pouvoir l'utiliser, il est possible qu'il affiche l'écran de la Figure 2.1, qui vous invite à vous connecter au compte à votre nom.

Figure 2.1 : Cet écran s'affiche au démarrage de Windows si vous avez défini un mot de passe, ou si plusieurs utilisateurs ont été définis sur cet ordinateur.

Les images qui illustrent le ou les noms d'utilisateurs peuvent être différents – l'écran d'accueil est en effet personnalisable avec des portraits –, mais quoi qu'il en soit, trois cas de figure peuvent se présenter :

- **Si l'ordinateur est tout neuf, vous utilisez le compte nommé Administrateur :** Conçu pour donner tous les pouvoirs à l'utilisateur, le compte Administrateur permet de configurer d'autres comptes pour d'autres personnes, d'installer des programmes, d'établir une connexion Internet et d'accéder à tous les fichiers de l'ordinateur, même à ceux appartenant à d'autres utilisateurs. Windows 7 exige qu'une personne au moins agisse en tant qu'administrateur. Ce sujet est développé au Chapitre 13.
- **L'utilisation du compte Invité :** Ce compte a été créé pour les personnes qui séjournent chez vous – des parents ou des amis, la baby-sitter... – et qui n'utilisent l'ordinateur que sporadiquement. Le compte Invité est activé et désactivé dans la zone Ajouter ou supprimer des comptes d'utilisateur, comme expliqué au Chapitre 13.
- **Pas de compte Invité ni de compte d'utilisateur :** Demandez au propriétaire de l'ordinateur de créer un compte d'utilisateur à votre nom. S'il ne sait pas le faire, voyez au Chapitre 13 comment en configurer un.

Quelques boutons, sur l'écran d'accueil, contiennent des options supplémentaires :

Le petit bouton bleu, en bas à gauche de l'écran, visible dans la marge et sur la Figure 2.1, permet de configurer Windows 7 pour les utilisateurs souffrant de troubles de la vision, de l'ouïe, ou moteurs (voir Chapitre 11). Si vous avez cliqué dessus par mégarde, appuyez sur la touche Échap pour revenir à l'écran d'accueil sans avoir rien modifié.

Le petit bouton rouge en bas à droite de l'écran d'accueil, visible dans la marge et sur la Figure 2.1, éteint le PC. Si vous avez cliqué dessus accidentellement, appuyez de nouveau sur le bouton de mise en marche du PC pour revenir à cet écran.

- Cliquez sur le petit bouton fléché à droite du bouton rouge, et Windows 7 vous proposera de redémarrer l'ordinateur, le mettre en veille ou l'arrêter. Ces options sont détaillées à la fin de ce chapitre.

Pour plus de sécurité, vous voudriez que Windows 7 affiche l'écran d'accueil et redemande le mot de passe chaque fois que vous quittez l'ordinateur pendant quelques minutes ? Après avoir saisi votre nom d'utilisateur et votre mot de passe, cliquez du bouton droit sur le Bureau et choisissez Personnaliser. En bas à droite de la fenêtre, cliquez sur Écran de veille puis cochez la case À reprise, afficher ouverture de session. Réglez ensuite le nombre de minutes d'inactivité avant que l'écran de veille apparaisse. Cliquez ensuite sur OK pour valider vos choix.

Configurer les comptes d'utilisateur

Windows 7 permet à plusieurs personnes d'utiliser l'ordinateur tout en séparant nettement leurs activités. Pour cela, il doit savoir qui vient de s'installer devant le clavier. Quand vous vous connectez – autrement dit, quand vous vous annoncez – en cliquant sur un nom d'utilisateur, comme à la Figure 2.1, Windows 7 affiche votre Bureau personnalisé, où vous mettrez votre pagaille bien à vous.

Votre travail terminé, déconnectez-vous, comme expliqué plus loin, afin que quelqu'un d'autre puisse à son tour utiliser l'ordinateur. Quand vous vous reconnecterez avec votre compte, vous retrouverez le Bureau dans l'état où vous l'aviez laissé.

Vous pouvez laisser une invraisemblable pagaille sur le Bureau, mais c'est votre pagaille. C'est elle que vous retrouvez en revenant sur votre Bureau. Si vous ne trouvez pas certains fichiers, c'est parce que vous les avez mis n'importe où, et non parce votre rejeton les a descendus au rayon laser en jouant à Space Invaders 2010. Le Bureau de votre conjoint contient des liens vers des sites de rencontre, mais vous ne pouvez pas le savoir. Et tous les fichiers MP3 de chacun se trouvent dans les dossiers Musique personnels.

Exécuter Windows 7 la première fois

Si vous venez d'installer Windows 7 ou si vous allumez l'ordinateur pour la première fois, cliquez sur le bouton Démarrer puis cliquez sur Mise en route afin d'accéder à la fenêtre Bienvenue. Elle contient les options suivantes :

- **Se connecter en ligne pour découvrir les nouveautés de Windows 7 :** Commode pour ceux qui migrent de Windows XP ou Vista, ce bouton accède à une page Web vous informant des nouveautés de Windows 7.
- **Personnaliser Windows :** Cliquez sur ce bouton pour savoir comment utiliser une de vos photos en fond d'écran, modifier les couleurs de l'interface Windows ou régler le moniteur (voir Chapitre 11).
- **Transférer les fichiers et les paramètres d'un autre ordinateur :** Vous venez d'allumer votre nouveau PC ? Cette fonctionnalité fort utile copiera tous les fichiers et paramètres de votre ancien ordinateur et les installera dans le nouveau. Vous voilà dispensé d'une fastidieuse corvée, comme expliqué au Chapitre 19.
- **Utiliser un groupe résidentiel pour le partage avec d'autres ordinateurs de votre domicile :** Dans Windows 7, le nouveau groupe résidentiel offre une manière simple de partager des données entre les ordinateurs du foyer (voir Chapitre 14).
- **Choisir quand être averti des modifications apportées à votre ordinateur :** Les utilisateurs de Vista devraient cliquer sur ce bouton. Les options permettent de régler le comportement de Windows 7 lorsqu'une situation potentiellement à risque se manifeste, comme expliqué au Chapitre 10.
- **Se connecter en ligne pour télécharger Windows Live Essentials :** Surprise : Windows 7 ne comporte plus de logiciel de messagerie ! Ni d'ailleurs de calendrier, de logiciel de retouche et d'archivage photo, ou de montage de films. Pour obtenir tous ces programmes, vous devrez télécharger la suite Windows Live. Ou alors, ouvrez un compte de messagerie sur l'un des deux plus grands concurrents de Microsft dans ce domaine : Gmail (www.gmail.com) ou Yahoo! (`http://fr.yahoo.com`), comme cela est suggéré au Chapitre 9. La photo et la vidéo, elles, sont traitées au Chapitre 16.
- **Sauvegarder vos fichiers :** Tous vos fichiers peuvent être anéantis en un clin d'œil. C'est pourquoi il est nécessaire de les sauvegarder régulièrement.
- **Ajouter de nouveaux utilisateurs à votre ordinateur :** Si d'autres personnes doivent utiliser l'ordinateur, il est préférable qu'elles y disposent de leur propre espace personnel. Vous devrez pour cela créer un ou plusieurs comptes d'utilisateurs.
- **Modifier la taille du texte de votre écran :** Vos vieux yeux fatigués n'y voient plus très bien ? Vous pourrez agrandir le contenu de l'écran de moitié ou du double.

Pour obtenir des informations au sujet de ces fonctionnalités, cliquez une seule fois sur leur bouton. Ou double-cliquez pour accéder à leurs commandes.

Vous vous demandez sans doute s'il est possible de personnaliser l'image qui illustre chaque compte d'utilisateur, comme à la Figure 2.1. Après vous être connecté, cliquez sur le bouton Démarrer puis cliquez sur la petite image en haut à droite du menu. Cliquez ensuite sur le lien Modifier votre image, puis sur Rechercher d'autres images. Sélectionnez ensuite la photo à utiliser. Le recadrage d'une photo pour qu'elle soit carrée est expliqué au Chapitre 16.

Protéger la confidentialité de votre compte avec un mot de passe

Comme Windows 7 permet à plusieurs personnes d'utiliser le même ordinateur, comment empêcher William de lire les mots doux que Roméo envoie à Juliette ? Comment faire en sorte que Chloé n'efface pas la collection de bandes-annonces de *La Guerre des Étoiles* de Kevin en représailles de l'effacement par ce dernier de tous les épisodes des Bisounours de Chloé ? Pour éviter ces conflits, Windows 7 permet d'attribuer un mot de passe facultatif à chaque compte.

Saisir le mot de passe, comme à la Figure 2.2, permet à l'ordinateur de s'assurer que la personne qui veut se connecter est bien la bonne (pas l'aide-ménagère, mais la bonne personne, bien que l'aide-ménagère puisse aussi avoir un compte d'utilisateur). Ainsi, personne n'ira farfouiller indûment dans les fichiers d'autrui, exception faite de l'administrateur de l'ordinateur, qui bénéficie d'un accès total à tout l'ordinateur et peut même supprimer des comptes.

Figure 2.2 : Un mot de passe empêche d'aller voir vos fichiers.

Procédez comme suit pour définir ou modifier votre mot de passe :

1. **Cliquez sur le bouton Démarrer puis sur Panneau de configuration.**

2. **Dans le panneau de configuration, cliquez sur Comptes et protection utilisateurs, puis sur Modifier votre mot de passe Windows.**
   Si le contenu du Panneau de configuration est affiché sous forme d'icônes – une présentation à l'ancienne –, cliquez sur l'icône Comptes d'utilisateurs.

3. **Cliquez, soit sur Créer votre mot de passe, soit sur Changer votre mot de passe.**
   L'appellation exacte dépend de l'absence de mot de passe ou de l'existence d'un mot de passe.

4. **Saisissez un mot de passe facile à mémoriser par vous, mais difficile à deviner par autrui.**

Choisissez un mot de passe bref et simple, comme votre fleur préférée ou le genre de roman que vous affectionnez. Pour réduire les chances de le deviner, agrémentez-le d'un chiffre : **6roses** ou **eau2rose**.

5. **Si cela vous est demandé, retapez le même mot de passe dans le champ Confirmer le nouveau mot de passe, afin que Windows s'assure que vous n'avez pas commis de faute de frappe.**

6. **Saisissez un pense-bête qui vous mettra sur la voie – vous seulement – si vous avez oublié le mot de passe.**

7. **Cliquez sur le bouton Créer le mot de passe.**

8. **Dans le volet de gauche de l'écran de configuration du compte d'utilisateur, cliquez sur Créer un disque de réinitialisation de mot de passe.**
   Windows démarre un Assistant Mot de passe perdu permettant d'utiliser une clé USB, une carte mémoire ou une disquette pour réinitialiser le mot de passe (reportez-vous au Chapitre 17 pour savoir comment l'utiliser).

Dès lors qu'un mot de passe a été créé, Windows 7 vous le demandera chaque fois que vous voudrez utiliser l'ordinateur.

- Le mot de passe différentie les majuscules des minuscules. Pour Windows, *rose* et *Rose* sont deux mots différents.
- Vous avez oublié votre mot de passe ? Si le mot de passe que vous venez de saisir est erroné, Windows affiche l'indication qui vous mettra sur la voie. Voilà pourquoi cet indice ne doit avoir du sens que pour vous. En dernier recours, introduisez le disque de réinitialisation du mot passe, comme expliqué au Chapitre 17.

Nous reviendrons plus largement encore sur les comptes d'utilisateurs au Chapitre 13.

Faire que Windows ne demande plus de mot de passe

Windows ne demande votre nom et votre mot de passe que s'il a besoin de savoir qui va utiliser l'ordinateur. Le mot de passe est requis dans ces trois cas :

- L'ordinateur fait partie d'un réseau. Votre identité permet de savoir à quoi il peut accéder.
- Le propriétaire de l'ordinateur désire limiter ce qui peut être fait avec l'ordinateur.
- L'ordinateur est utilisé par plusieurs personnes qui ne doivent pas pouvoir se connecter sur un autre compte que le leur, ni modifier les fichiers et paramètres d'autrui.

Si aucun de ces cas ne vous concerne, supprimez la demande de mot de passe en effectuant les deux premières étapes de la section "Protéger la confidentialité de votre compte avec un mot de passe", mais en choisissant ensuite Supprimer le mot de passe.

Sans mot de passe, n'importe qui peut accéder à votre compte d'utilisateur et voir ou même supprimer des fichiers. Si vous travaillez dans un bureau, où conflits et revendication de pouvoir sont souvent endémiques, cela peut vous exposer à de sérieux ennuis. Si un mot de passe a été attribué, il vaut mieux l'utiliser.

Utiliser le Bureau

Un bureau est classiquement horizontal, ce qui évite de voir crayons et stylos rouler dessus, mais le *Bureau de Windows,* lui, est vertical. C'est sur ce Bureau que vous disposez tout votre travail. Vous pouvez y créer des fichiers et des dossiers puis les disposer sur l'écran.

Windows 7 s'ouvre la toute première fois sur un Bureau presque vide. Mais au fur et à mesure que vous travaillerez, il se remplira d'icônes : des petits boutons sur lesquels vous double-cliquez pour ouvrir un fichier. Certaines personnes couvrent leur Bureau d'icônes pour faciliter l'accès aux fichiers et aux programmes. D'autres, plus organisées, stockent les icônes dans des *dossiers,* comme expliqué au Chapitre 4.

Le Bureau contient quatre types d'éléments, ainsi que le montre la Figure 2.3.

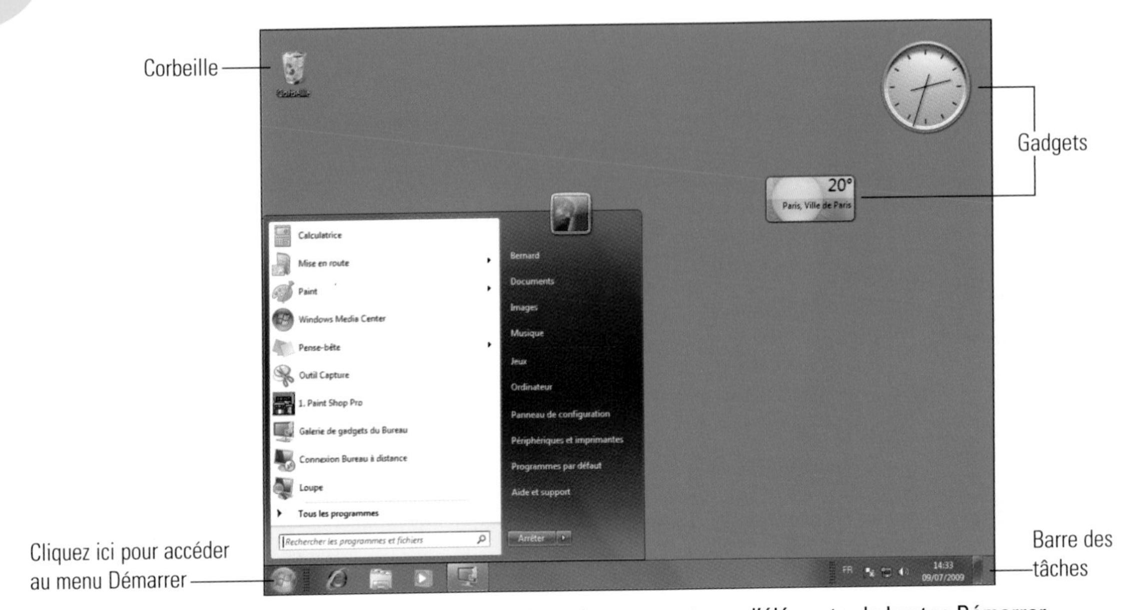

Figure 2.3 : Le Bureau de Windows 7 contient quatre types d'éléments : le bouton Démarrer, la barre des tâches, la Corbeille et les gadgets facultatifs.

- **Le menu Démarrer :** Placé en bas à gauche du Bureau, le menu Démarrer permet de choisir un programme ou d'accéder à des dossiers.
- **La barre des tâches :** S'étirant mollement au pied de l'écran, la barre des tâches contient les programmes, fichiers et dossiers actuellement ouverts. Immobilisez le pointeur de la souris pour voir s'afficher le nom de l'élément ainsi que, généralement, une miniature montrant son contenu.
- **La Corbeille :** Vous y déposez les éléments devenus obsolètes dont vous voulez vous débarrasser.

- **Les gadgets :** Ce sont des petits programmes collés sur le Bureau comme des magnets sur un réfrigérateur (ce sont les mêmes que ceux qui se trouvaient dans le Volet Windows de Vista). Ils affichent l'heure, la météo, un calendrier…

Ces quatre éléments du Bureau seront étudiés plus à fond tout au long de ce chapitre. Voici en attendant quelques conseils qui vous seront fort utiles :

- Un projet peut être démarré directement depuis le Bureau : cliquez du bouton droit sur le Bureau, choisissez Nouveau puis sélectionnez dans le menu contextuel ce que vous désirez faire : créer un dossier ou un raccourci ou accéder à un programme.

- Vous vous demandez à quoi sert tel ou tel élément ? Approchez doucement le pointeur – rassurez-vous, ça ne mord pas – et une petite info-bulle vous indiquera de quoi il s'agit. Cliquez dessus du bouton droit, et un menu encore plus fourni vous montrera tout ce que vous pouvez faire (NdT : le menu affiché par un clic du bouton droit est appelé « menu contextuel » car son contenu change selon l'élément).

- Toutes les icônes du Bureau peuvent subitement disparaître. C'est très certainement une carabistouille de Windows qui a cru bien faire en faisant le ménage. Pour récupérer toutes ces icônes, cliquez du bouton droit sur le Bureau et dans le menu, choisissez Affichage > Afficher les éléments du Bureau (assurez-vous que cette option est cochée).

Faire le ménage sur le Bureau

Quand les icônes s'accumulent sur le Bureau comme les moutons de poussière sous le lit, Windows 7 propose plusieurs moyens d'y mettre de l'ordre. Pour ranger les icônes, cliquez du bouton droit sur le Bureau et choisissez Trier par, puis l'une des options suivantes :

- **Nom :** Dispose toutes les icônes en colonnes, triées alphabétiquement.
- **Taille :** Dispose toutes les icônes par taille de fichier, en plaçant les moins volumineuses en haut des colonnes.
- **Type d'élément :** Aligne les icônes par types, comme par exemple tous les fichiers Word ensemble, tous les raccourcis Internet ensemble, *etc.*
- **Date de modification :** Les icônes sont triées selon la date où leur contenu a été modifié pour la dernière fois.

Cliquer du bouton droit sur le Bureau et choisir l'option Affichage permet de modifier la taille des icônes et aussi de sélectionner l'une de ces options d'organisation du Bureau :

- **Réorganiser automatiquement les icônes :** Dispose tout en colonnes bien régulières.

- **Aligner les icônes sur la grille :** Les icônes sont réparties aux intersections d'un quadrillage invisible, empêchant ainsi tout désordre, et ce n'est pas vous qui parviendrez à y semer la pagaille.
- **Afficher les éléments du Bureau :** Cette option doit toujours être active, car autrement, Windows cache tout ce qui trouve sur le Bureau.

La plupart des options sont aussi applicables aux dossiers. Vous y accéderez en cliquant sur l'icône ou le menu Affichage du dossier.

Agrémenter l'arrière-plan du Bureau

Vous pouvez agrémenter le Bureau avec de jolies images d'arrière-plan, appelées aussi *papier peint* (NdT : une appellation héritée des anciennes versions de Windows).

Si vous commencez à vous lasser des somptueux paysages livrés avec Windows, pourquoi ne pas utiliser une image de votre propre photothèque ? Voici comment :

1. **Cliquez du bouton droit sur le Bureau, choisissez Personnaliser, puis parmi les icônes en bas de la fenêtre, cliquez sur Arrière-plan du Bureau.**

2. **Cliquez sur n'importe laquelle des photos visibles à la Figure 2.4, et Windows l'affiche aussitôt sur le fond du Bureau.**
   La photo vous plaît ? Cliquez sur le bouton Enregistrer les modifications afin de la conserver sur le Bureau. Cliquez sur le menu Emplacement de l'image pour accéder à d'autres images. Ou alors, si vous n'avez pas trouvé votre bonheur, continuez à l'étape suivante.

3. **Cliquez sur le bouton Parcourir puis cliquez sur un fichier de votre dossier Images.**
   La plupart des gens stockent leurs photos dans le dossier nommé Images (parcourir les dossiers et les bibliothèques est expliqué au Chapitre 4).

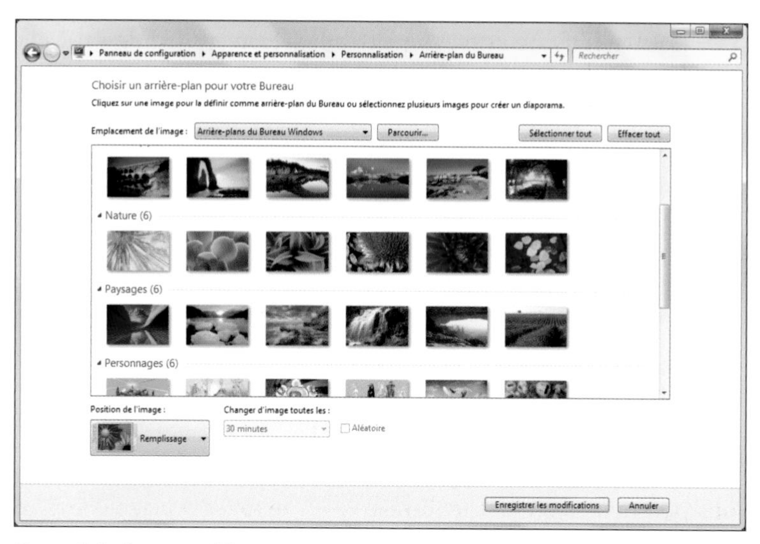

Figure 2.4 : Essayez différents arrière-plans en cliquant dessus. Cliquez sur le bouton Parcourir pour choisir des images dans d'autres dossiers et bibliothèques.

4. **Vous avez trouvé une belle photo ?**
   Quittez le programme, et la photo est utilisée comme arrière-plan.

Voici quelques conseils pour agrémenter votre Bureau :

- Quand vous choisissez une image d'arrière-plan, vous pouvez choisir, dans le menu Position de l'image, l'option Mosaïque pour la juxtaposer autant de fois que nécessaire pour recouvrir le Bureau, Centrer pour qu'elle se trouve au milieu du Bureau, ou Étirée pour qu'elle s'étire de manière à couvrir tout l'écran. Les nouvelles options Remplissage et Ajuster agrandissent les photos de petites dimensions – celles prises avec un téléphone mobile – pour les adapter aux bords de l'écran.
- Il est facile « d'emprunter » une photo sur Internet pour en faire un arrière-plan. Cliquez du bouton droit sur l'image et dans le menu contextuel, sélectionnez Choisir comme image d'arrière-plan (vous pouvez aussi cliquer du bouton droit sur l'une de vos photos dans le dossier Images et choisir Définir en tant que papier peint du Bureau).
- Si les icônes ne sont pas très visibles sur l'arrière-plan, appliquez une couleur uniforme : à l'Étape 2, précédemment, choisissez Couleurs unies dans la liste Emplacement de l'image. Sélectionnez ensuite la couleur que vous préférez.

- Pour modifier complètement l'apparence de Windows 7, cliquez du bouton droit sur le Bureau, choisissez Personnaliser, puis sélectionnez un thème. Chacun change l'aspect des panneaux, boutons et bordures. Cliquez sur un thème et voyez le résultat. Les thèmes sont expliqués au Chapitre 11. Si vous avez sélectionné un thème sur Internet, vérifiez-le avec votre logiciel antivirus (voir Chapitre 10).

Jetez-moi ça à la Corbeille

La Corbeille qui se trouve dans un coin du Bureau fonctionne comme une véritable corbeille à papiers : vous y déposez les documents dont vous n'avez plus besoin, mais vous pouvez en extraire ceux qui, finalement, ne devaient pas être jetés… sauf si quelqu'un a vidé la Corbeille entre-temps.

Un fichier ou un dossier peut être mis à la Corbeille de diverses manières :

- En cliquant dessus du bouton droit et en choisissant Supprimer, dans le menu contextuel. Windows prend la précaution de vous demander si vous voulez vraiment placer l'élément dans la Corbeille. Cliquez sur Oui et il disparaît aussitôt.
- Pour une suppression encore plus rapide, cliquez sur l'élément et appuyez sur la touche Suppr.
- NdT : Vous pouvez aussi cliquer sur l'élément puis, bouton de la souris enfoncé, le faire glisser jusque sur l'icône de la Corbeille. Mais dans ce cas, contrairement aux deux autres, Windows 7 ne demande pas confirmation.

Vous voulez récupérer un élément que vous avez jeté ? Double-cliquez sur la Corbeille et vous y trouverez tout ce que vous avez supprimé. Cliquez du bouton droit sur l'élément à récupérer et choisissez Restaurer. Windows le remet exactement à l'endroit où il était. Vous pouvez aussi cliquer sur un élément puis, bouton de la souris enfoncé, le tirer hors de la Corbeille et le déposer sur le Bureau ou dans un dossier de votre choix.

La Corbeille peut rapidement contenir quantité d'éléments. Si vous recherchez un fichier récent, triez le contenu chronologiquement, par date et heure. Pour ce faire, cliquez du bouton droit dans la Corbeille (mais pas sur un élément) et, dans le menu contextuel, choisissez Trier par > Date de suppression.

Pour supprimer définitivement un élément, supprimez-le à l'intérieur de la Corbeille : cliquez dessus et appuyez sur la touche Suppr. Pour supprimer tout le contenu de la Corbeille, cliquez dedans du bouton droit et choisissez Vider la Corbeille.

Pour supprimer des fichiers sans les faire transiter par la Corbeille, maintenez la touche Maj enfoncée et appuyez sur la touche Suppr. L'élément disparaît aussitôt une fois pour toutes. Cette astuce est commode pour se débarrasser d'un document sensible, comme un numéro de carte bancaire ou la lettre d'amour enflammée envoyée au responsable de la sécurité incendie.

- L'icône de la Corbeille est celle d'un panier vide ou celle d'un panier débordant de papiers, si le moindre fichier ou dossier y a été déposé.
- Pendant combien de temps les documents présents dans la Corbeille sont-ils conservés ? Sans limitation tant que le volume de la Corbeille n'a pas atteint 5% environ de la capacité du disque dur. Ensuite, les éléments excédentaires sont supprimés en commençant par les plus anciens. Si la place vient à manquer sur le disque dur, cliquez du bouton droit sur la Corbeille et choisissez Propriétés. Réduire la valeur du champ Taille personnalisée réduit la durée de conservation des documents les plus anciens. Augmenter ce chiffre l'allonge un peu.

- La Corbeille ne conserve que les éléments supprimés depuis un disque dur de l'ordinateur. Ceux qui sont supprimés depuis un CD, une carte mémoire, un lecteur MP3, une clé USB de faible capacité ou la mémoire interne d'un appareil photo disparaissent définitivement.
- Les éléments supprimés sur un ordinateur distant, relié au vôtre par un réseau, sont définitivement effacés sans transiter par une corbeille. La Corbeille n'accepte des éléments que de l'ordinateur où elle se trouve, jamais d'un autre. Pour des raisons évidentes de sécurité, la Corbeille de l'ordinateur distant ne reçoit pas l'élément effacé. Soyez très prudent sur un réseau.

Tout commence par le bouton Démarrer

Le beau bouton bleu Démarrer se trouve dans le coin inférieur gauche du Bureau, où il est disponible en permanence. Cliquer dessus permet de démarrer des programmes, de paramétrer Windows, de trouver de l'aide en cas de problème et, fort heureusement, d'éteindre l'ordinateur et retrouver une vraie vie.

Cliquez une seule fois sur le bouton Démarrer et une pile de menu surgit, comme le montre la Figure 2.5.

Figure 2.5 : Le menu Démarrer permet d'accéder à tous les programmes de l'ordinateur.

Le menu Démarrer change au fur et à mesure que vous installez des logiciels dans l'ordinateur. C'est pourquoi le menu Démarrer de quelqu'un d'autre sera probablement différent du vôtre.

- Les dossiers Documents, Images et Musique se trouvent à un clic de distance, dans le menu Démarrer. Ils ont été conçus en fonction de leur contenu. Par exemple, le menu Image affiche d'office des vignettes de vos photos numériques. Comme ces dossiers sont thématiques, ils facilitent le classement de vos fichiers et vous permettent de les retrouver plus facilement. L'organisation des fichiers est étudiée au Chapitre 4.
- Windows place systématiquement les programmes les plus utilisés dans le volet de gauche afin d'y accéder rapidement. Remarquez la petite flèche à droite de certains programmes, dans la Figure 2.5 : cliquez dessus déploie un volet contenant la liste des derniers fichiers utilisés avec ce programme.
- Remarquez aussi le bouton Tous les programmes, en bas à gauche du menu Démarrer. Cliquez dessus et vous accédez à tous les programmes – les logiciels, si vous préférez – installés dans l'ordinateur. Cliquez sur le bouton Précédent, qui vient de remplacer Tous les programmes, pour revenir à la première liste.

- Un élément vous intrigue dans la partie droite du menu Démarrer ? Immobilisez le pointeur de la souris dessus, et Windows affiche une info-bulle explicative.

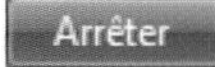

- Assez bizarrement, vous devez cliquer sur le bouton Démarrer pour arrêter l'ordinateur. Vous cliquez ensuite sur le menu Arrêter, comme expliqué à la fin de ce chapitre.

Les boutons du menu Démarrer

Le menu Démarrer est fort opportunément divisé en deux parties : l'une contenant des icônes, l'autre des mots. La partie gauche change constamment selon les programmes que vous utilisez. Les plus fréquemment utilisés se trouvent éventuellement en haut de la pile.

En revanche, la partie de droite est immuable. Chaque terme est en fait un bouton qui donne accès à un emplacement spécial de Windows :

Si les menus Démarrer vous plaisent, vous adorerez la section « Personnaliser le menu Démarrer », un peu plus loin, qui explique comment redisposer la totalité des options de ce panneau.

- **Votre nom :** Le nom du compte d'utilisateur est mentionné en haut à droite du menu Démarrer. Cliquez dessus pour accéder aux dossiers que vous utilisez le plus : Favoris, Liens, Ma musique, Mes documents, Mes images, Mes vidéos et Téléchargements.
- **Documents :** Cette commande montre aussitôt le contenu de la Bibliothèque Documents. C'est dire combien il est important d'enregistrer votre travail à cet endroit.
- **Images :** C'est là que se trouvent vos photos numériques et vos images. Chacune est présentée sous la forme d'une miniature. Vous ne les voyez pas ? Appuyez sur la touche Alt pour faire apparaître la barre de menus, puis cliquez sur Affichage > Grandes icônes.
- **Musique :** Placez vos morceaux ici afin que le Lecteur Windows Media puisse les trouver.

- **Jeux :** Bon nombre des jeux vidéo de Vista se retrouvent dans Windows 7. InkBall a cependant été abandonné tandis qu'Atout Pique ainsi que Backgammon sur Internet, qui permettent tous deux de jouer avec des concurrents du monde entier, ont été ajoutés.
- **Ordinateur :** Cette option affiche les unités de stockage de l'ordinateur, à savoir les dossiers, disques durs, lecteurs de CD, appareils photo numériques, clés USB, ordinateurs du réseau et autres emplacements d'éléments très utilisés.

- **Panneau de configuration :** La tripotée de liens qu'il contient permet de régler quantité de paramètres pour le moment ésotériques, comme vous le découvrirez au Chapitre 11.
- **Périphériques et imprimantes :** Vous trouverez ici les équipements – ou « périphériques », en jargon informatique – connectés à votre ordinateur. Ce sont essentiellement l'imprimante, la souris, le clavier et autres accessoires. Ceux signalés par un point d'exclamation jaune dans une icône ronde nécessitent un dépannage. Cliquez dessus du bouton droit et choisissez Résolution des problèmes.
- **Programmes par défaut :** Cliquez ici pour savoir quel programme est associé à tel ou tel fichier, et doit être démarré en double-cliquant sur le fichier en question. En informatique, ce qui est « par défaut » est ce que l'ordinateur prend l'initiative de choisir.
- **Aide et support :** Vous vous posez une question ? Cliquez sur ce bouton pour accéder à l'aide Windows, expliquée au Chapitre 20.
- **Arrêter :** Cliquez sur ce bouton pour éteindre votre PC. Ou alors, cliquez sur le petit bouton fléché, juste à sa droite, pour changer d'utilisateur, fermer la session, verrouiller l'ordinateur, le redémarrer ou le mettre en veille. Toutes ces options sont expliquées dans la dernière section de ce chapitre.

- **Rechercher les programmes et fichiers :** Placé juste au-dessus du bouton Démarrer, ce champ permet de localiser un fichier en saisissant tout ou partie de son nom ou d'un mot qui se trouve dans un fichier de texte, un courrier électronique, dans le titre d'un morceau, bref quasiment n'importe où. Appuyez sur Entrée et Windows 7, la truffe frétillante se lance sur la piste du fichier égaré. La recherche est décrite plus en détail au Chapitre 6.

Windows XP et Vista arboraient tous deux des icônes pour le navigateur Internet Explorer et la messagerie Outlook Express (XP) ou Windows Mail (Vista). Dans Windows 7, l'application de messagerie est passée à la trappe (Chapitre 9) tandis qu'Internet Explorer a été relégué dans la barre des tâches. Pour réintégrer Internet Explorer dans le menu Démarrer, cliquez sur le bouton Démarrer, choisissez Tous les programmes, cliquez du bouton droit sur l'icône Internet Explorer et choisissez Épingler au menu Démarrer.

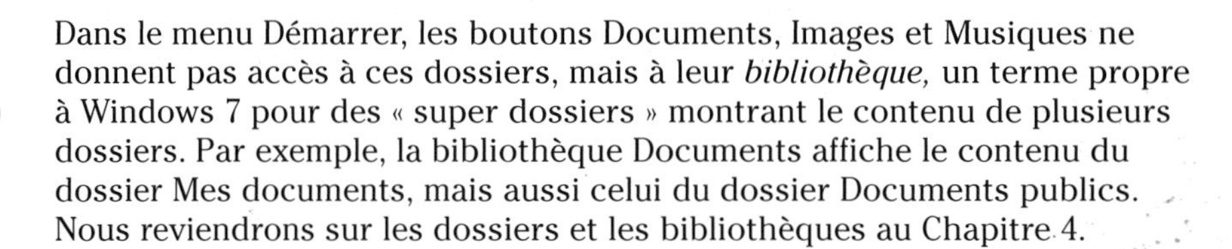

Dans le menu Démarrer, les boutons Documents, Images et Musiques ne donnent pas accès à ces dossiers, mais à leur *bibliothèque,* un terme propre à Windows 7 pour des « super dossiers » montrant le contenu de plusieurs dossiers. Par exemple, la bibliothèque Documents affiche le contenu du dossier Mes documents, mais aussi celui du dossier Documents publics. Nous reviendrons sur les dossiers et les bibliothèques au Chapitre 4.

Charger un programme depuis le menu Démarrer

C'est tout ce qu'il y a de plus facile : cliquez sur le bouton Démarrer. Le menu Démarrer apparaît. Si l'icône du programme s'y trouve, cliquez dessus et Windows charge le programme.

Mais si le programme ne s'y trouve pas, cliquez sur le bouton Tous les programmes, en bas du panneau. Un nouveau menu apparaît, contenant des noms de programmes et des dossiers contenant également des programmes. Vous avez trouvé votre programme ? Cliquez sur son nom et il s'ouvre à l'écran.

Comment ? Vous n'avez toujours pas trouvé le programme ? Cherchez-le dans les petits dossiers du menu Tous les programmes. Cliquez sur l'un d'eux pour déployer son contenu juste en dessous.

Quand vous aurez enfin trouvé le programme, cliquez sur son nom et vous pourrez l'utiliser.

- Si un programme n'est pas listé, saisissez son nom dans le champ Rechercher les programmes et fichiers. Tapez par exemple **Solitaire** et deux options apparaissent dans le menu Démarrer : Solitaire et Spider Solitaire. Cliquez sur celui auquel vous désirez jouer et il s'affichera aussitôt à l'écran.
- Vous ne trouvez toujours pas le programme ? Reportez-vous au Chapitre 6 pour savoir comment retrouver un élément perdu. Windows 7 est en effet capable de retrouver le programme.
- Il existe un autre moyen de démarrer un programme, si vous parvenez à retrouver un fichier qui a été créé ou modifié avec lui. Par exemple, si vous avez écrit quantité de lettres au percepteur avec Microsoft Word, double-cliquez sur l'une de ces missives hargneuses ou dégoulinante de lamentations et Word s'ouvrira immédiatement depuis sa tanière.
- Toujours pas de programme ? Plutôt que de faire appel à un radiesthésiste ou au Docteur Kissétou, au premier étage de l'immeuble près du métro Barbès, cliquez plutôt du bouton droit dans une partie vide du Bureau, choisissez Nouveau et sélectionnez le programme dans le menu déroulant.
- Si vous ne savez pas comment naviguer parmi les dossiers, reportez-vous au Chapitre 4. Vous apprendrez tout ce qu'il faut savoir pour être à l'aise avec les dossiers, et gagner ainsi beaucoup de temps quand vous recherchez un fichier.

Personnaliser le menu Démarrer

Comment procéder avec le menu Démarrer de Windows 7 quand vous voudrez trouver un élément qui ne s'y trouve pas, ou quand la présence d'un élément rarement utilisé vous semblera exaspérante ?

- **Pour ajouter l'icône d'un programme au menu Démarrer :** Cliquez du bouton droit sur l'icône du programme en question et, dans le menu contextuel, choisissez Épingler au menu Démarrer. Windows copie l'icône en haut de la colonne de gauche du menu Démarrer (de cet endroit, vous pouvez la faire glisser jusque dans la zone Tous les programmes, si vous le désirez).
- **Pour éliminer une icône indésirable dans la colonne de gauche du menu Démarrer :** cliquez dessus du bouton droit et, dans le menu contextuel choisissez, soit Détacher du menu Démarrer, soit Supprimer de cette liste. Notez qu'ôter une icône du menu Démarrer ne supprime le programme lui-même, mais seulement l'un des boutons qui pointent vers lui.

Quand vous installez un programme, comme décrit au Chapitre 11, son nom s'ajoute automatiquement au menu Démarrer. Le programme signale sa nouvelle présence par un fond de couleur, comme à la Figure 2.6.

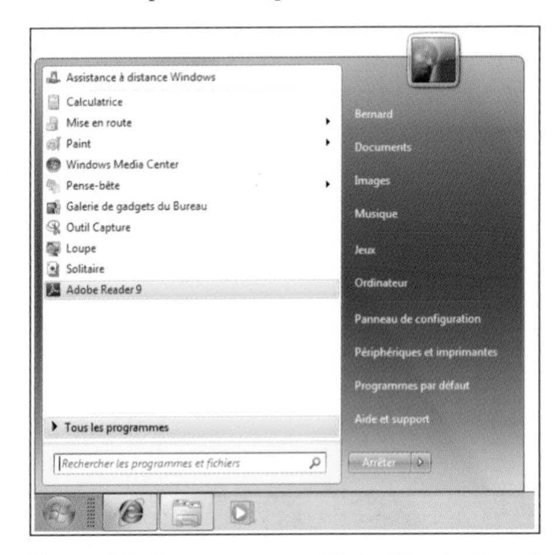

Figure 2.6 : Le programme Adobe Reader 9, qui vient d'être installé, signale sa présence toute nouvelle par un fond de couleur.

Le menu Démarrer peut être personnalisé en accédant à ses propriétés : cliquez du bouton droit dans le menu et choisissez Propriétés. Cliquez ensuite sur l'onglet Menu Démarrer puis sur le bouton Personnaliser. Cochez les options à afficher et décochez celles qui ne vous intéressent pas. Vous avez semé la pagaille ? Vous ne savez plus où vous en êtes ? Cliquez sur le bouton Paramètres par défaut, puis sur OK, puis de nouveau sur OK pour tout recommencer à partir de zéro.

Lancer un programme au démarrage de Windows

Beaucoup de gens s'installent devant leur ordinateur, le mettent en marche et répètent la sempiternelle procédure de démarrage de leur programme quotidien. Or, Windows 7 est capable d'automatiser cette tâche, grâce au dossier Démarrage niché dans le menu Tous les programmes. Quand Windows 7 se réveille, il commence par jeter un coup d'œil au dossier Démarrage. S'il y trouve un programme, il le démarre aussitôt.

Voici comment démarrer votre programme favori dès que vous allumez l'ordinateur :

1. **Cliquez sur le bouton Démarrer puis sur Tous les programmes.**
2. **Cliquez du bouton droit sur l'icône Démarrage et choisissez Ouvrir.**

   L'icône Démarrage s'ouvre sous la forme d'un classique dossier.
3. **Le bouton droit de la souris enfoncé, faites glisser n'importe lequel de votre programme ou fichier favori jusque dans le dossier Démarrage, relâchez le bouton de la souris et dans le menu, choisissez Créer les raccourcis ici.**

   Windows 7 place aussitôt un raccourci vers la source de l'élément que vous venez de déposer.
4. **Fermez le dossier Démarrage.**

Désormais, chaque fois que vous allumerez le PC et ouvrirez votre session, Windows 7 chargera automatiquement les programmes ou fichiers qui s'y trouvent.

Utiliser la barre des tâches

L'une des nouveautés les plus appréciables de Windows 7 est peut-être sa barre des tâches entièrement revue. Chaque fois que vous ouvrez plusieurs fenêtres sur le Bureau, elles ont tendance à se recouvrir les unes les autres, ce qui les rend parfois difficiles à localiser. Ce qui n'arrange rien est que des programmes comme Internet Explorer ou Microsoft Word peuvent ouvrir plusieurs fenêtres simultanément. Comment mettre un peu d'ordre dans ce déferlement ?

La solution réside dans la barre des tâches, une zone particulière qui conserve une trace de tous les programmes en cours et de leurs fenêtres.

Elle se trouve en bas de l'écran et contient une miniature de chaque élément qui est stocké, comme le révèle la Figure 2.7. Son contenu est constamment à jour, et elle sert aussi de réceptacle pour les programmes auxquels vous désirez accéder d'un seul clic.

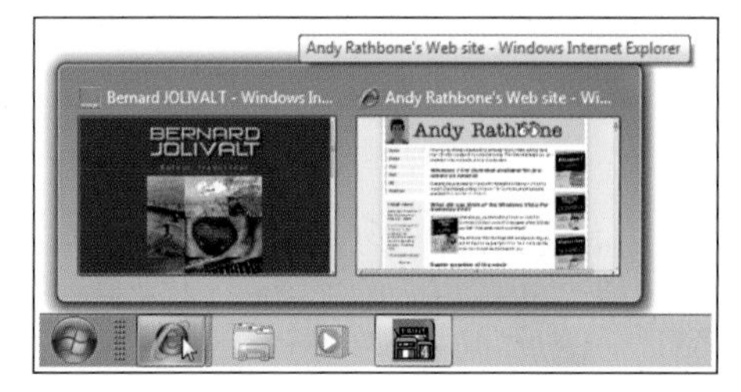

Figure 2.7 : Le programme Adobe Reader 9, qui vient d'être installé, signale sa présence nouvelle par un autre fond de couleur.

Immobilisez le pointeur de la souris au-dessus d'un programme dans la barre des tâches pour afficher son nom et/ou une miniature montrant son contenu, comme à la Figure 2.7 Dans cette illustration, Internet Explorer affiche la page d'accueil de deux sites Web.

À partir de la barre des tâches, vous pouvez exécuter toutes les actions qui suivent :

- Pour activer un programme présent dans la barre des tâches, cliquez sur son icône. Sa fenêtre s'ouvre aussitôt à l'écran, par-dessus les autres fenêtres, prête à être utilisée.
- Chaque fois que vous démarrez un programme, son nom apparaît dans la barre des tâches. Si vous ne retrouvez plus une fenêtre à l'écran, cliquez sur son nom dans la barre des tâches pour la faire apparaître par-dessus toutes les autres.
- Pour fermer une fenêtre dans la barre des tâches, cliquez du bouton droit sur son icône et dans le menu, choisissez Fermer la fenêtre. Le programme s'arrête comme si vous aviez cliqué la commande Quitter (le cas échéant, il propose d'enregistrer le ou les fichiers qui ne l'ont pas encore été).
- La barre des tâches se trouve habituellement en bas du Bureau, mais vous pouvez l'ancrer contre n'importe quel bord de l'écran. Il suffit de cliquer dessus puis tirer le pointeur de la souris jusqu'à un autre bord ; la barre se déplace en un clin d'œil. Si cela ne fonctionne pas, cliquez du bouton droit sur la barre et assurez-vous que l'option Verrouiller la barre des tâches n'est pas cochée.

- Si la barre a disparu en bas de l'écran, approchez le pointeur de la souris jusqu'à ce qu'elle refasse surface. Puis cliquez dessus du bouton droit, choisissez Propriétés et décochez la case Masquer automatiquement la Barre des tâches.

- La barre Lancement rapide – une petite zone réservée aux programmes préférés, dans les versions antérieures de Windows – a disparu de la nouvelle barre des tâches, car les programmes peuvent désormais être placés directement dessus : cliquez du bouton droit sur l'icône d'un programme et choisissez Épingler à la barre des tâches. L'icône reste alors en permanence dans la barre des tâches. Pour la supprimer, cliquez dessus du bouton droit et choisissez Détacher le programme de la barre des tâches.

Réduire des fenêtres dans la barre des tâches et les rouvrir

Les fenêtres engendrent des fenêtres. Vous commencez avec une seule pour écrire votre lettre à la Mère Noël dont le mari est ailleurs, et vous ouvrez une autre fenêtre pour trouver l'adresse de M. et Mme Noël, puis une autre pour savoir à combien il faut affranchir le pli… En un rien de temps, l'écran est encombré de plus de fenêtres qu'il y en a sur une tour de La Défense.

Pour éviter l'encombrement, Windows 7 permet de transformer chacune des grandes fenêtres en petite icône rangée dans la barre des tâches. Il suffit pour cela de cliquer sur le bouton Réduire.

Le bouton Réduire est un petit rectangle orné d'un trait, situé dans le coin supérieur droit de toute fenêtre. Il devient tout bleu lorsque le pointeur de la souris le survole. Cliquez et aussitôt la fenêtre se niche en bas de l'écran.

Pour qu'une fenêtre réduite dans la barre des tâches réapparaisse de nouveau à l'écran, il suffit de cliquer sur son icône. On ne fait pas plus simple.

- Pas moyen de trouver l'icône de la fenêtre à réduire ou à ouvrir dans la barre des tâches ? Chacun des boutons qui s'y trouvent arbore l'icône d'un programme. Immobilisez le pointeur de la souris dessus et Windows 7 affichera une miniature du programme, ou au moins son nom.
- Quand vous réduisez une fenêtre, vous ne perdez rien de son contenu et le programme n'est pas fermé. Quand vous rétablissez la fenêtre, elle apparaît exactement telle qu'elle était, avec le même contenu.

Passer d'une tâche à une autre avec les Jump Lists

La nouvelle barre des tâches améliorée de Windows 7 ne se contente pas de démarrer des programmes ou de passer d'une fenêtre à une autre. Elle permet aussi de passer à d'autres tâches, en cliquant du bouton droit sur une icône.

Comme le montre la Figure 2.8, cliquer du bouton droit sur l'icône d'Internet Explorer affiche une liste des sites récemment visités. Cliquez sur l'un d'eux pour y accéder immédiatement.

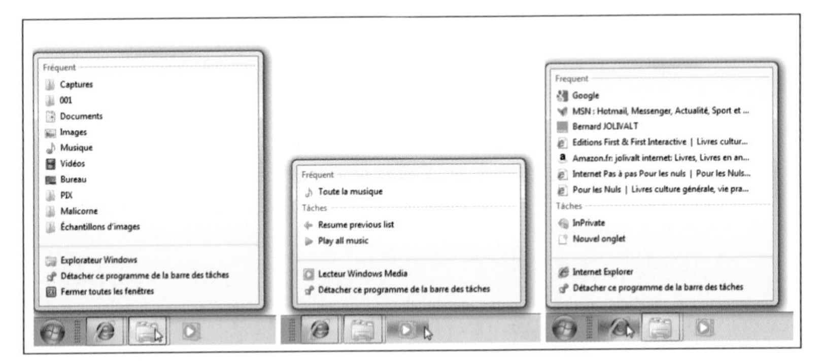

Figure 2.8 : De gauche à droite, les Jump Lists de Windows Explorer (dossiers récemment ouverts), du Lecteur Windows Media (morceaux récemment joués) et Internet Explorer (sites Web récemment visités).

Appelés Jump Lists, ces menus contextuels ajoutent une nouvelle fonctionnalité à la barre des tâches : la possibilité de passer rapidement d'une tâche à une autre, tout comme d'une fenêtre à une autre.

Dans les versions précédentes de Windows, le clic droit sur la barre des tâches déployait un austère menu n'offrant que trois options : Restaurer, Agrandir ou Fermer. Ce menu peut encore être affiché, s'il vous manque, en maintenant la touche Maj enfoncée pendant le clic du bouton droit.

Les zones sensibles de barre des tâches

À l'instar d'un bon joueur de cartes, la barre des tâches cache quelques trucs et astuces. Par exemple, nous examinerons ici les icônes regroupées dans la partie droite de la barre des tâches (voir Figure 2.9), appelée *zone de notification*. Différents éléments y apparaissent, selon le PC que vous possédez et les programmes qu'il contient.

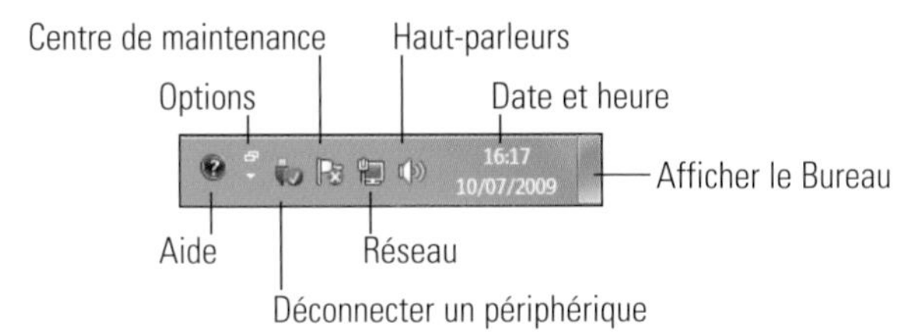

Figure 2.9 : La zone de notification, à droite dans la barre des tâches, contient les icônes des programmes tournant en tâche de fond.

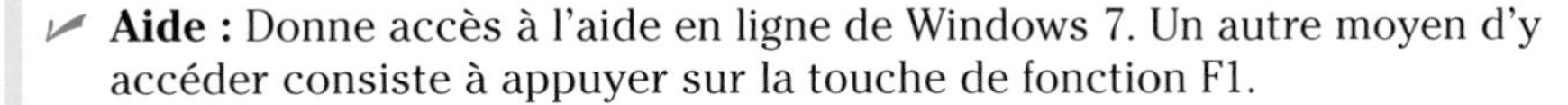

- **Aide :** Donne accès à l'aide en ligne de Windows 7. Un autre moyen d'y accéder consiste à appuyer sur la touche de fonction F1.

- **Options :** Donne accès aux options de configuration de la barre de notification.

- **Retirer le périphérique en toute sécurité :** Cliquez sur cette icône si vous insérez une clé USB dans l'ordinateur. Windows 7 s'assurera qu'aucune opération de lecture ou d'écriture n'est en cours, évitant ainsi un risque de perte de données.

- **Centre maintenance :** Contient des messages vous informant que Windows 7 doit procéder à des opérations de sécurité : rechercher un programme antivirus si vous n'en avez pas encore installé un, analyser l'ordinateur à la recherche de programmes malveillants, mettre Windows Defender à jour…

- **Réseau :** Si cette icône n'est pas barrée d'une croix rouge, elle indique à quel(s) réseau(x) vous êtes connecté et permet d'accéder au Centre Réseau et partage.

- **Haut-parleurs :** Cliquez sur cette icône pour régler le volume sonore des enceintes, comme le montre la Figure 2.10. Cliquer sur le mot Mélangeur ouvre une fenêtre permettant de régler séparément le volume pour chaque programme. Par exemple, vous réduirez le volume des affreux sons du système mais monterez celui du morceau que vous écoutez.

Figure 2.10 : Réglez le volume du son directement depuis Windows 7.

- **Date et heure :** Cliquer dessus affiche un calendrier et une horloge analogique. Vous pouvez régler l'heure et même ajouter deux autres horloges réglées sur d'autres fuseaux horaires. Ces paramètres temporels sont décrits au Chapitre 11.

- **Afficher le Bureau :** Cliquer sur cette petite zone rectangulaire, à l'extrême droite de la zone de notification, réduit d'un seul coup toutes les fenêtres ouvertes sur le Bureau, ou les rétablit. Mieux encore : immobiliser le pointeur dessus rend toutes les fenêtres transparentes ; seul leur contour reste visible.

D'autres icônes peuvent apparaître dans la zone de notification. Immobilisez le pointeur de la souris dessus pour savoir à quoi elles correspondent, et/ou cliquez dessus du bouton droit pour accéder à leurs diverses options.

Personnaliser la barre des tâches

Windows 7 apporte une kyrielle d'options permettant de façonner la barre des tâches à votre goût.

Par défaut, la barre des tâches contient trois icônes situées près du bouton Démarrer : Internet Explorer pour naviguer sur le Web, Windows Explorer pour parcourir vos dossiers et le Lecteur Windows Media pour – entre autres – écouter de la musique ou visionner des vidéos. Comme tout ce qui se trouve dans la barre des tâches, elles sont repositionnables. N'hésitez pas à les redisposer dans l'ordre que vous voulez.

Pour ajouter d'autres programmes à la barre des tâches, tirez leur icône sur la barre et déposez-la. Ou alors, si vous avez remarqué une icône d'un programme que vous aimez bien, dans le menu Démarrer, cliquez dessus du bouton droit et dans le menu contextuel, choisissez Épingler à la barre des tâches.

Pour une personnalisation encore plus poussée, cliquez du bouton droit dans une partie vide de la barre des tâches et choisissez Propriétés. Cette action a pour effet de faire apparaître la fenêtre Propriétés de la barre des tâches et du menu Démarrer (Figure 2.11).

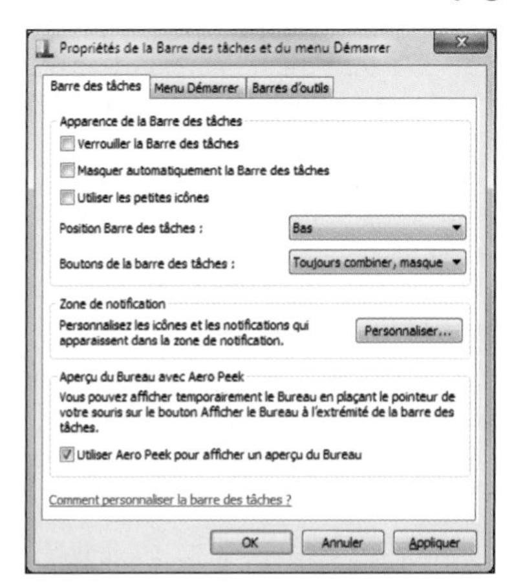

Figure 2.11 : Ce panneau permet notamment de personnaliser la barre des tâches.

Le Tableau 2.1 explique les options de la fenêtre, avec en prime quelques recommandations. Notez que la case Verrouiller la Barre des tâches doit être décochée pour que certaines options fonctionnent.

Tableau 2.1 : Personnaliser la barre des tâches.

Paramètres	*Recommandations*
Verrouiller la Barre des tâches	Lorsque cette case est cochée, la barre des tâches reste en place et son apparence n'est pas modifiable. Il n'est par exemple pas possible de tirer son bord supérieur vers le haut pour l'élargir.
Masquer automatiquement la Barre des tâches	Lorsque cette option est sélectionnée, la barre des tâches disparaît en bas de l'écran lorsque le curseur n'est pas à proximité. Rapprochez-le pour la voir réapparaître. Personnellement, je ne coche pas cette case car je préfère voir la barre des tâches en permanence.
Utiliser les petites icônes	La barre devient plus mince. Les icônes étant plus petites – presque moitié moins que leur taille habituelle – la barre des tâches peut en montrer davantage.
Position Barre des tâches	La barre des tâches peut être ancrée à n'importe quel bord de l'écran. Choisissez ici un autre emplacement, si vous le désirez.
Boutons de la barre des tâches	Quand vous ouvrez quantité de fenêtres et de programmes, Windows regroupe les icônes par affinité. Par exemple, toutes les fenêtres de texte seront regroupées dans une seule icône Word. Choisissez l'option Toujours combiner, masquer les étiquettes. Vous éviterez ainsi d'encombrer la barre des tâches.
Zone de notification	Le bouton Personnaliser permet de sélectionner les icônes qui doivent apparaître dans la zone de notification. Dans le panneau qui apparaît, je coche la case Toujours afficher toutes les icônes et les notifications sur la barre des tâches.
Utiliser Aero Peek pour afficher un aperçu du Bureau	Normalement, immobiliser le pointeur sur le petit rectangle à l'extrême droite de la barre des tâches rend les fenêtres transparentes. Décocher cette case désactive cet effet.

Ne vous privez pas d'essayer toutes ces options jusqu'à ce que la barre des tâches vous plaise. Après avoir changé une option, vous pouvez la tester immédiatement en cliquant sur le bouton Appliquer. L'effet ne vous satisfait pas ? Corrigez puis cliquez sur Appliquer pour revenir à la normale.

Après avoir configuré la barre des tâches à votre goût, cochez la case Verrouiller la Barre des tâches.

Les barres d'outils de la barre des tâches

La barre des tâches pourra parfois se montrer rétive. Microsoft permet en effet de la personnaliser considérablement, parfois même au point de la rendre méconnaissable. Certains utilisateurs apprécient de pouvoir ajouter des barres d'outils, qui ajoutent des boutons et des menus supplémentaires à la barre des tâches. Mais d'autres ne parviennent plus à la débarrasser de ces satanés ajouts.

Pour afficher ou masquer une barre d'outils, cliquez du bouton droit sur une partie vide de la barre des tâches – y compris sur l'horloge – et choisissez Barres d'outils puis l'une de ces cinq options dans le menu :

- **Adresse :** Cette barre d'outils insère dans la barre des tâches un champ de saisie pour des adresses Web. C'est pratique, mais vous en ferez autant à partir d'Internet Explorer.
- **Liens :** Fournit un accès rapide à vos sites Web préférés. Elle contient les favoris créés avec Internet Explorer.
- **Panneau de saisie Tablet PC :** Destiné uniquement aux possesseurs d'un mini ordinateur de type Tablet PC, il transforme l'écriture manuscrite en caractères typographiques. Il n'est utile que si cet appareil est connecté à l'ordinateur.
- **Bureau :** Ceux trouvent le menu Démarrer pesant placent cette barre d'outil dans la barre des tâches car elle offre un accès direct à tous les éléments comme Ordinateur, Réseau, Panneau de configuration, Corbeille, ainsi qu'aux bibliothèques et aux dossiers.
- **Nouvelle barre d'outils :** Cliquez ici pour ajouter une barre d'outils dans laquelle vous placerez les dossiers auxquels vous désirez accéder rapidement.

Les barres d'outils font partie des éléments que l'on adore ou que l'on déteste. Certaines personnes estiment qu'elles font gagner du temps alors que d'autres les trouvent plutôt encombrantes.

La longueur des barres d'outils est réglable avec la souris à condition que la barre des tâches ne soit pas verrouillée. Cliquez sur la petite partie bosselée, à gauche de la barre et tirez-la vers la gauche ou vers la droite.

Quels sont les programmes actuellement en cours ?

Dans les versions précédentes de Windows, les icônes des programmes disponibles se trouvaient à gauche de la barre des tâches, dans la barre Lancement rapide, tandis que les programmes en cours se trouvaient plutôt à droite, et leur icône était la même, que le programme soit affiché à l'écran ou réduit dans la barre des tâches.

Dans la barre des tâches de Windows 7, icônes des programmes en attente et icônes des programmes en cours d'utilisation se mélangent allègrement. Comment les différencier ? L'icône d'un programme en cours est affichée sur un bouton clair à contour noir, que n'a pas l'icône d'un programme en attente.

Vous ne serez pas long à faire intuitivement la différence. Vous pouvez aussi savoir quels sont les programmes ouverts en appuyant sur la touche Windows (entre les touches Alt et Ctrl) et en appuyant à plusieurs reprises sur la touche Tab pour les faire défiler en 3D.

Des gadgets qui n'en sont pas

Les utilisateurs de Windows Vista connaissent le volet Windows, ce bandeau le long du bord droit de l'écran dans lequel il était possible de placer des mini programmes appelés « gadgets » : horloge, météo, calendrier, actualités, cours de la Bourse, *etc.*

Dans Windows 7, le volet Windows n'existe plus, mais les gadgets sont restés et surtout, ils peuvent désormais être disposés n'importe où. Pour en ajouter un sur le Bureau, cliquez du bouton droit sur une partie vide du Bureau et choisissez Gadgets. La fenêtre de la Figure 2.12 apparaît, avec sa collection de gadgets : Actions (en fait, les cours de la Bourse), Calendrier, Compteur processeur (deux cadrans indiquant l'usage du processeur et de la mémoire vive, en pourcentage), et d'autres encore.

Figure 2.12 : Choisissez ici les gadgets, des mini programmes que vous laisserez en permanence sur votre Bureau.

Faites glisser un gadget de la fenêtre sur le Bureau. Celui qui vous intéresserait n'est pas affiché ? Cliquez sur le bouton Télécharger d'autres gadgets et vous accéderez à un site Web proposant des centaines de gadgets gratuits. Parmi ceux qui valent la peine d'être installés : Sytadin, qui montre en temps réel l'état du trafic routier autour de Paris et Trafic en France, qui montre le trafic dans tout le pays, ou les flux RSS de nombreux journaux et magazines. D'autres, comme le sourimètre indiquant la longueur parcourue par la souris, sont de véritables gadgets. Les gadgets doivent être téléchargés et installés comme n'importe quel programme (l'installation des programmes est expliquée au Chapitre 11).

- Placez les gadgets où vous voulez sur l'écran. Ou n'en utilisez aucun, car ils ne sont pas obligatoires.
- Pour modifier un gadget – choisir un autre modèle d'horloge, un autre dossier de photos pour le Diaporama... –, amenez le pointeur jusque sur le gadget, puis cliquez sur la petite clé à molette qui apparaît en haut à droite.
- Certains gadgets peuvent être agrandis (Compteur processeur, Titres des flux, Diaporama...), ou afficher des données supplémentaires (Calendrier, Météo...). Amenez le pointeur jusque sur le gadget, puis cliquez sur la petite flèche en haut à droite.
- Pour ôter un gadget du Bureau, amenez le pointeur jusque sur le gadget, puis cliquez sur la croix blanche, en haut à droite.

Fermer Windows

La plus plaisante de toutes les choses que l'on peut faire avec Windows 7, c'est l'éteindre quand on en a plus besoin. Vous cliquez pour cela sur le bouton Démarrer – eh oui... – ou, si la barre des tâches est masquée, appuyez sur les touches Ctrl + Echap, et cliquez sur le bouton Arrêter.

Arrêter

Cliquez sur le bouton Arrêter si plus personne ne compte utiliser l'ordinateur. Windows 7 enregistre tout et éteint la machine.

Si vous n'avez pas l'intention d'éteindre l'ordinateur, le petit bouton fléché à droite du bouton Arrêter propose les actions suivantes :

- **Changer d'utilisateur :** Choisissez cette option si quelqu'un d'autre compte emprunter l'ordinateur pendant quelques minutes. L'écran d'accueil réapparaît, mais vos programmes ouverts sont conservés en coulisse. Quand vous reprendrez l'ordinateur, vous retrouverez tout comme vous l'aviez laissé.
- **Fermer la session :** Si vous avez fini votre travail et que quelqu'un veut utiliser l'ordinateur, cette option demande à Windows d'enregistrer vos fichiers et vos paramètres. L'écran d'accueil est réaffiché, prêt à ouvrir une session pour un autre utilisateur.
- **Verrouiller :** Choisissez cette option lorsque vous abandonnez le PC pour peu de temps (pause café à la photocopieuse...). L'image de votre compte d'utilisateur est affichée, avec le champ de saisie du mot de passe. Personne ne profitera ainsi de votre absence pour intervenir dans votre travail en cours ou examiner vos fichiers. Après avoir rentré le mot de passe, vous retrouvez le Bureau comme avant.
- **Redémarrer :** Choisissez cette option si Windows 7 fait des siennes : blocage d'un programme, lenteur anormale... L'ordinateur est réinitialisé et Windows redémarre. L'installation de certains programmes exige un redémarrage de l'ordinateur
- **Mettre en veille prolongée :** Cette option enregistre votre travail dans la mémoire vive du PC et aussi sur le disque dur, puis il plonge le PC dans une profonde léthargie, en mode d'économie, où il fonctionne au ralenti. Quand vous appuyez sur une touche, Windows 7 réaffiche aussitôt le Bureau, les programmes et Windows comme si rien ne s'était passé. Sur un ordinateur portable, la mise en veille prolongée n'enregistre le travail que dans la mémoire. Si la charge de la batterie baisse dangereusement, Windows recopie le contenu de la mémoire sur le disque dur et éteint l'ordinateur.

- **Mettre en veille :** Présente sur quelques portables, cette option copie le travail en cours sur le disque dur puis elle éteint le PC. Ce processus est plus gourmand en énergie que le mode Mettre en veille prolongée. Il est aussi plus lent à réafficher votre travail tel qu'il était au moment de la mise en veille.

Quand vous indiquez à Windows 7 que vous allez quitter, il vérifie dans chaque fenêtre ouverte si le contenu a été enregistré. S'il trouve un fichier non enregistré, il vous propose de le faire en cliquant sur OK. Pas de risque, donc, de perdre un travail en cours.

Vous n'êtes pas obligé d'éteindre l'ordinateur. D'après des spécialistes, ne pas l'éteindre serait même meilleur pour sa longévité. Mais d'autres maintiennent qu'il se portera mieux si on l'éteint chaque soir. Et bien sûr, des spécialistes conciliants affirment que la mise en veille prolongée prend le meilleur de ces deux attitudes. En revanche, tout le monde est d'accord sur le fait qu'il est préférable d'éteindre l'écran, ce qui lui permet de refroidir de temps en temps.

N'éteignez jamais le PC sauvagement, avec le bouton marche/arrêt ou en ôtant la prise. Éteignez-le toujours dans les règles, en choisissant l'une des options de veille ou de redémarrage, ou en cliquant sur l'icône Arrêter. Autrement, Windows ne pourrait pas préparer correctement l'ordinateur pour la prochaine utilisation, ce qui pourrait provoquer des dysfonctionnements.

Chapitre 3

Les rouages de Windows

Dans ce chapitre

- Les différents éléments de Windows
- Boutons, barres et ascenseurs
- Trouver et utiliser les menus
- Les nouveaux volets de navigation et de visualisation
- Parcourir un document dans une fenêtre
- Remplir des champs
- Déplacer des fenêtres et modifier leur taille

Ce chapitre s'adresse à ceux qui aiment bien décortiquer le fonctionnement de ce qu'ils utilisent. Vous apprendrez ici ce qui se passe derrière tous les boutons, fenêtres, barres et bordures de Windows 7 et ce qui se produit lorsque vous cliquez dessus.

Dans ce chapitre un peu rébarbatif, une fenêtre ordinaire – celle du dossier Documents, souvent utilisée – est placée sur la table de dissection. Chaque partie mise à part est minutieusement expliquée. Vous découvrirez le fonctionnement de chacune d'elles et apprendrez les procédures requises pour les exploiter.

Un pense-bête, à la fin du chapitre, reprend chaque bouton, boîte, fenêtre, barre, liste et autres éléments que vous serez susceptible de rencontrer lorsque vous utiliserez Windows au quotidien.

Dissection d'une fenêtre typique

La Figure 3.1 place une fenêtre typique sur la table de dissection. Il s'agit de celle du dossier Documents – le lieu de stockage de la majeure partie de votre travail –, dont tous les éléments sont étiquetés.

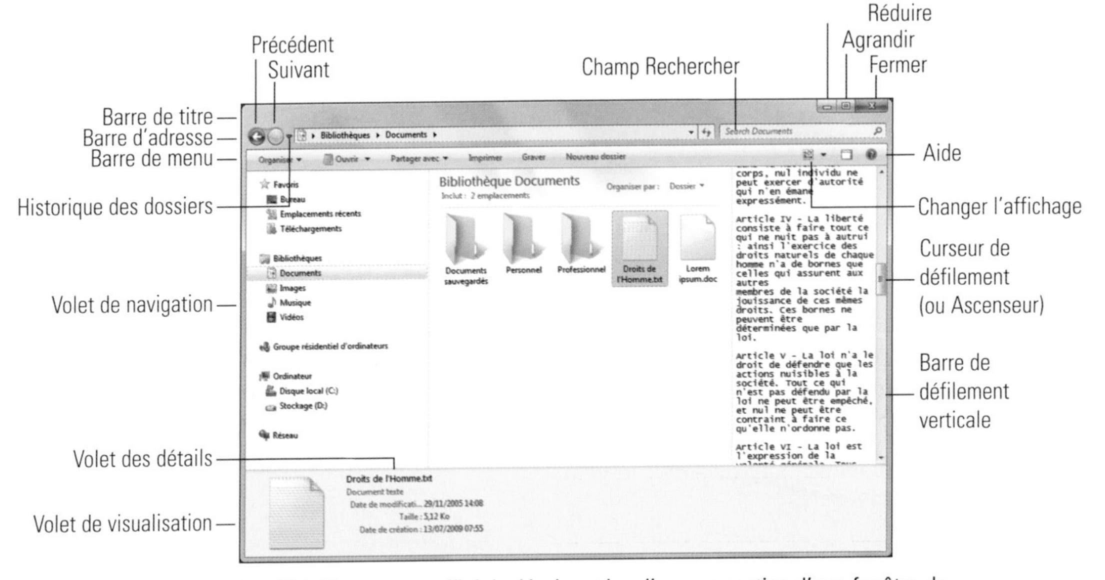

Figure 3.1 : Voici les termes officiels décrivant les diverses parties d'une fenêtre de Windows.

De même qu'un boxeur grimace différemment selon l'endroit où il a été frappé, les fenêtres se comportent différemment selon l'endroit où vous cliquez. Les prochaines sections décrivent les principales parties du dossier Documents – celui de la Figure 3.1 –, comment et où cliquer, et comment Windows réagit en conséquence.

- Les anciens de Windows XP se souviennent du dossier Mes documents, où se planquaient tous les fichiers. Windows Vista avait éliminé le mot « Mes » afin de ne proposer que « Documents », mais Windows 7 a rétabli « Mes documents ». Finalement, peu importe le nom du moment que vous savez que c'est dans ce dossier que vous devez fourrer vos documents.

- Dans Windows 7, le dossier Mes documents se trouve dans la *bibliothèque* Documents. Comme vous l'explique le Chapitre 4, une bibliothèque est un nouveau type de super dossier. Elle contient à la fois le dossier Mes documents et le dossier Mes documents publics. Tous les utilisateurs du PC voient le même dossier Documents publics, ce qui en fait un emplacement de choix pour le partage des fichiers.

- Windows 7 regorge de petits boutons, bordures et boîtes bizarroïdes. Il est inutile de retenir leurs noms, bien que cela puisse s'avérer utile lorsque vous aurez recours aux menus d'Aide. En cas de doute, reportez-vous à la Figure 3.1 et lisez les explications
- Vous pouvez interagir avec la plupart de ces éléments en cliquant, en double-cliquant ou en cliquant du bouton droit (dans le doute, essayez toujours le clic droit).
- Après avoir cliqué de-ci, de-là, vous vous rendrez compte combien il est facile d'obtenir les actions désirées. Le plus ardu est de trouver la bonne commande la première fois (un peu comme les nouveaux boutons sur un téléphone mobile).

La barre de titre d'une fenêtre

Située en haut de presque chaque fenêtre, la barre de titre mentionne le nom du programme et celui du fichier en cours. La Figure 3.2 montre celles de deux traitements de texte : WordPad (en haut) et le Bloc-notes (en bas). Dans les deux cas, les fichiers n'ont pas encore été enregistrés, d'où leur nom respectif Sans-titre et Document.

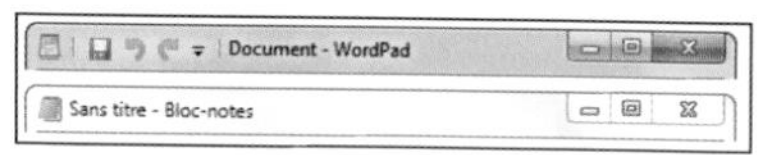

Figure 3.2 : La barre de titre de WordPad (en haut) et du Bloc-notes (en bas).

En dépit de son aspect anodin, la barre de titre contient bon nombre de fonctionnalités intéressantes :

- La barre de titre permet de déplacer une fenêtre sur le Bureau. Cliquez sur une partie vide de la barre de titre puis, bouton de la souris enfoncé, tirez-la. La fenêtre suit le mouvement de la souris. Relâchez le bouton pour la déposer.
- Double-cliquez dans une partie vide de la barre de titre, et la fenêtre emplit tout l'écran. Double-cliquez de nouveau dessus, et elle reprend ses dimensions d'origine.

- Remarquez les petites icônes à gauche, dans la barre de titre de WordPad. Elles forment la barre d'outils Accès rapide et appartiennent à ce que Microsoft appelle *l'interface Ruban*. Elle vous gêne à cet emplacement ? Cliquez du bouton droit sur l'une des icônes et choisissez Afficher la barre d'outils Accès rapide au-dessous du ruban.

- Dans Windows XP, chaque barre de titre affichait le nom du dossier ouvert. Mais ce n'est pas le cas dans Windows Vista et dans Windows 7, où la barre ne mentionne plus rien (reportez-vous à la Figure 3.1). Mais cela n'empêche pas la barre de titre de fonctionner comme d'habitude. Vous pouvez la repositionner exactement comme dans Windows XP.
- Trois boutons rectangulaires se trouvent à droite, dans la barre de titre. Ce sont, de gauche à droite, les boutons Réduire, Agrandir et Fermer. Nous y reviendrons à la section « Déplacer les fenêtres sur le Bureau », un peu plus loin dans ce chapitre.

- Parmi plusieurs fenêtres, celle sur laquelle vous travaillez actuellement est reconnaissable à sa bordure colorée et au bouton Fermer rouge, en haut à droite (reportez-vous à la Figure 3.2, en haut) tandis que les bordures et boutons des autres sont incolores (Figure 3.2, en bas). Sachant cela, vous pouvez identifier d'un coup d'œil la fenêtre dans laquelle vous travaillez actuellement (contrairement à Vista, Windows 7 assombrit la totalité de la barre de titre).

Glisser-déposer et démarrer

Le glisser-déposer est une action aussi vieille que Windows, qui sert à déplacer ou repositionner un élément, une icône par exemple.

Pour *faire glisser* – on dit aussi *tirer* –, placez le pointeur de la souris sur l'élément, enfoncez le bouton gauche ou droit (personnellement, je préfère le bouton droit) puis déplacez la souris. L'icône se déplace corrélativement à l'écran. Parvenue à destination, relâchez le bouton et l'icône est *déposée*.

Exécuter un glisser-déposer avec le bouton droit affiche un petit menu contextuel vous demandant, après avoir déposé l'icône, si vous désirez la Copier ici ou la Déplacer ici.

Une petite astuce : vous avez déplacé quelque chose et vous vous rendez compte, au cours de l'opération, que vous vous êtes trompé d'élément ? Ne relâchez pas le bouton de la souris mais appuyez sur la touche Echap pour annuler l'action. Vous avez déjà déposé l'élément ? Si le menu est encore affiché, choisissez Annuler.

Naviguer parmi les dossiers avec la barre d'adresse de la fenêtre

Juste sous la barre de titre se trouve la *barre d'adresse* (voir Figure 3.3). Elle semblera familière à ceux qui connaissent déjà Internet Explorer, car elle rappelle furieusement à la barre d'adresse du navigateur Web. Elle se trouve en haut de la fenêtre de n'importe quel dossier.

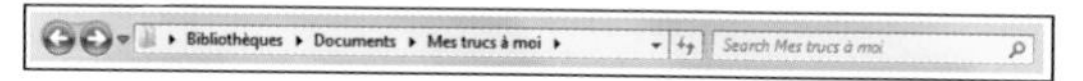

Figure 3.3 : Une barre d'adresse.

Les trois parties principales de la barre d'adresse – de gauche à droite dans les paragraphes qui suivent – ont chacune une fonction bien définie :

- **Bouton Précédent et Suivant :** Ces deux boutons mémorisent votre itinéraire parmi les dossiers du PC. Le bouton Précédent vous ramène au dossier que vous venez de visiter (en amont). Le bouton Suivant vous ramène au dernier dossier (en aval). Cliquez sur la minuscule flèche à droite des deux boutons pour accéder à une liste des emplacements que vous avez visités. Cliquez sur l'un d'eux pour y accéder aussitôt.
- **Barre d'adresse :** Elle contient l'adresse du dossier actuellement ouvert. Cette adresse correspond plus exactement au *chemin* dans le disque dur : par exemple, à la Figure 3.3, l'adresse est *Bibliothèques, Documents, Mes trucs à moi.* Elle indique que vous vous trouvez dans le dossier Mes trucs à moi, qui se trouve dans le dossier Documents, lequel se trouve dans le dossier Bibliothèques de votre compte d'utilisateur. Eh oui, ces histoires de dossiers sont suffisamment compliquées pour qu'un chapitre entier – le prochain – leur soit consacré.
- **Le champ Rechercher :** Toutes les fenêtres de Windows 7 sont dotées d'un champ Rechercher, capable d'explorer le dossier et ses sous-dossiers à la recherche d'une donnée ou d'une information. Par exemple, si vous recherchez le mot **carotte**, Windows montrera tous les fichiers contenant ce mot.

Remarquez, dans la barre d'adresse, les petits triangles noirs entre les mots Bibliothèques, Documents et Mes trucs à moi. Cliquer dessus affiche un menu de tous les autres dossiers se trouvant à ce niveau. C'est un moyen commode d'accéder à d'autres dossiers.

Trouver la barre de menus cachée

Windows 7 contient autant de menus que la carte d'un restaurant chinois. Mais pour ne pas encombrer l'écran, il les cache dans la *barre de menus* illustrée à la Figure 3.4

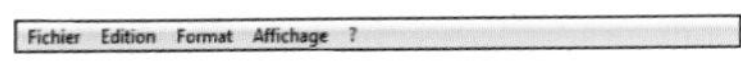

Figure 3.4 : La barre de menus.

Chaque mot de la barre de menus contient une entrée spécifique correspondant à un menu. Cliquez sur Édition, par exemple, et le menu approprié se déploie, comme à la Figure 3.5, qui présente les options d'édition d'un fichier.

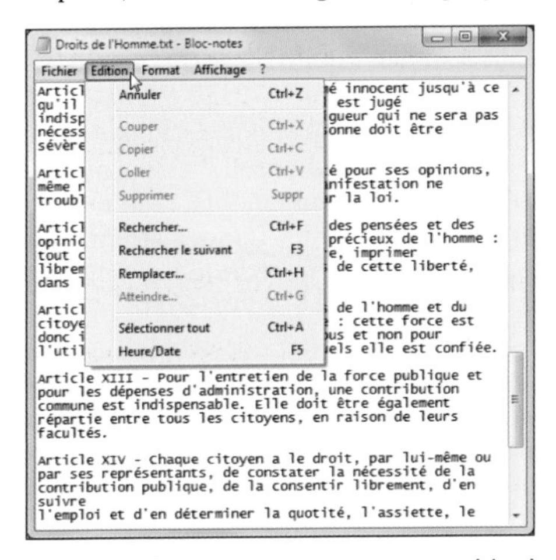

Figure 3.5 : Cliquez sur un menu pour accéder à ses commandes.

Quand une commande n'est pas exécutable (parce que les conditions requises ne sont pas réunies), elle apparaît en grisé sur le menu, comme Couper, Copier, Coller, Supprimer et Atteindre, à la Figure 3.5.

Si vous avez cliqué par mégarde sur une entrée erronée, dans la barre de menus, déployant ainsi des commandes dont vous n'avez pas besoin, faites simplement glisser le pointeur de la souris jusqu'à l'entrée correcte. Windows rétracte le menu que vous quittez et déploie le suivant.

Pour mettre fin à cette exploration des menus, cliquez dans l'*espace de travail* de la fenêtre.

Où est passée la barre de menus ?

Si vous migrez de Windows XP, vous aurez sans doute remarqué qu'un élément fait défaut en haut de vos dossiers : la barre comportant les familiers termes Fichier, Édition, Affichage et autres menus a disparu. Microsoft les a placés hors de vue dans Vista, et en a fait autant pour Windows 7. Pour afficher la barre de menus, appuyez sur la touche Alt, et elle réapparaîtra dans la plupart des programmes.

Par commodité pour les amateurs de raccourcis clavier, Windows 7 souligne le caractère d'un raccourci pendant que la touche Alt est enfoncée. C'est ainsi que Alt + F déploie le menu Fichier et Alt + O le menu Format. Dans la foulée, Alt + F + Q fait quitter l'application tandis que dans un dossier Alt + F + F + F (fichier, modifier, fermer) ferme la fenêtre.

Pour afficher la barre de menus en permanence, choisissez Organiser > Disposition > Barre de menus.

Choisir le bon bouton pour la bonne tâche

Les vieux de la vieille – les anciens d'XP, si vous préférez – se souviennent du *volet d'exploration,* un bien utile panneau affiché à gauche d'un dossier, qui contenait de fort commodes commandes pour les tâches les plus communes. Dans Windows 7, ce volet a été remplacé par un ensemble de boutons réunis sur une *barre de commandes.* La Figure 3.6 montre celle de la bibliothèque Documents.

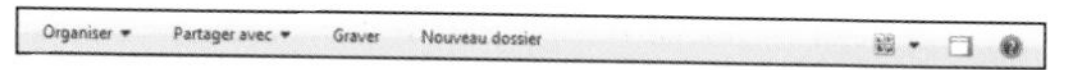

Figure 3.6 : La barre de commandes de la bibliothèque Documents.

Vous n'avez pas besoin d'étudier spécifiquement la barre de commandes, car Windows 7 affiche les boutons appropriés en haut du dossier. Ouvrez le dossier Musique, par exemple, et Windows 7 affiche un bouton Lire tout pour écouter en non-stop les heures et les heures de musique qui s'y trouvent. Ouvrez le dossier Images, et le bouton Diaporama affichera les photos du dossier les unes après les autres, en plein écran.

Si la signification d'un bouton ne vous paraît pas évidente, immobilisez le pointeur de la souris dessus. Un petit message expliquera de quoi il s'agit. Voici une description de ces boutons :

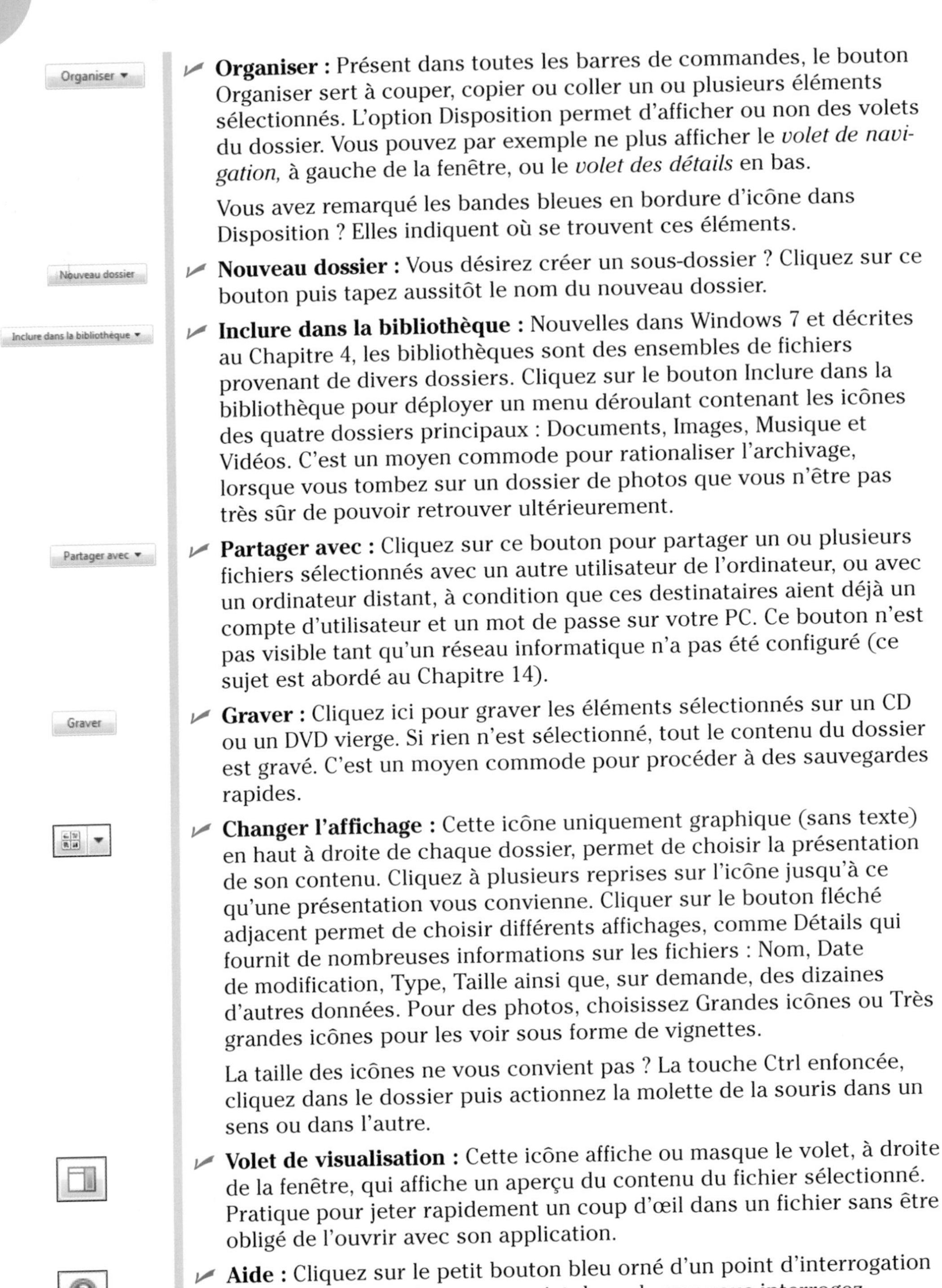

- **Organiser :** Présent dans toutes les barres de commandes, le bouton Organiser sert à couper, copier ou coller un ou plusieurs éléments sélectionnés. L'option Disposition permet d'afficher ou non des volets du dossier. Vous pouvez par exemple ne plus afficher le *volet de navigation,* à gauche de la fenêtre, ou le *volet des détails* en bas.

  Vous avez remarqué les bandes bleues en bordure d'icône dans Disposition ? Elles indiquent où se trouvent ces éléments.

- **Nouveau dossier :** Vous désirez créer un sous-dossier ? Cliquez sur ce bouton puis tapez aussitôt le nom du nouveau dossier.

- **Inclure dans la bibliothèque :** Nouvelles dans Windows 7 et décrites au Chapitre 4, les bibliothèques sont des ensembles de fichiers provenant de divers dossiers. Cliquez sur le bouton Inclure dans la bibliothèque pour déployer un menu déroulant contenant les icônes des quatre dossiers principaux : Documents, Images, Musique et Vidéos. C'est un moyen commode pour rationaliser l'archivage, lorsque vous tombez sur un dossier de photos que vous n'être pas très sûr de pouvoir retrouver ultérieurement.

- **Partager avec :** Cliquez sur ce bouton pour partager un ou plusieurs fichiers sélectionnés avec un autre utilisateur de l'ordinateur, ou avec un ordinateur distant, à condition que ces destinataires aient déjà un compte d'utilisateur et un mot de passe sur votre PC. Ce bouton n'est pas visible tant qu'un réseau informatique n'a pas été configuré (ce sujet est abordé au Chapitre 14).

- **Graver :** Cliquez ici pour graver les éléments sélectionnés sur un CD ou un DVD vierge. Si rien n'est sélectionné, tout le contenu du dossier est gravé. C'est un moyen commode pour procéder à des sauvegardes rapides.

- **Changer l'affichage :** Cette icône uniquement graphique (sans texte) en haut à droite de chaque dossier, permet de choisir la présentation de son contenu. Cliquez à plusieurs reprises sur l'icône jusqu'à ce qu'une présentation vous convienne. Cliquer sur le bouton fléché adjacent permet de choisir différents affichages, comme Détails qui fournit de nombreuses informations sur les fichiers : Nom, Date de modification, Type, Taille ainsi que, sur demande, des dizaines d'autres données. Pour des photos, choisissez Grandes icônes ou Très grandes icônes pour les voir sous forme de vignettes.

  La taille des icônes ne vous convient pas ? La touche Ctrl enfoncée, cliquez dans le dossier puis actionnez la molette de la souris dans un sens ou dans l'autre.

- **Volet de visualisation :** Cette icône affiche ou masque le volet, à droite de la fenêtre, qui affiche un aperçu du contenu du fichier sélectionné. Pratique pour jeter rapidement un coup d'œil dans un fichier sans être obligé de l'ouvrir avec son application.

- **Aide :** Cliquez sur le petit bouton bleu orné d'un point d'interrogation pour obtenir une réponse au sujet duquel vous vous interrogez.

Les accès rapides du volet de navigation

Examinez un bureau – un vrai – et vous constaterez que les objets les plus couramment utilisés sont à portée de main : le pot à crayons, l'agrafeuse, les tampons, la tasse de café et peut-être quelques miettes du sandwich de midi... C'est pareil dans Windows 7 : tous les éléments les plus fréquemment utilisés (hormis le café et les miettes) sont placés dans le volet de navigation illustré à la Figure 3.7.

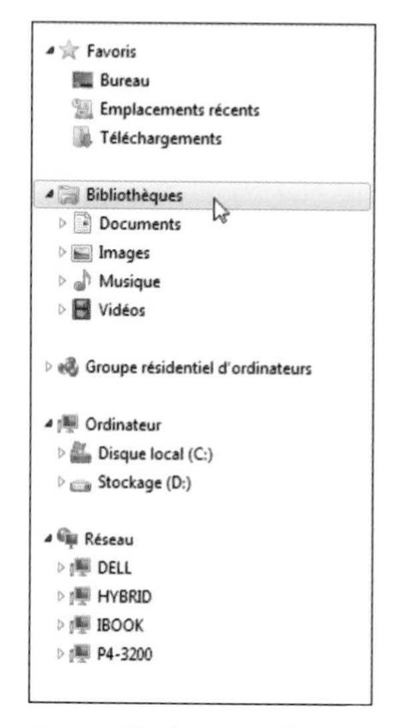

Figure 3.7 : Le volet de navigation contient des accès vers les emplacements les plus visités.

Situé à gauche de chaque dossier, le volet de navigation est divisé en cinq rubriques : Favoris, Bibliothèques, Groupe résidentiel d'ordinateurs, Ordinateur et Réseau. Cliquez sur l'une de ces rubriques, Favoris par exemple, et son contenu apparaît dans le volet de droite.

Voici quelques détails supplémentaires à propos des différentes rubriques du volet de navigation :

- **Favoris :** Les Favoris, ne pas confondre avec ceux d'Internet Explorer (Chapitre 8) qui pointent vers vos sites Web préférés, sont des raccourcis vers les emplacements les plus usités de Windows :
  - **Bureau :** Vous ne vous en doutiez peut-être pas, mais le Bureau est en réalité un dossier dont le contenu apparaît en permanence sur l'écran. Cliquer sur Bureau, à la rubrique Favoris, montre tout ce qui s'y trouve. Windows ajoute quelques éléments utiles, comme la Corbeille, le Panneau de configuration et votre dossier d'utilisateur (à votre nom).

  - **Emplacements récents :** Vous y trouverez tous les dossiers et fichiers récemment ouverts.
  - **Téléchargements :** Cliquez ici pour accéder aux fichiers téléchargés avec Internet Explorer lors de vos pérégrinations sur le Web. C'est en effet là qu'ils se retrouvent.
- **Bibliothèques :** Contrairement aux dossiers conventionnels, les bibliothèques affichent le contenu de plusieurs dossiers, réunis en un seul endroit afin de les voir facilement. Une bibliothèque Windows commence par afficher le contenu de deux dossiers : celui qui vous est propre, et aussi son équivalent public, accessible par quiconque possédant un compte sur le PC (la notion de dossier public est expliquée au Chapitre 13).
  - **Documents :** Accède à la bibliothèque Documents qui comprend deux emplacements : le dossier Mes documents et le dossier Documents publics.
  - **Images :** Ce bouton donne accès à votre photothèque numérique.
  - **Musique :** Cliquez sur Musique, puis double-cliquez sur un morceau pour l'écouter aussitôt.
  - **Vidéos :** Un double-clic sur les séquences hébergées dans ce dossier vous permettra de les visionner avec le Lecteur Windows Media.

- **Groupe résidentiel d'ordinateurs :** Nouveauté de Windows 7, un groupe résidentiel d'ordinateurs est un ensemble de plusieurs PC partageant des fichiers et des imprimantes. Cliquez sur ce bouton pour voir quels ordinateurs se partagent quoi. Ce sujet est étudié au Chapitre 14.
- **Ordinateur :** Ce bouton qu'affectionnent les férus de technique permet de parcourir tous les dossiers et fichiers de l'ordinateur. Hormis pour accéder rapidement au contenu d'une clé USB ou d'un disque dur externe, vous ne cliquerez sans doute pas souvent ici.
- **Réseau :** Bien que Windows 7 soit doté du génial Groupe résidentiel d'ordinateurs, la notion de réseau informatique existe toujours. C'est à cet endroit que s'affiche le nom des autres ordinateurs reliés au vôtre.

Voici quelques conseils pour tirer le meilleur parti du volet de navigation :

- Ne nous privez pas d'ajouter vos emplacements préférés dans la rubrique Favoris du volet de navigation. Cliquez sur un dossier puis tirez-le et déposez-le dans cette zone, et il se transforme en bouton cliquable.
- Le volet de navigation ne vous intéresse pas ? Masquez-le en cliquant, juste au-dessus, sur Organiser > Disposition > Volet de navigation.

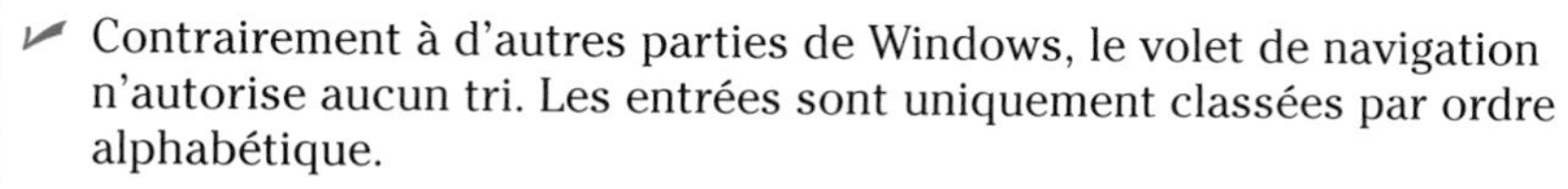

- Contrairement à d'autres parties de Windows, le volet de navigation n'autorise aucun tri. Les entrées sont uniquement classées par ordre alphabétique.

- Vous avez semé la pagaille dans le volet de navigation ? Cliquez du bouton droit sur une rubrique et dans le menu contextuel, choisissez Restaurer les bibliothèques par défaut.

Le volet des détails

Le volet des détails que montre la Figure 3.8 s'étire langoureusement au pied de chaque dossier. Comme le laisse entendre son nom, ce petit panneau fournit quantité de détails sur ce que vous avez ouvert ou sélectionné.

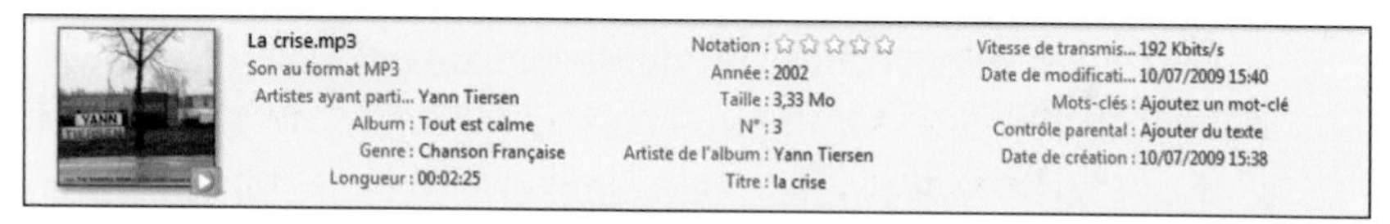

Figure 3.8 : Le volet des détails fournit quantité d'informations sur un fichier, comme ici un morceau de musique.

Ouvrez un dossier, et le volet des détails indiquera le nombre d'éléments – fichiers ou dossiers – qu'il contient. Il indique même si les fichiers se trouvent dans votre ordinateur ou sur le réseau.

Le volet des détails mérite bien son nom, notamment en ce qui concerne les fichiers. Par exemple, cliquez sur un fichier de musique et le volet des détails affichera une vignette de sa pochette, le nom du morceau, celui de l'interprète, la durée, la taille du fichier et même sa notation si vous l'attribuez au travers du Lecteur Windows Media (NdT : La notation peut aussi être attribuée en cliquant directement sur les étoiles, dans le volet des détails). Cliquez sur une photo, et le volet indique la date de prise de vue, la marque de l'appareil photo, les dimensions de l'image en pixels et de nombreuses données techniques comme la focale, la vitesse, la sensibilité ISO, *etc*. Vous pourrez aussi noter les photos et leur attribuer des mots-clés.

- Le volet des détails affiche beaucoup plus d'informations qu'il y paraît à première vue. Comme il est redimensionnable, tirez le bord supérieur vers le haut pour révéler quantité d'informations supplémentaires.

Organiser ▾

- Si vous estimez que le volet des détails occupe trop de place, tirez sa bordure supérieure vers le bas. Ou alors, masquez-le en cliquant sur le bouton Organiser, à gauche dans la barre de commandes, et choisissez Disposition > Volet des détails (procédez de même pour le réafficher).

- Quand vous modifiez les propriétés d'un fichier photo, n'hésitez pas à ajouter un ou plusieurs mots-clés qui permettront de le retrouver plus facilement (les mots-clés sont expliqués au Chapitre 6).

Se déplacer dans une fenêtre avec la barre de défilement

La barre de défilement, qui fait penser à une cage d'ascenseur (voir Figure 3.9), apparaît au bord droit et/ou inférieur d'une fenêtre dès qu'elle est trop petite pour afficher tout son contenu. À l'intérieur de la barre, un petit ascenseur – techniquement, un *curseur de défilement* – monte et descend selon la partie de la page affichée. D'un seul coup d'œil sur l'ascenseur, vous savez si vous êtes plutôt en haut, au milieu ou en bas du contenu d'une fenêtre.

Vous pouvez voir l'ascenseur monter et descendre lorsque vous appuyez sur les touches PageHaut et PageBas. Mais l'actionner à la souris est plus plaisant. Cliquer en différents endroits de la barre de défilement permet de se déplacer rapidement dans un document. Par exemple :

- Cliquer dans la barre au-dessus de l'ascenseur déplace d'une page vers le haut, comme si vous aviez appuyé sur la touche PageHaut. De même, cliquer sur la barre sous l'ascenseur fait descendre d'une page. Plus l'écran est grand – à résolution égale –, plus vous pouvez voir d'informations sur une page.
- Pour remonter la vue d'une seule ligne, cliquez sur la petite flèche (la *flèche de défilement*) en haut de la barre de défilement. Cliquer sur la flèche inférieure fait descendre d'une ligne.
- Une barre de défilement peut se trouver sur le bord inférieur de la fenêtre. Elle sert alors à visionner des documents larges, comme une feuille de calcul. Le déplacement s'effectue alors horizontalement, permettant par exemple d'examiner les diverses colonnes de chiffres.

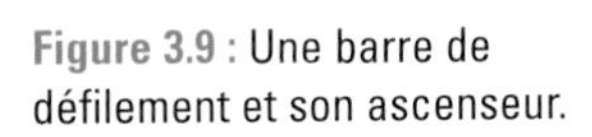

Figure 3.9 : Une barre de défilement et son ascenseur.

- Pas d'ascenseur dans la barre de défilement, ou pas de barre du tout ? Cela signifie que l'ensemble de la fenêtre est affiché. Il n'y a donc pas lieu de la faire défiler.

- Vous voulez parcourir rapidement le contenu d'une fenêtre ? Cliquez sur l'ascenseur et tirez-le, et vous verrez le contenu de la fenêtre défiler à toute vitesse. Arrivé là où vous le vouliez, relâchez le bouton de la souris.

Du côté des bordures

Une *bordure* est le cadre qui entoure une fenêtre.

Pour changer la taille d'une fenêtre, cliquez sur une bordure – le pointeur de la souris prend la forme d'une flèche à deux pointes – et tirez dans la direction désirée. Redimensionner une fenêtre en cliquant et tirant un coin est le plus commode. Notez que certaines fenêtres ne sont pas redimensionnables.

Remplir des champs

À un moment ou à un autre, Windows vous obligera à jouer les gratte-papier : vous devrez remplir des champs contenant vos requêtes. Pour cette paperasserie informatique, Windows ouvre des *boîtes de dialogue*.

Une boîte de dialogue est une fenêtre contenant une sorte de formulaire ou de liste que vous devez remplir ou cocher. Elle peut se présenter de diverses manières, comme vous le découvrirez par la suite.

Cliquer sur le bouton de commande adéquat

Les boutons de commande sont les éléments les plus faciles à utiliser car marqués de leur nom, on sait de suite à quoi ils servent. Ils sont généralement utilisés après avoir fini de remplir la boîte de dialogue. En fonction de celui sur lequel vous avez cliqué, Windows exécute votre demande ou affiche une autre boîte de dialogue.

Le Tableau 3.1 montre les boutons que vous rencontrerez le plus souvent.

Tableau 3.1 : Les boutons de commande courants de Windows 7.

Bouton de commande	*Description*
OK	Cliquer sur le bouton OK signifie que vous en avez fini avec la boîte de dialogue et que Windows peut valider vos saisies. Windows 7 les prend en compte et les applique.
Annuler	Si vous estimez qu'il ne fallait pas ouvrir cette fenêtre et/ou ne rien changer dans les champs, cliquez sur ce bouton pour annuler vos saisies, et tout redevient comme si de rien n'était. Cliquer sur le bouton X, en haut à droite de la fenêtre, équivaut à annuler.
Suivant	Cliquez sur ce bouton pour passer à la prochaine fenêtre d'une série de plusieurs à remplir. Vous voulez revenir en arrière pour modifier une saisie effectuée auparavant ? Cliquez sur le bouton fléché Précédent, en haut à gauche de la fenêtre.
Configurer...	Quand des points de suspension suivent du texte, cela signifie qu'une boîte de dialogue va s'ouvrir.
Par défaut	Si vous vous êtes complètement fourvoyé dans vos paramétrages, ce bouton restaure les options par défaut : le contenu de la boîte de dialogue redevient celui de Windows sorti d'usine.

- Le bouton OK se distingue souvent des autres par une bordure plus foncée, indiquant qu'il est *en surbrillance* (ou sélectionné). Appuyer sur la touche Entrée équivaut à cliquer sur la touche en surbrillance.

- Si vous avez cliqué sur le bouton erroné *et que vous n'avez pas encore relâché le bouton de la souris,* ne faites plus rien, car un bouton de commande n'agit qu'au moment où vous ôtez le doigt du bouton. Le doigt toujours sur le bouton, faites glisser le pointeur hors du bouton. Le relâcher n'a alors plus aucun effet.

- Vous vous demandez à quoi sert telle ou telle option dans la boîte de dialogue ? Cliquez sur le bouton marqué d'un point d'interrogation, en haut à droite de la fenêtre. Cliquez ensuite sur la commande qui vous intrigue pour obtenir un bref descriptif de son usage. Parfois, le seul fait d'immobiliser le pointeur au-dessus d'une option affiche une bulle contenant l'information désirée. Windows est trop bon pour vous !

Les boutons d'option

Parfois, Windows vous oblige à choisir une seule option parmi plusieurs. Par exemple, dans le jeu Démineur, vous désirez sélectionner le niveau Débutant, Intermédiaire ou Avancé ? Vous ne pouvez pas être les trois à la fois. C'est pourquoi, vous ne pouvez choisir qu'une seule de ces options.

Windows affiche pour cela des *boutons d'option* comme ceux de la Figure 3.10. Vous ne pouvez en sélectionner qu'un seul dans un groupe. Sélectionnez une autre option, et le point qui marque l'option sélectionnée apparaît sur le nouveau bouton.

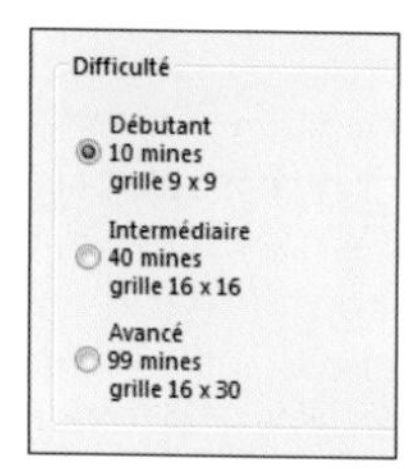

Figure 3.10 : Une seule option peut être sélectionnée.

Si plusieurs options peuvent être sélectionnées, Windows ne présente plus des boutons d'option, mais des *cases à cocher*, présentées plus loin dans ce chapitre.

Dans certains programmes, les boutons d'option sont appelés *boutons radio*, par allusion aux boutons ronds des anciens postes qui servait à sélectionner une station.

Saisir du texte dans des champs

Un *champ de texte* est un petit rectangle dans lequel vous pouvez saisir – c'est-à-dire taper – des mots et/ou des chiffres. La Figure 3.11 montre la boîte de dialogue qui apparaît lors de la recherche d'un mot dans certains programmes. Elle contient un champ de texte dans lequel vous saisissez ce mot.

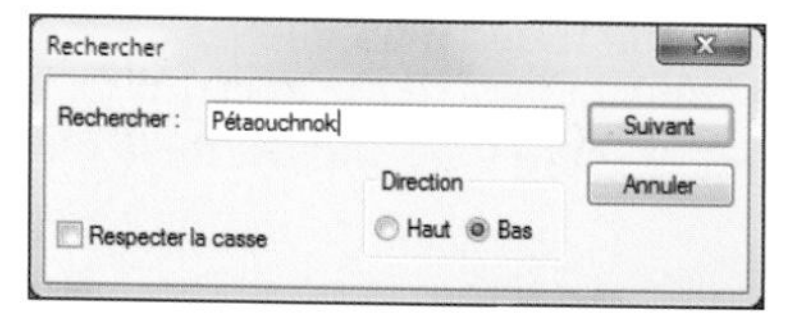

Figure 3.11 : Cette boîte de dialogue contient un champ de texte.

- Quand un champ de texte est *actif,* c'est-à-dire prêt à recevoir ce que vous tapez, il est, soit entouré d'un contour plus épais indiquant qu'il est sélectionné, soit signalé par le clignotement d'une barre d'insertion.
- Si le champ de texte n'est pas sélectionné ou ne contient pas de curseur clignotant, il n'est pas prêt à recevoir du texte. Pour l'activer, cliquez dedans.
- Quand vous cliquez dans un champ contenant déjà du texte, supprimez-le avant de saisir votre texte. Double-cliquer dans le champ sélectionne tout ce qui s'y trouve ; le nouveau texte remplace alors aussitôt l'ancien.

Choisir une option dans une zone de liste

Certains champs n'autorisent pas la saisie. Ils se contentent d'afficher une liste dans laquelle vous sélectionnez l'élément désiré. Ces champs qui n'en sont pas véritablement sont appelés *zones de liste.* Par exemple, un traitement de texte affichera une zone de liste contenant les polices – les typographies – installées dans l'ordinateur (Figure 3.12).

Figure 3.12 : Sélectionnez une police dans la liste.

- La police Lucida Console est surlignée dans la liste de la Figure 3.12, indiquant qu'il s'agit de l'élément sélectionné. Appuyez sur Entrée – ou cliquez sur OK – et le programme utilise la police choisie.
- La barre de défilement, sur le bord droit, fonctionne comme n'importe quelle autre barre de ce type : cliquez sur une flèche de défilement pour descendre ou monter dans la liste, ou utilisez les touches fléchées Haut et Bas.
- Certaines zones de liste son surmontées d'un champ de texte. Quand vous cliquez sur un élément dans la liste, il est aussitôt transféré dans le champ. Vous pourriez taper le texte vous-même, mais c'est bien moins drôle.
- Quand une liste est interminable, saisissez la première lettre du mot recherché. La liste affichera le premier mot commençant par cette lettre.

Quand il en faut plusieurs…

Normalement, le clic ne sélectionne qu'un seul élément dans Windows. Quand vous cliquez sur un autre, l'élément sélectionné ne l'est plus et c'est le nouveau qui l'est. Voici comment sélectionner plusieurs éléments à la fois :

- Pour sélectionner plusieurs éléments épars, maintenez la touche Ctrl enfoncée et cliquez sur chacun d'eux. Ils restent ainsi tous sélectionnés.
- Pour sélectionner une série d'éléments adjacents, dans une liste, cliquez d'abord sur le premier de la série. Ensuite, la touche Maj enfoncée, cliquez sur le dernier de la série. Toute la série est ainsi sélectionnée (notez que un ou plusieurs éléments indésirables peuvent être désélectionnés en cliquant dessus, touche Ctrl enfoncée).
- Enfin, pour sélectionner un ensemble d'éléments, il reste la technique du "lasso" : cliquez à proximité d'un élément puis, bouton de la souris enfoncé, tirez une zone rectangulaire tout autour de l'ensemble d'éléments à sélectionner. Relâchez le bouton et la sélection est faite.

Les listes déroulantes

Les zones de liste sont commodes, mais elles occupent beaucoup de place. C'est pourquoi Windows les masque parfois, tout comme il le fait pour les menus déroulants. Quand vous cliquez au bon endroit, la liste déroulante se déploie, prête à être parcourue.

Mais c'est où, le bon endroit ? C'est le petit bouton comportant une flèche triangulaire, à droite du bouton principal. On en voit un à la Figure 3.13 (notez qu'il n'est pas indispensable de cliquer exactement sur la flèche ; vous pouvez cliquer n'importe où sur le bouton).

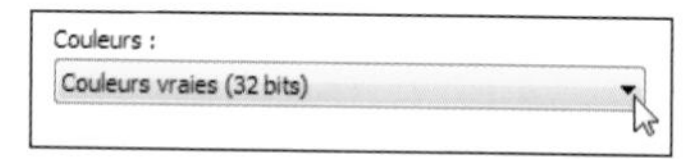

Figure 3.13 : Cliquez sur le bouton d'une liste déroulante (signalée par le petit triangle noir, à droite) pour accéder aux options.

La Figure 3.14 montre la liste déployée, après avoir cliqué dessus. Pour faire votre choix, cliquez sur l'option désirée, dans le menu.

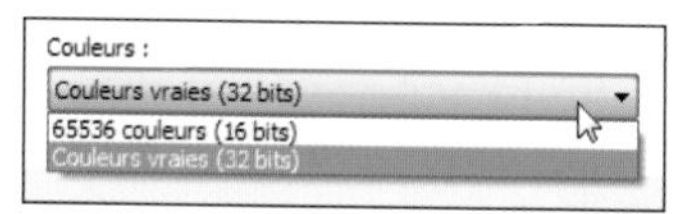

Figure 3.14 : La liste déroulante est déployée. Il ne vous reste plus qu'à choisir l'option.

- Quand une liste déroulante est longue, saisissez la première lettre du mot recherché. La liste affichera ainsi le premier mot commençant par cette lettre. Appuyez sur la touche fléchée Haut ou Bas pour passer à l'option voisine.
- Un autre moyen de parcourir rapidement une longue liste déroulante consiste à cliquer dans la barre de défilement ou d'utiliser l'ascenseur qui s'y trouve.
- Vous ne pouvez choisir qu'un seul élément dans une liste déroulante.

Les cases à cocher

Vous aurez parfois la possibilité de choisir plusieurs options en cliquant dans des petites cases à côté des options. Par exemple, celles de la Figure 3.15 correspondent aux options du jeu FreeCell.

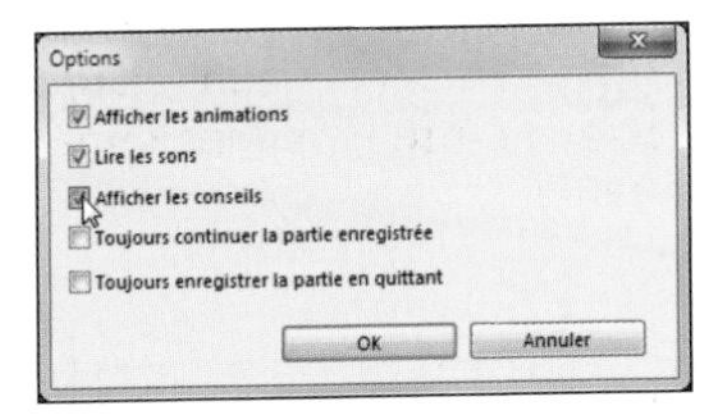

Figure 3.15 : Cochez les cases des options désirées.

Cliquer dans une case vide sélectionne l'option correspondante. Si une coche s'y trouve déjà, la case est décochée.

Contrairement aux boutons d'option, dont un seul seulement peut être sélectionné dans un même groupe, vous pouvez cocher ou décocher autant de cases que vous le désirez.

Les glissières

C'est sans doute un variateur de lumière qui donna un jour à un programmeur l'idée des glissières (pour glisser des deux mains…) afin de régler certains paramètres de Windows 7.

Certaines glissières sont horizontales, d'autres verticales, mais aucune pour le moment n'est de travers. La Figure 3.16 montre celle qui sert à régler la vitesse de la souris dans le Panneau de configuration, de Lente (ça se traîne) à Rapide (Speedy Gonzales).

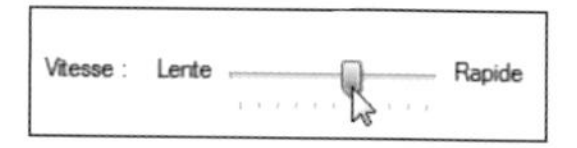

Figure 3.16 : La glissière des propriétés de la souris.

Une glissière est facile à régler : cliquez sur le curseur et, bouton de la souris enfoncé, tirez-le dans la direction voulue. Relâchez le bouton pour laisser le pointeur à la graduation choisie.

Déplacer les fenêtres sur le Bureau

Avec Windows 7, vous pouvez déplacer les fenêtres sur le Bureau avec la dextérité d'un joueur de cartes. Lorsqu'elles sont nombreuses, elles finissent par se recouvrir plus ou moins les unes les autres. Cette section vous explique comment les empiler proprement, en plaçant celle que vous préférez en haut du tas. Vous pouvez aussi les étaler, comme une main au poker. Et, cerise sur le gâteau, elles peuvent être redimensionnées et s'ouvrir automatiquement à n'importe quelle taille.

Placer une fenêtre au-dessus des autres

Pour Windows 7, la fenêtre au-dessus de toutes les autres, qui attire l'attention, est la *fenêtre active.* C'est celle qui reçoit tout ce que vous ou votre chat tapez sur le clavier.

Une fenêtre peut être placée au-dessus des autres de diverses manières. Voici comment :

- Amenez le pointeur de la souris jusqu'au-dessus d'une partie de la fenêtre, dans un empilement, puis cliquez. La fenêtre en question est aussitôt placée au premier plan.
- Dans la barre des tâches, cliquez sur le bouton de la fenêtre désirée.
- La touche Alt enfoncée continûment, appuyez sur la touche Tab. Un petit panneau montre une miniature de chacune des fenêtres ouvertes sur le Bureau. Appuyez autant de fois que nécessaire sur la touche Tab pour sélectionner la fenêtre voulue, puis relâchez les deux touches Alt et Tab. La fenêtre sélectionnée est au premier plan.
- Maintenez la touche Windows – celle entre les touches Ctrl et Alt – continûment enfoncée. Un spectaculaire affichage en 3D montre les fenêtres ouvertes. Appuyez sur la touche Tab pour faire défiler les fenêtres du fond de l'écran vers l'avant. Lorsque celle qui vous intéresse apparaît, relâchez les deux touches Alt et Tab. La fenêtre voulue est à présent au-dessus des autres, sur le Bureau.

Le Bureau est encombré de fenêtres au point de gêner votre travail ? Cliquez dans la barre de titre d'une fenêtre, secouez-la avec la souris et toutes les autres fenêtres disparaissent dans la barre des tâches. Secouez-la de nouveau, et les fenêtres réapparaissent.

Déplacer une fenêtre de-ci de-là

Pour une raison ou pour une autre, vous voudrez déplacer une fenêtre. Peut-être parce qu'elle est décentrée, ou pour faire de la place et voir tout ou partie d'une autre fenêtre.

Bref et quoi qu'il en soit, vous déplacerez une fenêtre en la tirant par sa barre de titre. La fenêtre repositionnée reste sélectionnée et donc active.

Afficher une fenêtre en plein écran

Pour certaines tâches, agrandir une fenêtre afin qu'elle exploite au maximum la surface de l'écran est une bonne chose. Pour cela, double-cliquez sur la barre de titre : la fenêtre s'étale instantanément sur tout le Bureau, recouvrant toutes les autres.

Pour la ramener à sa taille d'origine, double-cliquez de nouveau sur sa barre de titre. On ne s'en lasse pas…

- Si double-cliquer sur la barre de titre vous paraît vraiment ringard, cliquez sur le bouton Agrandir. C'est celui du milieu, en haut à droite.

- Quand une fenêtre est en plein écran, le bouton Agrandir est remplacé par le bouton Niveau inférieur. Cliquez dessus pour qu'elle redevienne plus petite.

- Windows 7 propose une nouvelle manière d'agrandir une fenêtre : tirez-la par la barre de titre jusqu'en haut de l'écran ; l'ombre de la fenêtre s'étend à présent tout autour de l'écran. Relâchez le bouton de la souris, et la fenêtre est en plein écran. Bon d'accord, le double-clic dans la barre de titres est plus rapide (mais c'est d'un ringard…).

  NdT : Placez le pointeur de la souris en haut ou en bas de la fenêtre – assurez-vous qu'il se transforme en double flèche – et tirez jusqu'au bord supérieur ou inférieur de l'écran. La fenêtre s'étend aussitôt sur toute la hauteur de l'écran. Pratique quand vous travaillez sur un texte : vous affichez la page au maximum sans perdre de vue ce qu'il y a sur le côté de l'écran.

- Trop fatigué pour attraper la souris ? La touche Windows enfoncée, appuyez sur la touche fléchée Haut pour agrandir la fenêtre en plein écran. NdT : Trop fatigué pour expliquer la fin de cette manip ? Alors voilà, les touches Windows + Flèche bas rétablissent la fenêtre à sa taille d'origine, mais vous l'avez sans doute deviné.

Fermer une fenêtre

Quand vous avez fini de travailler dans une fenêtre, fermez-la en cliquant sur le petit bouton X, en haut à droite.

Si le travail en cours n'a pas été enregistré, Windows vous demande s'il doit le faire. Confirmez en cliquant sur le bouton Oui – vous devrez peut-être nommer le fichier que vous avez créé et choisir un dossier de stockage –, ou en cliquant sur Non si vous estimez qu'il n'est pas nécessaire de l'enregistrer. D'autres fenêtres – comme celles propres à Windows – se ferment sans formalité supplémentaire.

Redimensionner une fenêtre

Comme le chantait Serge Gainsbourg en son temps à propos de la pauvre Lola, il faut s'avoir s'étendre sans se répandre. Fort heureusement, une fenêtre de Windows ne s'étend ni ne se répand, elle se redimensionne. Voici comment :

1. **Immobilisez le pointeur de la souris au-dessus d'un bord ou d'un coin de la fenêtre. Lorsqu'elle se transforme en flèche à deux pointes, cliquez et tirez pour changer la taille de la fenêtre.**

2. **Le redimensionnement terminé, relâchez le bouton de la souris.**

Redimensionner en tirant un coin est plus souple que de ne tirer qu'un seul côté, mais c'est à vous de voir.

Placer deux fenêtres côte à côte

Quand vous voudrez copier un élément dans une fenêtre pour le coller dans une autre, pouvoir juxtaposer les deux fenêtres vous facilitera la tâche.

Au lieu de redimensionner laborieusement les fenêtres, cliquez dans une partie vide de la barre des tâches – y compris sur l'horloge – et choisissez Afficher les fenêtres côte à côte. Windows dispose aussitôt toutes les fenêtres les unes à côté des autres. Si vous préférez les voir les unes sur les autres, choisissez Afficher les fenêtres empilées. Si les fenêtres sont nombreuses, l'option Cascade les empile toutes, légèrement décalées en diagonale les unes par rapport aux autres.

Quand plus de deux fenêtres sont ouvertes, cliquez sur le bouton Réduire de celle que vous ne voulez pas afficher puis choisissez de nouveau la commande Afficher les fenêtres côte à côte pour ne voir que celles qui restent.

Windows 7 propose une nouvelle manière de juxtaposer deux fenêtres : tirez-en une vers un bord latéral de l'écran et, dès que son ombre emplit la moitié du Bureau, relâchez le bouton. Faites de même avec l'autre fenêtre, mais de l'autre côté.

Les touches Windows + Flèche gauche agrandissent la fenêtre sur la moitié gauche de l'écran et les touches Windows + Flèche droite sur la moitié droite de l'écran (NdT : appuyez plusieurs fois sur la touche fléchée pour permuter de côté et rétablir l'affichage à la taille normale de l'une des deux fenêtres).

Toujours ouvrir une fenêtre à la même taille

Parfois, une fenêtre s'ouvre à une taille trop petite, parfois en plein écran et je ne parle pas des courants d'air qui font claquer la porte du Bureau. Windows n'en fait qu'à sa tête, à moins que vous connaissiez cette petite astuce : quand vous redimensionnez *manuellement* une fenêtre, Windows mémorise sa taille et son emplacement. Il rouvrira toujours cette fenêtre à la même taille au même endroit. Procédez comme suit pour vous en assurer :

1. **Ouvrez la fenêtre.**
   Elle s'ouvre comme d'habitude à n'importe quelle taille.

2. **Redimensionnez la fenêtre à la taille voulue et placez-la là où elle doit apparaître.**
   Veillez à redimensionner la fenêtre manuellement en repositionnant les côtés et/ou les coins. Se contenter de cliquer sur le bouton Agrandir ne donnerait rien.

3. **Fermez la fenêtre.**
   Windows mémorise la taille et l'emplacement d'une fenêtre au moment où elle est fermée. Quand vous la rouvrirez, elle le sera à l'endroit et à la taille d'avant. Ces réglages ne s'appliquent toutefois qu'au programme auquel appartient la fenêtre. Par exemple, quand vous ouvrez la fenêtre d'Internet Explorer, Windows ne tiendra compte que de la fenêtre propre à ce programme, et non de la fenêtre d'un autre.

La plupart des fenêtres respectent ces règles, mais quelques-unes y dérogent. Eh oui, tout le monde n'a pas le goût du travail bien fini…

Chapitre 4

Fichiers, dossiers, clé USB, bibliothèques et CD

Dans ce chapitre

- L'icône Ordinateur
- Naviguer parmi les lecteurs, les dossiers et une clé USB
- Les nouvelles bibliothèques de Windows 7
- Créer et nommer des dossiers
- Sélectionner et désélectionner des éléments
- Copier et déplacer des fichiers et des dossiers
- Enregistrer sur des CD, des cartes mémoire et des disquettes

Ordinateur est le programme qui tire l'utilisateur de Windows du doux rêve où il s'imaginait que Windows était facile à vivre, et le fait se jeter sous son oreiller pour échapper à l'horreur informatique. Il avait eu la naïveté de croire que l'informatique simplifierait son travail et ferait disparaître les papiers, chemises et dossiers entassés dans son vieux classeur à tiroirs.

Qu'il clique sur l'icône Ordinateur, dans le menu Démarrer et explore son nouveau PC, et le voilà que le classeur réapparaît, bourré de dossiers pleins de sous-dossiers, voire de sous-sous-dossiers. À moins d'adopter cette métaphore bureaucratique – il suffit de supprimer une syllabe pour passer de de bureaucratique à bureautique –, vous risquez de ne pas retrouver rapidement vos données.

Ce chapitre explique par le menu – si l'on peut dire… – comment utiliser le programme d'archivage nommé Ordinateur (dans l'antique Windows XP, c'était le Poste de travail). Windows ressuscite certes ce classique classeur que l'on croyait oublié, mais au moins, les tiroirs ne coincent plus et les dossiers ne tombent plus derrière le bureau.

Parcourir le classeur à tiroirs informatisé

Afin que vos programmes et documents soient rationnellement rangés, Windows a gratifié la métaphore du classeur à tiroirs de jolies petites icônes. Vous y accédez au travers du programme Ordinateur présent dans le menu Démarrer. C'est là que se trouvent les zones de stockage de votre ordinateur, où vous pourrez copier, déplacer, renommer ou supprimer des fichiers.

Pour ouvrir vos tiroirs virtuels, appelés « lecteur » ou « disque » en jargon informatique, cliquez sur le menu Démarrer puis sur Ordinateur. Bien que la fenêtre Ordinateur différera sans doute quelque peu de celle de la Figure 4.1, les éléments de base – décrits dans les prochaines sections – sont les mêmes.

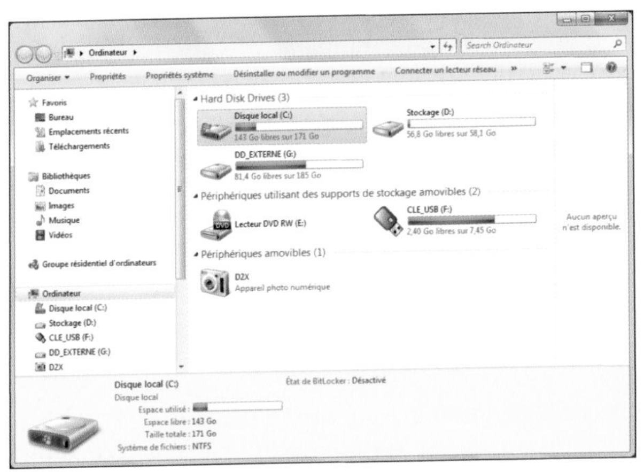

Figure 4.1 : La fenêtre Ordinateur affiche les zones de stockage contenant vos fichiers.

Windows peut afficher la fenêtre Ordinateur sous diverses formes. Pour obtenir la même présentation que dans la Figure 4.1, cliquez sur le bouton Affichage, dans la barre de menus et, dans la liste, choisissez Mosaïques. Enfin, cliquez dans une partie vide de la fenêtre, puis choisissez Trier par, puis sélectionnez Nom.

Voici les éléments de base de la fenêtre Ordinateur :

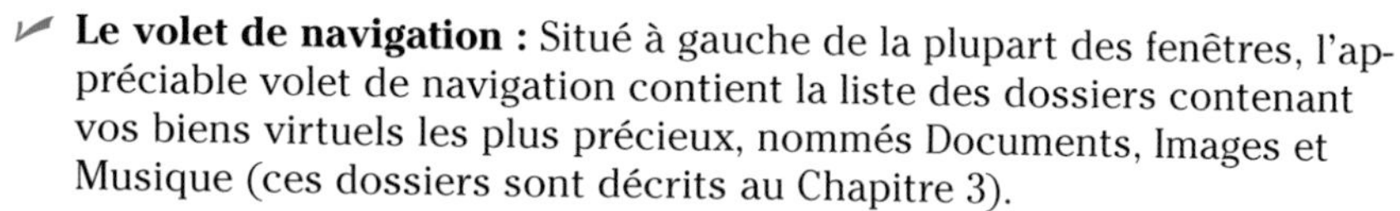

- **Le volet de navigation :** Situé à gauche de la plupart des fenêtres, l'appréciable volet de navigation contient la liste des dossiers contenant vos biens virtuels les plus précieux, nommés Documents, Images et Musique (ces dossiers sont décrits au Chapitre 3).

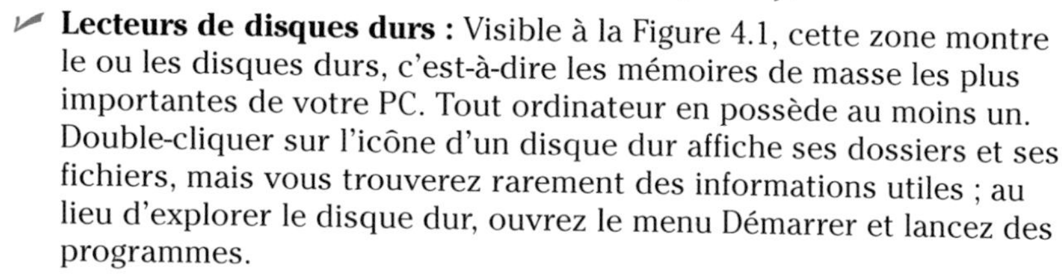

- **Lecteurs de disques durs :** Visible à la Figure 4.1, cette zone montre le ou les disques durs, c'est-à-dire les mémoires de masse les plus importantes de votre PC. Tout ordinateur en possède au moins un. Double-cliquer sur l'icône d'un disque dur affiche ses dossiers et ses fichiers, mais vous trouverez rarement des informations utiles ; au lieu d'explorer le disque dur, ouvrez le menu Démarrer et lancez des programmes.

  Vous avez remarqué le petit logo Windows sur l'icône d'un disque dur ? Il indique que Windows 7 est installé sur ce disque. La jauge bleue permet d'évaluer l'espace occupé et l'espace restant. Si elle devient rouge, cela signifie que le disque dur est proche de la saturation. Le moment est alors venu, soit de faire le ménage, soit de remplacer le disque dur par un plus volumineux.

- **Périphériques utilisant des supports de stockage amovibles :** Cette zone montre tous les équipements amovibles connectés à votre ordinateur. Voici les plus courants :

  - **Lecteur de disquettes :** En voie d'obsolescence, ces périphériques équipent encore les PC anciens. Comme seuls des fichiers de petite taille peuvent être stockés sur ce support vieux de plus de 20 ans, la plupart des utilisateurs lui préfèrent les CD et les DVD.

  - **CD et DVD :** Comme le révèle la Figure 4.1, Windows 7 indique si un lecteur ne peut que lire, ou lire et écrire, sur l'un de ce type de support. Par exemple, si un graveur de DVD porte la mention DVD-RW, cela signifie qu'il peut à la fois lire (*Read* en anglais) et écrire (*Write*). Un lecteur qui ne peut que graver des CD porte la mention CD RW.

  - **Clé USB et lecteurs de cartes mémoire :** La clé USB s'insère dans un connecteur USB. Si l'ordinateur possède une ou plusieurs fentes permettant d'introduire des cartes mémoire d'appareil photo numérique, de lecteur MP3, de téléphone mobile ou autres appareils du même acabit (l'icône correspondante est montrée dans la marge).

  - Contrairement à Windows XP et Vista, Windows 7 n'affiche pas d'icône de lecteur de cartes mémoire tant qu'une carte mémoire n'est pas insérée dedans. Pour l'afficher en permanence, ouvrez la fenêtre Ordinateur, cliquez sur Organiser > Options des dossiers et de recherche, puis cliquez sur l'onglet Affichage. Dans la liste des paramètres avancés, décochez la case Masquer les lecteurs vides dans le dossier Ordinateur.

- **Lecteurs MP3 :** Bien que Windows 7 affiche une jolie icône pour quelques lecteurs MP3, il arbore une icône de carte USB générique ou de disque dur pour le populaire iPod (les lecteurs MP3 sont abordés au Chapitre 15).

- **Appareils photo :** Dans la fenêtre Ordinateur, un appareil photo numérique apparaît généralement sous la forme d'une icône. Pour accéder aux photos, double-cliquez sur l'icône de l'appareil. Après avoir procédé au transfert (voir Chapitre 16), Windows 7 place les photos dans le dossier Images.

- **Réseau :** Cette icône n'est visible que si l'ordinateur est relié à un réseau informatique (voir Chapitre 14).

Quand vous connectez un caméscope numérique, un téléphone mobile ou tout autre périphérique à votre PC, la fenêtre Ordinateur s'orne d'une nouvelle icône le représentant. Double-cliquez dessus pour voir le contenu du périphérique ; cliquez dessus du bouton droit pour savoir ce que Windows 7 vous permet de faire. Pas d'icône ? Peut-être devez-vous installer un pilote pour votre périphérique, comme nous l'expliquons au Chapitre 12.

Cliquez sur presque n'importe quelle icône, dans la fenêtre Ordinateur, et le volet des détails, en bas de la fenêtre, affichera des informations la concernant : taille, date de création, place disponible dans un dossier ou dans un lecteur… Pour obtenir encore plus d'informations, agrandissez le volet des détails en tirant son bord supérieur vers le haut. Plus vous l'étendez, plus vous dévoilez des informations.

Tout (ou presque) sur les dossiers et les bibliothèques

Ce sujet est un peu laborieux, mais si vous le sautez, vous risquez d'être aussi perdu dans Windows que vos fichiers dans l'ordinateur, et inversement.

Un *dossier* est une zone de stockage sur le disque dur. On peut le comparer à un véritable dossier en carton. Windows 7 divise le ou les disques durs de votre ordinateur en autant de dossiers thématiques que vous le désirez. Par exemple, les morceaux de musique sont stockés dans le dossier Musique, et les photos dans le dossier Images. Vous et vos programmes les retrouvez ainsi facilement.

Une *bibliothèque*, elle, est en quelque sorte un super dossier. Au lieu de présenter le contenu d'un seul dossier, elle montre celui de *plusieurs* dossiers. Par exemple, la bibliothèque Musique contient à la fois les morceaux présents dans le dossier *Mes musiques* et ceux présents dans le dossier *Musique publique* (ce dossier contient des morceaux à disposition de tous les utilisateurs de l'ordinateur).

Windows 7 dispose de quatre bibliothèques pour vos fichiers et dossiers, visibles à la Figure 4.2 : Documents, Images, Musique et Vidéos. Afin d'y accéder rapidement, ils se trouvent dans le volet de navigation de tout dossier.

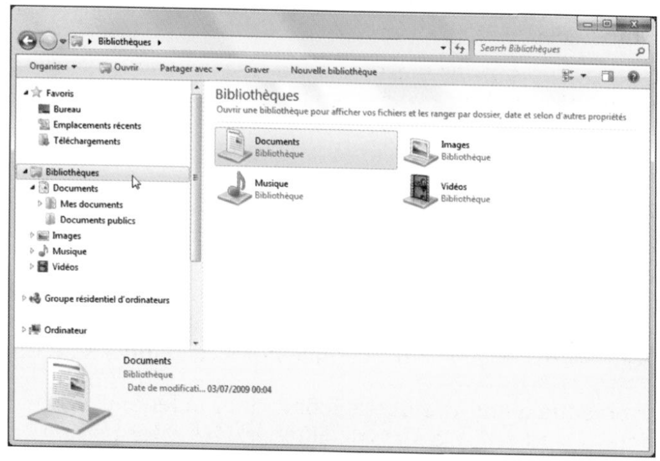

Figure 4.2 : Ces quatre dossiers se trouvent dans tous les comptes d'utilisateurs, mais séparément pour chaque compte.

Gardez ces informations à l'esprit quand vous manipulez des fichiers dans Windows 7 :

- Vous pouvez ignorer la notion de dossier et stocker tous vos fichiers sur le Bureau de Windows 7. Mais cela équivaut à jeter toutes ses affaires sur le siège arrière de la voiture et se demander, un mois plus tard, où peut bien se trouver le tee-shirt mauve. Quand les affaires sont bien rangées, on s'y retrouve mieux.
- Si vous brûlez d'impatience de créer un dossier, ce qui est très facile (d'où l'expression « j'ai tout un dossier sur vous » proférée sur un ton menaçant), reportez-vous à la section « Créer un nouveau dossier (d'où l'expression « le mien sur vous n'est pas mal non plus », lâchée d'un ton détaché) plus loin dans ce chapitre.
- Les dossiers d'un ordinateur sont organisés en arborescence, de la racine du disque dur jusqu'au dossiers, sous-dossiers et sous-sous-dossiers (non, ce ne sont pas des dossiers où l'on range ses sous) les plus profondément enfouis, comme le montre la Figure 4.3.

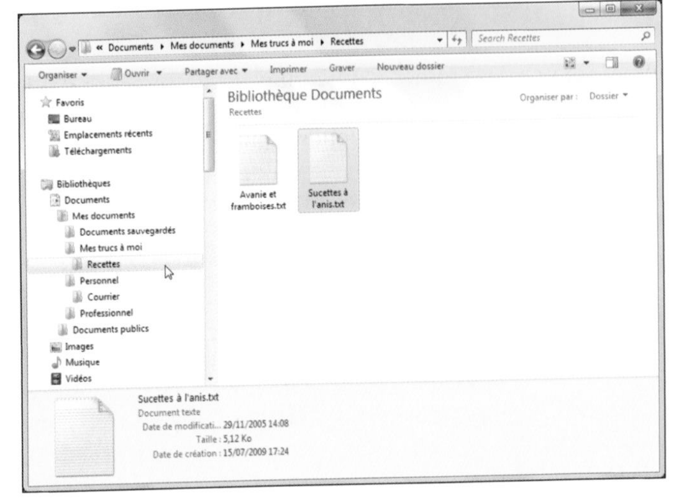

Figure 4.3 : Les dossiers de Windows sont arborescents.

Et mes dossiers dans Vista, que sont-ils devenus ?

Dans Windows Vista, un clic sur votre nom d'utilisateur, en haut du menu Démarrer, donnait accès à vos familiers dossiers Bureau, Contacts, Documents, Favoris, Liens, Images, Musique, Parties enregistrées, Recherches Téléchargements et Vidéos.

Pour se démarquer du mal-aimé Vista, Windows 7 a préféré abandonner cette organisation en faveur du volet de navigation décrit au Chapitre 3. Mais ces bons vieux dossiers de Vista n'ont pas disparu. Ils sont seulement un peu planqués. Pour les retrouver, cliquez sur le bouton Démarrer puis double-cliquez sur votre nom d'utilisateur, en haut à droite du panneau, et ces dossiers réapparaîtront.

Lorgner dans les lecteurs et les dossiers

Savoir ce que sont les lecteurs et les dossiers, c'est certes génial pour impressionner la vendeuse de petits pains au chocolat, mais c'est surtout utile pour trouver un fichier (reportez-vous à la section précédente pour savoir quel dossier contient quoi). Coiffez votre casque de chantier, empoignez la clé à molette et parcourez les lecteurs et les dossiers de votre ordinateur en vous servant de cette section comme guide.

Voir les fichiers d'un lecteur

À l'instar de presque tout dans Windows 7, les lecteurs de disques sont représentés par des boutons, ou icônes. L'icône Ordinateur affiche aussi des informations sur d'autres zones, comme un lecteur MP3, un appareil photo numérique ou un scanner (ces icônes ont été expliquées à la section « Parcourir le classeur à tiroirs informatisé », précédemment dans ce chapitre.

Ouvrir ces icônes donne généralement accès à leur contenu et permet de gérer les fichiers, comme dans n'importe quel autre dossier de Windows 7.

Quand vous double-cliquez sur une icône dans Ordinateur, Windows 7 devine ce que vous comptez faire avec et entreprend une action : double-cliquez sur un disque dur, par exemple, et Windows 7 l'ouvre promptement afin de vous dévoiler ce qui s'y trouve.

En revanche, si vous double-cliquez sur l'icône d'un CD après avoir introduit un CD audio, Windows 7 ne l'ouvre pas forcément pour montrer les pistes. À la place, il démarre généralement le Lecteur Windows Media et commence à jouer le premier morceau. Pour modifier l'action de Windows 7 lorsque vous insérez un CD, un DVD ou une clé USB, cliquez sur son icône et, dans le menu, sélectionnez Exécution automatique. Windows 7 répertorie tout ce que vous pouvez faire et vous demande de choisir l'action à entreprendre.

Le paramétrage de l'exécution automatique est particulièrement commode pour les clés USB. Si elle contient quelques morceaux, Windows 7 démarrera le Lecteur Windows Media pour les jouer – effet garanti sur le lieu de travail –, ce qui ralentira l'accès aux autres fichiers.

- Si vous ne savez pas à quoi sert une icône dans Ordinateur, cliquez dessus du bouton droit et Windows 7 présente un menu de toutes les possibilités. Vous pourrez par exemple choisir Ouvrir pour voir tous les fichiers d'un CD que Windows 7 veut lire avec le Lecteur Windows Media.
- Si vous cliquez sur l'icône d'un CD, d'un DVD ou d'une disquette alors que le lecteur est vide, Windows 7 vous invite gentiment à insérer un disque avant de continuer.
- Vous avez remarqué l'icône sous l'en-tête d'Emplacement réseau ? C'est une porte dérobée permettant de lorgner, le cas échéant, dans les autres ordinateurs du réseau. Nous y reviendrons au Chapitre 14.

C'est quoi ces chemins ?

Un chemin est tout bonnement l'adresse d'un fichier, similaire à une adresse postale. Quand vous envoyez une lettre, elle est acheminée vers le pays, le département, la ville, la rue, le numéro, voire le bâtiment, jusqu'à votre boîte aux lettres nominative. Il en va de même pour un chemin, dans l'ordinateur qui passe par un lecteur, dans un dossier, puis un ou plusieurs sous-dossiers et se termine par le nom du fichier.

Prenons le cas du dossier Téléchargements. Pour que Windows 7 trouve un fichier qui y est stocké, il commence par le disque dur C:, franchit le dossier Utilisateurs, puis le dossier à votre nom d'utilisateur, et arrive au dossier Téléchargements. Internet Explorer suit le même chemin lorsqu'il enregistre les fichiers que vous téléchargez.

Accrochez-vous au pinceau car la grammaire informatique n'a rien à envier à celle du français. Sur un chemin, le disque dur principal est appelé `C:\`. La lettre et le signe deux-points forment la première partie du chemin. Tous les dossiers et sous-dossiers qui suivent sont séparés par une barre inversée (\). Le nom du fichier, *La Soupe aux choux,* par exemple, vient en dernier.

Tout cela peut sembler indigeste ; c'est pourquoi on en remet une louche : la lettre du lecteur arrive en premier, suivie par un deux-points et une barre inversée. Suivent ensuite tous les dossiers et sous-dossiers conduisant au fichier, séparés par des barres inversées. Le nom du fichier ferme le chemin.

Windows 7 définit automatiquement le chemin approprié lorsque vous cliquez sur un dossier. Heureusement ! Mais chaque fois que vous cliquez sur le bouton Parcourir pour atteindre un fichier, vous naviguez parmi des dossiers et parcourez le chemin qui mène à lui.

NdT : Pour afficher le nom du chemin à la manière classique – avec des barres inversées et le nom des répertoires à la place des noms de dossiers – et non à la manière Windows 7, cliquez sur l'icône en forme de dossier au début de la barre d'adresse.

Voir ce que contient un dossier

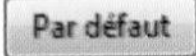

Les dossiers étant en quelque sorte des chemises à documents, Windows 7 s'en tient à cette représentation.

Pour voir ce que contient un dossier, qu'il soit dans Ordinateur ou sur le Bureau, double-cliquez sur son icône en forme de chemise. Une nouvelle fenêtre surgit, montrant ce qu'il y a dedans. Un autre dossier se trouve dedans ? Double-cliquez sur ce sous-dossier pour découvrir ce qu'il recèle. Cliquez ainsi jusqu'à ce que vous trouviez le fichier désiré ou arriviez dans un cul-de-sac.

Vous êtes au fond du cul-de-sac ? Si vous avez malencontreusement cherché dans le mauvais dossier, revenez en arrière comme vous le feriez sur le Web :

cliquez sur la flèche Précédent, en haut à gauche de la fenêtre. Vous reculez ainsi d'un dossier. En continuant à cliquer sur la flèche Précédent, vous finissez par revenir au point de départ (NdT : L'info-bulle de la flèche Suivant porte la mention « Suivant », mais celle de la flèche Précédent indique le nom du dossier dans lequel vous vous apprêtez à retourner. Exemple : « Retour à Bibliothèques »).

La Barre d'adresse est un autre moyen d'aller rapidement en divers endroits du PC. Tandis que vous naviguez de dossier en dossier, la Barre d'adresse du dossier – la petite zone de texte en haut de la fenêtre – conserve scrupuleusement une trace de vos pérégrinations. La Figure 4.4 montre celle qui apparaît quand vous êtes dans un dossier que vous avez créé, Courrier personnel en l'occurrence.

Figure 4.4 : Les petites flèches entre les noms de dossiers sont autant de raccourcis vers d'autres dossiers.

Vous avez remarqué les petites flèches entre chaque nom de dossier ? Ce sont des raccourcis vers d'autres dossiers et fenêtres. Cliquez sur l'une d'elles : le menu qui apparaît propose des emplacements où aller depuis ce point. Par exemple, cliquez sur la flèche après Bibliothèques, comme à la Figure 4.5, pour atteindre rapidement le dossier Musique.

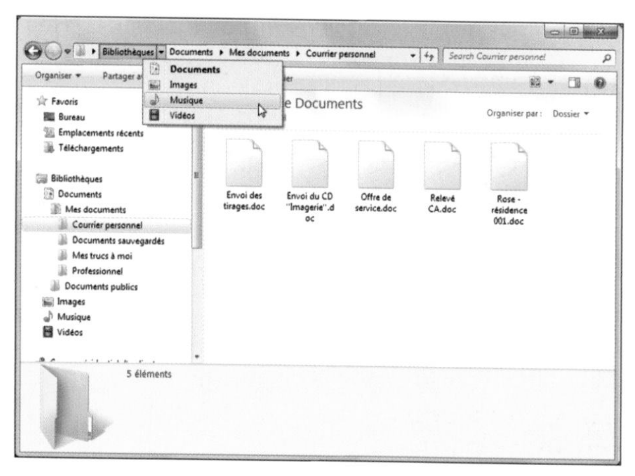

Figure 4.5 : Cliquez sur la flèche après Bibliothèques pour aller vers n'importe quel emplacement présent dans le dossier Bibliothèques.

Voici quelques astuces pour trouver votre chemin dans et hors des dossiers :

- Un dossier contient parfois trop de sous-dossiers et de fichiers pour tenir dans la fenêtre. Cliquez dans la barre de défilement pour voir les autres. Cette commande est expliquée au Chapitre 3.

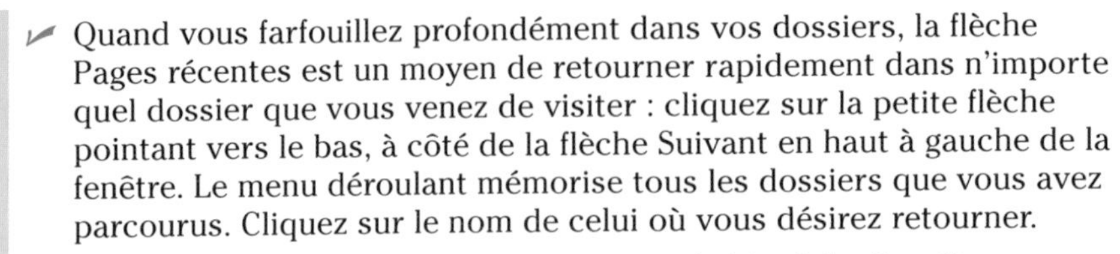

- Quand vous farfouillez profondément dans vos dossiers, la flèche Pages récentes est un moyen de retourner rapidement dans n'importe quel dossier que vous venez de visiter : cliquez sur la petite flèche pointant vers le bas, à côté de la flèche Suivant en haut à gauche de la fenêtre. Le menu déroulant mémorise tous les dossiers que vous avez parcourus. Cliquez sur le nom de celui où vous désirez retourner.

- Impossible de retrouver un dossier ou un fichier ? Au lieu d'errer comme une âme en peine dans l'arborescence, utilisez la commande Rechercher, dans le menu Démarrer, décrite au Chapitre 6. Windows sait retrouver vos dossiers et vos fichiers égarés.
- Face à une interminable liste de fichiers triés alphabétiquement, cliquez n'importe où dans la liste puis tapez rapidement une ou deux lettres du début du nom de fichier. Windows se positionne aussitôt sur le premier nom de fichier commençant par cette ou ces lettres.

Gérer les dossiers d'une bibliothèque

Le nouveau système de bibliothèques de Windows 7 peut paraître déroutant, mais vous pouvez sans aucun risque vous dispenser de savoir comment il fonctionne. Contentez-vous de traiter une bibliothèque au même titre que n'importe quel autre dossier : un emplacement où stocker et ouvrir des types de fichiers d'un même genre. Mais si vous tenez à savoir ce qui se passe en coulisse, cette section vous éclairera.

Les bibliothèques surveillent constamment plusieurs dossiers, affichant leur contenu dans une seule fenêtre. Ce qui nous amène à cette judicieuse question : comment savoir quels sont les dossiers qui apparaissent dans une bibliothèque ? Vous trouverez la réponse en double-cliquant sur le nom de la bibliothèque.

Par exemple, double-cliquez sur la bibliothèque Documents, dans le volet de navigation, et vous verrez qu'elle contient deux dossiers : Mes documents et Documents publics, ainsi que le révèle la Figure 4.6.

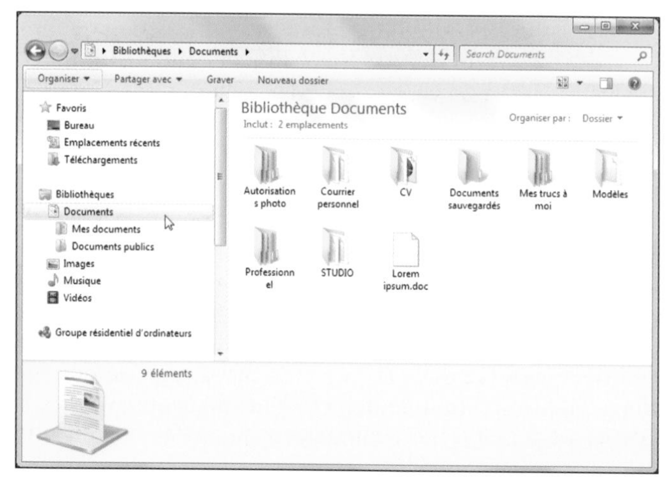

Figure 4.6 : Cette bibliothèque Documents affiche le contenu de deux dossiers : Mes documents et Documents publics.

Quand vous stockez des fichiers dans d'autres emplacements, dans un disque dur portable par exemple, voire dans un autre ordinateur du réseau, ajoutez ces emplacements externes à la bibliothèque de votre choix en procédant comme suit :

1. **Cliquez sur le mot Emplacements, en haut à gauche du volet contenant les dossiers.**
   Le chiffre précédant le mot Emplacements varie selon le nombre de dossiers appartenant à la bibliothèque. Cliquez sur ce mot affiche la fenêtre Emplacement de bibliothèque Documents que montre la Figure 4.7

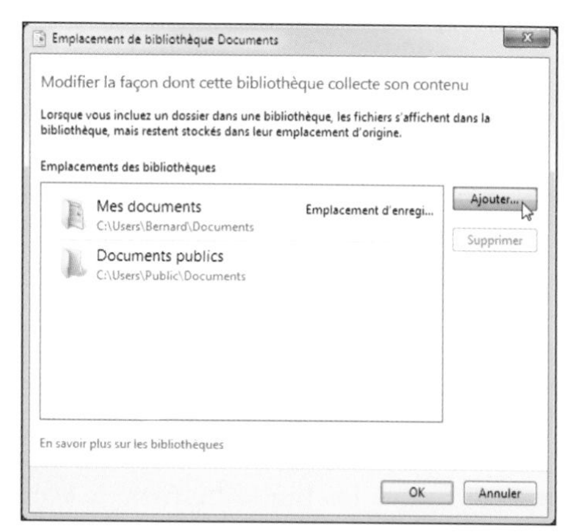

Figure 4.7 : La fenêtre Emplacement de bibliothèque Documents liste tous les dossiers appartenant à la bibliothèque Documents.

2. **Cliquez sur le bouton Ajouter.**

   La fenêtre Inclure dans le dossier Documents apparaît.

3. **Naviguez jusqu'au dossier à ajouter, cliquez dessus puis cliquez sur le bouton Inclure le dossier.**

   La bibliothèque se met automatiquement à jour et affiche le nouveau dossier avec les autres.

- Vous pouvez ajouter autant de dossiers que vous le désirez à une bibliothèque. C'est commode lorsque vos morceaux de musique, par exemple, sont dispersés dans différents emplacements. La bibliothèque montrera toujours le contenu à jour de l'ensemble de vos morceaux.
- Pour ôter un dossier d'une bibliothèque, répétez la première étape, puis cliquez sur le dossier à éliminer. Cliquez ensuite sur le bouton Supprimer.

- Quand vous placez un fichier dans une bibliothèque, dans quel dossier se retrouvera-t-il exactement ? Eh bien, il se retrouve dans un dossier qui est *l'emplacement d'enregistrement par défaut.* C'est le dossier bénéficiant de l'insigne honneur de recevoir les fichiers entrants. Par exemple, quand vous déposez un fichier dans la bibliothèque Musique, il se retrouve dans le dossier *Mes musiques.* Dans la même veine, les documents se retrouvent dans le dossier *Mes documents,* les vidéos dans *Mes vidéos* et les photos dans *Mes images.*

- Et comment faire pour que les fichiers déposés dans une bibliothèque se retrouvent dans un autre dossier ? Pour choisir un autre dossier de réception, cliquez sur le mot Emplacements. La mention Emplacement d'enregistrement par défaut (visible à la Figure 4.7) est inscrite à droite de l'un des dossiers. Pour affecter cette noble tâche à un autre dossier, cliquez du bouton droit sur cet autre dossier et dans le menu contextuel, choisissez Définir comme emplacement d'enregistrement par défaut.
- Vous pouvez créer d'autres bibliothèques en fonction de vos nécessités : cliquez du bouton droit sur le bouton Bibliothèques, dans le volet de navigation, et dans le menu contextuel, choisissez Nouveau > Bibliothèque. Une nouvelle bibliothèque est créée, prête à être renommée. Placez-y des dossiers à surveiller en procédant comme expliqué précédemment aux Étapes 1 à 3.
- Les bibliothèques de Windows 7 vous prennent la tête ? Éliminez-les toutes. Pour ce faire, cliquez du bouton droit sur l'une d'elles dans le volet de navigation et choisissez Supprimer. Tous vos fichiers restent intacts car vous ne supprimez que la bibliothèque, mais pas son contenu. Pour récupérer toutes les bibliothèques de Windows 7, cliquez du bouton droit sur Bibliothèques et dans le menu contextuel, choisissez Restaurer les bibliothèques par défaut.

Créer un nouveau dossier

Quand vous rangez un document dans un classeur à tiroirs, vous prenez une chemise en carton, vous écrivez un nom dessus puis vous y placez votre paperasse. Pour stocker de nouvelles données dans Windows 7 – vos échanges de lettres acerbes avec un service de contentieux, par exemple – vous créez un nouveau dossier, pensez à un nom qui lui convient bien, et le remplissez avec les fichiers appropriés.

Pour créer rapidement un nouveau fichier, cliquez sur Organiser, parmi les boutons de la barre de commandes du dossier, et choisissez Nouveau dossier, dans le menu contextuel. Si la barre n'est pas visible, voici une technique sûre et éprouvée :

1. **Cliquez du bouton droit dans le dossier et choisissez Nouveau.**
   Le tout-puissant menu contextuel apparaît sur le côté.

2. **Sélectionnez Dossier.**
   Choisissez Dossier, comme le montre la Figure 4.8, et un sous-dossier apparaît dans le dossier où vous avez cliqué, prêt à être nommé.

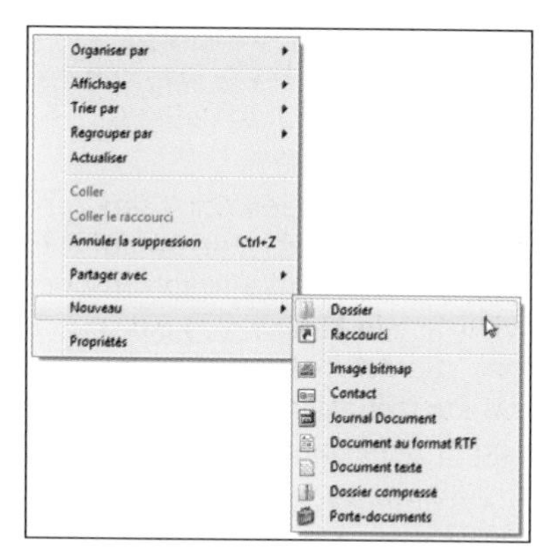

Figure 4.8 : Cliquez du bouton droit là où vous désirez créer un sous-dossier. Dans le menu, choisissez Nouveau, puis Dossier.

3. **Tapez le nom du nouveau dossier.**
   Tout dossier venant d'être créé porte le nom peu attrayant de Nouveau dossier. Dès que vous tapez au clavier, Windows 7 l'efface et le remplace par le nom que vous avez choisi. C'est fait ? Validez le nouveau nom, soit en appuyant sur Entrée, soit en cliquant ailleurs.
   Si vous vous êtes fourvoyé et que vous désirez recommencer, cliquez du bouton droit sur le dossier, choisissez Renommer et recommencez.

- Certains caractères et symboles sont interdits. L'encadré « Les noms de dossiers et de fichiers admis » donne des détails. Vous n'aurez jamais de problème en vous en tenant aux bons vieux chiffres et lettres.

- Le lecteur perspicace aura remarqué, dans la Figure 4.8, que Windows propose bien d'autres options que la création d'un dossier, lorsque vous cliquez sur Nouveau. Cliquez du bouton droit dans un dossier pour créer un raccourci ou tout autre élément courant.
- L'observateur décontenancé le sera sans doute plus encore en constatant qu'en cliquant du bouton droit, son menu est différent de celui de la figure 4.8. Rien d'étonnant à cela : des programmes installés par la suite ajoutent souvent leurs propres raccourcis aux menus contextuels, d'où leur différence d'un PC à un autre.

Les noms de dossiers et de fichiers admis

Windows est plus que pinailleur sur les caractères utilisables ou non pour des noms de fichier ou de dossier. Pas de problème si vous n'utilisez que des lettres, des chiffres et certains signes comme le tiret, le point d'exclamation, l'apostrophe, le signe de soulignement, *etc.* En revanche, les caractères que voici sont interdits :

: / \ * | < > ? "

Si vous tentez de les utiliser, Windows 7 affichera un message d'erreur et vous devrez modifier le nom que vous comptiez attribuer. Voici quelques noms de fichiers inutilisables :

```
1/2 camembert
Travail : fini !
UN>DEUX
Pas de « gros mots » ici
```

En revanche ces noms sont admis :

```
La moitié d'un camembert
Travail = OK
Deux est plus grand qu'un
#@$% de !!! et j'en dis pas plus !
```

Renommer un fichier ou un dossier

Un nom de fichier ou de dossier ne convient plus ? Modifiez-le. Pour ce faire, cliquez du bouton droit sur l'icône incriminée puis, dans le menu, choisissez Renommer.

Windows sélectionne l'ancien nom du fichier, qui disparaît aussitôt que vous commencez à taper le nouveau. Appuyez sur Entrée ou cliquez dans le Bureau pour le valider.

Ou alors, vous pouvez cliquer sur le nom du fichier ou du dossier afin de le sélectionner, attendre une seconde puis cliquez de nouveau dans le nom afin de modifier tel ou tel caractère. Sélectionner le nom et appuyer sur la touche F2 est une autre technique de renommage.

- Quand vous renommez un fichier, seul son nom change. Le contenu reste le même, de même que sa taille et son emplacement.

- Pour renommer simultanément un ensemble de fichiers, sélectionnez-les tous, cliquez du bouton droit sur le premier et choisissez Renommer. Tapez ensuite le nouveau nom et appuyez sur Entrée : Windows 7 renomme tous les fichiers en les numérotant : `chat`, `chat(2)`, `chat(3)`, `chat(4)` et ainsi de suite.
- Renommer des dossiers peut semer une redoutable pagaille dans Windows 7, voire le déstabiliser ou le bloquer. Ne renommez jamais des fichiers comme Documents, Images ou Musique.

- Windows n'autorise pas le renommage de fichiers ou de dossiers actuellement utilisés par un programme. Fermer le programme dans lequel le fichier est ouvert résout généralement le problème. Si le problème perdure, le moyen le plus radical consiste à redémarrer l'ordinateur puis à réessayer de renommer.

Sélectionner des lots de fichiers ou de dossiers

La sélection d'un fichier, d'un dossier ou de tout autre élément peut sembler particulièrement ennuyeuse, mais c'est le point de passage obligé pour une foule d'autres actions : supprimer, renommer, déplacer, copier et bien d'autres bons plans que nous aborderons d'ici peu.

Pour sélectionner un seul élément, cliquez dessus. Pour sélectionner plusieurs fichiers et dossiers épars, maintenez la touche Ctrl enfoncée tout en cliquant sur les noms ou sur les icônes. Chacun reste en surbrillance.

Pour sélectionner une plage de fichiers ou de dossiers, cliquez sur le premier puis, la touche Majuscule enfoncée, cliquez sur le dernier. Ces deux éléments ainsi que tous ceux qui se trouvent entre sont sélectionnés (en surbrillance, dans le jargon informatique).

Windows 7 permet aussi de sélectionner des fichiers et des dossiers avec le lasso. Cliquez à proximité d'un fichier ou d'un dossier à sélectionner puis, bouton de la souris enfoncé, tirez de manière à englober les fichiers et/ou dossiers à sélectionner. Un rectangle coloré montre l'aire de sélection. Relâchez le bouton de la souris. Le lasso disparaît, mais les fichiers englobés restent sélectionnés.

- Il est possible de glisser et déposer de gros ensembles de fichiers aussi facilement que vous en déplacez un seul.
- Vous pouvez simultanément couper, copier ou coller ces gros ensembles à n'importe quel autre emplacement, par n'importe laquelle des techniques décrites dans la section « Copier ou déplacer des fichiers et des dossiers », plus loin dans ce chapitre.
- Ces gros ensembles de fichiers et de dossiers peuvent être supprimés d'un seul appui sur la touche Suppr.

- Pour sélectionner simultanément tous les fichiers et sous-dossiers, choisissez Sélectionner tout, dans le menu Édition du dossier. Pas de menu ? Appuyez sur Ctrl + A. Voici une autre manip' sympa : pour tout sélectionner sauf quelques éléments, appuyez sur Ctrl + A puis, touche Ctrl enfoncée, cliquez sur les éléments à ne pas prendre en compte.

Se débarrasser d'un fichier ou d'un dossier

Tôt ou tard, vous vous débarrasserez de fichiers ou de dossiers – lettres d'amours défuntes ou photo embarrassante… – qui n'ont plus de raisons d'exister. Pour supprimer un fichier ou un dossier, cliquez sur leur nom du bouton droit et choisissez Supprimer dans le menu contextuel. Cette manipulation des plus simples fonctionne pour presque n'importe quoi dans Windows : fichiers, dossiers, raccourcis…

Pour supprimer rapidement, cliquez sur l'élément condamné et appuyez sur la touche Suppr. Le glisser et le déposer dans la Corbeille produit le même effet.

L'option Supprimer supprime la totalité d'un dossier, y compris tous les fichiers et sous-dossiers qui s'y trouvent. Assurez-vous d'avoir choisi le bon dossier à jeter avant d'appuyer sur Suppr.

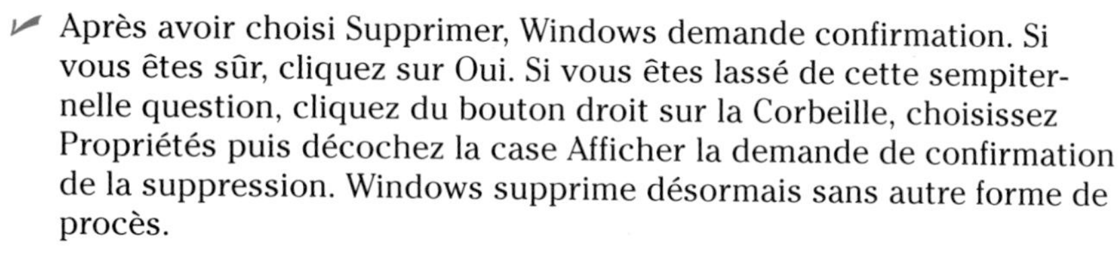

- Après avoir choisi Supprimer, Windows demande confirmation. Si vous êtes sûr, cliquez sur Oui. Si vous êtes lassé de cette sempiternelle question, cliquez du bouton droit sur la Corbeille, choisissez Propriétés puis décochez la case Afficher la demande de confirmation de la suppression. Windows supprime désormais sans autre forme de procès.

- Assurez-vous plutôt deux fois qu'une de ce que vous faites lorsque vous supprimez une icône arborant une petite roue dentée. Ces fichiers sont généralement des fichiers techniques sensibles, cachés, que vous n'êtes pas censé bidouiller.

- Les icônes avec une petite flèche dans un coin sont des raccourcis, autrement dit des boutons qui se contentent de pointer vers des fichiers à ouvrir. Les supprimer n'élimine en aucun cas le fichier ou le programme, qui ne sont en rien affectés.
- Maintenant que vous savez supprimer des fichiers, assurez-vous d'avoir lu le Chapitre 2 qui explique différentes manières de les récupérer au besoin. Un conseil en cas d'urgence : ouvrez la Corbeille, cliquez du bouton droit sur le fichier et choisissez Restaurer (c'est ça, la restauration rapide…).

Inutile de lire cette littérature à risque

Vous n'êtes pas le seul à créer des fichiers dans l'ordinateur. Les programmes stockent souvent des informations – la configuration de l'ordinateur, par exemple – dans un fichier de données qu'ils créent automatiquement. Pour éviter qu'un utilisateur les considère comme des éléments inutiles et les détruise, Windows ne les affiche pas.

Mais si cela vous intéresse, vous pouvez afficher les dossiers et fichiers cachés en procédant ainsi :

1. **Ouvrez un dossier, cliquez sur le bouton Organiser et choisissez Options des dossiers et de recherche.**

   La boîte de dialogue Options de dossier apparaît.

2. **Cliquez sur l'onglet Affichage, en haut de la boîte de dialogue, trouvez la ligne Afficher les fichiers, dossiers et lecteurs cachés, dans la fenêtre Paramètres avancés, puis cliquez sur le bouton Afficher les fichiers, dossiers ou lecteurs cachés.**

3. **Cliquez sur le bouton OK.**

Les fichiers cachés apparaissent maintenant parmi les autres. Veillez à ne pas les supprimer car le programme auquel ils appartiennent aurait un comportement inattendu, au risque d'endommager Windows lui-même. Je vous conseille vivement de désactiver le bouton Afficher les fichiers, dossiers ou lecteurs cachés puis de cliquer sur Appliquer pour revenir aux paramètres habituels.

Copier ou déplacer des fichiers et des dossiers

Pour copier ou déplacer des fichiers vers d'autres dossiers du disque dur, il est parfois plus facile d'effectuer un glisser-déposer avec la souris. Par exemple, voici comment déplacer le fichier Voyageur.txt du dossier Maison vers le dossier Maroc (la juxtaposition des fenêtres est expliquée au Chapitre 3).

1. **Positionnez le pointeur de la souris sur le fichier ou le dossier à déplacer.**
   Il s'agit en l'occurrence du fichier Voyageur.

2. **Le bouton droit de la souris enfoncé, déplacez l'élément jusqu'à ce qu'il se trouve sur le dossier de destination.**
   Comme le révèle la Figure 4.9, le fichier Voyageur est glissé du dossier Maison jusque dans le dossier Maroc (la juxtaposition des dossiers est expliquée au Chapitre 3).

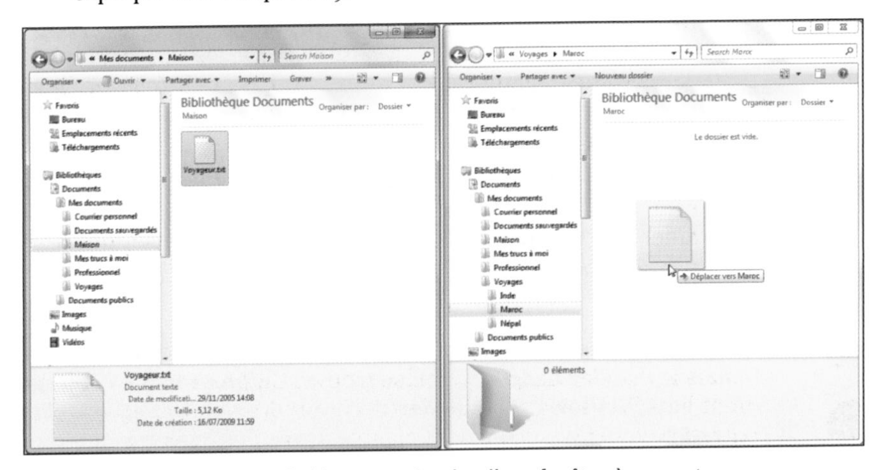

Figure 4.9 : Faites glisser un fichier ou un dossier d'une fenêtre à une autre.

Le fichier suit le pointeur de la souris, tandis que Windows 7 indique que vous déplacez un fichier (Figure 4.9). Veillez à ce que le bouton droit reste enfoncé pendant toute la manœuvre.

Faites toujours glisser l'icône avec le bouton droit de la souris. Windows 7 présentera ainsi un menu contextuel proposant des options lorsque vous positionnerez l'icône, et vous pourrez choisir de copier, déplacer ou créer un raccourci. Lorsque vous utilisez le bouton gauche, Windows 7 ne sait parfois pas si vous désirez copier ou déplacer.

3. Relâchez le bouton de la souris et, dans le menu, choisissez Copier ici, Déplacer ici ou Créer les raccourcis ici.

À vrai dire, glisser et déposer un dossier est très facile. Le plus dur est d'afficher à la fois le dossier d'origine et le dossier de destination, notamment quand l'un d'eux est profondément enfoui dans l'ordinateur.

Si le glisser-déposer prend trop de temps, Windows propose quelques autres manières de copier ou déplacer des fichiers. Certains des outils qui suivent seront plus ou moins appropriés selon l'arrangement de l'écran :

- **Les menus contextuels :** Cliquez du bouton droit sur un fichier ou sur un dossier et choisissez Couper ou Copier. Cliquez ensuite du bouton droit dans le dossier de destination et choisissez Coller. C'est simple, ça fonctionne à tous les coups et il n'est pas nécessaire d'afficher deux fenêtres à l'écran.
- **Les commandes de la barre de menus :** Cliquez sur le fichier et appuyez sur Alt pour révéler les menus cachés du dossier. Dans le menu, cliquez sur Édition et choisissez Copier dans un dossier ou Déplacer vers un dossier. Une nouvelle fenêtre apparaît, répertoriant tous les lecteurs de l'ordinateur. Cliquez dans un lecteur et dans ses dossiers pour atteindre le dossier de destination, et Windows se charge d'exécuter la commande Copier ou Déplacer. Un peu laborieuse, cette technique convient si vous connaissez l'emplacement exact du dossier de destination.
- **L'affichage des dossiers dans le Volet de navigation :** Décrit à la section « Le Volet de navigation », au Chapitre 3, le bouton Dossiers affiche la liste des dossiers dans le Volet de navigation, ce qui permet d'y déposer facilement des fichiers, sans la corvée de devoir ouvrir le dossier de destination.

Quand vous avez installé un programme dans votre ordinateur, ne déplacez jamais le dossier dans lequel il se trouve. Un programme est toujours intimement lié à Windows. Si vous déplacez son dossier, toutes les relations qu'il entretient avec Windows sont rompues, vous obligeant à le réinstaller (sans parler de la pagaille que le programme déplacé risque d'avoir laissée derrière lui). En revanche, les raccourcis des programmes peuvent être librement déplacés.

Obtenir plus d'informations sur les fichiers et les dossiers

Chaque fois que vous créez un fichier ou un dossier, Windows 7 révèle des informations le concernant : la date de création, sa taille, et autres renseignements plus communs. Parfois, il vous permet même d'ajouter vos propres informations : des paroles ou une critique d'un morceau de musique, ou la miniature de chacune de vos photos.

Vous pouvez parfaitement ignorer toutes ces informations, mais parfois, elles vous permettront de résoudre un problème.

Pour les découvrir, cliquez du bouton droit sur un fichier ou un dossier et, dans le menu, choisissez Propriétés. Par exemple, les propriétés d'un morceau de Tri Yann révèlent une quantité d'informations, comme le montre la Figure 4.10. Voici la signification de chaque onglet :

- **Général :** Ce premier onglet (à gauche dans la Figure 4.10) indique le type du fichier, un fichier MP3 du morceau *Lucy in the Sky with Diamonds* en l'occurrence, sa taille (5,73 Mo) le programme qui l'ouvre (le Lecteur Windows Media) et son emplacement.

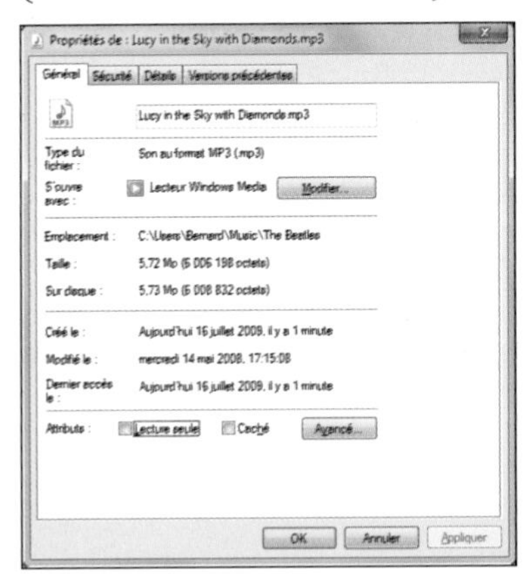

Figure 4.10 : Les propriétés d'un fichier indiquent le programme qui l'ouvre automatiquement, la taille du fichier ainsi que d'autres informations.

Le programme qui a ouvert le fichier n'est pas le bon ? Cliquez du bouton droit sur le fichier, choisissez Propriétés et, sous l'onglet Général, cliquez sur le bouton Modifier. Sélectionnez ensuite votre programme préféré dans la liste.

- **Sécurité :** Sous cet onglet, vous contrôlez les autorisations, c'est-à-dire qui a le droit d'accéder au fichier et ce qu'il peut faire avec, des détails qui ne deviennent une corvée que lorsque Windows 7 empêche l'un de vos amis – ou même vous – d'ouvrir un fichier. Si ce problème s'avère ardu, copiez le dossier dans un emplacement public, comme expliqué au Chapitre 14. C'est un espace d'accès libre, où tout le monde peut accéder au fichier.
- **Détails :** Cet onglet révèle des informations supplémentaires concernant un fichier. Si c'est celui d'une photo numérique, cet onglet répertorie les données EXIF (*Exchangeable Image File Format,* format de fichier d'image échangeable) : marque et modèle de l'appareil photo, diaphragme, focale utilisée et autres valeurs que les photographes apprécient. Pour un morceau de musique, cet onglet affiche son identifiant ID3 (*Identify MP3*) : artiste, titre de l'album, année, numéro de la piste, genre, durée et autres informations. Les en-têtes ID3 sont expliqués au Chapitre 15.
- **Versions précédentes :** Collectionneur impénitent, Windows 7 conserve toujours les versions précédentes de vos fichiers. Vous avez commis une bourde calamiteuse dans une feuille de calcul ? Pas de panique : allez ici et choisissez la copie de Hier de la feuille de calcul. La fonction Versions précédentes de Windows 7 fonctionne de pair avec la Restauration du système qui a fait ses preuves dans Windows XP. Ces deux bouées de sauvetage sont décrites au Chapitre 17.

Normalement, tous ces détails restent cachés à moins de cliquer du bouton droit sur un fichier et de choisir Propriétés. Mais un dossier peut fournir simultanément des détails de la totalité des fichiers, ce qui est commode pour des recherches rapides. Pour choisir le type de détail – le nombre de mots dans un document Word, par exemple – cliquez du bouton droit sur n'importe quel terme figurant en haut d'une colonne, comme à la Figure 4.11. Cliquez sur Autres, en bas de la liste, pour découvrir d'autres détails, dont Nombre de mots.

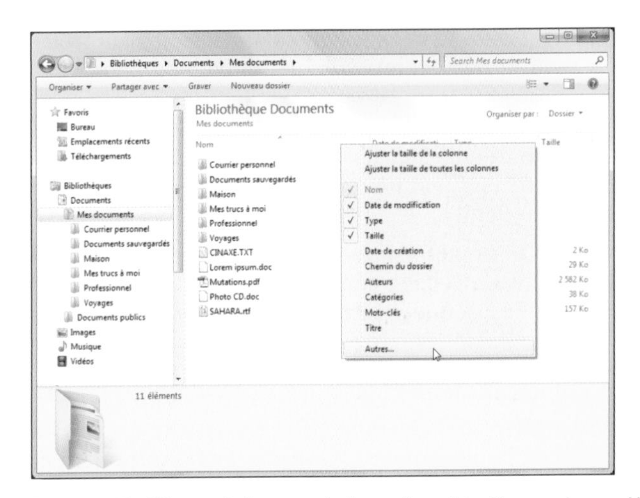

Figure 4.11 : Cliquez du bouton droit sur l'en-tête d'une colonne. Une fenêtre permet de sélectionner les détails des fichiers à faire apparaître dans le dossier.

- Pour obtenir l'affichage Détails, cliquez sur le bouton fléché de l'icône Changer l'affichage, à droite dans la barre de commandes. Le menu ainsi déployé propose huit manières de montrer les fichiers : Très grandes icônes, Grandes icônes, Icônes moyennes, Petites icônes, Liste, Détails, Mosaïques et Contenu. Essayez-les et faites votre choix. Notez que Windows 7 mémorise votre choix pour chaque dossier.

- Si vous ne vous souvenez plus de la fonction d'un bouton de la barre de commandes, immobilisez le pointeur de la souris dessus. Windows 7 affiche alors une info-bulle expliquant succinctement à quoi il sert.
- Bien que les informations supplémentaires puissent être appréciables, elles occupent de la place au détriment du nombre de fichiers affichés dans la fenêtre. N'afficher que le nom des fichiers est souvent une meilleure option. C'est seulement lorsque vous voudrez en savoir plus sur un fichier ou un dossier que vous essayerez l'astuce qui suit.

Dans un dossier, les fichiers sont habituellement triés alphabétiquement. Pour les trier différemment, cliquez dans une partie vide du dossier et choisissez Trier par. Un menu déroulant propose de trier par nom, taille, type, *etc.* Cliquer sur le bouton Autres, en bas du menu, vous étonnera, car 250 autres manières de trier des fichiers sont proposées.

Si vous êtes lassé du menu Trier par, cliquez sur l'en-tête en haut de chaque colonne. Cliquez sur Taille, par exemple, pour placer rapidement les fichiers les plus volumineux en haut de la liste. Cliquez sur Date de modification pour trier les fichiers selon la date de modification la plus récente (NdT : Cliquer une seconde fois inverse l'ordre de tri).

Graver des CD et des DVD

La plupart des ordinateurs actuels savent graver des CD ou des DVD. Pour savoir si votre lecteur de CD et aussi un graveur, ôtez tout disque se trouvant dans le tiroir, puis ouvrez Ordinateur à partir du menu Démarrer et examinez l'icône du lecteur. Si les lettres RW sont indiquées, c'est un graveur.

Si le lecteur porte la mention `DVD/CD-RW`, comme sur l'icône en marge, cela signifie qu'il est capable de lire et de graver des CD, mais seulement de lire – et non graver – des DVD (la lecture des DVD est expliquée au Chapitre 15).

Si le lecteur porte la mention `Lecteur DVD-RW`, il peut lire et graver des CD et aussi des DVD.

Si votre PC est équipé de deux lecteurs, un de CD et l'autre de DVD, indiquez à Windows 7 lequel sera utilisé pour la gravure. Pour ce faire, cliquez du bouton droit sur le lecteur, choisissez Propriétés puis cliquez sur l'onglet Enregistrement. Choisissez ensuite votre lecteur favori à la partie supérieure. (NdT : La lecture et la gravure des récents disques de grande capacité Blu-ray ne sont pas abordées dans cet ouvrage ; ces disques ne peuvent être lus que par des lecteurs spécifiques).

Acheter des CD et DVD vierges pour la gravure

Il existe deux types de CD : les CD-R (comme *Recordable,* « enregistrable », en anglais) et CD-RW (comme *ReWritable,* « réinscriptible »). Voici la différence :

- **CD-R :** La plupart des gens achètent des CD-R car ils sont bon marché et sont parfaits pour stocker de la musique ou des fichiers. Vous pouvez graver les données jusqu'à ce qu'ils soient pleins, mais c'est tout. Il est impossible de modifier le contenu. Ce n'est pas un problème car ceux qui utilisent ce support évitent ainsi le risque que leurs CD soient effacés. Ils sont aussi utilisés pour les sauvegardes.
- **CD-RW :** Les CD réinscriptibles servent notamment à faire des sauvegardes temporaires. Vous pouvez les graver tout comme un CD-R, à la différence près que le CD-RW peut être entièrement effacé – l'effacement partiel est impossible – et réutilisé. Ce type de CD est cependant plus onéreux.

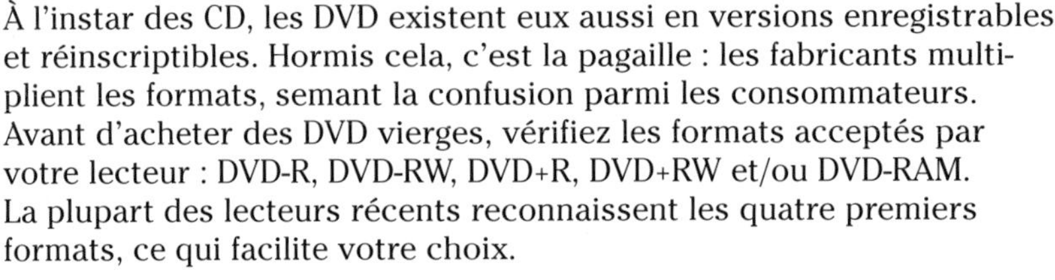

À l'instar des CD, les DVD existent eux aussi en versions enregistrables et réinscriptibles. Hormis cela, c'est la pagaille : les fabricants multiplient les formats, semant la confusion parmi les consommateurs. Avant d'acheter des DVD vierges, vérifiez les formats acceptés par votre lecteur : DVD-R, DVD-RW, DVD+R, DVD+RW et/ou DVD-RAM. La plupart des lecteurs récents reconnaissent les quatre premiers formats, ce qui facilite votre choix.

- La vitesse de rotation du disque, indiquée par l'opérateur × (comme dans 8×, 40×...) indique la rapidité de la gravure : généralement 52× pour un CD et 16× pour un DVD.

NDT : À quoi se rapportent les vitesses ? Elles sont basées sur l'une des toutes premières normes de gravure de CD, à la fin des années 1980, qui imposait un taux de transfert des données de 153 ko par seconde. Un lecteur qui grave à la vitesse de 52× grave ainsi 7 956 ko par seconde, soit 7,77 Mo/s.

- Les CD vierges sont bon marché. Pour un essai, demandez-en un à un ami : si la gravure s'effectue sans problème, achetez-en d'autres du même type. En revanche, les DVD vierges étant plus chers, il vous sera plus difficile d'en obtenir un pour un test.
- Bien que Windows 7 gère parfaitement les tâches de gravure de CD simples, il est extraordinairement compliqué lorsqu'il s'agit de copier des CD audio. La plupart des utilisateurs renoncent rapidement et préfèrent s'en remettre à des logiciels de gravure tiers, comme ceux édités par Roxio ou Nero. J'explique au Chapitre 15 comment Windows 7 crée les CD audio.
- La copie des CD audio et des DVD est soumise aux lois protégeant les droits d'auteur.

Copier des fichiers depuis ou vers un CD ou un DVD

Il fut un temps ou CD et DVD étaient à l'image de la simplicité : il suffisait de les introduire dans un lecteur de salon pour les lire. Mais, dès lors que ces disques ont investi les ordinateurs, tout se compliqua. À présent, lorsque vous gravez un CD ou DVD, vous devez indiquer au PC ce que vous copiez et comment vous comptez le lire : sur un lecteur de CD audio ? Sur un lecteur de DVD ? Ou ne s'agit-il que de fichiers informatiques ? Si vous avez mal choisi, le disque ne sera pas lisible.

Voici les règles régissant la création d'un disque :

- **Musique :** Reportez-vous au Chapitre 15 pour créer un CD qui sera lu par une chaîne stéréo ou un autoradio. Vous utiliserez le Lecteur Windows Media.
- **Films et diaporamas :** Reportez-vous au Chapitre 16 pour créer un DVD contenant des séquences vidéo ou des diaporamas que vous visionnerez avec un lecteur de DVD de salon. Vous utiliserez le nouveau programme DVD Maker.

Mais il en va différemment si vous désirez seulement copier des fichiers informatiques sur un CD ou un DVD, à des fins de sauvegarde ou pour les envoyer à quelqu'un.

Suivez ces étapes pour graver des fichiers sur un CD ou un DVD vierge (si vous ajoutez les données à un disque qui en contient déjà, passez à l'Étape 4).

Remarque : Si vous avez installé un logiciel de gravure tiers dans votre PC, il risque de démarrer automatiquement dès l'insertion du CD, outrepassant toutes les étapes. Vous devrez le désactiver si vous désirez graver avec Windows 7 ou tout autre programme. Cliquez ensuite sur l'icône du lecteur et choisissez Ouvrir la lecture automatique. Vous pourrez ainsi indiquer à Windows comment il doit réagir à l'insertion d'un CD vierge.

1. **Insérez le disque vierge dans le graveur et choisissez Graver les fichiers sur un disque.**
   Windows 7 réagit différemment selon que vous insérez un CD ou un DVD, comme le montre la Figure 4.12.

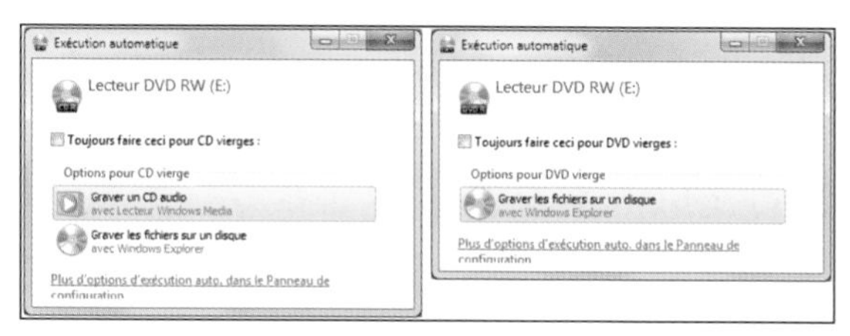

Figure 4.12 : L'insertion d'un CD (à gauche) ou d'un DVD (à droite), affiche la boîte de dialogue appropriée. Choisissez Graver un CD pour copier les fichiers sur le disque.

   CD : Windows 7 propose deux options :

   - **Graver un CD audio :** Cette option demande au Lecteur Windows Media de créer un CD audio lisible par la plupart des lecteurs de CD (nous y reviendrons au chapitre 15).
   - **Graver les fichiers sur un disque :** Choisissez cette option pour copier des fichiers sur un CD.

DVD : Windows 7 offre une seule option :

- **Graver les fichiers sur un disque :** Choisissez cette option pour copier des fichiers informatiques sur le DVD.

2. **Saisissez le nom à attribuer au disque puis cliquez sur Suivant.**
   Après avoir inséré le disque et choisi Graver les fichiers sur un disque, à l'Étape 1, Windows 7 affiche la boîte de dialogue Graver un disque et vous demande de trouver un titre pour le disque.
   Hélas, Windows 7 limite la longueur des titres des CD et DVD à 16 caractères. Au lieu de taper **Pique-nique familial à Trifouilly-les-Oies en 2009**, vous devrez vous limiter à **Trifouilly 2009**. Ou vous contenter de cliquer sur Suivant et accepter le nom par défaut imposé par Windows 7 : la date du jour.
   Windows peut graver le disque afin de l'utiliser de deux manières :

   - **Comme un lecteur flash USB :** Un lecteur flash USB est en réalité une clé USB. Cette méthode permet d'écrire et de lire des fichiers plusieurs fois sur le disque. C'est une manière commode de transporter des fichiers. Le disque est malheureusement illisible par les lecteurs de CD et de DVD de salon.

   - **Avec un lecteur de CD/DVD :** Choisissez cette méthode si le disque doit pouvoir être lu par votre chaîne stéréo.

   Après avoir entré un nom, Windows 7 se prépare à recevoir les fichiers qu'il devra graver. Pour le moment, la fenêtre du disque est vide.

3. **Indiquez à Windows 7 les fichiers qu'il doit graver.**
   Le disque étant prêt à recevoir des données, il indique à Windows 7 où il les trouvera. Vous pouvez le faire de diverses manières :

   - Cliquez du bouton droit sur l'élément à copier, qu'il s'agisse d'un seul fichier, d'un dossier, ou d'un ensemble de fichiers et de dossiers sélectionnés. Dans le menu contextuel qui apparaît, choisissez Envoyer vers puis sélectionnez le graveur.

   - Faites glisser les fichiers et/ou les dossiers et déposez-les sur la fenêtre du graveur, ou sur l'icône du graveur, dans la fenêtre Ordinateur.

   Graver

   - Choisissez le bouton Graver, dans la barre de commandes de n'importe quel dossier du dossier Musique. Tous les dossiers de musique – ou les fichiers audio sélectionnés – seront copiés sur le disque en tant que fichiers informatiques, lisibles par les chaînes stéréo et autoradio capables de lire des fichiers aux formats WMA ou MP3.

Graver

- Choisissez le bouton Graver, dans la barre de commandes de n'importe quel dossier du dossier Images. Toutes les photos du dossier Images – ou celles que vous avez sélectionnées – seront copiées sur le disque, à des fins de sauvegarde ou pour les diffuser autour de vous.

Graver

- Choisissez le bouton Graver, dans la barre de commandes de n'importe quel dossier du dossier Documents. Les fichiers qui s'y trouvent seront copiés sur le disque.

- Demandez au logiciel que vous utilisez actuellement d'enregistrer le fichier sur le disque compact plutôt que sur le disque dur.

Quelle que soit la technique choisie, Windows 7 examine scrupuleusement les données puis les grave sur le disque.

4. **Fermez la session de gravure en éjectant le disque.**

   Quand vous avez fini de copier des fichiers sur un disque, indiquez-le à Windows 7 en fermant la fenêtre Ordinateur : double-cliquez sur le petit X dans le coin supérieur droit de la fenêtre.

   Appuyez ensuite sur le bouton d'éjection du disque, ou cliquez du bouton droit sur l'icône du lecteur, dans Ordinateur, et choisissez Éjecter. Windows 7 ferme la session en veillant à ce que le disque soit lisible par d'autres PC.

Par la suite, vous pouvez graver d'autres fichiers sur le même disque jusqu'à ce que Windows vous informe qu'il est plein. Vous devrez alors mettre fin à la gravure, comme à l'Étape 4 précédemment, insérer un disque vierge puis tout recommencer à partir de l'Étape 1.

Si vous tentez de copier un ensemble de fichiers plus volumineux que ce que peut héberger le disque, Windows 7 le signalera aussitôt. Réduisez le nombre de fichiers à copier sur un disque en les répartissant sur plusieurs.

La plupart des programmes permettent d'enregistrer directement sur un CD. Choisissez Fichier, puis Enregistrer, et sélectionnez le graveur. Insérez un disque dans le lecteur – de préférence pas trop plein – pour démarrer le processus.

Dupliquer un CD ou un DVD

Windows 7 ne possède pas de commande de duplication de disque compact. Il n'est pas capable de copier un CD audio, ce qui explique pourquoi beaucoup de gens achètent des logiciels de gravure.

Il est cependant possible de copier tous les fichiers d'un CD ou d'un DVD dans un disque vierge en procédant en deux étapes :

1. **Copiez les fichiers et dossiers du CD ou du DVD dans un dossier de votre PC.**
2. **Copiez le contenu de ce dossier sur un CD ou un DVD vierge.**

Vous obtenez ainsi une copie du CD ou du DVD, commode lorsque vous tenez à conserver deux sauvegardes essentielles.

Ce procédé ne fonctionne pas avec un CD audio ou un film sur DVD (j'ai essayé). Seuls les disques contenant des programmes ou des données informatiques peuvent être dupliqués.

Disquettes et cartes mémoire

Les possesseurs d'appareil photo numérique connaissent bien les cartes mémoire, ces petites plaquettes en plastique qui remplacent la pellicule. Windows 7 est capable de lire les photos numériques directement sur l'appareil, pour peu qu'il soit connecté au PC. Mais il est aussi capable de lire les cartes mémoire, une technique prisée par tous ceux qui n'ont pas envie d'utiliser le câble de connexion.

Mais pour cela, le PC doit être équipé d'un lecteur de cartes mémoire dans lequel vous insérez la carte pleine de photos. Pour le PC, le lecteur est représenté par un dossier comme un autre.

Les boutiques d'informatique vendent des lecteurs de cartes mémoire externes acceptant les formats les plus répandus : Compact Flash, Secure Digital, Mini-Secure Digital, Memory Stick, et d'autres encore…

Un lecteur de cartes mémoire est d'une agréable convivialité : après avoir inséré la carte, vous pouvez ouvrir son dossier dans le PC et voir les miniatures des photos qui s'y trouvent. Toutes les opérations de glisser-déposer, copier-coller et autres manipulations décrites précédemment dans ce chapitre sont applicables. Vous déplacez et organisez vos photos intuitivement.

Les clés USB sont reconnues par Windows 7 de la même manière que les lecteurs de cartes mémoire : insérez-la dans un port USB et elle apparaît dans le dossier Ordinateur sous la forme d'une icône, prête à être ouverte d'un double-clic.

- Formater une carte mémoire efface irrémédiablement toutes les photos et autres données qui s'y trouvent. Ne formatez jamais une carte mémoire sans avoir préalablement vérifié ce qu'elle contient.
- La procédure, maintenant : si Windows se plaint de ce qu'une carte nouvellement insérée n'est pas formatée – un problème qui affecte surtout les cartes ou disquettes endommagées –, cliquez du bouton droit sur son lecteur et choisissez Formater. Parfois, le formatage permet d'utiliser la carte avec un autre appareil que celui pour lequel vous l'aviez achetée : un lecteur MP3 acceptera par exemple celle que l'appareil photo refuse.

- Les lecteurs de disquettes n'équipent plus que les PC les plus anciens (NdT : Ils sont parfois proposés en option et il existe aussi des lecteurs de disquettes externes). Ils fonctionnent comme les lecteurs de cartes mémoire : insérez la disquette puis double-cliquez sur son icône dans Ordinateur, pour accéder aux fichiers.

- Appuyez sur la touche F5 chaque fois que vous insérez une nouvelle disquette dans le lecteur, afin que Windows 7 mette la fenêtre à jour. Autrement, elle afficherait toujours les fichiers de la disquette précédente (cette formalité n'est obligatoire que pour les disquettes).

Deuxième partie

Travailler avec les programmes et les fichiers

Dans cette partie...

Vous venez de faire connaissance avec Windows 7 et d'apprendre les bases de son utilisation, notamment cliquer çà et là.

Dans cette partie du livre, vous vous mettez vraiment au travail. C'est ici que vous apprendrez à démarrer des programmes, à ouvrir des fichiers, à créer et enregistrer les vôtres, et imprimer vos œuvres. Vous saurez aussi tout sur les incontournables commandes couper, copier et coller.

Et si des fichiers prennent soudainement la clé des champs – c'est dans leur nature –, le Chapitre 6 vous expliquera comment lancer des chiens policiers virtuels à leur recherche pour les ramener au bercail.

Chapitre 5

Programmes et documents

Dans ce chapitre

- Ouvrir un programme ou un document
- Changer le programme qui ouvre un document
- Créer un raccourci
- Couper ou copier, et coller
- Utiliser les programmes livrés avec Windows 7

Dans Windows, les *programmes* – ou logiciels – sont vos outils. Ils vous permettent de calculer, d'écrire et d'abattre des vaisseaux spatiaux. En revanche, les documents sont ce que vous créez à l'aide d'un programme : une feuille de calcul révélant que vous vivez au-dessus de vos moyens, une lettre à l'eau de rose, les scores de vos jeux.

Ce chapitre commence par les bases : ouvrir des programmes, créer des raccourcis, couper et coller des données entre des documents… J'en profiterai pour vous montrer quelques trucs, comme l'ajout d'un signe © (copyright) dans le document, par exemple. Enfin, nous ferons le tour des programmes livrés avec Windows 7, vous apprendrez à créer une lettre que vous agrémenterez de caractères spéciaux ou de symboles.

Démarrer un programme

Cliquer sur le bouton Démarrer déploie le menu Démarrer, qui est la rampe de lancement de vos programmes. Ce menu est remarquablement intuitif. Par exemple, si Windows 7 s'aperçoit que vous gravez beaucoup de DVD, le menu Démarrer place l'icône du programme DVD Maker en bonne place dans la liste, comme l'illustre la Figure 5.1.

Figure 5.1 : Cliquez sur le bouton Démarrer puis sur le programme à ouvrir.

Votre programme favori n'est pas visible dans le menu Démarrer ? Cliquez sur Tous les programmes, en bas du menu. Il propose une liste exhaustive de tous les programmes installés dans l'ordinateur, dûment répertoriés. Le programme n'est toujours pas visible ? Il se trouve sans aucun doute dans l'un des dossiers de Tous les programmes. Cliquez sur l'un ou l'autre de ces dossiers pour le découvrir (NdT : Ces dossiers portent souvent le nom de l'éditeur du programme).

Programme, application ou logiciel ?

NdT : Les débutants sont souvent décontenancés, en informatique, par le nombre de termes se rapportant à la même chose : un programme. Voici donc ce qu'il en est :

- Programme : Tout fichier informatique contenant des instructions à exécuter. Windows 7 est formé d'un ensemble de programmes.
- **Application :** Programme destiné à exécuter une tâche particulière (traitement de texte, téléchargement...).
- **Logiciel :** Terme inventé en 1967 par l'ingénieur Philippe Renard pour traduire le mot anglais software. Désigne indistinctement un programme ou une application, par opposition au hardware, le matériel.

Le terme "progiciel" (application destinée à une branche professionnelle particulière) est aussi utilisé, de même que des termes plus spécialisés comme Utilitaire (programme exécutant une seule petite tâche comme la décompression des fichiers ou leur conversion d'un format à un autre, ou Exécutable, tout fichier qui s'exécute en double-cliquant dessus).

Après avoir repéré le programme, cliquez sur son nom. Il s'ouvre sur le Bureau, prêt à l'emploi.

Si le programme ne figure pas dans le menu Démarrer, Windows propose plusieurs moyens de l'ouvrir, dont ceux-ci :

- Ouvrez le dossier Documents dans le menu Démarrer, et double-cliquez sur le fichier sur lequel vous comptez travailler. Le programme approprié démarre et ouvre le fichier en question.
- Double-cliquez sur un *raccourci* du programme. Les raccourcis, souvent créés sur le Bureau, sont des boutons très commodes pour démarrer des programmes ou ouvrir des fichiers. Ils sont décrits en détail à la section « Prendre un raccourci », plus loin dans ce chapitre.
- Si l'icône du programme se trouve dans la barre d'outils Lancement rapide – elle jouxte le menu Démarrer –, cliquez dessus et le programme entre en action (la barre d'outils Lancement rapide est décrite au Chapitre 2).
- Cliquez du bouton droit sur le Bureau, choisissez Nouveau et sélectionnez le type de document à créer. Windows démarrera le programme approprié.
- Tapez le nom du programme dans le champ Rechercher, en bas du menu Démarrer, et appuyez sur Entrée.

Il existe encore d'autres moyens de démarrer un programme, mais ceux-ci sont les plus pratiques. Le menu Démarrer est décrit plus en détail au Chapitre 2.

Le menu Démarrer contient des raccourcis, autrement dit des boutons qui pointent vers les programmes que vous utilisez le plus fréquemment et les démarrent lorsque vous double-cliquez dessus. Ces raccourcis sont ceux des huit programmes les plus utilisés. Vous ne voulez pas que votre directeur sache que vous jouez souvent à FreeCell ? Cliquez du bouton droit sur l'icône de FreeCell et choisissez Supprimer de cette liste. Le raccourci disparaît, mais la véritable icône de FreeCell subsiste à son emplacement normal, dans le dossier Jeux (qui se trouve dans le menu Tous les programmes).

Ouvrir un document

Windows 7 adore tout ce qui est normalisé. La preuve ? Tous les programmes chargent les documents – souvent appelés « fichiers » – et les ouvrent de la même manière :

1. **Cliquez sur l'option Fichier, dans la barre de menus située en haut de n'importe quel programme.**

   Pas de barre de menus ? Appuyez sur Alt pour la faire apparaître. Toujours pas de barre de menus ? Dans ce cas, c'est sûrement parce que ce programme est doté de la nouvelle présentation des commandes appelée *ruban,* autrement dit un épais bandeau contenant des icônes réunies par groupes. Si c'est le cas, cliquez sur le bouton Office, dans la marge, pour accéder au menu Fichier.

2. **Dans le menu Fichier, choisissez Ouvrir.**

   La boîte de dialogue Ouvrir (Figure 5.2), suscite une impression de déjà-vu, et pour cause : elle ressemble et se comporte comme le dossier Documents décrit au Chapitre 4.

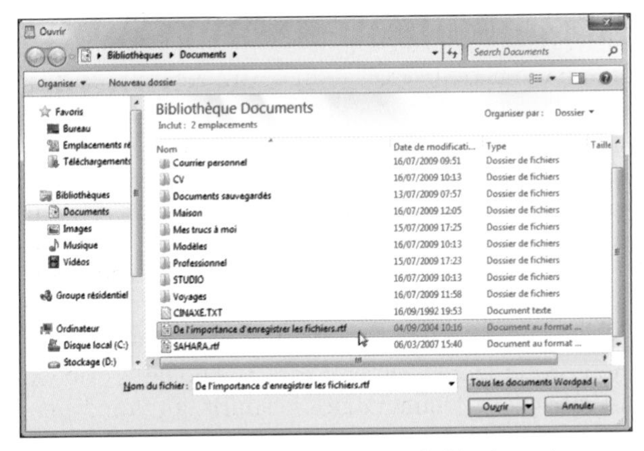

Figure 5.2 : Double-cliquez sur le nom du fichier à ouvrir.

Il y a cependant une grande différence : cette fois, le dossier ne montre que les fichiers que le programme est capable d'ouvrir. Il exclut tous les autres.

3. **Vous avez vu la liste de documents dans la boîte de dialogue Ouvrir, à la Figure 5.2 ? Cliquez sur le document désiré puis cliquez sur le bouton Ouvrir.**

   Le programme ouvre le fichier et affiche son contenu.

Cette technique d'ouverture d'un fichier fonctionne avec la plupart des programmes sous Windows, qu'ils aient été édités par Microsoft, par un autre éditeur, ou programmé par le boutonneux féru d'informatique au coin de la rue.

- Pour aller plus vite, double-cliquez sur le nom du fichier désiré. Il est aussitôt ouvert, la boîte de dialogue Ouvrir se fermant toute seule.
- Si le fichier désiré ne figure pas dans la liste, commencez à parcourir le disque dur avec les boutons visible à gauche, dans la Figure 5.2. Par exemple, cliquez sur le dossier Documents pour voir les fichiers qui s'y trouvent.
- Les gens fourrent souvent leurs papiers, photos et CD dans des boîtes en carton, mais l'ordinateur, lui, stocke ses fichiers dans des petits compartiments dûment étiquetés appelés « dossiers ». Double-cliquez sur l'un d'eux pour voir ce qu'il contient, et reportez-vous au Chapitre 4 si la navigation parmi les dossiers vous paraît compliquée.
- Chaque fois que vous ouvrez un fichier et que vous le modifiez, même rien qu'en appuyant sur la barre Espace par mégarde, Windows 7 présume que vous aviez une bonne raison de le faire. C'est pourquoi, si vous tentez de fermer le fichier, il vous demande s'il faut enregistrer la modification. Si vos modifications ont été faites à bon escient, cliquez sur Oui. Mais si vous y avez semé la pagaille ou ouvert un mauvais fichier, cliquez sur le bouton Non ou Annuler.

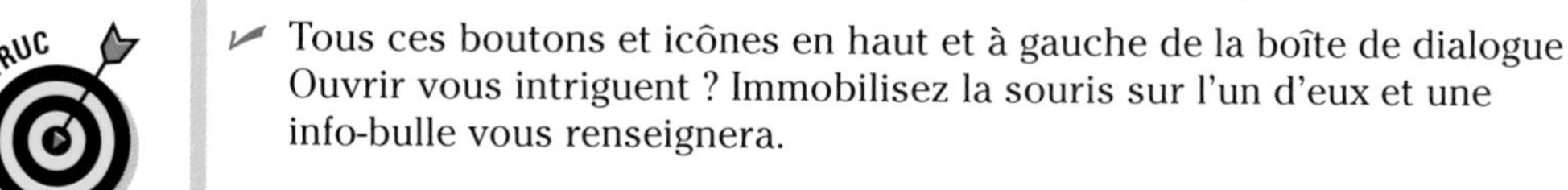

- Tous ces boutons et icônes en haut et à gauche de la boîte de dialogue Ouvrir vous intriguent ? Immobilisez la souris sur l'un d'eux et une info-bulle vous renseignera.

Quand les programmeurs se disputent les types de fichiers

Quand il s'agit de formats, c'est-à-dire la manière dont les données sont organisées dans les fichiers, les programmeurs ne se font pas de cadeaux. Pour s'accommoder de cette petite guerre, bon nombre de programmes sont dotés d'une fonction spéciale permettant d'enregistrer les fichiers dans différents formats.

Examinez l'une des zones de liste en bas à droite de la Figure 5.2. Elle mentionne actuellement Tous les documents Wordpad, autrement dit les fichiers dont l'extension – les quelques lettres après le nom – est .rtf, .txt ou .wri. Pour voir les fichiers enregistrés dans d'autres formats, cliquez sur ce bouton et choisissez l'un des autres formats proposés. La boîte de dialogue Ouvrir affiche aussitôt les seuls fichiers correspondant au nouveau format.

Comment afficher tous les fichiers, indépendamment de leur format ? Choisissez Tous les fichiers, dans la liste déroulante. Certes, tous sont maintenant visibles, mais cela ne signifie pas que le programme sera capable d'ouvrir n'importe lequel. Si le format est incompatible, il refusera d'ouvrir le fichier ou affichera n'importe quoi…

Par exemple, Wordpad peut afficher des noms de fichiers de photos numériques quand l'option Tous les documents est sélectionnée. Mais si vous tentez d'en ouvrir une, il l'affichera sous la forme de pages remplies de caractères spéciaux (si cette mésaventure vous arrive, abstenez-vous d'enregistrer le fichier car le document serait irrémédiablement inutilisable ; quittez aussitôt le programme en cliquant sur Annuler).

Enregistrer un document

Enregistrer signifie que vous inscrivez votre travail sur la surface magnétique d'un disque dur ou sur tout autre support afin de le conserver. Tant qu'un travail n'est pas enregistré, il réside dans la mémoire vive de l'ordinateur, qui est vidée dès que l'ordinateur est éteint. Vous devez spécifiquement demander à l'ordinateur d'enregistrer votre travail en lieu sûr.

Fort heureusement, Microsoft a imposé que la même commande Enregistrer apparaisse dans tous les programmes de Windows 7, et cela quel qu'en soit le programmeur ou l'éditeur. Voici plusieurs moyens d'enregistrer un fichier :

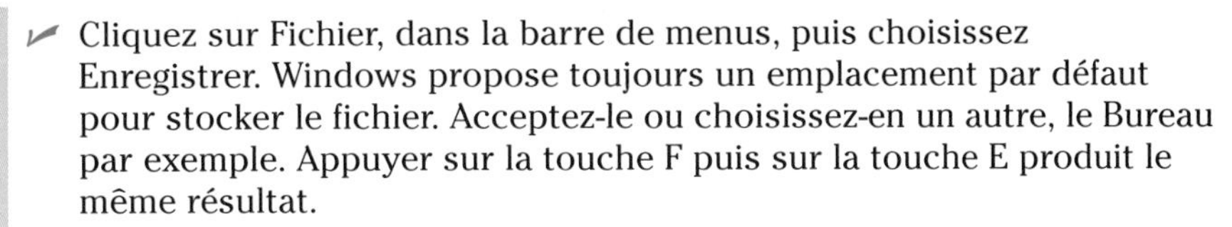

- Cliquez sur Fichier, dans la barre de menus, puis choisissez Enregistrer. Windows propose toujours un emplacement par défaut pour stocker le fichier. Acceptez-le ou choisissez-en un autre, le Bureau par exemple. Appuyer sur la touche F puis sur la touche E produit le même résultat.

- Cliquez sur l'icône Enregistrer, dans la barre d'outils.
- Appuyez sur Ctrl + S (ici le S est celui du mot anglais *Save,* « enregistrer »).

Quand vous enregistrez pour la première fois, Windows 7 demande d'indiquer le nom du fichier. Efforcez-vous d'être descriptif et de n'utiliser que des lettres, des chiffres et des espaces (NdT : Tiret, apostrophe, parenthèses et caractères accentués ou à cédille et signe de soulignement sont admis). N'essayez pas d'utiliser un des caractères interdits, décrits au Chapitre 4, car Windows 7 refuserait le nom.

- Choisissez toujours un nom descriptif pour vos fichiers. Windows 7 autorise 255 caractères, c'est-à-dire plus qu'il n'en faut. Un fichier nommé *Rapport de l'assemblée générale de 2010* ou *Prévisions des ventes* sera plus facile à retrouver qu'un fichier laconiquement nommé *Rapport* ou *Prévisions.*

- Vous pouvez enregistrer un fichier dans n'importe quel dossier, sur un CD voire sur une carte mémoire. Mais c'est en les enregistrant dans le dossier Documents que vous le retrouverez le plus facilement. Ne vous privez néanmoins pas d'enregistrer un deuxième exemplaire sur un CD, comme sauvegarde.
- La plupart des programmes peuvent enregistrer des fichiers directement sur un CD : choisissez Enregistrer, dans le menu Fichier puis, comme destination, sélectionnez le graveur de CD. Insérez un CD dans le lecteur, et c'est parti !

- Si vous travaillez sur quelque chose d'important – c'est presque toujours le cas –, utilisez la commande Enregistrer toutes les quelques minutes. Ou mieux, appuyez sur les touches Ctrl + S (touche Ctrl enfoncée, appuyez brièvement sur S). La première fois, le programme demandera d'indiquer le nom et l'emplacement du fichier, mais par la suite, le processus sera quasiment instantané.

Quelle est la différence entre Enregistrer et Enregistrer sous ?

Enregistrer sous quoi ? La table ? Le tapis ? Que nenni bonnes gens. La commande Enregistrer permet d'enregistrer un fichier sous un autre nom et/ou à un autre emplacement.

Supposons que le fichier *Ode à Tina* se trouve dans le dossier Documents et que vous désirez modifier quelques phrases. Vous désirez enregistrer cette modification, mais sans perdre la version originale. Pour conserver les deux versions de cette impérissable littérature, vous choisirez Enregistrer sous, et vous renommerez le fichier *Ode à Tina - Ajouts* (en plaçant le mot « ajouts » après le nom, vous préservez le classement en ordre alphabétique de vos fichiers).

Lors d'un premier enregistrement, les commandes Enregistrer et Enregistrer sous sont identiques : les deux vous invitent à nommer le fichier et à choisir son emplacement.

Choisir le programme qui ouvre un fichier

Le plus souvent, Windows 7 sait quel programme utiliser pour ouvrir tel ou tel fichier. Double-cliquez sur un fichier, et Windows 7 démarre le programme, charge le fichier et l'ouvre. Mais quand il ne s'en sort plus, c'est à vous de jouer.

Les deux prochaines sections expliquent ce qu'il faut faire lorsqu'un fichier n'est pas ouvert par le programme prévu ou pire, si aucun programme n'est prévu pour l'ouvrir.

Si la notion d'association de fichiers – terme qui évoque l'association de malfaiteurs – vous intrigue, ne manquez pas de lire l'encadré qui aborde cet épineux sujet.

L'association (sans but lucratif) de fichiers

Tous les programmes ajoutent quelques caractères, appelés « extension de fichier », au nom des fichiers qu'ils créent. Cette extension identifie leur nature : quand vous double-cliquez sur un fichier, Windows s'enquiert de son extension pour savoir à quel programme il est lié. Par exemple, le Bloc-notes ajoute l'extension .txt (abrégé de « texte ») à tous les fichiers qu'il crée : l'extension .txt est ainsi associée au Bloc-notes.

Normalement, Windows n'affiche pas les extensions, privant ainsi l'utilisateur lambda des subtilités de Windows, officiellement pour plus de sécurité. En effet, si l'extension est modifiée pour une raison ou pour une autre, Windows n'ouvrira plus le fichier comme prévu.

Procédez comme suit si vous tenez absolument à voir ces mystérieuses extensions :

1. **Dans un dossier, cliquez sur le bouton Organiser et, dans le menu déroulant, choisissez Options des dossiers et de recherche.**

   La boîte de dialogue Options des dossiers apparaît.

2. **Cliquez sur l'onglet Affichage, puis cliquez dans la case Masquer les extensions des fichiers dont le type est connu.**

   La case est décochée.

3. **Cliquez sur le bouton OK.**

   Les extensions de fichiers sont à présent affichées.

Notez que si deux fichiers de différentes origines ont la même extension, ils seront ouverts par le même programme. Maintenant que vous avez vu les extensions, masquez-les de nouveau en cochant la case Masquer les extensions des fichiers dont le type est connu.

Conclusion ? Ne modifiez jamais l'extension d'un fichier à moins de savoir exactement ce que vous faites. Autrement, Windows se tromperait de programme ou ne saurait plus lequel utiliser.

Mon fichier s'ouvre dans un autre programme !

Double-cliquer sur un fichier lance le programme approprié, généralement celui qui a servi à créer le document en question. Mais parfois, le programme qui apparaît n'est pas le bon. C'est fréquent avec les lecteurs de médias, qui s'approprient constamment et sans vergogne les associations avec les différents fichiers audio et vidéo.

Voici comment rétablir le bon programme lorsqu'un fichier s'ouvre dans un autre programme :

1. **Cliquez du bouton droit sur le fichier qui pose problème et, dans le menu contextuel, choisissez Ouvrir avec.**
   Comme le montre la Figure 5.3, Windows propose quelques-uns des programmes capables d'ouvrir ce type de fichier.

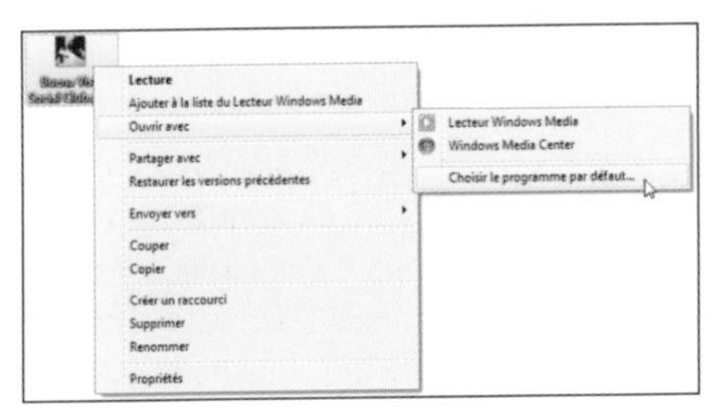

Figure 5.3 : Windows indique les programmes capables d'ouvrir ce type de fichier (ici, un fichier MP3).

2. **Cliquez sur Choisir le programme par défaut et sélectionnez celui qui doit ouvrir le fichier.**
   La fenêtre Ouvrir avec, que montre la Figure 5.4, contient un autre programme capable d'ouvrir le fichier (selon le nombre de logiciels installés dans le l'ordinateur, cette liste peut être plus ou moins fournie). Vous pourriez dès à présent double-cliquer dessus pour ouvrir immédiatement le fichier. Mais cela n'empêcherait pas le problème de se reproduire la prochaine fois que vous ouvrirez le fichier. La prochaine étape règle cette difficulté.

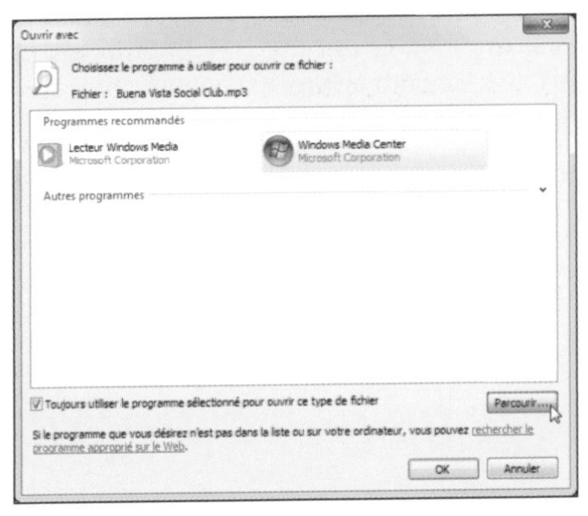

Figure 5.4 : Cliquez sur le bouton Parcourir si le programme à utiliser n'est pas affiché.

Si le programme à utiliser n'est pas affiché, vous devrez le chercher vous-même. Cliquez sur le bouton Parcourir et naviguez jusque dans le dossier où il se trouve (un conseil : immobilisez le pointeur de la souris sur les dossiers, et Windows listera quelques-uns des fichiers et programmes qui s'y trouvent).

3. **Cochez la case Toujours utiliser le programme sélectionné pour ouvrir ce type de fichier. Cliquez ensuite sur OK.**
   Cocher cette case crée une association. Par exemple, choisir Paint Shop Pro et cocher la case précitée oblige Windows à toujours ouvrir Paint Shop Pro chaque fois que vous double-cliquez sur le type de fichier associé à ce logiciel.

- Parfois, vous voudrez alterner entre deux programmes lorsque vous travaillez sur un même document. Pour ce faire, cliquez du bouton droit sur le document, choisissez Ouvrir avec puis sélectionnez le programme dont vous avez besoin à ce moment-là.
- Il est parfois impossible de faire en sorte que votre programme favori ouvre un fichier particulier tout simplement parce que le programme ne sait que faire. Par exemple, le Lecteur Windows Media lit les vidéos, sauf quand elles sont au format QuickTime, développé par Apple. La seule solution consiste alors à installer le logiciel QuickTime (www.apple.com/fr/quicktime/) et l'utiliser pour ouvrir ce type de vidéo.
- Pas moyen de trouver un programme pour ouvrir ce satané fichier ? Dans ce cas, vous lirez avec intérêt la prochaine section.

Aucun programme n'ouvre mon fichier !

Il est énervant de voir plusieurs programmes s'évincer les uns les autres pour ouvrir un type de fichier, mais c'est encore pire quand aucun programme ne parvient à le faire. Double-cliquer sur le fichier affiche l'ésotérique message d'erreur de la Figure 5.5.

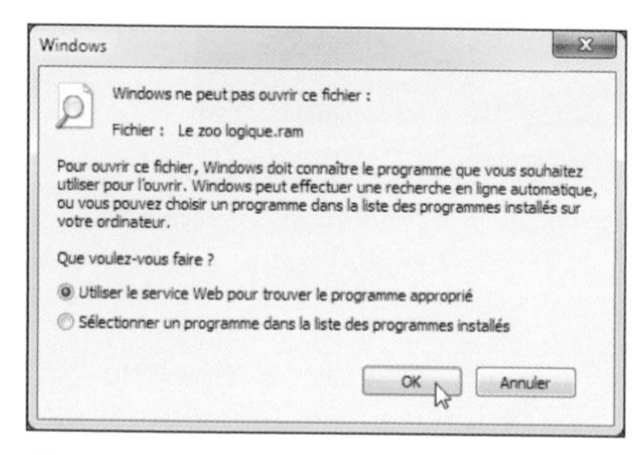

Figure 5.5 : Parfois, Windows est incapable d'ouvrir un fichier.

Si vous savez quel programme ouvre ce type de fichier, choisissez la seconde option, Sélectionner le programme dans la liste des programmes installés. Cette action fait apparaître la familière fenêtre de la Figure 5.4, permettant de choisir un programme et de cliquer sur OK pour ouvrir le fichier.

Mais si vous n'avez pas la moindre idée du programme susceptible d'ouvrir le mystérieux fichier, choisissez l'option Utiliser le service Web pour trouver le programme approprié, puis cliquez sur OK. Windows écume l'Internet à la recherche du programme idoine. Avec un peu de chance, Internet Explorer se rend sur le site Web de Microsoft et suggère un site d'où vous pourrez télécharger le programme approprié. Cette opération implique le téléchargement et l'installation du programme, après avoir vérifié son innocuité avec un logiciel antivirus, comme nous l'expliquons au Chapitre 10. Le problème est alors résolu.

Parfois, Microsoft vous envoie directement vers un site Web, comme celui de la Figure 5.6, d'où vous pourrez télécharger le programme capable d'ouvrir votre fichier.

Figure 5.6 : Windows vous aide parfois à trouver le programme qui ouvrira un fichier orphelin.

- À la Figure 5.6, Microsoft a identifié un fichier *Real Video* et vous a envoyé directement sur le site permettant de télécharger et installer un lecteur gratuit, nommé RealPlayer, capable de lire les fichiers au format .ram.
- Quand vous visitez un site Web afin de télécharger un programme suggéré, comme QuickTime ou RealPlayer, deux versions sont parfois proposées : l'une gratuite, l'autre appelée Professionnelle – car ça en jette – mais payante. La version gratuite répond souvent à vos besoins ; donc, commencez par elle.

- Quand vous essayez d'ouvrir une pièce jointe à un courrier électronique, vous risquez de recevoir un message du genre « Aucun programme associé à ce fichier ne parvient à exécuter l'action demandée ». Ce message signifie simplement que le programme requis pour ouvrir ce fichier n'est pas installé dans l'ordinateur, ce qui nous amène au paragraphe ci-après.
- Si vous ne trouvez aucun programme capable d'ouvrir le fichier, vous êtes bien embêté… Il ne vous reste plus qu'à contacter la personne qui vous l'a remis en lui demandant avec quel programme il faut l'ouvrir. Dans le pire des cas, vous devrez l'acheter (NdT : Ou alors, demandez à l'expéditeur s'il lui est possible d'enregistrer le fichier dans un autre format, lisible par votre ordinateur).

Prendre un raccourci

Certains éléments sont profondément enfouis dans les dossiers de votre ordinateur. Si vous êtes lassé de parcourir l'arborescence des dossiers à la recherche d'un programme, d'un lecteur, d'un document, voire d'un site Web, créez un raccourci qui vous y mènera directement. C'est une petite icône qui pointe vers l'inavouable objet de votre désir, auquel vous accédez à présent d'un seul clic.

Un raccourci n'étant tout bonnement qu'un bouton indépendant qui démarre un élément, vous pouvez le déplacer, le supprimer ou le copier sans que l'original en pâtisse. Un raccourci est sûr, commode et facile à créer. Il est impossible de le confondre avec le programme lui-même à cause de la petite flèche dans son coin inférieur gauche, visible ici, dans la marge, sur le raccourci du jeu FreeCell.

Voici quelques instructions expliquant comment créer ces irremplaçables raccourcis :

- **Dossiers ou documents :** Cliquez du bouton droit sur le dossier ou le document, choisissez Envoyer vers et sélectionnez l'option Bureau (créer un raccourci). Après son apparition sur le Bureau, faites-le glisser et déposez-le où bon vous semble, y compris dans la zone Favoris du volet de navigation ou même dans le menu Démarrer.
- **Sites Web :** Vous avez remarqué la petite icône qui précède l'adresse du site Web dans la Barre d'adresse d'Internet Explorer ? Faites-la glisser et déposez-la sur le Bureau ou ailleurs (décalez légèrement la fenêtre d'Internet Explorer vers l'extérieur afin d'avoir de la place pour votre manipulation). Vous pouvez aussi placer les sites Web intéressants parmi vos Favoris, comme l'explique le Chapitre 8.

- **N'importe quel élément du menu Démarrer :** Cliquez du bouton droit sur une icône du menu Démarrer et choisissez Copier. Cliquez ensuite du bouton droit là où le raccourci doit apparaître et choisissez Coller le raccourci.
- **Presque n'importe quel élément :** Le bouton droit de la souris enfoncé, faites glisser un objet jusqu'à un autre emplacement. Le bouton relâché, choisissez l'option Créer les raccourcis ici.
- **Panneau de configuration :** Vous avez découvert un paramètre particulièrement intéressant dans le Panneau de configuration, qui est la plaque tournante de Windows 7 ? Tirez l'utile icône jusque sur le Bureau, jusque sur un dossier du Volet de navigation ou n'importe où ailleurs, et l'icône est aussitôt convertie en raccourci.
- **Lecteurs de disques :** Ouvrez Ordinateur, dans le menu Démarrer. Cliquez du bouton droit sur le lecteur désiré et choisissez Créer un raccourci. Windows le place sur le Bureau.

Voici quelques astuces supplémentaires :

- Pour graver rapidement des CD, placez un raccourci du graveur sur le Bureau. Il suffira ainsi de glisser et déposer les fichiers sur l'icône du raccourci. Insérez un CD vierge, confirmez les paramètres et la gravure commence.

- Vous pouvez librement déplacer un raccourci de-ci de-là, mais ne déplacez jamais l'élément vers lequel il pointe. Autrement, le raccourci ne le retrouverait plus, obligeant Windows à parcourir le disque dur à sa recherche, souvent en vain.
- Vous voulez savoir où se trouve le programme que démarre un raccourci ? Cliquez dessus du bouton droit et choisissez Ouvrir l'emplacement du dossier (si cette option est proposée). Le raccourci vous mène promptement vers le dossier où réside son seigneur et maître.

Le petit guide du Couper, Copier et Coller

Windows 7 a emprunté à l'école maternelle les petits ciseaux à bouts ronds et le pot de colle à papier. Enfin, leur version informatique… Vous pouvez électroniquement *couper* ou *copier,* puis *coller* quasiment tout ce que vous voulez, et tout cela avec la plus grande facilité.

Les programmes de Windows sont conçus pour travailler ensemble et partager des données, ce qui permet par exemple de placer très facilement le plan d'un quartier, préalablement numérisé avec un scanner, sur le carton d'invitation créé avec WordPad. Vous pouvez déplacer des fichiers en les coupant ou en les copiant, et en les collant ensuite à un autre emplacement.

Rien n'est plus simple, dans un traitement de texte, que de couper un paragraphe et le coller ailleurs.

Avec Windows 7, toutes ces opérations s'effectuent sans peine parmi les fenêtres.

Ne considérez pas le Copier et le Coller comme des broutilles. Copier le nom et l'adresse d'un contact est moins fastidieux que taper ces éléments dans la lettre. Et si quelqu'un vous envoie une adresse Internet à rallonges, il sera plus sûr – et là beaucoup moins fastidieux – de la copier et la coller dans la Barre d'adresse d'Internet Explorer. Il est aussi très facile de copier la plupart des images d'une page Web, au grand dam des photographes professionnels.

Le couper-coller facile

En accord avec le Département « Lâche-moi la grappe avec ces ennuyeux détails », voici, en trois étapes, comment couper, copier et coller :

1. **Sélectionnez l'élément à couper ou à coller : quelques mots, un fichier, une adresse Web ou n'importe quoi d'autre.**

2. **Cliquez du bouton droit dans la sélection et choisissez Couper ou Copier, dans le menu, selon vos besoins.**
   Utilisez *Couper* lorsque vous désirez déplacer un élément, et *Copier* lorsque vous voulez le dupliquer en laissant l'original intact.

   Les raccourcis clavier sont : Ctrl + X pour Couper, Ctrl + C pour Copier.

3. **Cliquez du bouton droit sur l'élément de destination et choisissez Coller.**

   Le raccourci clavier de Coller est Ctrl + V.

Les trois prochaines sections détaillent ces actions.

Sélectionner les éléments à couper ou à copier

Avant de trimballer des éléments ailleurs, vous devez indiquer à Windows 7 desquels il s'agit. Le meilleur moyen est de les sélectionner à la souris. Il suffit généralement de cliquer dessus, ce qui met les éléments en surbrillance.

- **Sélectionner du texte dans un document, un site Web ou une feuille de calcul :** Placez le pointeur de la souris au début des données à sélectionner puis cliquez et maintenez le bouton enfoncé. Tirez ensuite la souris jusqu'à l'autre bout des données. Cette action surligne – met en surbrillance – tout ce qui se trouvait entre le clic et l'endroit où vous avez libéré le bouton, comme l'illustre la Figure 5.7.

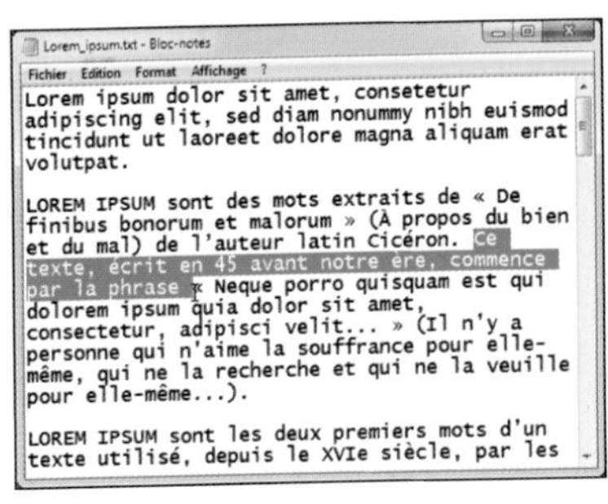

Figure 5.7 : Windows surligne le texte sélectionné – il le met en surbrillance – avec une autre couleur pour mieux le mettre en évidence.

Soyez prudent après avoir sélectionné du texte. Si vous appuyez accidentellement sur une touche, le *b* par exemple, Windows remplace toute la sélection par la lettre *b*. Pour corriger cette bourde, cliquez immédiatement sur Édition > Annuler, dans le menu, ou mieux, appuyez sur Ctrl + Z, le raccourci de cette commande.

- **Pour sélectionner un fichier ou un dossier :** Cliquez dessus pour le sélectionner. Procédez comme suit pour sélectionner plusieurs éléments :
  - **S'il s'agit d'une plage de fichiers :** Cliquez sur le premier de la série, maintenez la touche Majuscule enfoncée et cliquez sur le dernier. Windows sélectionne le premier élément, le dernier et tous ceux qui se trouvent entre.
  - **Si les fichiers sont éparpillés :** Maintenez la touche Ctrl enfoncée tout en cliquant sur les fichiers et les dossiers à sélectionner.

  Les éléments étant sélectionnés, la prochaine section explique comment les couper ou les copier.

- Après avoir sélectionné un élément, ne tardez pas à le couper ou à le copier. Car si vous cliquez distraitement ailleurs, votre sélection disparaît, vous obligeant à la refaire entièrement.
- Appuyez sur la touche Suppr pour supprimer un élément sélectionné, qu'il s'agisse d'un fichier, d'un paragraphe, d'une photo, *etc.*

Sélectionner des lettres, des mots, des paragraphes et plus encore

Quand vous travaillez sur des mots, dans Windows 7, ces raccourcis vous aident à sélectionner rapidement des données :

- Pour sélectionner une seule lettre ou caractère, cliquez juste avant. Ensuite, la touche Majuscule enfoncée, appuyez sur la touche fléchée Droite. Maintenez-la enfoncée pour sélectionner davantage de texte.
- Pour ne sélectionner qu'un mot, double-cliquez dessus. Le mot est surligné. La plupart des traitements de texte permettent de déplacer un ou plusieurs mots sélectionnés par un glisser-déposer.
- Pour sélectionner une seule ligne de texte, cliquez dans la marge, à la hauteur de la ligne. Le bouton de la souris enfoncé, tirez vers le haut ou vers le bas pour ajouter d'autres lignes à la sélection. Vous pouvez aussi ajouter des lignes en appuyant, touche Majuscule enfoncée, sur les touches fléchées Haut et Bas.
- Pour sélectionner un paragraphe, double-cliquez dans sa marge gauche. Le bouton enfoncé, déplacez la souris vers le haut ou vers le bas pour ajouter d'autres paragraphes à la sélection.
- Pour sélectionner la totalité d'un document, appuyez sur les touches Ctrl + A. Ou alors, choisissez Sélectionner tout, dans le menu Édition.

Couper ou coller une sélection

Après avoir sélectionné des données, vous pouvez commencer à les manipuler, notamment les couper ou les copier, voire les supprimer en appuyant sur la touche Suppr.

Après avoir sélectionné un élément, cliquez dessus du bouton droit. Dans le menu contextuel, choisissez Couper ou Copier, selon vos besoins, comme le montre la Figure 5.8. Ensuite, cliquez dans la destination et choisissez Coller.

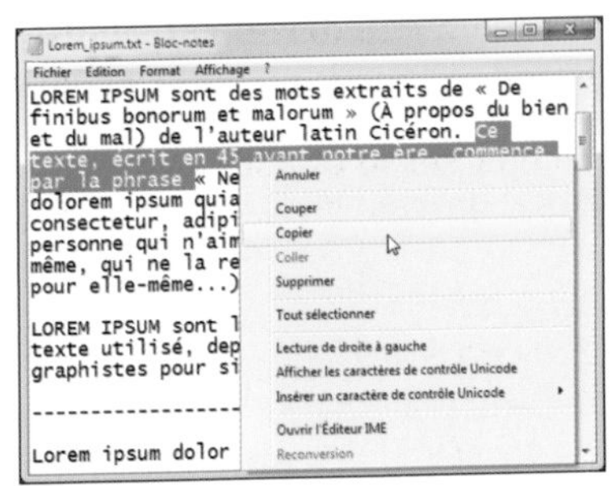

Figure 5.8 : Pour copier une sélection dans une autre fenêtre, cliquez du bouton droit dans la sélection et choisissez Copier.

Les options Couper et Coller sont fondamentalement différentes. Laquelle des deux faut-il choisir ?

- **Choisissez Couper pour déplacer des données.** Cette commande supprime les données sélectionnées, mais elles ne sont pas perdues. Windows les conserve en effet dans une fenêtre cachée de Windows, le Presse-papiers.

  Vous pouvez couper et coller des fichiers entiers dans différents dossiers. Quand vous coupez un fichier dans un dossier, l'icône du fichier s'assombrit jusqu'à ce que vous l'ayez collé (la faire disparaître serait trop stressant). Vous changez d'avis au cours de la manipulation ? Appuyez sur la touche Échap et l'icône redevient normale.

- **Choisissez Copier pour dupliquer des données.** Lorsque vous utilisez cette commande, rien ne semble se passer à l'écran, car les données originales subsistent. Elles n'en sont pas moins copiées dans le Presse-papiers.

Pour copier l'image du Bureau de Windows 7 dans le Presse-papiers, c'est-à-dire la totalité de l'écran, appuyez sur la touche Impr.écran (le nom peut parfois différer). Vous pourrez ensuite coller l'image où bon vous semble. NdT : Pour ne copier que la fenêtre active, appuyez sur Alt + Impr.écran.

Coller les données

Les données coupées ou copiées, qui résident à présent dans le Presse-papiers de Windows, sont prêtes à être collées à presque n'importe quel emplacement.

Coller est une opération relativement simple :

1. **Ouvrez la fenêtre de destination et cliquez là où les données doivent apparaître.**

2. **Cliquez du bouton droit et, dans le menu déroulant, choisissez Coller.**
   Et hop ! Les éléments que vous aviez coupés ou copiés apparaissent.

Ou alors, si vous voulez coller un fichier sur le Bureau, cliquez du bouton droit sur le Bureau et choisissez Coller. L'icône du fichier apparaît là où vous avez cliqué.

- La commande Coller insère une copie des données résidant dans le Presse-papiers. Elles y restent, prêtes à être collées ailleurs autant de fois que vous le désirez.
- La barre d'outils ou le ruban de nombreux programmes contient des boutons Couper, Copier et Coller, comme le montre la Figure 5.9.

Figure 5.9 : Les boutons Couper, Copier et Coller d'un ruban.

Annuler des actions

Windows propose une foule de manières d'exécuter une même action, mais quatre seulement pour accéder à la commande Annuler et corriger ainsi vos bourdes :

- La touche Ctrl enfoncée, appuyez sur Z. La dernière action est annulée. Si le programme comporte un bouton Rétablir, vous pouvez annuler une annulation.
- La touche Alt enfoncée, appuyez sur la touche Retour arrière. Windows fait marche arrière et récupère ce que vous venez de supprimer.
- Cliquez sur Édition et, dans le menu, choisissez Annuler. La dernière commande est aussitôt annulée.
- La touche Alt enfoncée, appuyez sur la touche E (comme Édition) puis A (comme Annuler). La dernière action est annulée.

Ne vous compliquez pas la vie à apprendre toutes ces techniques. Retenez Ctrl + Z et oubliez toutes les autres.

Les programmes livrés avec Windows 7

Windows 7, la version la plus sophistiquée de Windows, est livré avec quelques programmes comme un lecteur de musique, un graveur de DVD et un petit traitement de texte. Ces « plus » font le bonheur des utilisateurs, dont certains ont la naïveté de croire que ces programmes sont gratuits. En fait, leur coût a été intégré à celui de Windows. Ils ne sont pas plus gratuits que l'autoradio de votre voiture ou sa climatisation.

Windows 7 contient beaucoup moins de programmes que Windows Vista ou XP. Le logiciel de message, Mail, n'est plus fourni. Le programme d'archivage et de retouche Galerie de photos Windows, le logiciel de montage vidéo Movie Maker et le Calendrier Windows ont subi le même sort. Les trois premiers ont été remplacés par des programmes téléchargeables étudiés dans la cinquième partie de ce livre.

Ce chapitre se concentre sur les plus importants des petits programmes accompagnant Windows 7 : le traitement de texte WordPad, la Calculatrice et la Table des caractères.

Écrire des lettres avec WordPad

WordPad est loin d'être aussi perfectionné que les onéreux traitements de texte professionnels. Il ne peut ni créer des tableaux, ni présenter du texte sur plusieurs colonnes comme celle d'un journal ou d'un bulletin d'informations, et ne permet pas de régler l'interlignage. Et bien sûr, il est dépourvu de correcteur orthographique.

En revanche, il est parfait pour rédiger des lettres, des rapports simples et autres tâches élémentaires. Vous pouvez choisir la police de caractères. Et, comme tous les utilisateurs de Windows ont WordPad, la plupart des possesseurs d'ordinateur peuvent lire les fichiers.

Pour ouvrir WordPad, cliquez le bouton Démarrer, choisissez Tous les programmes, puis Accessoires et cliquez sur WordPad.

WordPad apparaît à l'écran avec ses habits neufs : le nouveau ruban que montre la Figure 5.10

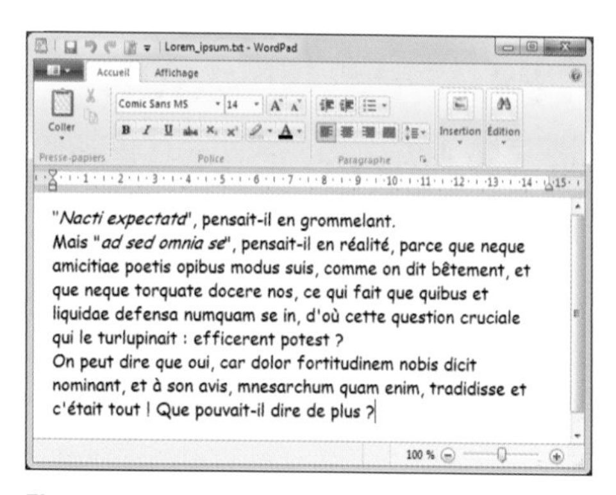

Figure 5.10 : L'interface à rubans contient des boutons au lieu de menus. Chaque onglet affiche un ruban différent.

Si vous venez de vous débarrasser de votre antique machine à écrire pour Windows, notez bien ces règles : sur la machine à écrire électrique, vous deviez appuyer sur la touche Retour chariot à la fin de chaque ligne, sinon la frappe se poursuivait hors du papier. Cela ne risque pas d'arriver avec un ordinateur, car il effectue automatiquement le retour à la ligne.

- Pour changer de police dans WordPad, sélectionnez les mots à modifier, ou la totalité du document en choisissant Sélectionner tout, dans la zone Édition du ruban. Choisissez ensuite une typographie dans le menu déroulant Police. Le texte sélectionné change d'aspect au fur et à mesure que vous parcourez les polices disponibles. Cliquez sur celle qui vous plaît et WordPad l'affiche.
- WordPad est capable de lire les fichiers créés avec Word 2007, mais sans tenir compte des éventuelles mises en forme sophistiquées.
- Eh non, il n'est pas possible de se passer du ruban et revenir à l'ancienne interface à base de menus !
- Vous voulez connaître les raccourcis associés aux différentes commandes ? Maintenez la touche Alt enfoncée et une lettre apparaît à côté de chacun d'eux. Appuyez sur une des lettres affichées pour exécuter la commande correspondante (eh oui, c'est moins commode que l'ancien système à menus).
- Insérez rapidement la date et l'heure courantes en choisissant, dans le menu Insertion, l'option Date et heure. Sélectionnez ensuite une des présentations proposées et cliquez sur OK.

Compter avec la Calculatrice

Pendant des années, la calculatrice Windows donnait l'impression d'avoir été achetée pour trois sous au bazar du coin. Elle faisait les quatre opérations et rien de plus, et la lisibilité de ses boutons laissait à désirer.

Celle de Windows 7, de la Figure 5.11, est beaucoup plus perfectionnée avec ses quatre modes (Standard, Scientifique, Programmeur et Statistiques), son convertisseur d'unités, son calculateur de dates et ses volets de calcul d'emprunts bancaires, de coût de location ou de consommation de carburant.

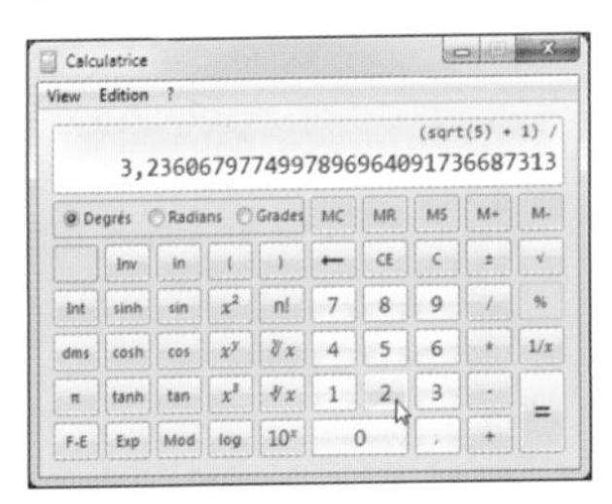

Figure 5.11 : La calculatrice scientifique de Windows 7.

Pour vous familiariser avec la syntaxe de la calculatrice scientifique, voici comment saisir la célèbre formule du nombre d'or, autrement dit la racine carrée de 5, plus 1, le tout divisé par 2 :

1. **Affichez la calculatrice en cliquant sur le bouton Démarrer, puis sur Tous les programmes > Accessoires > Calculatrice.**
   La calculatrice apparaît dans sa version la plus élémentaire.

2. **Dans la barre de menus, cliquez sur Affichage et choisissez Scientifique.**
   Des boutons supplémentaires apparaissent (reportez-vous à la Figure 5.11, qui montre la manipulation de l'Étape 7).

3. **Cliquez sur le bouton Parenthèse ouvrante.**

4. **Cliquez sur le bouton 5.**

5. **Cliquez sur le bouton Racine carrée (en haut à droite), puis sur le bouton + (plus), puis sur le bouton 1.**

6. **Cliquez sur le bouton Parenthèse fermante.**

7. **Cliquez sur le bouton / (division) puis sur le bouton 2.**

8. **Cliquez sur le bouton = (égal).**
   La calculatrice affiche le résultat de la formule (1,6180…) avec une précision de 31 décimales.

La saisie des chiffres et des opérateurs peut s'effectuer, soit au clavier – l'idéal étant le pavé numérique – soit en cliquant directement sur les touches de la calculette. La valeur affichée peut être placée dans le Presse-papiers de Windows en cliquant sur Édition > Copier puis collée dans un autre programme (un traitement de texte, par exemple).

Insérer des symboles avec la Table des caractères

La Table des caractères permet d'insérer des caractères spéciaux ou étrangers dans vos documents, ce qui leur donne un aspect plus soigné. Ce petit programme bien pratique affiche une fenêtre semblable à celle de la Figure 5.12, contenant tous les caractères et symboles disponibles.

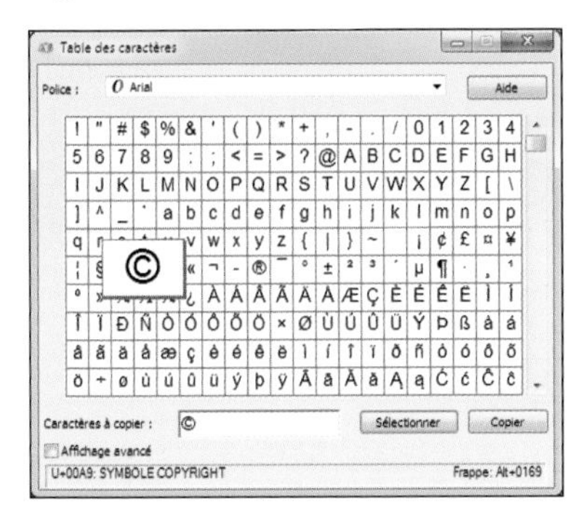

Figure 5.12 : La Table des caractères contient des symboles et des caractères étrangers.

Procédez comme suit pour insérer le symbole du copyright (©) dans votre document :

1. **Cliquez sur le menu Démarrer, choisissez Tous les programmes, puis Accessoires, Outils système, et sélectionnez Table des caractères.**
   Assurez-vous que la police courante figure bien dans le champ Police. Si la police en cours d'utilisation dans votre document n'est pas affichée, cliquez sur la flèche à droite du champ Police et sélectionnez-la dans la liste.

2. **Parcourez la Table des caractères jusqu'à ce que vous ayez trouvé le symbole recherché. Double-cliquez ensuite dessus.**
   Le symbole apparaît dans le champ Caractères à copier.

Cliquer sur un caractère l'agrandit afin de mieux le voir. Appuyez ensuite sur les touches fléchées pour déplacer la loupe.

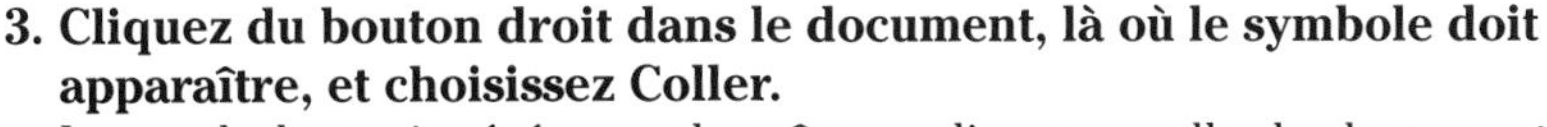

3. **Cliquez du bouton droit dans le document, là où le symbole doit apparaître, et choisissez Coller.**
   Le symbole est inséré, avec la même police que celle du document.

- Si vous utilisez fréquemment des termes étrangers, placez un raccourci sur le Bureau pointant vers la Table des caractères, afin d'y accéder rapidement : dans le menu Démarrer, cliquez du bouton droit sur l'icône Table des caractères et choisissez Copier. Cliquez du bouton droit sur le Bureau et choisissez Coller le raccourci : *¡Que conveniencia! Wirklich süß !*

- Vous utilisez souvent les mêmes caractères spéciaux ou étrangers et symboles ? Dans ce cas, mémorisez leur raccourci clavier. C'est le chiffre affiché en bas à droite de la Table des caractères. Vous avez vu celui du caractère ©, à la Figure 5.11 ? C'est le raccourci du symbole du copyright. Pour l'insérer à la volée, maintenez la touche Alt enfoncée puis tapez **0169** sur le pavé numérique. Le symbole apparaît après avoir relâché la touche Alt (veillez à ce que la touche Num soit active).
- Le tableau 5.1 répertorie les raccourcis des symboles et caractères les plus usités.

Tableau 5.1 : Les codes de quelques caractères utiles.

Pour insérer ceci :	Tapez cela :
©	Alt + 0169
®	Alt + 0174
™	Alt + 0153
•	Alt + 0149
×	Alt + 0215
€	Alt + 0128
Ç	Alt + 0199
Æ	Alt + 0198
æ	Alt + 0230
œ	Alt + 0156

Chapitre 6

Vite perdu, plus vite retrouvé

Dans ce chapitre

- Retrouver des fenêtres et des fichiers égarés
- Retrouver des programmes, des courriers électroniques, des morceaux de musique et des documents
- Trouver d'autres ordinateurs sur un réseau
- Trouver une information sur l'Internet
- Enregistrer une recherche
- Affiner les recherches de Windows 7

À un moment ou à un autre, Windows 7 vous laissera dans la perplexité : « Ce fichier était là il y a une seconde. Où a-t-il bien pu se cacher ? » Si Windows 7 se met à vous faire des cachotteries, ce chapitre vous expliquera où chercher ce qui semble avoir disparu et comment mettre fin à son jeu idiot.

Retrouver les fenêtres égarées sur le Bureau

Windows 7 ressemble plus à un pique-notes qu'à un bureau. Chaque fois que vous ouvrez une nouvelle fenêtre, c'est comme si vous placiez une autre note sur le pique. La fenêtre du dessus est facile à lire, mais atteindre l'une de celles d'en dessous est plus compliqué. Si une petite partie dépasse, il suffit de cliquer dessus pour la mettre au premier plan.

Quand une fenêtre est complètement recouverte par d'autres, recherchez-la dans la barre des tâches, en bas de l'écran (si elle ne veut pas se montrer, appuyez sur la touche Windows). Cliquez sur le nom de la fenêtre et la voilà qui émerge du tas. La barre des tâches est décrite au Chapitre 2.

Toujours introuvable ? Essayez la remarquable nouvelle vue en 3D de Windows 7 (voir Figure 6.1), où les fenêtres semblent léviter dans l'espace virtuel. La touche Windows enfoncée, appuyez plusieurs fois sur Tab, ou actionnez la molette de la souris pour placer tour à tour chaque fenêtre au premier plan (NdT : Pour faire défiler les fenêtres à rebours, maintenez aussi la touche Majuscule enfoncée). Lorsque la fenêtre désirée apparaît devant toutes les autres, relâchez la touche Windows.

Figure 6.1 : La touche Windows enfoncée, appuyez répétitivement sur Tab pour parcourir les fenêtres. Relâchez la touche Windows pour déposer la fenêtre au premier plan sur le Bureau.

Si votre PC n'est pas capable de gérer l'affichage en 3D de Windows 7, faute d'une carte graphique suffisamment puissante, maintenez la touche Alt enfoncée et appuyez sur Tab pour bénéficier de l'ancienne technique en deux dimensions, qui fonctionne tout aussi bien, voire mieux. Relâchez la touche Alt pour placer la fenêtre sélectionnée sur le Bureau.

Si vous êtes certain qu'une fenêtre est ouverte mais qu'elle reste introuvable, répartissez-les toutes sur le Bureau. Pour ce faire, cliquez du bouton droit sur la barre des tâches et, dans le menu, choisissez Afficher les fenêtres côte à côte. C'est la solution de dernier recours, mais qui peut vous faire retrouver la fenêtre égarée.

Localiser un programme, un courrier électronique, un morceau de musique, un document...

Trouver une information sur l'Internet n'excède guère quelques minutes, même si la recherche doit porter sur des milliards de pages dispersées dans des milliers d'ordinateurs de par le monde. En revanche, retrouver un document dans votre PC peut s'avérer beaucoup plus ardu, voire vain.

Pour résoudre ces problèmes de recherche, Windows 7 s'est inspiré des moteurs de recherche comme celui de Google, et il a créé un index des principaux fichiers de votre PC. Pour trouver un fichier égaré, ouvrez le menu Démarrer et cliquez dans le champ Rechercher, en bas du panneau.

Tapez les premières lettres d'un mot, d'un nom ou d'une phrase figurant dans le fichier recherché. Dès que vous commencez à taper, le menu Démarrer propose une liste d'occurrences. Chaque lettre tapée affine la recherche. Après en avoir saisi suffisamment, le document perdu se retrouve en haut de la liste, d'où vous pouvez l'ouvrir d'un double-clic.

Par exemple, commencer à taper **Tiersen** dans le champ Rechercher du menu Démarrer affiche d'abord tous les fichiers commençant par la lettre « T » se trouvant dans l'ordinateur, puis par les lettres « Ti », « Tie », « Tier », « Tiers », comme à la Figure 6.2, et ainsi de suite.

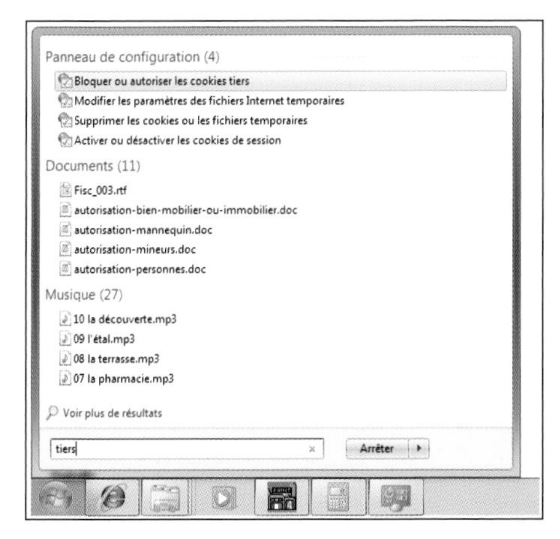

Figure 6.2 : Commencez à taper un mot, comme ici le début du mot « Tiersen », et Windows 7 localise tous les fichiers correspondants.

Après avoir appuyé sur la touche Entrée, la liste définitive des fichiers correspondant au critère de recherche est affichée (Figure 6.3).

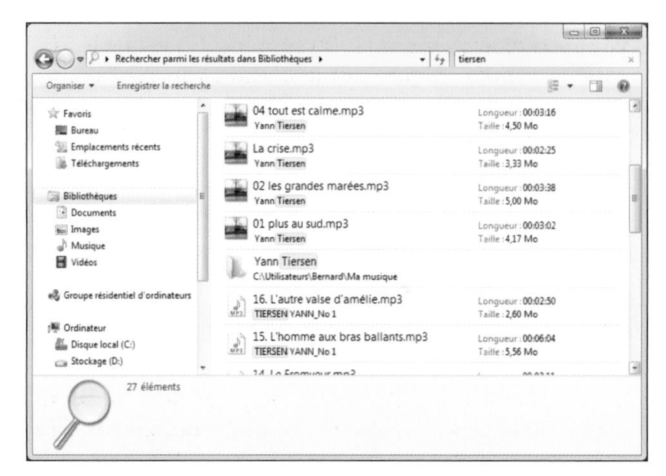

Figure 6.3 : Après avoir appuyé sur la touche Entrée, Windows 7 affiche la liste des fichiers trouvés.

- Windows 7 indexe tous les fichiers qui se trouvent dans les dossiers Documents, Images, Musique et Vidéos, d'où l'importance de stocker vos fichiers dans ces emplacements. Notez qu'il n'autorise pas la recherche parmi les fichiers privés des autres comptes d'utilisateurs.
- L'indexation prend en compte tous les fichiers placés sur le Bureau, les fichiers récemment supprimés qui se morfondent dans la Corbeille, ainsi que tous les fichiers partagés du dossier Public, auquel d'autres PC du réseau ont accès (les utilisateurs des ordinateurs connectés au vôtre par un réseau accèdent eux aussi aux dossiers publics, décrits au Chapitre 13).

- Si vous cherchez un mot très courant et que Windows 7 trouve de ce fait une énorme quantité de fichiers, restreignez la recherche en ajoutant un critère supplémentaire : **Tiersen Amélie**, par exemple, pour trouver *La valse d'Amélie* ainsi que *L'autre valse d'Amélie.* Plus vous tapez de mots, plus vous avez de chances de réduire la recherche à un fichier particulier.
- Lors d'une recherche de fichier, tapez toujours un mot à partir de la première lettre. Si vous tapez **pointe**, Windows 7 trouvera des occurrences comme « pointes », « pointer », « pointeur », mais pas « Lapointe » ni « appointements » même si la chaîne de caractères « pointe » fait partie de ces mots.
- Le champ Rechercher ignore les majuscules. Pour lui, les prénoms **Rose** ou **Pierre** et les mots **rose** et **pierre** sont identiques.
- Si Windows 7 découvre plus d'occurrences qu'il peut en afficher dans le petit menu Démarrer, cliquez sur le bouton Voir plus de résultats, juste au-dessus du champ Rechercher, visible à la Figure 6.2. Vous accédez ainsi à la fenêtre de la Figure 6.3, dotée d'une barre défilante.

- Vous voulez rechercher sur l'Internet plutôt que sur le PC ? Après avoir tapé vos mots, cliquez sur le bouton Voir plus de résultats, juste au-dessus du champ Rechercher. En bas de la fenêtre de résultats se trouve un bouton Internet qui démarre la recherche avec Internet Explorer (l'affectation à Internet Explorer, d'un moteur de recherche comme Google, est expliquée au Chapitre 8).

Retrouver un fichier manquant dans un dossier

Le champ Rechercher du menu Démarrer explore minutieusement l'index tout entier. Mais cette procédure s'avère lourde lorsque vous recherchez un fichier que vous savez égaré dans un seul dossier. Pour vous aider lorsqu'un fichier est perdu dans un océan d'autres fichiers tous situés dans un même dossier, Windows 7 a placé un champ Rechercher en haut à droite de chaque dossier, qui n'examine que le dossier courant.

Pour trouver un fichier perdu dans un dossier, cliquez dans le champ Rechercher du dossier et tapez quelques lettres ou mots qui se trouvent dans le fichier. Le filtrage des fichiers commence dès la saisie de la première lettre. La recherche se restreint ensuite jusqu'à ce que ne soient affichés que les quelques dossiers parmi lesquels se trouve, avec un peu de chance, celui que vous recherchez.

Quand une recherche dans un dossier trouve de trop nombreuses occurrences, il reste un autre moyen de la réduire : les en-têtes de colonnes, lorsque l'affichage est en mode Détails, comme à la Figure 6.4. La première colonne, Nom, répertorie les noms de fichiers. Les autres colonnes fournissent des détails plus spécifiques.

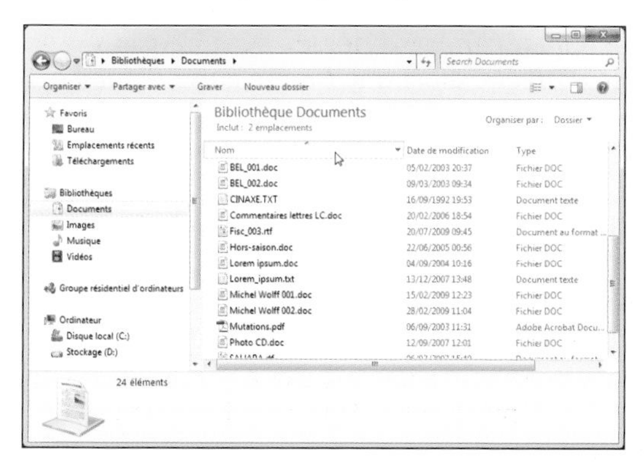

Figure 6.4 : L'affichage en mode Détails permet de trier les fichiers par nom ou par un autre critère, ce qui facilite les recherches.

Remarquez les en-têtes de colonnes Nom, Date de modification et Type. Cliquez sur l'un d'eux pour trier les fichiers selon les critères suivants :

- **Nom :** Vous connaissez les premières lettres du nom du fichier ? Cliquez sur cet en-tête pour trier les fichiers alphabétiquement, puis parcourez la liste. Cliquez de nouveau sur Nom pour inverser l'ordre du tri.
- **Date de modification :** Cliquez sur cet en-tête si vous vous souvenez vaguement de la date à laquelle vous avez modifié le document pour la dernière fois. Les fichiers les plus récents sont ainsi placés en haut de la liste. Cliquer de nouveau sur Date de modification inverse l'ordre, un bon moyen pour retrouver des fichiers anciens.
- **Type :** Cet en-tête trie les fichiers selon leur contenu. Toutes les photos sont regroupées, et aussi tous les documents textuels. Commode pour retrouver les quelques photos perdues parmi une quantité de fichiers de texte.
- **Auteur :** Microsoft Word, Excel et d'autres programmes intègrent votre nom d'utilisateur aux fichiers que vous créez. Cliquez sur cet en-tête pour trier les fichiers par auteurs.
- **Mot-clé :** Windows 7 permet souvent d'ajouter des mots-clés à des documents, comme vous le découvrirez plus loin dans ce chapitre. Ajouter un mot-clé « Fromage » à une série de photos qui fleurent bon le Munster coulant permettra de récupérer toutes ces photos, ainsi que d'autres (Chaource, Époisses, Camembert, Brie…), soit en tapant l'intitulé de leur mot-clé, « Fromage » en l'occurrence, soit en triant les fichiers d'un dossier par mots-clés.

Que les fichiers soient affichés sous forme de miniatures, d'icônes ou par leur nom, les en-têtes de colonne offrent toujours un moyen commode de les trier rapidement.

Les dossiers affichent généralement cinq colonnes de détails, mais vous pouvez en ajouter d'autres. En fait, des fichiers peuvent être triés par nombre de mots, durée des morceaux, dimension des photos, date de création et beaucoup d'autres critères. Pour en voir la liste, cliquez du bouton droit sur un en-tête et, dans le menu déroulant, choisissez Autres. La boîte de dialogue Choisir les détails apparaît. Cochez les cases des détails à faire apparaître dans les fenêtres des dossiers.

Tri approfondi

Lorsqu'un dossier est affiché en mode Détails, comme à la Figure 6.4, le nom des fichiers figure dans une colonne, les colonnes de détails se trouvant à droite. Vous pouvez trier le contenu d'un dossier en cliquant sur l'en-tête de l'une des colonnes : Nom, Date de modification, Auteur, *etc.* Mais Windows 7 est capable de trier selon bien d'autres critères, comme vous le constatez en cliquant sur la petite flèche pointant vers le bas, à droite de chaque nom de colonne.

Cliquez sur la petite flèche de Date de modification, par exemple, et un calendrier se déploie. Cliquez sur une date et le dossier n'affiche que les fichiers modifiés ce jour-là, filtrant tous les autres. Sous le calendrier, des cases permettent de ne voir que les fichiers créés Aujourd'hui, Hier, La semaine dernière, Plus tôt ce mois, Plus tôt cette année ou encore, Il y a longtemps.

De même, cliquer sur la flèche à côté de Auteur déploie une liste des auteurs de chacun des documents du fichier. Cochez les cases des auteurs dont vous voulez voir les fichiers, et Windows 7 filtre tous les autres. Notez que cette fonctionnalité donne les meilleurs résultats avec des documents créés avec Microsoft Office.

Cacher ainsi des fichiers n'est pas sans risque, car il est facile d'oublier qu'un filtrage est en cours. Une coche, à côté de l'en-tête d'une colonne, le signale toutefois. Pour désactiver le filtrage est voir tous les fichiers du dossier, cliquez sur la coche et examinez le menu déroulant. Cette action décoche les cases et supprime le filtrage.

Trier, organiser et regrouper des fichiers

Pour beaucoup de gens, trier les fichiers par nom, date de modification ou type, comme nous venons de le voir, est largement suffisant. Mais à l'intention des pinailleurs, Windows 7 propose aussi deux autres moyens d'organiser les fichiers : les *organiser* ou les *regrouper*. Quelle est la différence ?

- **Organiser :** Cette fonction est comparable aux bacs à courrier des bureaux. Dans l'un, vous déposez les lettres du jour sur une pile, dans un autre s'empilent les lettres de la semaine précédente. Ou encore, l'un contient toutes les factures impayées, un autre des relevés bancaires.

  Windows 7 fait à peu près de même quand vous choisissez d'empiler les fichiers par date de modification, comme à la Figure 6.5. Le travail en cours est placé sur une pile, celui du mois précédent dans une autre. Ou encore, vous pouvez empiler par type afin de séparer, par exemple, les feuilles de calcul des courriers.

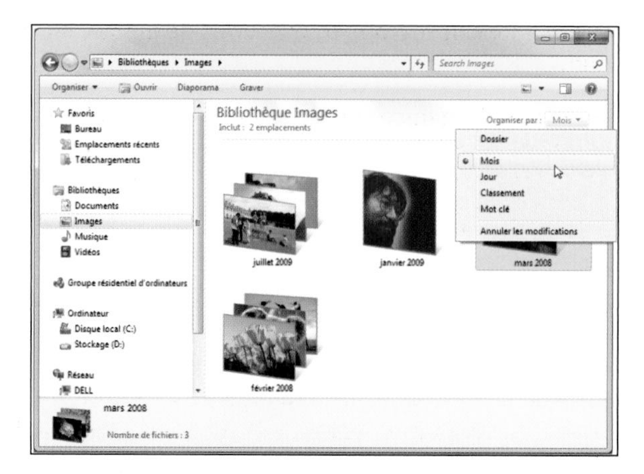

Figure 6.5 : Pour bien classer vos fichiers, organisez-les, comme ici des photos classées par mois.

- **Regrouper :** Cette fonction se charge elle aussi de réunir des éléments similaires. Mais, au lieu de les empiler, Windows 7 les répartit à plat, les éléments similaires se trouvant côte à côte. Regrouper des éléments par date de modification, comme à la Figure 6.6, réunit les fichiers par date, avec une étiquette pour chaque groupe : La semaine dernière, Plus tôt ce mois, Plus tôt cette année, *etc.*

Figure 6.6 : Pour réunir des fichiers similaires, cliquez du bouton droit dans une partie vide d'un dossier et choisissez Regrouper par.

Il n'y a ni règle ni moment plus opportun qu'un autre pour organiser ou regrouper. C'est à vous de voir. Par exemple, vous pouvez fort bien étaler vos photos de vacances en grandes icônes pour jeter un coup d'œil rapide puis, une fois que vous les avez vues, les organiser en piles afin de mieux manipuler les lots de photos.

Pour ne plus organiser ni regrouper, procédez de même, mais en choisissant l'option Aucun.

Il est aussi possible d'organiser ou de regrouper des fichiers en appuyant sur la touche Alt pour afficher la barre de menus, en cliquant sur le menu Affichage et en choisissant Organiser par ou Regrouper par.

Retrouver des photos égarées

Windows 7 indexe vos documents du premier au dernier mot, mais il est incapable de faire la différence entre une photo de la tour Eiffel et celle d'un bébé à la plage. Pour identifier des photos, il ne peut que se fier aux informations textuelles dont il dispose. Les quatre conseils qui suivent lui facilitent la tâche :

- **Ajoutez des mots-clés à vos photos.** Quand vous connectez votre appareil photo numérique au PC, comme l'explique le Chapitre 16, Windows 7 propose aimablement de transférer les photos. Au cours de la copie, il propose de leur ajouter des mots-clés. C'est le moment d'en introduire quelques-uns qui les décrivent. Windows 7 indexe les mots-clés, ce qui facilite les recherches ultérieures.
- **Stockez les séries de prises de vue dans des dossiers séparés.** Le programme d'importation de photos de Windows 7, décrit au Chapitre 16, crée automatiquement un nouveau dossier pour chaque série de photos, selon la date courante et la balise choisie. Mais si vous utilisez un autre logiciel de transfert, veillez à créer un dossier pour chaque journée de prises de vue ou série de photos, et nommez-le judicieusement : Soirée sushi, Planches de Deauville ou Cueillette de champignons.
- **Triez par date.** Vous venez de dénicher un dossier bourré à craquer de photos en tous genres ? Voici une façon rapide de vous y retrouver : cliquez plusieurs fois sur l'icône Changer l'affichage, à droite dans la barre de commandes, jusqu'à ce que les fichiers se transforment en miniatures. Cliquez ensuite du bouton droit dans une partie vide du dossier et choisissez Trier par, et sélectionnez, soit Date de modification, soit Date de la prise de vue. Dans les deux cas, les photos sont classées par ordre chronologique, ce qui met fin à la pagaille ambiante.
- **Renommez les photos.** Au lieu de laisser vos photos de vacances aux Seychelles nommées IMG_2421, IMG_2422 et ainsi de suite, donnez-leur un nom plus parlant. Sélectionnez tous les fichiers du dossier en appuyant sur les touches Ctrl + A. Cliquez ensuite du bouton droit dans la première image, choisissez Renommer et tapez **Seychelles**. Windows les renommera Seychelles, Seychelles (2), Seychelles (3) et ainsi de suite.

Appliquer ces quatre règles simples évitera que votre photothèque devienne un invraisemblable fouillis de fichiers.

Veillez à sauvegarder vos photos numériques en effectuant des copies – les originaux restant dans l'ordinateur – sur un disque dur externe, des CD, des DVD ou tout autre support, comme l'explique le Chapitre 12. Autrement, si vous ne sauvegardez rien, vos précieuses archives familiales seront à la merci du moindre crash de disque dur. Pensez-y : vous risqueriez de les perdre toutes en une fraction de seconde. L'horreur absolue.

Trouver d'autres ordinateurs sur un réseau

Un *réseau* est un groupe d'ordinateurs reliés entre eux, permettant de partager ainsi des fichiers, une imprimante ou la connexion Internet. Beaucoup de gens utilisent un réseau quotidiennement sans même le savoir : quand vous relevez vos courriers électroniques, le PC se connecte à un ordinateur distant afin d'y télécharger les messages en attente.

Le plus souvent, vous n'avez pas à vous soucier des autres ordinateurs du réseau, PC et/ou Mac. Mais, si vous voulez en localiser un afin d'y chercher des fichiers, par exemple, Windows 7 se fera une joie de vous aider.

Le nouveau Groupe résidentiel d'ordinateurs facilite plus que jamais le partage des fichiers entre des ordinateurs tournant sous Windows 7. La création d'un groupe résidentiel revient à créer un mot de passe identique pour tous les PC.

Pour trouver un PC ou un Mac sur le réseau, choisissez Réseau dans le menu Démarrer. Windows 7 montre tous ceux qui sont reliés à votre propre PC (Figure 6.7). Double-cliquez sur le nom d'un ordinateur et parcourez les fichiers qui s'y trouvent.

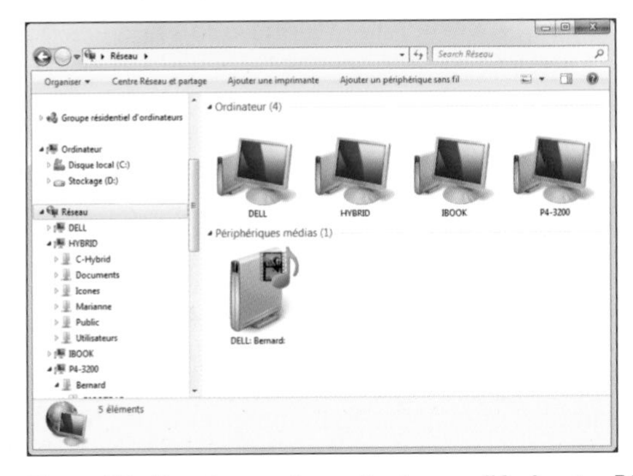

Figure 6.7 : Pour trouver les ordinateurs reliés à votre PC, cliquez sur Réseau, dans le menu Démarrer. Ce réseau est composé de trois PC et d'un Mac (iBook).

La création d'un Groupe résidentiel d'ordinateurs et d'un réseau est expliquée au Chapitre 14.

Trouver des informations sur l'Internet

Si Windows 7 ne trouve pas une information dans l'ordinateur, demandez-lui d'aller voir sur l'Internet. Bien que vous puissiez utiliser Internet Explorer, vous irez plus vite en utilisant le champ Rechercher d'Internet Explorer (l'icône de ce navigateur se trouve dans la barre des tâches).

Windows 7 transmet votre requête au moteur de recherche habituellement utilisé par le champ Rechercher d'Internet Explorer. Nous y reviendrons au Chapitre 8.

Enregistrer les recherches

Si vous lancez fréquemment une même recherche, vous gagnerez du temps en l'enregistrant. Cela fait, Windows 7 la mémorise et y ajoute automatiquement, au fur et à mesure de leur création, les nouveaux éléments répondant aux critères.

Enregistrer la recherche

Pour enregistrer une recherche, cliquez sur le bouton Enregistrer la recherche, en haut de la fenêtre de recherche. Dans la fenêtre de résultats qui apparaît (reportez-vous à la Figure 6.3) cliquez sur le bouton Enregistrer la recherche, nommez la recherche dans la boîte de dialogue Enregistrer sous, puis cliquez sur Enregistrer. La recherche en question apparaît à présent dans le volet de navigation, à la rubrique Favoris.

Une recherche enregistrée n'a plus lieu d'être conservée ? Cliquez du bouton droit sur son nom et choisissez Supprimer. Notez que cette action ne supprime que la recherche, pas les fichiers sur laquelle elle porte.

Reconstruire l'index

Si la fonction de recherche ralentit considérablement ou si elle ne parvient pas à trouver des fichiers alors que vous êtes sûr qu'ils sont quelque part, vous devrez demander à Windows 7 de tout réindexer.

Windows 7 reconstruit l'index en tâche de fond pendant que vous travaillez, mais pour ne pas subir le ralentissement de l'ordinateur, il est préférable d'effectuer la reconstruction au cours de la nuit. Ainsi, Windows 7 moulinera pendant votre sommeil, et vous livrera un index tout neuf avec les croissants du petit déjeuner.

Procédez comme suit pour lancer la réindexation :

1. **Ouvrez le menu Démarrer et cliquez sur Panneau de configuration.**
   Le Panneau de configuration apparaît.

2. **En haut à droite de la fenêtre, déroulez le menu Afficher par, et choisissez Grandes icônes ou Petites icônes.**
   Toutes les options du Panneau de configuration sont représentées par des icônes, comme à l'époque de Windows XP.

3. **Cliquez sur l'icône Options d'indexation.**

4. **Cliquez sur le bouton Avancé puis sur le bouton Reconstruire.**
   Windows 7 vous prévient que cela risque d'être long (car comme le disait Woody Allen, « *L'éternité c'est long, surtout vers la fin* »).

5. **Cliquez sur OK.**
   Windows 7 réindexe tout. L'ancien index ne sera supprimé que quand le nouveau sera prêt.

N'oubliez pas de réafficher le Panneau de configuration en mode Catégorie, si vous préférez la présentation par rubriques.

Chapitre 7

Faire bonne impression

Dans ce chapitre

- Imprimer des fichiers, des enveloppes et des pages Web
- Adapter le document à la page
- Résoudre les problèmes d'impression

Il vous arrivera parfois d'extraire des données de leur univers virtuel afin de les coucher sur un support plus tangible : une feuille de papier.

Ce chapitre est consacré à l'impression (pas celle que vous produisez, mais celle que vous faites, ou inversement). Vous apprendrez comment faire tenir un document sur une feuille sans qu'il soit tronqué.

Nous aborderons aussi la mystérieuse et méconnue notion de file d'attente, qui permet d'annuler l'impression des documents envoyés à l'imprimante, avant qu'ils gâchent du papier.

Imprimer vos œuvres

Windows 7 connaît une bonne demi-douzaine de façons d'envoyer votre travail à l'imprimante. Voici les plus connues :

- Choisir l'option Imprimer, dans le menu Fichier.
- Cliquer sur l'icône Imprimer (généralement ornée dune petite imprimante).
- Cliquez du bouton droit sur l'icône d'un document et choisir Imprimer.
- Cliquer sur le bouton Imprimer, dans la barre d'outils ou de commandes d'un programme.
- Faire glisser l'icône d'un document et la déposer sur l'icône de l'imprimante.

Si une boîte de dialogue apparaît, cliquez sur OK, et Windows 7 envoie aussitôt la page à l'imprimante. Pour peu que l'imprimante soit allumée et contienne de l'encre et du papier, Windows se charge de tout en tâche de fond, pendant que vous continuez à travailler.

Si la page n'est pas bien imprimée – texte tronqué, caractères grisâtres... –, vous devrez modifier les paramètres d'impression ou changer de qualité de papier, comme l'expliquent les sections qui suivent.

- Si une page de l'aide de Windows vous paraît utile, cliquez dessus du bouton droit et choisissez Imprimer. Ou alors, cliquez sur l'icône Imprimer, si vous en voyez une.
- Pour accéder rapidement à l'imprimante, ajoutez un raccourci sur le Bureau : ouvrez le menu Démarrer, choisissez Périphériques et imprimantes, cliquez du bouton droit sur l'icône de l'imprimante et choisissez Créer un raccourci. Pour imprimer, il suffira désormais de déposer l'icône du document sur l'icône de l'imprimante. Pour configurer l'imprimante, cliquez du bouton droit sur l'icône et choisissez Propriétés de l'imprimante.
- Pour imprimer rapidement un lot de documents, sélectionnez toutes les icônes. Cliquez ensuite du bouton droit dans la sélection et choisissez Imprimer. Windows 7 les envoie tous à l'imprimante, d'où ils émergeront les uns après les autres.
- Vous n'avez pas encore installé d'imprimante ? Allez au Chapitre 11 où j'explique comment faire.

Examiner la page avant de l'imprimer

Pour beaucoup, l'impression relève du mystère : ils cliquent sur Imprimer, et s'interrogent ave une pointe d'anxiété sur ce que la grosse boîte qui ronronne leur sortira. Avec un peu de chance – et de gros sel jeté par-dessus l'épaule gauche –, la page est bien imprimée. Autrement, une feuille aura été gâchée (sans parler du sel).

L'option Aperçu avant impression, qui figure dans le menu Fichier de la plupart des programmes, permet de vérifier la mise en page. Elle affiche le travail en cours en tenant compte des paramètres d'impression, montrant ainsi le document tel qu'il sera imprimé. L'aperçu avant impression est commode pour repérer des problèmes de marge, des tailles de caractères mal choisies et autres défauts typographiques.

L'aperçu avant impression varie d'un programme à un autre, certains étant plus précis que d'autres. Mais tous montrent assez fidèlement ce que sera l'impression.

Si l'aperçu vous convient, cliquez sur le bouton Imprimer, en haut de la boîte de dialogue. Mais si quelque chose ne va pas, cliquez sur le bouton Fermer pour revenir à votre travail et effectuer les corrections qui s'imposent.

Configurer la mise en page

En théorie, Windows affiche toujours votre travail tel qu'il sera imprimé. C'est que les Anglo-saxons appellent WYSIWYG (*What You See Is What You Get,* « ce que vous voyez est ce que vous obtiendrez », poétiquement traduit par « tel écran, tél écrit » (et tel est vision). Si ce que vous imprimez diffère sensiblement de ce qui était affiché, un petit tour dans la boîte de dialogue Mise en page s'impose (Figure 7.1).

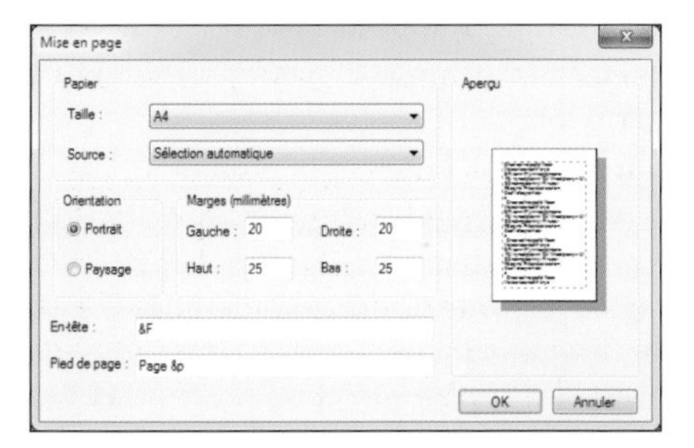

Figure 7.1 : Choisissez l'option Mise en page dans le menu Fichier d'un programme, pour peaufiner le positionnement de votre travail dans la feuille de papier.

L'option Mise en page, qui figure dans le menu Fichier de la plupart des programmes, sert à peaufiner le positionnement du document dans la page. La boîte de dialogue n'est pas la même d'un programme à un autre, mais le principe général ne change guère. Voici les paramètres les plus courants et à quoi ils servent :

- **Taille :** Indique au programme le format du papier actuellement utilisé. Laissez cette option sur A4 afin d'utiliser les feuilles normalisées, ou choisissez un autre format (A3, A5, Enveloppe...) le cas échéant. Reportez-vous éventuellement à l'encadré « Imprimer des enveloppes sans finir timbré ».
- **Source :** Choisissez Sélection automatique ou Bac, à moins que vous possédiez une de ces imprimantes haut de gamme alimentées par plusieurs bacs de feuilles de divers formats. Quelques imprimantes proposent une option Feuille à feuille, où vous devez manuellement introduire chaque feuille.
- **En-tête** et **Pied de page :** Vous tapez un code spécial, dans ces zones, pour indiquer à l'imprimante ce qu'elle doit y placer : numéro de page, date et heure, nom et/ou chemin du fichier... Par exemple, à la Figure 7.1, le code `&F`, dans le champ En-tête et le code `Page &p`, dans le pied de page, impriment le nom du fichier en haut de chaque feuille, ainsi que le mot « Page » suivi de son numéro en bas de la feuille.

Malheureusement, tous les programmes n'utilisent pas les mêmes codes de mise en page. Si un bouton en forme de point d'interrogation se trouve en haut à droite de la boîte de dialogue, cliquez dessus puis dans une zone En-tête ou Pied de page pour en savoir plus. Pas de bouton d'aide ? Appuyez sur la touche F1 et faites une recherche sur **Mise en page** dans le système d'aide.

- **Orientation :** Laissez cette option sur Portrait pour imprimer des pages en hauteur, mais choisissez Paysage si vous préférez imprimer en largeur. Cette option est commode pour les tableaux (notez qu'il n'est pas nécessaire d'introduire le papier de côté, dans une imprimante à large laize).
- **Marges :** Réduisez les marges pour faire tenir plus de texte dans une feuille. Il faut parfois les régler lorsqu'un document a été créé sur un autre ordinateur.
- **Imprimante :** Si plusieurs imprimantes ont été installées dans l'ordinateur ou sur le réseau, cliquez sur ce bouton pour sélectionner celle que vous désirez utiliser. Cliquez aussi ici pour modifier ses paramètres, une tâche abordée à la prochaine section.

Après avoir configuré les paramètres utiles, cliquez sur OK pour les mémoriser. Et revoyez une dernière fois l'aperçu avant impression pour vous assurer que tout est correct.

Pour trouver la boîte de dialogue Mise en page dans certains programmes, dont Internet Explorer, cliquez sur la petite flèche près de l'icône de l'imprimante et choisissez Mise en page, dans le menu.

Imprimer des enveloppes sans finir timbré

Bien qu'il soit très facile de cliquer sur l'option Enveloppe, dans la boîte de dialogue Mise en page, imprimer l'adresse au bon endroit est extraordinairement difficile. Sur certains modèles d'imprimantes, les enveloppes doivent être introduites à l'endroit, sur d'autres, il faut les présenter à l'envers. Si vous n'avez plus le manuel de l'imprimante, le meilleur moyen de trouver le bon sens – si ces mots en ont encore un – est de faire des essais.

Après avoir trouvé comment introduire les enveloppes, mettez un pense-bête sur l'imprimante indiquant le sens à respecter.

Si l'impression d'enveloppes est vraiment un calvaire, essayez les étiquettes. Achetez celles de la marque Avery puis téléchargez un logiciel d'impression gratuit (`www.avery.fr/avery/fr_fr/Modeles-et-Logiciels/`). Compatible avec Microsoft Word – PC et Mac –, il affiche des petits rectangles de la taille des étiquettes dans une page. Tapez les adresses dedans, insérez une feuille d'étiquettes dans l'imprimante, et Word sortira une planche d'autocollants parfaitement présentés. Il n'est même plus nécessaire de les humecter en les passant sur la truffe du chien.

Ou alors, faites-vous faire un tampon en caoutchouc à vos nom et adresse. C'est encore plus rapide que l'imprimante et les autocollants.

Régler les paramètres d'impression

Quand vous choisissez Imprimer, dans le menu Fichier d'un programme, Windows vous offre une dernière chance de peaufiner la page. La boîte de dialogue de la Figure 7.2 permet de diriger l'impression vers n'importe quelle imprimante installée dans l'ordinateur ou sur le réseau. Pendant que vous y êtes, il est encore possible de régler les paramètres d'impression, choisir la qualité du papier et sélectionner les pages à imprimer.

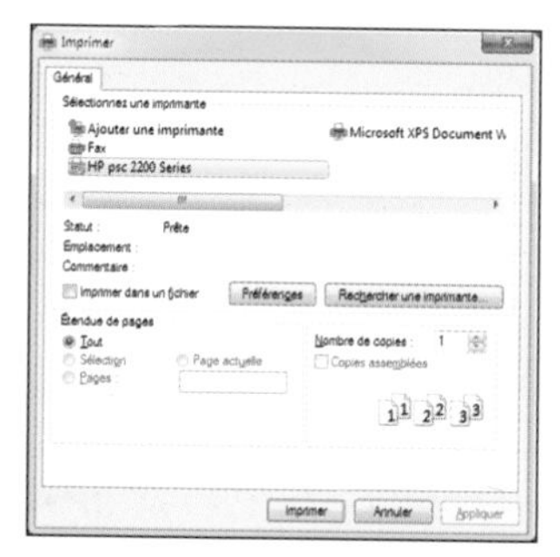

Figure 7.2 : La boîte de dialogue Imprimer permet de choisir l'imprimante et de la paramétrer.

Vous trouverez très certainement ces paramètres dans la boîte de dialogue :

- **Sélectionnez une imprimante :** Ignorez cette option si vous n'avez qu'une seule imprimante, car Windows la sélectionne automatiquement. Mais si l'ordinateur accède à plusieurs imprimantes, c'est ici que vous en choisirez une.

  L'imprimante que vous risquez de trouver dans Windows 7, nommée Microsoft XPS Document Writer, envoie votre travail dans un fichier au format particulier, généralement pour être utilisé par un imprimeur ou tout autre professionnel de la PAO (Publication Assistée par Ordinateur). Vous n'utiliserez probablement jamais cette imprimante virtuelle.

- **Étendue de pages :** Sélectionnez Tout, pour imprimer la totalité du document. Pour n'imprimer qu'une partie des pages, sélectionnez l'option Pages et indiquez celle(s) qu'il faut imprimer. Par exemple, si vous tapez **1-4, 6**, vous imprimez les quatre premières pages d'un document ainsi que la sixième, mais ni la cinquième, ni les autres. Si vous avez sélectionné un paragraphe, choisissez Sélection pour n'imprimer que lui. C'est un excellent moyen pour n'imprimer que les parties intéressantes d'une page Web, et non la totalité (qui peut être fort longue).

- **Nombre de copies :** Le plus souvent, les gens n'impriment qu'un exemplaire. Mais s'il vous en faut davantage, c'est ici que vous l'indiquerez. L'option Copies assemblées n'est utilisable que si l'imprimante dispose de cette fonctionnalité, ce qui est rare ; vous devrez trier les feuilles vous-même.
- **Préférences :** Cliquez sur ce bouton pour accéder à la boîte de dialogue de la Figure 7.3, où vous choisissez les options spécifiques à votre modèle d'imprimante. Elle permet notamment de sélectionner différents grammages de papier, de choisir entre l'impression en couleur ou en niveaux de gris, de régler la qualité de l'impression et de procéder à des corrections de dernière minute de la mise en page.

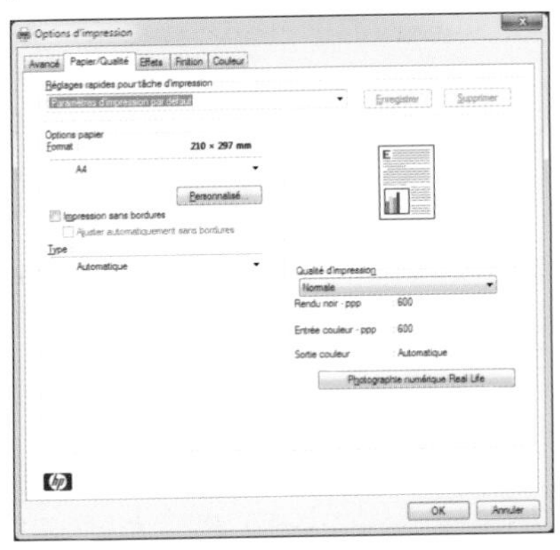

Figure 7.3 : La boîte de dialogue Préférences règle les paramètres spécifiques à votre imprimante, notamment le type de papier et la qualité d'impression.

Annuler une impression

Vous venez de réaliser qu'il ne fallait surtout pas envoyer le document de 26 pages vers l'imprimante ? Dans la panique, vous êtes tenté de l'éteindre tout de suite. Ce serait une erreur car après le rallumage, la plupart des imprimantes reprennent automatiquement l'impression.

Procédez comme pour purger le document de la mémoire de l'imprimante après l'avoir éteinte :

1. **Cliquez sur le bouton Démarrer puis sur le bouton Périphériques et imprimantes.**
2. **Cliquez du bouton droit sur le nom de l'imprimante ou sur son icône et dans le menu contextuel, choisissez Afficher les travaux d'impression en cours.**

La boîte de dialogue de la Figure 7.4 apparaît. Elle contient la file d'attente des travaux à imprimer.

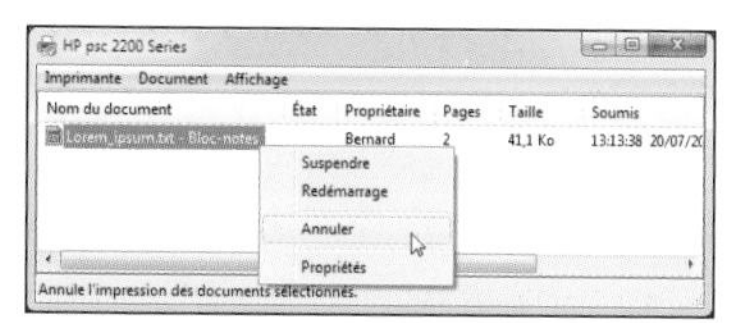

Figure 7.4 : Ôtez un document de la file d'attente pour annuler son impression.

3. **Cliquez du bouton droit sur le document incriminé et choisissez Annuler.**

   Faites-en éventuellement autant pour d'autres documents à ne pas imprimer.

Un délai d'une minute ou deux est parfois nécessaire pour qu'une annulation soit prise en compte. Pour accélérer les choses, cliquez sur Affichage > Actualiser. Lorsque la liste d'attente est purgée, ou que seuls subsistent les documents à imprimer, rallumez l'imprimante. Les travaux annulés ne seront pas imprimés.

- La file d'attente – appelée aussi « spouleur » – répertorie tous les documents qui attendent patiemment leur tour pour être imprimés. Vous pouvez modifier l'ordre par des glisser-déposer. En revanche, et en toute logique, rien ne peut être placé avant le document en cours d'impression.
- L'imprimante branchée à votre PC est partagée par plusieurs utilisateurs, sur un réseau ? Les travaux envoyés par les autres ordinateurs, PC ou Mac, se retrouvent dans votre file d'attente. C'est donc à vous d'annuler ceux qui ne doivent pas être imprimés.
- Si l'imprimante s'arrête en cours d'impression faute de papier, ajoutez-en. Vous devrez appuyer sur un bouton de l'imprimante pour reprendre l'impression. Ou alors, ouvrez la file d'attente, cliquez du bouton droit sur le document et choisissez Redémarrer.

- Vous pouvez envoyer des documents vers une imprimante même quand vous travaillez au bistrot du coin avec votre ordinateur portable. Quand vous le connectez à l'imprimante du bureau, la file d'attente s'en aperçoit et envoie vos fichiers. Attention : une fois qu'ils ont été placés dans la file d'attente, les documents sont mis en forme pour l'imprimante en question. Si par la suite vous connectez le portable à un autre modèle d'imprimante, l'impression ne sera peut-être pas correcte.

Imprimer une page Web

Très tentante de prime abord, l'impression des pages Web est rarement satisfaisante, notamment à cause de la marge droite qui tronque souvent la fin des lignes. La phénoménale longueur de certaines pages, ou les caractères si petits qu'ils sont à peine lisibles, font aussi partie des inconvénients.

Pire, la débauche de couleurs des publicités peut pomper les cartouches d'encre en un rien de temps. Quatre solutions sont cependant envisageables pour imprimer correctement des pages Web. Les voici par ordre d'efficacité décroissante :

- **Utilisez l'option Imprimer intégrée à la page Web.** Quelques sites Web proposent une discrète option Imprimer cette page, ou Version texte, ou Optimisé pour l'impression, *etc.* Elle élimine tout le superflu des pages Web et refait la mise en page en fonction des feuilles de papier. C'est le moyen le plus sûr d'imprimer une page Web.
- **Dans le navigateur Web, choisissez Fichier puis Imprimer.** Au bout de 15 ans, certains concepteurs de pages Web ont enfin compris que des visiteurs impriment leurs pages. Ils se sont donc débrouillés pour qu'elles se remettent d'elles-mêmes en forme lors de l'impression.
- **Copier la partie qui vous intéresse et la coller dans WordPad.** Sélectionnez le texte désiré, copiez-le et collez-le dans WordPad ou n'importe quel traitement de texte. Profitez-en pour supprimer les éléments indésirables ou superflus. Réglez les marges et imprimez tout ou une partie seulement. Le Chapitre 5 explique comment copier et coller.
- **Copier la totalité de la page Web et la coller dans un traitement de texte.** C'est beaucoup de travail, mais cela fonctionne. Choisissez Sélectionner tout, dans le menu Édition d'Internet Explorer. Choisissez ensuite Copier – qui est dans le même menu – ou appuyez sur Ctrl + C. Ouvrez ensuite Microsoft Word ou un autre traitement de texte haut de gamme, et collez-y le document. En coupant les éléments indésirables et en remettant les paragraphes en forme, vous obtiendrez un document parfaitement imprimable.

Ces conseils vous aideront eux aussi à coucher une page Web sur papier :

- Si une page vous intéresse, mais qu'elle n'a pas d'option d'impression, envoyez-la à vous-même par courrier électronique. L'impression de ce message sera peut-être plus réussie.
- Pour n'imprimer que quelques paragraphes d'une page Web, sélectionnez-les avec la souris (la sélection est expliquée au Chapitre 5). Dans Internet Explorer, choisissez Fichier, puis Imprimer. La boîte de dialogue de la Figure 7.2 s'ouvre. À la rubrique Étendue de pages, cliquez sur Sélection.

- Si dans une page Web, un tableau ou une photo dépasse du bord droit, essayez de l'imprimer en mode Paysage plutôt que Portrait.

Résoudre les problèmes d'impression

Si un document refuse d'être imprimé, assurez-vous que l'imprimante est allumée, son cordon branché à la prise, et qu'elle est connectée à l'ordinateur.

Si c'est le cas, branchez-la à différentes prises électriques en l'allumant et en vérifiant que le témoin d'allumage est éclairé. Si ce n'est pas le cas, l'alimentation de l'imprimante est sans doute morte.

Il est souvent moins cher de racheter une imprimante que de la faire réparer. Si vous tenez à la vôtre, faites établir un devis de réparation avant de vous en débarrasser.

Vérifiez ces points si le témoin d'allumage réagit :

- Assurez-vous qu'un papier n'a pas bourré le mécanisme d'entraînement. Une traction régulière vient généralement à bout d'un bourrage. Certaines imprimantes ont une trappe prévue à cette fin. Sinon, ouvrir et fermer le couvercle décoince parfois le papier.

- Y a-t-il encore de l'encre dans la cartouche, ou du toner dans l'imprimante Laser ? Essayez d'imprimer une page de test : ouvrez le menu Démarrer puis cliquez sur le bouton Périphériques et imprimantes. Cliquez du bouton droit sur l'icône de l'imprimante, choisissez Propriétés de l'imprimante (et non Propriétés tout court), puis cliquez sur le bouton Imprimer une page de test. Vous saurez si l'ordinateur et l'imprimante parviennent à communiquer.
- Procédez à la mise à jour du pilote de l'imprimante, un petit programme qui facilite la communication entre Windows 7 et les périphériques. Allez sur le site Web du fabricant, téléchargez le pilote le plus récent pour votre modèle d'imprimante, puis exécutez-le. Nous y reviendrons au Chapitre 12.

Voici pour finir deux conseils qui contribueront à protéger votre imprimante et ses cartouches :

- Éteignez l'imprimante quand vous ne l'utilisez pas. Autrement, la chaleur qu'elle dégage risque de dessécher l'encre de la cartouche, réduisant sa durée de vie.

- Ne débranchez jamais une imprimante par sa prise pour l'éteindre. Utilisez toujours le bouton marche/arrêt. L'imprimante peut ainsi ramener la ou les cartouches à leur position de repos, évitant qu'elles sèchent ou se bouchent.

Choisir le bon papier

Si vous vous êtes arrêté un jour au rayon des papiers pour imprimantes, vous avez sans doute été étonné de la variété du choix. Parfois, l'usage du papier est clairement indiqué mais souvent, les caractéristiques sont sibyllines. Voici quelques indications :

- **Le grammage :** Il indique le poids d'une feuille de un mètre carré. Celui d'un papier de bonne tenue doit être d'au moins 80 grammes. Un papier trop épais (au-delà de 120 ou 130 grammes) risque non seulement de bourrer dans l'imprimante, mais il coûte aussi plus cher en frais postaux.
- **Le papier pour imprimante à jet d'encre :** Le dessus est traité pour que l'encre ne diffuse pas et produise un lettrage bien net. Veillez à l'insérer de manière que le côté traité soit encré, et non le dessous, ce qui réduirait la qualité de l'impression.
- **Le papier pour photocopie :** Il est traité pour accrocher les pigments de toner et résister à la température élevée de ces équipements. La technologie des photocopieuses et des imprimantes à laser étant la même, le papier pour photocopies convient aussi aux imprimantes Laser.
- **Le papier pour photos :** D'un grammage élevé et ayant reçu une couche de résine – ce qui justifie leur prix relativement cher –, le papier photo est réservé aux tirages. Quand vous l'insérez dans l'imprimante, veillez à ce que l'impression se fasse du côté brillant. Certains papiers sont équipés d'un petit carton qui facilite le cheminement parmi les rouleaux d'entraînement.
- **Étiquettes :** Il en existe de toutes les tailles. Attention au risque de décollement lorsque la feuille se contorsionne à l'intérieur de l'imprimante. Vérifiez, dans le manuel, si les planches d'étiquettes sont acceptées ou non.
- **Transparents :** Ce sont des feuilles en plastique spéciales, à séchage rapide, résistant à la fois aux contraintes mécaniques de l'imprimante et à la chaleur des rétroprojecteurs.

Avant tout achat, assurez-vous que le papier – surtout les papiers spéciaux – est bien conçu pour votre type d'imprimante.

Troisième partie

Se connecter à l'Internet

Dans cette partie...

Il fut un temps où l'Internet était aussi feutré et bien fréquenté qu'une bibliothèque. Vous y trouviez des informations sur quasiment n'importe quel sujet, des journaux et des magazines du monde entier, de la musique ou des cartes postales.

Aujourd'hui, cette calme bibliothèque est envahie par des hordes de représentants de commerce qui vous collent sans arrêt de la pub sous le nez. Certains ferment même la page que vous êtes en train de lire. Pickpockets et arnaqueurs traînent dans les allées.

Cette partie du livre permet de ramener le calme et la quiétude sur l'Internet. Vous apprendrez à empêcher l'apparition des fenêtres de publicité intempestives, à neutraliser ceux qui tentent de remplacer votre page de démarrage par la leur, et à intercepter les espiogiciels.

Enfin, vous découvrirez comment utiliser la protection de compte d'utilisateur de Windows 7, le pare-feu, le centre de sécurité, le gestionnaire de cookies et autres outils qui vous aideront à sécuriser l'Internet.

Chapitre 8

Surfer sur le Web

Dans ce chapitre

- Savoir ce qu'est un fournisseur d'accès
- Configurer Internet Explorer pour la première fois
- Naviguer sur le Web
- Trouver des informations sur l'Internet
- Les plug-ins
- Enregistrer les informations trouvées sur l'Internet
- Dépanner Internet Explorer

Certaines personnes s'imaginent qu'elles peuvent se passer d'une connexion Internet, mais ce n'est pas l'avis de Windows 7. Dès l'installation, il essaye de se connecter. Et dès que la liaison est établie, il se connecte à un site pour régler avec précision l'Horloge de l'ordinateur. Mais il se connecte au site de Microsoft pour vérifier si la version installée n'est pas une copie pirate.

Ce chapitre explique comment se connecter à l'Internet, visiter des sites Web et découvrir toutes les bonnes choses que le « réseau des réseaux » peut vous apporter. Ceux que les mésaventures inquiètent peuvent se reporter au Chapitre 10, où il est question de la sécurité informatique. L'Internet est très mal fréquenté. Ce chapitre explique comment éviter les virus, les espiogiciels, les logiciels qui tentent de remplacer la page de démarrage de votre navigateur, et autres vermines du Web.

Lorsque votre ordinateur aura revêtu l'armure, pris le bouclier et empoigné la lance, toutes choses indispensables pour s'aventurer dans le cyberespace, surfer sur l'Internet sera une partie de plaisir.

Qu'est-ce que l'Internet ?

Aujourd'hui, l'Internet est devenu presque aussi banal que le téléphone. Y accéder n'étonne plus personne et presque tout le monde a une idée de ce que l'on peut y découvrir :

- **Des livres :** L'Internet regorge de sites culturels et universitaires où vous trouverez des livres en version intégrale, des dictionnaires de langue ou techniques, des encyclopédies, *etc*. Si vous êtes un rat de bibliothèque, une visite du site Gallica (http://gallica.bnf.fr/), géré par la Bibliothèque nationale de France, s'impose.
- **Des boutiques :** En quelques années, l'Internet est devenu une gigantesque galerie marchande à l'échelle de la planète. Vous pouvez y acheter de tout, avec quelques avantages appréciables, comme écouter quelques minutes des CD que vous voulez acheter (sur www.amazon.fr, www.alapage.com et, pour la musique classique, www.abeillemusique.com).
- **La communication :** Le courrier électronique a rapidement supplanté le courrier postal. Malheureusement, des ripoux cupides affligeants de bêtise ont investi ce secteur, inondant la planète de courriers non sollicités. Les logiciels de messagerie compatibles avec Windows 7 sont étudiés au Chapitre 9.
- **Un passe-temps :** Dans le temps, on feuilletait des magazines. À présent, on zappe d'un site à un autre, parmi les milliards de pages à portée de clic. Ou alors, il est possible de s'abonner à un quotidien en ligne et de télécharger des exemplaires identiques à ceux de la version papier.
- **Un divertissement :** L'Internet permet non seulement de connaître les films qui sortent en salle, mais aussi de télécharger leur bande-annonce, de connaître leur distribution, de lire des critiques ainsi que des racontars sur les vedettes. Vous trouverez aussi des jeux en ligne ou des résultats sportifs. Et avec une connexion à très haut débit, vous pouvez même recevoir la télévision.

Bref, l'Internet est un mât de Cocagne où il y en a pour tout le monde :

- À l'instar du téléspectateur qui zappe de chaîne en chaîne, le surfeur sur le Web passe de page en page, engrangeant ce qui lui plaît.
- L'Internet facilite les formalités administratives. Les revenus peuvent désormais être déclarés en ligne (www.impots.gouv.fr/). De nombreuses municipalités, y compris de modestes villages, ont un site Web destiné autant aux habitants qu'aux touristes.

- Les universitaires aiment beaucoup l'Internet, qui leur permet de communiquer, d'échanger et diffuser leur savoir. Si le faisceau cribro-vasculaire ou libéro-ligneux qui regroupe le phloème primaire et le xylème primaire séparés par le cambium, couche de cellules non différenciées ou embryonnaires, vous met en transes, rendez-vous sur www.botanic.org pour approfondir le sujet.
- Presque toutes les sociétés informatiques présentent leurs produits sur l'Internet. Les visiteurs peuvent échanger des messages avec des techniciens et avec d'autres utilisateurs, et télécharger des mises à jour ou des pilotes qui corrigent un problème.

NdT : Internet ou Web ? Les deux termes sont souvent indistinctement utilisés, y compris dans ce livre. Qu'en est-il vraiment ? Créé à la fin des années 1960 pour l'armée américaine, qui tenait à ne plus concentrer des données vitales en un seul lieu, mais à les répartir sur tout le territoire, l'Internet est l'infrastructure du réseau informatique. Peu utilisé par l'armée, il fut peu à peu cédé aux universitaires qui y propageaient des données exclusivement textuelles. Le Web, contraction de *World Wide Web*, « la toile mondiale », est un sous-ensemble de l'Internet. Le Web est en fait la partie grand public de l'Internet, développée au début des années 1990 à l'initiative de Tim Berners-Lee, un chercheur du CERN (Conseil européen pour la recherche nucléaire) qui est aussi, entre autres, l'auteur du langage de programmation HTML (*HyperText Markup Language,* langage de balisage hypertexte) largement utilisé sur le Web.

Le FAI, fournisseur d'accès Internet

Trois éléments sont indispensables pour se connecter à l'Internet : un ordinateur, un navigateur Web, et… un fournisseur d'accès Internet, ou FAI.

Vous avez l'ordinateur et Windows 7 est livré avec un navigateur Web nommé Internet Explorer.

Il ne reste plus qu'à choisir le fournisseur Internet. C'est lui qui vous fournit le *nom d'utilisateur* et le *mot de passe* indispensables pour accéder au Web, qui est le réseau d'ordinateurs connecté à l'Internet. C'est le FAI aussi qui héberge le courrier que vous recevez et achemine celui que vous envoyez, et vous permet de communiquer 24 h/24. Quand vous connectez à l'ordinateur de votre fournisseur d'accès, Internet Explorer entre automatiquement votre nom d'utilisateur et votre mot de passe. Vous êtes alors prêt à surfer sur le Web.

Pour vous renseigner sur les principales offres, commencez par visiter le site www.lesproviders.com/joomla/ ; son dossier « Choisir un fournisseur d'accès » est extrêmement précis et surtout à jour, ce qui est important pour les coûts, sans cesse changeants. Vous voulez aussi avoir une idée des performances d'une connexion (débit, régularité...) ? Allez sur le site www.grenouille.com ; sa rubrique « La météo du net » teste la qualité des connexions en temps réel ou avec quelques heures de décalage de près d'une centaine de fournisseurs d'accès.

- Il existe plusieurs manières de se connecter à l'Internet :
  - **Le modem téléphonique :** La connexion est établie au travers de la ligne téléphonique utilisée pour converser. Ce procédé archaïque est très lent (56 kilobits par seconde maximum), onéreux car facturé à la durée, et empêche d'utiliser la ligne téléphonique vocale pendant la connexion Internet. Un périphérique spécial, le modem, est nécessaire.
  - **Le haut débit :** Le câble ou l'ADSL (*Asymetrical Digital Subscriber Line,* ligne d'abonné numérique asymétrique) autorise des connexions extrêmement rapides, jusqu'à 20 mégabits par seconde. L'offre est souvent couplée à d'autres services, comme la téléphonie et la télévision par Internet (offre dite *triple play*).
  - **Le très haut débit :** Réservé aux zones desservies par le câble ou la fibre optique, ce type de connexion autorise des débits jusqu'à 100 mégabits par seconde.
  - **La connexion au réseau de téléphonie mobile :** Cette connexion encore onéreuse (environ 7 euros de l'heure) permet à un ordinateur portable de se connecter à un réseau GPRS, EDGE, 3G ou 3G+. Le débit varie selon le réseau auquel l'ordinateur est connecté.
  - **La connexion par satellite :** Dans les régions non desservies par l'ADSL ou le câble, la connexion par satellite permet de se connecter à un réseau à débit moyennement élevé.
- Si vous êtes tenté par le haut débit, qui est la meilleure solution, tant pour le prix que pour le confort du surf sur le Web, encore faut-il savoir si votre ligne téléphonique (ou le réseau câblé) est prévue pour le recevoir. Allez sur le site Éligibilité ADSL (www.eligibilite-adsl.com), tapez le numéro de téléphone de la ligne à tester, et vous apprendrez quantité de détails techniques, notamment le débit maximal auquel vous pourrez prétendre, les types de connexions possibles (ADSL, ADSL2, ADSL+TV...) et aussi, si un dégroupage total, vous affranchissant complètement de l'abonnement téléphonique à France Télécom, peut être envisagé, et par qui.
- Étudiez les services offerts, comme l'hébergement de pages Web si vous envisagez de créer votre site perso. Dans ce cas, vérifiez l'espace offert, qui ne saurait être inférieur à 100 mégaoctets, et aussi l'espace offert pour stocker votre courrier. Des services supplémentaires, comme des antivirus ou la protection parentale sont souvent proposés.

Configurer Internet Explorer pour la première fois

Windows 7 cherche constamment à établir une connexion Internet. Dès qu'il en trouve une, que ce soit à travers un réseau filaire ou un point d'accès Wi-Fi, il informe le logiciel Internet Explorer et la connexion est établie. Mais s'il ne parvient pas à détecter l'Internet, vous devrez prendre les choses en main, comme l'explique cette section.

Pour vous guider à travers les affres de la configuration d'une connexion Internet, Windows 7 vous soumet un questionnaire. Après avoir obtenu les réponses, il établit la connexion avec votre fournisseur d'accès.

Réseau filaire ou sans fil ? Windows 7 devrait détecter automatiquement le réseau relié à l'Internet et partager la connexion avec tous les autres ordinateurs. Autrement, reportez-vous au Chapitre 14 pour le dépannage.

Pour transférer vos paramètres de compte Internet d'un ordinateur à un autre, utilisez le programme de transfert rapide de Windows 7 décrit au Chapitre 19. Il recopie les paramètres Internet d'un PC dans un autre PC, vous évitant les complications d'un paramétrage manuel.

Voici ce qu'il vous faut pour commencer :

- **Vos nom d'utilisateur, mot de passe et numéro de téléphone d'accès.** Si vous n'avez pas encore de fournisseur d'accès Internet, le programme peut vous en trouver un (prenez des notes, mais ne vous fiez pas trop aux propositions, car il vous est impossible de faire jouer la concurrence).
- **Une box.** Il s'agit d'un équipement particulier appelé aussi « routeur » vendu ou loué par le fournisseur d'accès. Une box ou un routeur peuvent aussi être achetés dans une boutique informatique. Cet équipement effectue l'interface entre l'ordinateur, auquel il est connecté par un câble réseau ou une liaison sans fil (Wi-Fi) et l'Internet (*via* la ligne ADSL ou le câble).

Des ordinateurs sont parfois équipés d'un modem téléphonique intégré à la carte mère. Pour vérifier si le vôtre en possède un, rechercher une prise de téléphone à l'arrière du PC (ne la confondez pas avec la prise de réseau, un peu plus grande). Branchez ensuite la prise de téléphone du PC à celle du mur. Sachez cependant que ce type de connexion par la ligne téléphonique vocale est lent et onéreux.

Chaque fois que la connexion Internet vous fait des misères, relisez les lignes qui suivent en appliquant les étapes. L'assistant de Windows 7 parcourra les différents paramètres, vous permettant de les modifier. Voici comment mettre l'assistant au travail :

1. **Cliquez sur le bouton Démarrer, puis sur le bouton Panneau de configuration. À la rubrique Réseau et Internet, cliquez sur Se connecter à Internet.**

   La fenêtre Configurer une connexion ou un réseau apparaît.

   Le panneau affiche les différentes manières par lesquelles votre PC peut se connecter :

   - **Haut débit (PPPoE) :** Choisissez cette option si vous vous êtes abonné à un fournisseur d'accès exigeant pour la connexion un nom d'utilisateur et un mode de passe. Après avoir cliqué, saisissez ces informations puis cliquez sur Connexion pour accéder aussitôt à l'Internet (PPoE sont les initiales de *Point-to-Point Protocol over Ethernet*).

   - **Accès à distance :** Cette option n'est utilisable que si votre ordinateur est équipé d'un modem RTC (Réseau Téléphonique Commuté). La connexion s'effectue par la ligne vocale de votre téléphone fixe (NdT : Si cette option n'apparaît pas dans le panneau, cochez la case Afficher les options dont la configuration de cet ordinateur ne prévoit pas l'utilisation ; notez que vous devrez connecter un modem téléphonique à l'ordinateur pour établir la liaison).

   - **Sans fil :** Si le PC est équipé de la Wi-Fi, Windows 7 recherche un signal Wi-Fi. En cas de problème, reportez-vous au Chapitre 14, à la section consacrée à la connectivité sans fil. Si votre ordinateur est un portable, voyez le Chapitre 22.

   Si Windows 7 a trouvé un réseau sans fil, il suffit de double-cliquer sur le nom du signal pour établir la connexion. Les réseaux sans fil sont expliqués au Chapitre 14.

2. **Choisissez Bas débit RTC.**

   Comme vous n'avez choisi ni la connexion à haut débit, ni la connexion sans fil, le modem téléphonique est la seule solution. Windows 7 pose quelques questions (Figure 8.1) indispensables pour établir la liaison avec le fournisseur d'accès Internet.

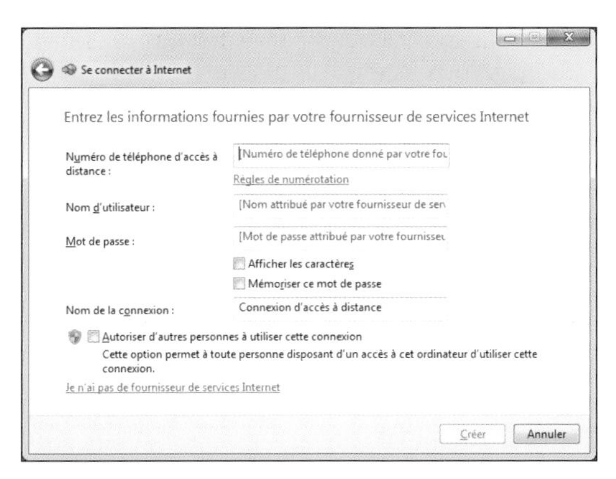

Figure 8.1 : Entrez le numéro de téléphone du FAI, votre nom d'utilisateur et votre mot de passe.

3. Entrez les informations de connexion au FAI.

Vous inscrivez ici trois renseignements importants : le numéro de téléphone, votre nom d'utilisateur et le mot de passe, tous détaillés dans les lignes qui suivent :

- **Numéro de téléphone d'accès à distance :** Tapez ici le numéro de téléphone qui vous a été communiqué par votre FAI.
- **Nom d'utilisateur :** Ce n'est pas forcément le vôtre, mais souvent un code aléatoire, fait de chiffres et de lettres, défini par votre FAI lorsqu'il a créé votre compte. Il comporte parfois la première partie de votre adresse électronique.
- **Mot de passe :** Pour être sûr de l'avoir tapé correctement, cochez la case Afficher les caractères. La saisie terminée, décochez-la afin de préserver la confidentialité du mot de passe.

- N'oubliez pas de cocher la case Mémoriser ce mot de passe. Vous n'aurez ainsi plus à le taper chaque fois que vous vous connecterez à l'Internet. En revanche, ne cochez pas cette case si vous ne voulez pas que quelqu'un puisse utiliser votre connexion.
- **Nom de la connexion :** C'est le nom que Windows 7 attribue à cette connexion. Choisissez-en un autre, plus descriptif, afin de mieux le reconnaître parmi plusieurs connexions.
- **Autoriser d'autres personnes à utiliser cette connexion :** Cochez cette option pour permettre à tous les autres comptes d'utilisateurs de cet ordinateur de se connecter avec cette connexion.

Cliquer sur les mots Je n'ai pas de fournisseur de services Internet, affiche une fenêtre vous invitant à utiliser le CD-ROM d'un fournisseur.

Cliquez sur les mots Règle de numérotation, sous le numéro de téléphone. Vous pouvez ici entrer des détails comme le pays, l'indicatif régional et le numéro à composer pour obtenir l'extérieur, si la ligne passe par un standard téléphonique. Les utilisateurs d'ordinateurs portables itinérants doivent vérifier les règles de numérotation chaque fois qu'ils changent de lieu de villégiature.

4. **Cliquez sur le bouton Créer.**

   Le PC se connecte à l'Internet. Pour tester la connexion, chargez Internet Explorer, depuis le menu Démarrer, et voyez s'il accède à des sites Web.

Par la suite, il suffira de démarrer Internet Explorer pour vous connecter à l'Internet. Windows établira automatiquement la connexion d'après les paramètres que vous lui avez communiqués.

En cas de problème, appelez le support technique de votre fournisseur d'accès Internet. Un technicien vous aidera à configurer la connexion (mais ce coup de main est généralement onéreux).

Par défaut, Internet Explorer ne raccroche pas automatiquement lorsque vous avez fini de surfer. Pour que le PC interrompe la connexion dès que vous quittez Internet Explorer, choisissez Options Internet, dans le menu Outils, et cliquez sur l'onglet Connexions. Cliquez sur le bouton Paramètres, puis sur Avancé. Enfin, cochez la case Se déconnecter lorsque la connexion n'est plus nécessaire. Cliquez ensuite sur OK.

Je veux voir la pub !

Les premières versions d'Internet Explorer ne disposaient d'aucun moyen pour empêcher l'apparition soudaine de fenêtres de publicité, appelées *pop-ups* » dans le jargon des internautes. La version 7 d'Internet Explorer est désormais équipée d'un bloqueur de pop-ups qui stoppe 90 % d'entre elles. Pour vous assurer qu'il est actif, choisissez, dans le menu Outils, l'option Bloqueur de fenêtres intempestives, et assurez-vous que l'option Désactiver le bloqueur de fenêtres publicitaires intempestives ne soit pas cochée.

Mais si vous désirez voir les fenêtres pop-ups de certains sites, ce même menu vous permet de choisir les Paramètres du bloqueur de fenêtres publicitaires intempestives.

Lorsqu'un site tente d'envoyer une fenêtre pop-up ou un message, Internet Explorer affiche un bandeau en haut de la fenêtre, signalant qu'une fenêtre intempestive a été bloquée, et invitant à cliquer dans le bandeau pour accéder aux options supplémentaires. Vous avez alors le choix entre trois actions : autoriser temporairement l'apparition des fenêtres publicitaires intempestives, toujours autoriser les fenêtres publicitaires de ce site, ou modifier les paramètres du bloqueur.

Enfin, pour empêcher l'agaçant son chaque fois que le bloqueur intercepte une fenêtre, choisissez Outils > Bloqueur de fenêtres publicitaires intempestives > Paramètres du bloqueur de fenêtres publicitaires. Décochez ensuite la case Jouer un son lorsqu'une fenêtre publicitaire intempestive et bloquée.

Naviguer parmi les sites Internet avec Internet Explorer 8

Internet Explorer est ce que l'on appelle un navigateur Web, autrement dit le logiciel qui vous permet de visiter les millions de sites dispersés dans le monde. Il est livré avec Windows 7 (et donc compris dans son prix). D'autres internautes préfèrent d'autres navigateurs, comme Mozilla Firefox, téléchargeable gratuitement depuis le site http://frenchmozilla.sourceforge.net/.

Bref, vous n'êtes pas marié avec Internet Explorer. Rien ne vous empêche d'essayer d'autres navigateurs, car tous remplissent à peu près la même fonction : vous faire naviguer d'un site à un autre.

De site en site, de page en page

Tous les navigateurs sont fondamentalement pareils. Chaque page est localisée par son adresse Web, exactement comme votre domicile. Internet Explorer permet de naviguer entre les pages de trois manières :

- En cliquant sur un bouton ou un texte souligné appelé « lien », qui pointe vers une autre page ou un autre site et vous y mène aussitôt.
- En tapant une adresse Web parfois simple, souvent horriblement compliquée dans la barre d'adresse du navigateur, et en appuyant ensuite sur Entrée.
- En cliquant sur les boutons de navigation de la barre d'outils du navigateur, en haut de son interface.

Cliquer sur des liens

C'est le moyen de navigation le plus facile. Recherchez les liens – un mot souligné, un bouton ou une image – et cliquez dessus, comme à la Figure 8.2. Observez comment le pointeur de la souris se transforme en main dès qu'il survole un lien. Cliquez pour atteindre la nouvelle page ou le nouveau site.

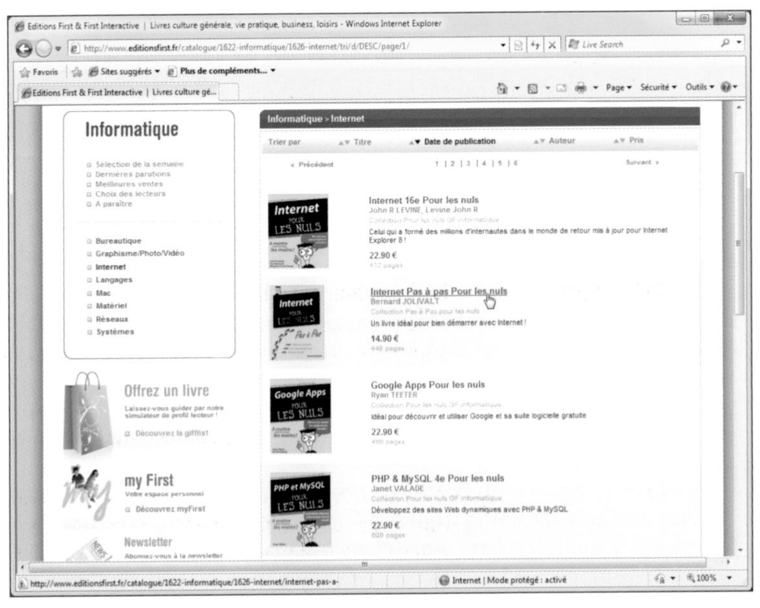

Figure 8.2 : Quand le pointeur de la souris se transforme en main, cela signifie qu'il survole un lien. Cliquez pour aller à la page ou au site vers lequel il pointe.

Les concepteurs de sites Web sont très créatifs, à tel point que si le pointeur ne se transformait pas en main, il serait souvent difficile de savoir où cliquer. Les liens peuvent en effet avoir n'importe quelle apparence : un mot souligné ou non, une illustration qui évoque le contenu de la page de destination…

Saisir une adresse Web dans la barre d'adresse

La deuxième technique est la plus ardue. Si quelqu'un vous a griffonné une adresse Web sur un morceau de papier, vous devrez la taper dans le navigateur. C'est facile tant que l'adresse est simple. Mais certaines sont longues et compliquées, et la moindre faute de frappe empêche d'accéder au site.

NdT : Quand un site se termine par com, et uniquement dans ce cas comme dans www.microsoft.com, contentez-vous de taper le nom – Microsoft en l'occurrence –, et le navigateur ajoute automatiquement le préfixe http://www ainsi que l'extension .com. Notez aussi que le préfixe http:// n'est pas indispensable si l'adresse comporte l'élément www. Tapez www.editionsfirst.fr, par exemple, et vous accéderez à la page désirée (en revanche, si une adresse est du type http://siteamoi.fr, sans le www, vous devrez la saisir en entier).

Utiliser la barre d'outils d'Internet Explorer

Enfin, vous pouvez surfer sur l'Internet en cliquant sur les divers boutons de la barre d'outils d'Internet Explorer, en haut de son interface. Leur fonction est expliquée dans le Tableau 8.1.

Tableau 8.1 : Les boutons de navigation d'Internet Explorer.

Bouton	*Nom*	*Utilisation*
	Précédent	Sert à retourner à la page précédente. En cliquant plusieurs fois dessus, vous finissez par revenir au point de départ de la navigation, dans la fenêtre en question.
	Suivant	Après avoir cliqué sur le bouton Précédent, celui-ci permet de revenir dans l'autre sens.
Favoris	Favoris	Révèle la liste des liens pointant vers vos sites préférés (Microsoft a déjà placé ses propres sites à cet endroit. Ne vous gênez pas pour les supprimer et remplacez-les par les sites que vous avez choisis).
Ajouter aux Favoris…	Ajouter aux favoris	Cliquez sur ce bouton pour ajouter la page que vous visitez actuellement à la liste de vos favoris.

Tableau 8.1 : Les boutons de navigation d'Internet Explorer.

Bouton	Nom	Description
Sites suggérés ▾	Sites suggérés	Internet Explorer vous incite à cliquer sur ce bouton. Si vous le faites, il vous proposera des sites qui, selon vos habitudes de navigation, devraient vous plaire. Enfin, c'est ce que pense Internet Explorer…
Plus de compléments… ▾	Plus de compléments	Ces mini programmes rendent la navigation sur le Web plus agréable en exécutant des tâches simples, comme ajouter un lien vers Amazon sur un livre mentionné sur une page Web afin que vous puissiez l'acheter (astuce : recherchez les compléments qui bloquent les fenêtres publicitaires).
	Accueil	Si vous vous égarez lors de vos pérégrinations sur le Web, revenez au bercail en cliquant sur le bouton Accueil, dans la barre de commandes d'Internet Explorer. (Cliquez le bouton fléché, juste à côté, pour changer la page de démarrage, autrement dit, celle qui s'affiche spontanément lorsque vous démarrez Internet Explorer).
	Flux RSS	Lorsqu'il est illuminé, ce bouton orange indique que le site offre des flux RSS, un moyen rapide de prendre connaissance des gros titres d'un site sans devoir le visiter, ou d'être tenu au courant des modifications du contenu d'un site. Pour voir les titres, cliquez sur le bouton Favoris puis sur l'onglet Flux (là encore, vous pouvez les supprimer).
	Web Slice	Composant du système de flux RSS permettant de lire rapidement les titres d'un site d'informations sans visiter la page elle-même. Les Web Slices apparaissent aussi dans les Favoris, sous l'onglet Flux.
	Lire le courrier	Ce bouton est absolument inopérant… tant que vous n'avez pas installé un logiciel de messagerie, ce que vous apprendrez à faire au Chapitre 9. Car contrairement aux versions précédentes de Windows, celle-ci n'en a pas.
	Imprimer	Démarre l'impression de la page du site que vous visitez. Cliquez d'abord sur la petite flèche à droite pour accéder aux options et obtenir ainsi un aperçu avant impression.
Page ▾	Page	Cette option s'applique à la page courante : agrandir ou réduire le texte par exemple, ou enregistrer la page dans un fichier.

Tableau 8.1 : Les boutons de navigation d'Internet Explorer.

Sécurité ▾	Sécurité	Cliquez ici pour supprimer l'historique de navigation, préserver la confidentialité (parfait pour aller sur des sites bancaires) ou vérifier un site douteux.
Outils ▾	Outils	Cliquer sur bouton ouvre un menu rempli de paramètres. Vous pourrez notamment configurer le bloqueur de fenêtres intempestives et le filtre anti-hameçonnage.
?	Aide	Complètement perdu, dépassé ? Cliquer sur ce bouton donne accès à l'aide d'Internet Explorer.

Ouvrir Internet Explorer sur votre site favori

Votre navigateur Web affiche automatiquement un site Web après la connexion. Cette page de démarrage peut être changée par une autre en procédant ainsi :

1. **Visitez votre site Web favori.**

   Choisissez celui qui vous plaît. Personnellement, j'ouvre mon navigateur sur Google Actualités (http://news.google.fr/) afin de connaître les grands titres de la presse. Mais vous pouvez aussi choisir le portail de votre fournisseur d'accès Internet.

2. **Cliquez sur la petite flèche à droite de l'icône Accueil et choisissez Ajouter ou modifier une page de démarrage.**

   Très sécuritairement, Internet Explorer demande si vous voulez vraiment utiliser cette page comme page d'accueil.

3. **Cliquez sur Utiliser cette page comme seule page de démarrage, puis sur Oui.**

   Après avoir cliqué sur Oui, comme à la Figure 8.3, Internet Explorer démarrera toujours sur la page que vous lui avez indiquée.

   Cliquer sur Non conserve la page de démarrage actuelle, celle du site de Microsoft en l'occurrence.

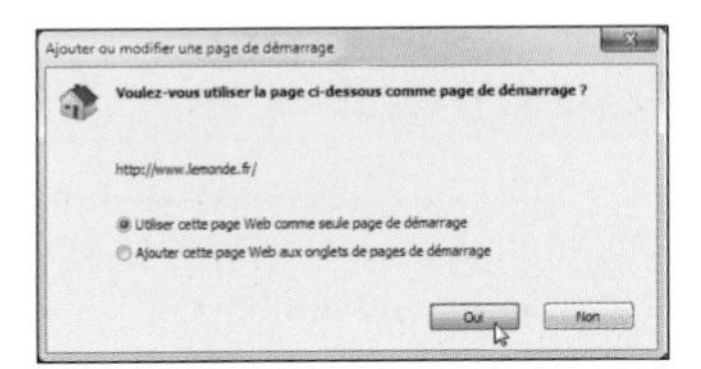

Figure 8.3 : Sélectionnez l'option Utiliser cette page comme seule page de démarrage, et Internet Explorer l'ouvrira systématiquement en premier.

Après le chargement de la page de démarrage, vous pouvez baguenauder librement sur l'Internet, faire des recherches sur Google (www.google.fr) ou avec d'autres moteurs de recherche, en cliquant sur divers liens.

- La page d'accueil d'un site Web est l'équivalent de la page de couverture d'un magazine.
- Si votre page de démarrage a été remplacée par un autre site, et qu'il est impossible de la rétablir avec la manipulation précédente, c'est sans doute l'effet d'une action extérieure malfaisante. Reportez-vous à la section consacrée aux espiogiciels, au Chapitre 10.
- Internet Explorer permet de définir plusieurs pages comme pages de démarrage. Il les charge toutes et les place dans des onglets, vous permettant ainsi de les consulter à votre guise. Pour ajouter des pages de démarrage à votre collection, choisissez l'option Ajouter cette page Web aux onglets de la page de démarrage, à l'Étape 3 de la manipulation précédente (voir Figure 8.3).

Revisiter vos pages favorites

Lors de vos visites, vous voudrez absolument mémoriser l'accès à une page sur laquelle vous avez flashé. Pour pouvoir y retourner rapidement, ajoutez-la à la liste des favoris d'Internet Explorer en procédant ainsi :

1. **Cliquez sur l'icône Ajouter aux favoris, dans la barre d'outils d'Internet Explorer.**

   Un petit menu se déploie.

2. **Dans le menu déroulant, cliquez sur Ajouter aux favoris, puis sur le bouton Ajouter.**

   La boîte de dialogue qui apparaît propose de nommer la page Web par son titre, mais vous pouvez le remplacer par un texte plus explicite et plus concis, mieux adapté à l'étroit menu des favoris. Cliquez ensuite sur le bouton Ajouter pour ajouter la page dans la liste Favoris.

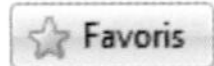

Pour retourner à la page qui vous a tant plu, cliquez sur le bouton Favoris, dans Internet Explorer. Choisissez ensuite la page dans le menu déroulant.

Les gens organisés préfèrent regrouper leurs favoris. Pour ce faire, cliquez du bouton droit sur le bouton Favoris et choisissez Organisation des Favoris. Vous pourrez ainsi créer des dossiers thématiques.

Les favoris n'apparaissent pas dans le menu déroulant lorsque vous cliquez sur le bouton Favoris ? Cliquez sur le mot Favoris, dans la barre de menus. Peut-être regardiez-vous dans l'historique – décrit dans l'encadré – ou consultiez-vous les flux RSS décrits plus loin dans ce chapitre.

Internet Explorer sait où vous étiez

Internet Explorer conserve la trace de tous les sites Web que vous visitez. Bien que sa liste Historique soit très commode, elle peut aussi être un outil de flicage.

Pour voir ce qu'Internet Explorer a mémorisé, cliquez sur le bouton Favoris puis sur l'icône Historique, dans le menu déroulant. Les adresses de tous les sites que vous avez visités ces vingt derniers jours s'y trouvent. En cliquant sur la petite flèche à droite du mot Historique, vous pouvez trier les pages par date, alphabétiquement, par fréquence de visites ou dans l'ordre où vous les avez visitées.

Pour ôter une page de l'historique, cliquez dessus du bouton droit et choisissez Supprimer. Pour supprimer toute la liste, quittez la zone Favoris puis, dans la barre de menus, choisissez Outils puis, à la rubrique Historique de navigation, cliquez sur le bouton Supprimer. Une boîte de dialogue permet ensuite de supprimer l'historique ainsi que d'autres éléments.

Pour désactiver l'historique, cliquez sur le bouton Paramètres, au lieu de Supprimer. À la rubrique Historique, mettez à zéro le compteur de l'option Jours pendant lesquels ces pages sont conservées.

Trouver sur l'Internet

De même qu'il est quasiment impossible de retrouver un livre dans une bibliothèque sans la fiche qui indique sa cote, il est impossible de retrouver quoi que soit sur le Web sans un bon index. Fort heureusement, Internet Explorer permet d'accéder à ces index – qui font partie des moteurs de recherche – grâce au champ de recherche Live Search, en haut à droite.

Tapez quelques mots dans le champ Live Search – **orchidées Seychelles**, par exemple – et appuyez sur Entrée. Internet Explorer lance aussitôt la recherche sur Windows Live, le moteur de recherche de Microsoft. Vous pouvez le remplacer par Google (www.google.fr) ou n'importe quel autre moteur de recherche de votre choix.

À vrai dire, vous pouvez ajouter plusieurs moteurs de recherche. Vous effectuerez la plupart des recherches avec Google, mais vous enverrez les requêtes de livres ou de CD sur Amazon. Voici comment personnaliser le champ Rechercher :

1. **Cliquez sur le bouton fléché à droite du champ Live Search.**

   Un menu déroulant apparaît.

2. **Choisissez Rechercher encore des moteurs de recherche.**

   Internet Explorer parcourt le site Web de Microsoft et affiche une liste de nombreux moteurs de recherche connus (voir Figure 8.4).

3. **Cliquez sur des moteurs de recherche et, dans la fenêtre qui apparaît, cliquez sur Ajouter aux moteurs de recherche.**

   Internet Explorer vous demandera de confirmer l'ajout.

   Pour que vos recherches s'effectuent toujours avec un même moteur, Google par exemple, activez l'option En faire le moteur de recherche par défaut.

4. **Cliquez sur le bouton Ajouter**

5. **Ajoutez d'autres moteurs de recherche si vous le désirez.**

   Ils apparaîtront tous dans le menu déroulant visible à la Figure 8.4.

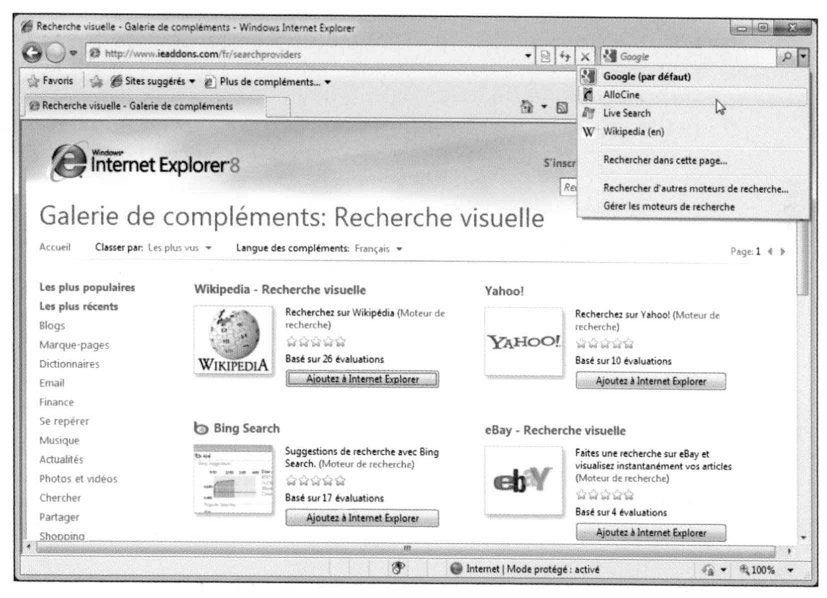

Figure 8.4 : Pour lancer une recherche avec un autre moteur de recherche, cliquez sur la flèche à droite du champ Live Search et choisissez-le dans la liste.

- Vous pouvez à tout moment changer de moteur de recherche par défaut en modifiant la recherche, en bas du menu, à la Figure 8.4. Une fenêtre apparaît, présentant tous vos moteurs de recherche. Cliquez sur celui que vous préférez, cliquez sur le bouton Par défaut, et c'est à lui qu'Internet Explorer confiera vos recherches en priorité.
- Quand une page est en langue étrangère (essentiellement anglais ou allemand), Google affiche une option Traduire cette page.
- Parfois, Google propose une page qui n'existe plus, et ne peut donc plus être visitée. Dans ce cas, cliquez sur le lien En cache, sous l'adresse. Vous accédez aux archives de Google, où sont engrangées toutes les pages qu'il a indexées.
- Cliquez sur le bouton J'ai de la chance, et Google ouvre le site qui lui paraît le plus conforme à votre recherche. Cette commande fonctionne très bien surtout pour des recherches généralistes.

- Les nouveaux accélérateurs d'Internet Explorer 8 proposent une nouvelle manière de rechercher une information. Quand vous sélectionnez un mot dans une page Web, en double-cliquant dessus, une petite icône fléchée apparaît. Cliquez dessus pour déployer un menu proposant des suggestions : Envoyer un courrier électronique avec Windows Live, rechercher avec Google, Traduire avec Live Search, *etc.* Les accélérateurs exploitent des liens Microsoft, mais vous pouvez en ajouter d'autres en choisissant Tous les accélérateurs > Rechercher d'autres accélérateurs, en bas du menu.

La page Web exige un plug-in !

L'Internet avait détourné des gens de la télévision, et voilà que par un juste retour des choses, la télé investit l'Internet. Pour cela, les programmeurs ont mis au point des techniques élaborées qui ont pour non Java (NdT : du nom d'une célèbre marque de café américaine), Flash, RealPlayer, QuickTime et autres gâteries qui ajoutent animations et vidéo à des pages Web.

Les programmeurs ont aussi concocté des petits programmes complémentaires qui se greffent au programme principal et lui ajoutent des fonctionnalités nouvelles. Officiellement appelés « modules externes » ou « modules complémentaires », ils sont plus connus sous le nom de *plug-ins.* Lorsqu'une page Web a besoin d'un de ces modules, Windows 7 s'assure que c'est bien vous qui désirez l'installer comme à la Figure 8.5. Cette précaution vise à empêcher l'installation d'un programme – souvent malveillant – à votre insu.

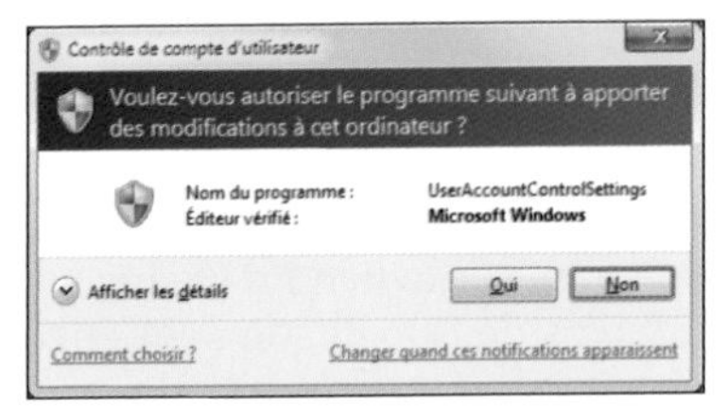

Figure 8.5 : Lorsque qu'un site demande l'installation d'un logiciel, Windows 7 prend des précautions et vous demande l'autorisation.

Si l'ordinateur exige un plug-in, ou la dernière version de celui-ci, n'acceptez que si vous avez entièrement confiance dans le site. Bien qu'il soit généralement difficile de faire la différence entre un bon programme et un programme malfaisant, vous apprendrez au Chapitre 10 comment évaluer le degré de confiance que vous pouvez leur accorder. Les plug-ins suivants sont à la fois gratuits et sûrs :

- **QuickTime** (www.apple.com/fr/quicktime/) : Ce logiciel est capable de lire plusieurs formats vidéo que le Lecteur Windows Media ne reconnaît pas, notamment ceux de la plupart des bandes-annonces de films et les vidéos produites par certains modèles d'appareils photo numériques.
- **RealPlayer** (http://france.real.com/) : Bien que je trouve ce logiciel très intrusif, c'est le seul capable d'accéder à certaines ressources audiovisuelles, sur l'Internet. Veillez à télécharger la version gratuite, moins bien mise en évidence sur le site que la version payante.
- **Flash/Shockwave** (www.macromedia.fr) : Ce programme est indispensable pour visionner les animations très élaborées qui ornent certaines pages publicitaires, et aussi pour voir certains dessins animés.
- **Microsoft Silveright** (www.silverlight.net) : Concurrent du célébrissime Flash, ce programme lit des vidéos et de la publicité.
- **Acrobat Reader** (www.adobe.fr) : Autre programme gratuit très répandu, Acrobat Reader est indispensable pour lire certains documents au format PDF (*Portable Document Format,* format de document portable). Il présente le document exactement comme s'il était imprimé sur du papier. Parfois, il est possible d'en copier une partie, voire de l'ouvrir dans un traitement de texte.

Méfiez-vous des sites qui tentent subrepticement d'installer un autre programme lorsque vous téléchargez un plug-in. L'installation d'une barre d'outils supplémentaire dans le navigateur Web est un grand classique de ce genre d'intrusion. Examinez attentivement les boîtes de dialogue et décochez tous les éléments dont vous n'avez pas besoin, que vous ne désirez pas ou auxquels vous ne faites pas confiance, avant de cliquer sur le bouton Télécharger ou Installer. Si c'est trop tard, vous trouverez à la section « Ça ne marche pas ! », plus loin dans ce chapitre, quelques conseils pour supprimer les programmes complémentaires indésirables.

Enregistrer les informations provenant de l'Internet

L'Internet est comme une bibliothèque à domicile, mais sans la file d'attente pour demander les livres. Et à l'instar des photocopieuses que l'on trouve dans toute bibliothèque, Internet Explorer propose plusieurs façons d'enregistrer les informations que vous récoltez, à des fins privées uniquement (l'Internet est bien sûr assujetti à la législation du droit d'auteur).

Les sections qui suivent expliquent comment copier dans l'ordinateur les informations provenant de l'Internet, qu'il s'agisse d'une page entière, d'une photo, d'un son, d'une vidéo ou d'un programme.

L'impression des pages Web est expliquée au Chapitre 7.

Enregistrer une page Web

Vous voulez conserver cette longue page qui fait l'historique de Flight Simulator depuis 1979 ? Il faut absolument conserver cet itinéraire vers Pétaouchnock ? Quand vous trouvez une information utile, sur le Web, vous ne résistez pas à l'envie de la sauvegarder dans l'ordinateur, de peur qu'un jour elle disparaisse de la toile, ce qui arrive plus fréquemment qu'on ne l'imagine.

Quand vous enregistrez une page Web, vous l'enregistrez telle qu'elle existe actuellement. Pour voir ses éventuelles mises à jour, vous devrez aller sur son site, sur le Web.

Enregistrer la page que vous regardez est un jeu d'enfant :

1. **Cliquez sur le bouton Page, dans Internet Explorer, et choisissez Enregistrer sous.**

   Internet Explorer place le nom de la page Web dans la boîte de dialogue Enregistrer la page Web, comme le montre la Figure 8.6.

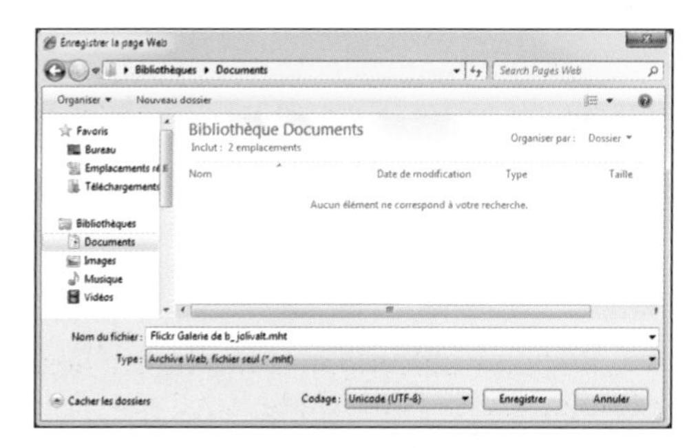

Figure 8.6 : Internet Explorer peut enregistrer une page Web dans un seul fichier.

   Pour enregistrer la page Web dans un seul fichier, dans le dossier Documents, cliquez sur Enregistrer. Mais si vous désirez l'enregistrer à un autre emplacement ou dans un format différent, passez à l'Étape 2.

2. **Sélectionnez un emplacement dans le volet de navigation.**

   Internet Explorer enregistre normalement les pages Web dans le dossier Documents, accessible en permanence *via* le volet de navigation. Pour enregistrer la page dans un autre dossier, dans Téléchargements par exemple, cliquez sur ce dossier, dans le volet de navigation.

3. **Sélectionnez un format de fichier dans la zone de liste Type.**

Vous avez le choix entre quatre formats :

- **Page Web complète (*.htm; *.html) :** Rapide, commode, mais un brin désordonnée, cette option demande à Internet Explorer de diviser la page en deux parties : le fichier de la page, et un sous-dossier contenant ses images et graphismes.

- **Archives Web, fichier seul (*.mht) :** Un peu plus ordonnée, cette option enregistre une copie exacte de la page Web. Tous les éléments sont stockés dans un unique fichier au nom de la page Web. Malheureusement, seul Internet Explorer est capable d'ouvrir ce type de fichier, excluant tous ceux qui utilisent un autre navigateur Web.

- **Page Web, HTML uniquement (*.htm; *.html) :** Cette option enregistre le texte et la mise en page, mais sans les images. Elle est commode pour éliminer les illustrations et publicités superflues des tableaux, graphiques et autres blocs de texte mis en forme.

- **Fichier texte (*.txt) :** Cette option ne récupère que le texte et le place dans un fichier du Bloc-notes de Windows, sans aucune mise en forme. Elle est commode pour ne récupérer que du texte brut ou des listes simples.

4. Cliquez sur le bouton Enregistrer.

Pour revoir une page Web enregistrée, ouvrez le dossier Téléchargements puis double-cliquez sur l'un des fichiers de page. Internet Explorer démarre et l'affiche.

Enregistrer du texte

Pour n'enregistrer qu'un peu de texte, sélectionnez-le, cliquez dessus du bouton droit et choisissez Copier (cette commande, ainsi que Couper et Coller, est expliquée au Chapitre 5). Ouvrez votre traitement de texte, collez la sélection dans un nouveau document, puis enregistrez ce dernier dans votre dossier Documents.

Pour enregistrer la totalité du texte d'une page Web, il est préférable d'enregistrer l'intégralité de la page comme nous l'avons vu à la section précédente.

Pour enregistrer du texte provenant d'une page Web, mais sans conserver la mise en page ou les enrichissements (gras, italique…), collez-le d'abord dans le Bloc-notes. Sélectionnez ensuite le texte dans cette application puis collez-le dans le logiciel de traitement de texte de votre choix.

Enregistrer une image

Pour enregistrer une image qui se trouve dans une page Web, cliquez dessus du bouton droit et, dans le long menu qui apparaît (voir Figure 8.7), choisissez Enregistrer l'image sous.

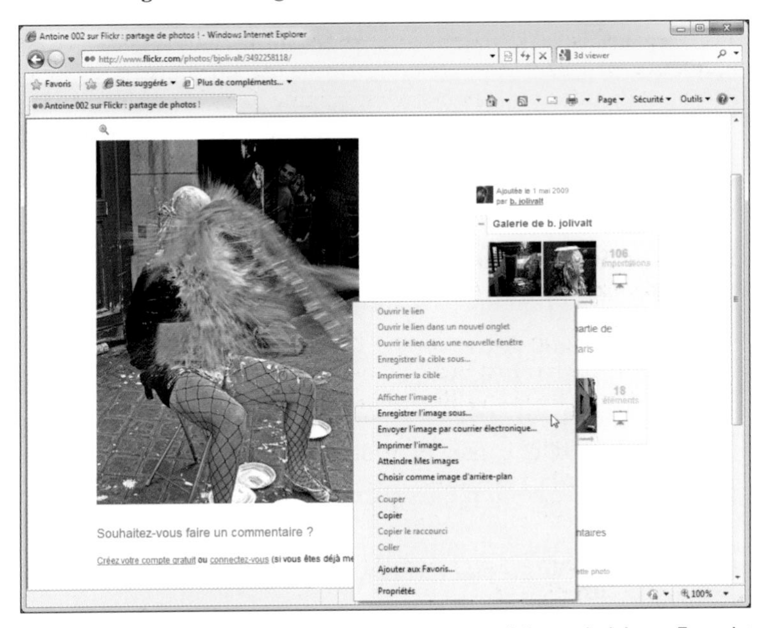

Figure 8.7 : Cliquez du bouton droit sur l'image convoitée et choisissez Enregistrer l'image sous, dans le menu contextuel.

La fenêtre Enregistrer l'image apparaît, vous permettant de renommer le fichier ou conserver son nom d'origine. Cliquez sur Enregistrer, et le graphisme que vous venez de dérober honteusement est stocké dans le dossier Images.

Le menu de la Figure 8.7 contient d'autres options fort commodes, notamment pour imprimer directement l'image ou l'envoyer par courrier électronique, voire en faire l'image d'arrière-plan de votre Bureau.

Une image provenant du Web peut aussi servir de photo pour votre compte d'utilisateur : cliquez dessus du bouton droit, enregistrez-la dans le dossier Images puis, dans le Panneau de configuration (voir Chapitre 11) faites de cette image la nouvelle photo illustrant votre compte d'utilisateur.

Télécharger un programme, un son ou un fichier

Parfois, il suffit de cliquer sur un bouton intitulé « Cliquez ici pour télécharger » pour que le téléchargement s'effectue. Il vous est alors demandé d'indiquer le dossier où vous voulez stocker le fichier, généralement Documents ou Téléchargements. La durée du téléchargement peut être de quelques secondes si vous bénéficiez d'une ligne à haut débit (ADSL ou câble) à plusieurs minutes, voire des heures, avec un modem téléphonique.

Mais parfois, un téléchargement peut exiger quelques manipulations supplémentaires :

1. **Cliquez du bouton droit sur le lien pointant vers le fichier désiré et choisissez Enregistrer la cible sous.**

   Par exemple, pour télécharger un morceau de musique, cliquez du bouton droit sur son lien, qui est en fait une image, puis, dans le menu contextuel, choisissez Enregistrer la cible sous.

   Quand vous téléchargez un programme, Windows demande si vous désirez l'ouvrir, l'exécuter à partir de son emplacement courant ou l'enregistrer. Choisissez Enregistrer.

2. **Naviguez jusqu'à votre dossier Téléchargements puis cliquez sur le bouton Enregistrer.**

   Windows 7 propose spontanément d'enregistrer le fichier dans le dossier Téléchargements, vous évitant ainsi de devoir naviguer jusqu'à lui. Mais si vous préférez le mettre dans un autre dossier, comme à la Figure 8.8, où le fichier sera stocké dans Documents, sélectionnez-le puis cliquez sur Enregistrer.

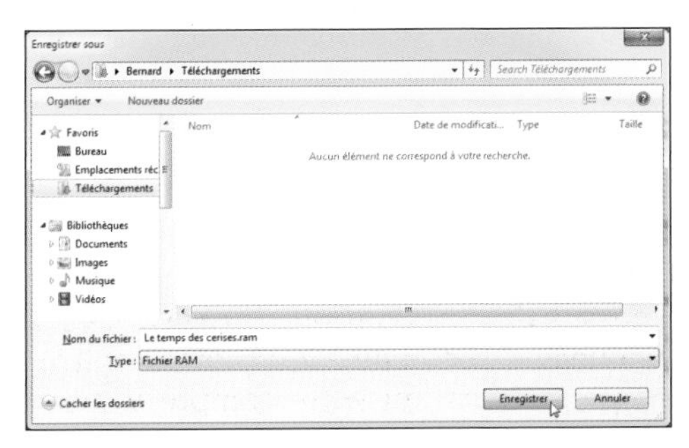

Figure 8.8 : Naviguez jusqu'au dossier où vous désirez stocker le fichier, puis cliquez sur le bouton Enregistrer.

Quel que soit le type de fichier que vous téléchargez, Windows commence à le copier depuis le site Web où il réside et le place dans votre disque dur. Il vous signale ensuite la fin du téléchargement. Vous pourrez ensuite vérifier que le fichier est bel et bien présent dans le dossier de destination.

- Avant d'exécuter un programme téléchargé, un écran de veille, un thème pour Windows ou tout autre élément, soumettez-le à votre logiciel antivirus. Comme Windows 7 n'en possède pas, vous devrez vous en procurer un.
- Beaucoup de programmes téléchargés se trouvent dans un fichier préalablement compressé afin de réduire la durée du téléchargement. Un tel fichier est souvent appelé « fichier Zip » ; double-cliquez dessus pour l'ouvrir et décompresser les fichiers qui s'y trouvent.

Ça ne marche pas !

Ne paniquez pas si quelque chose ne fonctionne pas. L'Internet est certes entré dans les mœurs, mais c'est encore une usine à gaz assez mystérieuse dont les subtilités ne s'apprennent pas du jour au lendemain. Cette section aborde quelques problèmes courants et leurs solutions.

La personne possédant les privilèges d'Administrateur – généralement le propriétaire de l'ordinateur – est la seule autorisée à effectuer les interventions évoquées dans cette section. Si vous n'avez pas créé d'autres comptes d'utilisateurs, l'unique compte est forcément un compte Administrateur.

Voici quelques recommandations avant de passer aux sections qui suivent :

- Si un site Web pose des problèmes, commencez par vider la Corbeille d'Internet Explorer. Choisissez Options Internet, dans le menu Outils et, sous l'onglet Général, cliquez sur le bouton Supprimer. Dans la boîte de dialogue qui apparaît, décochez toutes les cases excepté Internet temporaires. Cliquez sur le bouton Fermer, revenez au site problématique et réessayez.
- Si les paramètres de connexion paraissent faussés, essayez de reconfigurer la connexion Internet. Reportez-vous à la section « Configurer Internet Explorer pour la première fois », au début de ce chapitre ; les étapes vous guideront à travers le paramétrage, vous permettant de rectifier ce qui vous semble douteux.
- Si vous ne parvenez pas du tout à vous connecter à l'Internet, il vaut mieux appeler le support technique de votre fournisseur d'accès Internet.

- Si une page ne s'affiche pas correctement, voyez si Internet Explorer affiche un bandeau de mise en garde en haut de la page. Cliquez dessus et indiquez à Internet Explorer qu'il ne doit pas bloquer des éléments.

Supprimer les plug-ins indésirables

Quelques sites Web installent des programmes complémentaires dans Internet Explorer, censés faciliter la navigation ou les interactions avec des sites. Tous ne se comportent pas comme ils devraient le faire. Pour vous aider à vous défaire de ces sangsues, Internet Explorer tient à jour une liste des modules complémentaires, ou plug-ins.

Pour voir ce qui est venu se greffer à votre exemplaire d'Internet Explorer, cliquez sur Outils, dans la barre de menus, puis choisissez Gérer les modules complémentaires. La fenêtre éponyme apparaît (Figure 8.9). Elle répertorie tous les modules actuellement chargés, y compris ceux qui ont été utilisés dans le passé et ceux qui s'exécutent sans votre permission.

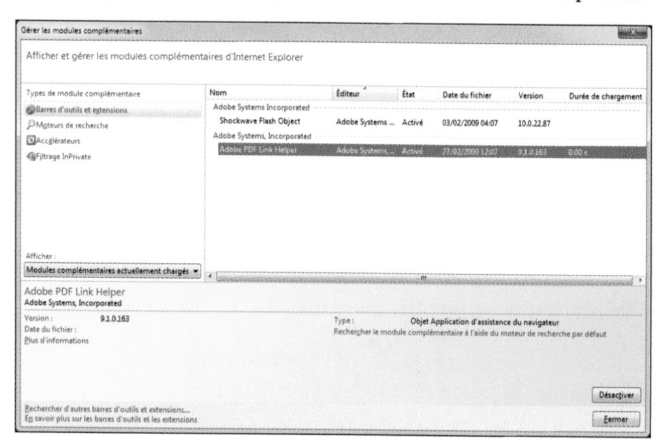

Figure 8.9 : Si un module complémentaire était douteux, ce qui n'est pas le cas ici, vous devriez le sélectionner puis cliquer sur le bouton Désactiver.

La plupart des modules complémentaires présents dans la liste sont de bon aloi, et ceux de Microsoft et des éditeurs ayant pignon sur rue, comme Adobe entre autres, sont inoffensifs. Mais si vous en repérez un que vous ne connaissez pas, ou que vous soupçonnez de provoquer des problèmes, vérifiez ce qu'en disent les internautes sur les forums techniques en faisant une recherche avec Google (www.google.fr). Si plusieurs intervenants estiment que le module est mauvais, cliquez dessus puis sur le bouton Désactiver.

Si la désactivation d'un module empêche un élément de fonctionner correctement, revenez au gestionnaire de modules complémentaires, cliquez sur le nom du module en question et choisissez Activer.

La gestion des modules complémentaires est relativement empirique, mais c'est le seul moyen de neutraliser des modules pourris installés par des sites sans scrupule.

Je ne vois pas tout !

Des internautes qui en ont les moyens peuvent s'offrir des écrans de grande taille affichant beaucoup de données. D'autres ont des moniteurs plus petits, parfois trop étroits pour que toute une page Web apparaisse en entier. Un site Web peut-il s'accommoder de configurations aussi différentes ? Sa mise en page peut-elle varier selon l'écran ? Non.

Certains concepteurs se basent sur la taille moyenne d'un écran, quitte à afficher de vastes marges vides de part et d'autre des moniteurs de grande taille. Ou encore, ils laissent le soin aux internautes de redimensionner la fenêtre de leur navigateur Web.

Le meilleur moyen de s'en sortir est de faire des essais en fonction de la résolution de l'écran, c'est-à-dire le nombre de pixels en abscisse et en ordonnée (ou en lignes et colonnes, si vous préférez). Nous en reparlerons au Chapitre 11. En attendant, voici ce que vous pouvez faire :

1. **Cliquez du bouton droit dans une partie vide du Bureau et choisissez Résolution d'écran.**

2. **Dans la fenêtre qui apparaît, déroulez le menu Résolution.**

   Une glissière verticale apparaît, permettant de modifier le nombre de pixels affichés en largeur et en hauteur (Figure 8.10).

3. **Actionnez le curseur de la glissière afin de régler la définition de votre écran.**

   Actionner le curseur vers le haut (résolution plus élevée) permet d'afficher plus de données à l'écran. Si vous l'actionnez vers le bas (résolution plus faible) le contenu de l'écran est agrandi, mais une partie se trouvera hors de l'écran.

NdT : Presque tous les écrans plats sont conçus pour une seule résolution dite native. Les autres résolutions, notamment celles qui ne correspondent pas exactement au double ou à la moitié de la résolution native, produisent une image dégradée, souvent floue. En règle générale, il est préférable de s'en tenir à la résolution native (elle est automatiquement détectée par Windows 7).

Bien qu'une résolution de 800 × 600 pixels convienne aux écrans relativement petits, beaucoup de sites sont désormais conçus pour un affichage en 1024 × 768 pixels.

Si les caractères d'une page Web sont si petits que la lecture est inconfortable, agrandissez-les en maintenant la touche Ctrl enfoncée et en appuyant sur la touche « plus » (+). Pour rétablir l'affichage normal, appuyez sur Ctrl + 0 (zéro).

Internet Explorer s'étale sur tout l'écran !

Internet Explorer s'ouvre normalement dans une fenêtre qui n'occupe qu'une partie de l'écran. Mais il lui arrive d'en occuper la totalité, en repoussant en plus les menus et la barre des tâches. Le mode Plein écran est parfait pour visionner des films, mais la parcimonie des menus empêche de démarrer un autre programme.

Appuyez sur la touche F11 pour quitter le mode Plein écran ; cette touche est une bascule qui active ou désactive ce mode.

Appuyer sur la touche Windows affiche le menu Démarrer et la barre des tâches, commode pour lancer rapidement un programme et revenir à Internet Explorer.

Chapitre 9

Envoyer et recevoir du courrier électronique

Dans ce chapitre

- Configurer le courrier électronique
- Envoyer et recevoir une pièce jointe
- Envoyer et recevoir des photos
- Retrouver un courrier égaré
- Gérer les contacts

Si Internet Explorer fait de l'Internet un magazine multimédia, un logiciel de messagerie le transforme en service postal où vous ne serez jamais à court de timbres. Windows 7 a malheureusement été privé de cette importante application.

Pour pouvoir échanger du courrier, Microsoft espère bien que vous téléchargerez le programme gratuit Windows Live Mail. Vous trouverez un peu partout dans les menus de Windows 7 des mentions à Windows Live, la suite logicielle à laquelle appartient Live Mail.

Ce chapitre décrit Windows Live Mail ainsi que quelques autres logiciels du même genre qui pourraient vous convenir. Si vous optez pour Live Mail, vous apprendrez ici comment le télécharger et l'installer, le configurer avec vos paramètres de compte, et aussi comment envoyer et recevoir du courrier.

Les options de courrier électronique de Windows 7

Il existe deux types de logiciels de messagerie : la messagerie qui réside sur un site Web auquel vous vous connectez, et la messagerie installée sur votre ordinateur (NdT : Le logiciel installé dans un ordinateur est appelé « client » en jargon informatique, par opposition au logiciel « hôte » installé sur un ordinateur distant, le serveur de messagerie en l'occurrence).

Les messageries basées sur le Web

Les messageries basées sur le Web, comme celle de Google (www.gmail.com), de Yahoo! (http://fr.yahoo.com/) ou encore d'America OnLine (AOL, www.aol.fr) (NdT : Et aussi celle de votre fournisseur d'accès comme Orange, Free ou autre…) vous permettent d'envoyer et de recevoir du courrier directement depuis un site Web. Pour relever les messages ou en envoyer, vous accédez au site Web, vous saisissez votre nom d'utilisateur et votre mot de passe, et une page contenant votre courrier électronique apparaît.

- **Avantages :** Une messagerie basée sur le Web vous permet d'accéder à votre courrier depuis n'importe quel ordinateur, PC ou Mac, connecté à l'Internet, qu'il se trouve chez vous, dans un hôtel, chez un ami ou au beau milieu du lac d'Annecy si votre ordinateur portable est équipé d'une clé 3G. Une messagerie basée sur le Web est utile si vous possédez plusieurs ordinateurs, car le courrier se trouve à un seul emplacement, au lieu d'être éparpillé dans le disque dur de plusieurs machines.
- **Inconvénients :** Vous ne pouvez pas accéder au courrier se trouvant sur le Web, si vous n'êtes pas connecté à l'Internet. Si la connexion est en panne, si l'ordinateur est dans une zone non desservie, ou si le vétuste standard téléphonique de l'hôtel empêche même une connexion par modem, vous ne pourrez pas relever votre courrier ni même accéder aux anciens messages reçus et envoyés. Enfin, la plupart des services de messagerie en ligne gratuits se payent sur la bête – vous – en faisant analyser le courrier par des robots qui tentent de déterminer qui vous êtes afin de vous envoyer de la publicité personnalisée.

Personnellement, c'est la messagerie en ligne Gmail que je préfère. Elle est assez facile à configurer, filtre la plupart des courriers indésirables (spams), est compatible avec plusieurs marques de téléphones mobiles et elle offre 7 gigaoctets d'espace de stockage.

De plus, la messagerie Gmail est extensible. Vous pouvez la configurer pour recevoir et stocker du courrier envoyé à d'autres adresses électroniques. Les fonctions de recherche sont aussi rapides et efficaces que celles de Google. Elle autorise l'envoi de pièces jointes jusqu'à 20 mégaoctets, de quoi envoyer bon nombre de photos.

Un dernier détail et non des moindres : Gmail est gratuit.

Les messageries installées dans l'ordinateur

Si vous avez déjà utilisé un PC sous Windows précédemment, vous avez sans doute connu l'un de ses logiciels de messagerie, que ce soit Outlook Express ou Windows Mail, son successeur dans Vista. Ces programmes stockent le courrier dans l'ordinateur.

- **Avantages :** Beaucoup de logiciels de messagerie, y compris Live Mail, peuvent recevoir des messages envoyés à différentes adresses, ce qui est intéressant lorsque vous utilisez une adresse privée chez Orange (jean.machintruc@orange.fr), par exemple, et une adresse professionnelle au nom de votre société (jmachintruc@dupneu.com).

  De plus, contrairement à la messagerie sur le Web dont la présentation change parfois, un logiciel de messagerie est immuable, ce qui vous laisse le temps de vous familiariser avec.
- **Inconvénients :** Un logiciel de messagerie est un peu plus compliqué à configurer. Ils n'acceptent pas forcément le courrier comportant une autre adresse. Par exemple, des sociétés près de leurs sous comme Yahoo! font payer le privilège de pouvoir dérouter votre courrier vers votre messagerie, ou d'acheminer celui qui en émane.

Bien que Live Mail fonctionne *grosso modo* comme feu Outlook Express et Windows Mail, il n'est pas le seul logiciel de messagerie sur la place. Son plus grand concurrent est Thunderbird (www.mozilla-europe.org/fr/), programmé par la même équipe de programmeurs que celle du navigateur Firefox.

Installer Windows Live Mail

Windows 7 impose quelques préliminaires avant de pouvoir échanger du courrier électronique depuis votre PC. Vous devez d'abord disposer d'un accès Internet – la procédure de connexion est expliquée au chapitre précédent – pour pouvoir télécharger le programme Live Mail.

Une fois la connexion Internet établie, procédez comme suit pour télécharger et installer Windows Live Mail :

1. **Allez sur le site Web de Windows Live (www.download.live.com) puis cliquez sur le bouton Télécharger afin de télécharger le programme d'installation Windows Live Essentials.**

   Enregistrez le fichier dans le dossier Téléchargements, présent dans le volet de navigation de tous les dossiers.

2. **Dans le dossier Téléchargements, double-cliquez sur le programme d'installation que vous venez de télécharger.**

   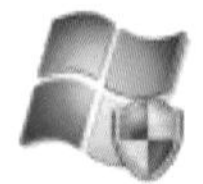

   Le programme arbore l'icône montrée dans la marge et son nom est wlsetup-web.exe. La fenêtre Contrôle de compte d'utilisateur vous demande de confirmer le démarrage du programme. Cliquez sur Oui et l'installation commence.

3. **Choisissez les programmes de Windows Live que vous désirez installer, puis cliquez sur Installer.**

   Microsoft n'est pas radin. Par défaut, il propose d'installer tous les programmes Live (ils sont succinctement décrits dans l'encadré « Qu'est-ce qu'il y a dans Live ? »). Décochez éventuellement les programmes dont vous ne voulez pas, mais veillez à ce que Mail soit sélectionné.

4. **L'installation proprement dite commence.**

   Une barre de progression indique l'avancement de l'installation. La durée des opérations – de quelques brèves minutes à quelques dizaines de minutes – dépend du débit et de la qualité de la connexion Internet.

5. **À la fin de l'installation, Windows Live propose de choisir quelques paramètres en cochant ou décochant des cases.**

   Par défaut, Windows Live propose de remplacer le moteur de recherche par défaut d'Internet Explorer par Live Search. Si vous en avez déjà choisi un autre, Google par exemple, décochez la case Définir votre moteur de recherche. Windows Mail propose aussi de remplacer la page de démarrage que vous avez éventuellement configurée par celle de MSN. Décochez la case Définir votre page d'accueil si vous ne voulez pas que Microsoft squatte cette page.

6. **Cliquez sur Continuer.**

   Windows vous propose de vous attribuer un identifiant Windows Live ID, autrement dit une adresse de messagerie spécifique pour utiliser le logiciel de conversation Messenger, la messagerie Hotmail ou le service de la console de jeux Xbox LIVE. Si vous estimez n'avoir pas besoin de cette adresse de messagerie supplémentaire, cliquez sur Fermer (si vous êtes déjà inscrit à la messagerie Hotmail, vous avez déjà l'adresse en question).

L'installation terminée, l'icône de Windows Live apparaît dans le menu Démarrer. Cliquez dessus pour accéder à la liste de tous les programmes, dont Windows Live Mail.

Qu'est-ce qu'il y a dans Live ?

Il y a quelques années, Google avait déjà eu l'excellente idée de fournir un ensemble de programmes gratuits et surtout utiles. Microsoft ne pouvant être en reste, il a concocté la suite Windows Live. Le programme d'installation a placé les logiciels suivants dans votre ordinateur :

- **Barre d'outils** : C'est une barre de commandes ajoutée à Internet Explorer, qui procure un accès rapide aux programmes de Windows Live.
- **Contrôle parental** : Ce programme améliore le contrôle parental déjà présent dans Windows 7.
- **Galerie de photos Windows** : Logiciel de classement et d'amélioration des photos numériques. Il est étudié au Chapitre 16.
- **Mail** : Objet de ce chapitre, Live Mail est un programme de messagerie permettant d'échanger du courrier, de le stocker et de l'organiser.
- **Messenger** : Ce petit programme qui s'invite à l'écran chaque fois que vous démarrez le PC permet d'envoyer des petits messages à vos amis, un peu comme des SMS.
- **Movie Maker** : Ce logiciel de montage vidéo rudimentaire est décrit au Chapitre 16.
- **Silverlight** : Ce programme n'a rien à voir avec Windows Live, mais Microsoft tente de vous fourguer ce logiciel d'affichage d'animations et de vidéos sur le Web concurrent d'Adobe Flash.
- **Writer** : Contrairement à ce que laisse supposer son nom (en anglais, *Writer* signifie "écrivain"), il ne s'agit pas d'un traitement de texte, mais d'un éditeur de blogs. Il est compatible avec des services de blogs comme WorldPress, Blogger, LiveJournal, TypePad, SharePoint, Windows Live et d'autres.

Configurer Windows Live Mail

À moins d'avoir créé un compte Windows Live Mail, le programme Live Mail ne connaît pas votre adresse de messagerie, ni quel courrier recevoir ou envoyer. Pour lui fournir tous ces renseignements, vous devrez remplir un formulaire.

Procédez comme suit pour que Live Mail soit capable de gérer votre messagerie :

1. **Démarrez Windows Live Mail.**

Pour lancer le programme, ouvrez le menu Démarrer et cliquez sur l'icône Windows Live Mail. Si vous ne l'apercevez pas, choisissez Tous les programmes > Windows Live > Windows Live Mail.

Le formulaire de création du compte de messagerie de Windows Live Mail apparaît à l'écran (voir Figure 9.1).

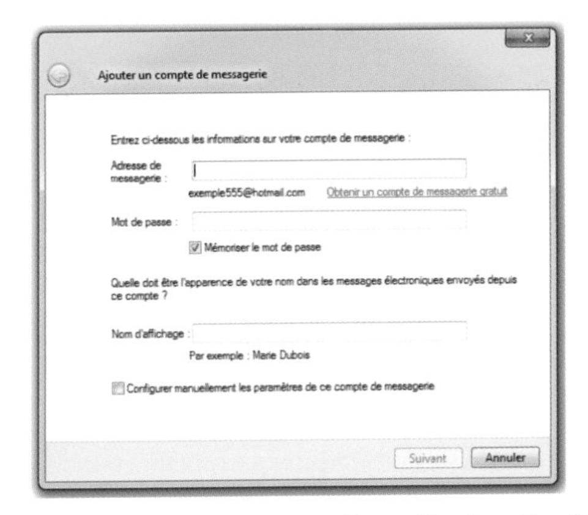

Figure 9.1 : Lors de sa première utilisation, Live Mail demande de créer un compte de messagerie.

Si la fenêtre Ajouter un compte de messagerie n'apparaît pas spontanément, cliquez sur le lien Ajouter un compte de messagerie, dans le volet gauche.

2. **Saisissez votre adresse de messagerie, le mot de passe et le nom qui doit être affiché.**

Si vous avez souscrit un compte Windows Live auparavant, ou si vous avez l'intention d'utiliser votre adresse Hotmail, cliquez simplement sur Suivant et c'est terminé ; Windows Live Mail se chargera de paramétrer la messagerie.

Mais si vous utilisez une autre adresse de messagerie, vous devrez communiquer les informations suivantes à Live Mail :

- **Adresse de messagerie :** Elle est composée de votre nom d'utilisateur suivi de l'arobase @, du nom de votre fournisseur d'accès Internet et d'un suffixe. Par exemple, si votre nom d'utilisateur est *jean.machintruc* et que votre adresse de fournisseur d'accès est *orange.fr*, vous devrez saisir **jean.machintruc@orange.fr**.

- **Mot de passe :** Il vous a sans doute été fourni par votre fournisseur d'accès Internet, à moins que vous l'ayez choisi vous-même lorsque vous avez créé un compte en ligne (autrement dit, sur le Web). Dans tous les cas, majuscules et minuscules sont différenciées : **xyz007** est différent de **xYz007**. Cochez la case Mémoriser le mot de passe afin de ne pas être obligé de le ressaisir chaque fois que vous démarrez Live Mail.

- **Nom d'affichage :** C'est le nom en clair qui apparaît dans le champ De (celui qui, dans un message, contient le nom de l'expéditeur et permet donc de l'identifier facilement). La plupart des gens tapent leur prénom et leur nom.

3. Cochez la case Configurer manuellement les paramètres de ce compte de messagerie, puis cliquez sur Suivant.

La fenêtre de la Figure 9.2 apparaît.

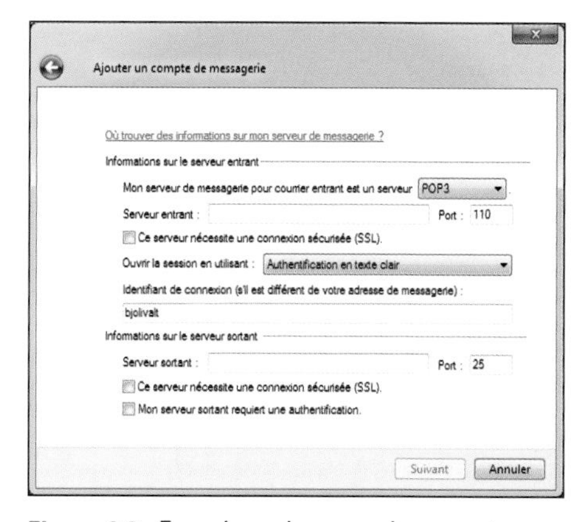

Figure 9.2 : Fournissez les renseignements concernant le courrier entrant et sortant.

4. Indiquez le type de serveur de messagerie ainsi que les serveurs de courrier entrant et de courrier sortant.

NdT : Un serveur est un ordinateur dont la tâche principale est le stockage et la distribution de données. Le courrier qui transite chez votre fournisseur d'accès Internet (FAI) est géré par des serveurs.

La fenêtre de la Figure 9.2 est sans doute celle qui intrigue le plus les débutants. Voici de quoi il s'agit :

- **Mon serveur de messagerie pour courrier entrant :** Vous devez indiquer ici le protocole utilisé par le serveur : POP3, IMAP ou HTTP. L'information vous est fournie par votre FAI (c'est généralement le protocole POP3).

- **Serveur entrant :** Indiquez ici le nom du serveur par lequel transite le courrier qui vous est destiné. Cette information aussi vous est fournie par votre FAI. Vous pouvez aussi vous reporter au Tableau 9.1, un peu plus loin.

- **Identifiant de connexion :** En principe, ce champ est prérempli avec la première partie de votre adresse de messagerie (celle qui précède l'arobase). Ne modifiez cette information que si votre FAI le demande.

- **Serveur sortant :** Indiquez ici le nom du serveur par lequel transite le courrier que vous envoyez. Cette information vous est fournie par votre FAI. C'est généralement la même information que pour le serveur entrant, mais commençant par **smtp**.

D'autres informations rébarbatives figurent dans cette fenêtre. N'y touchez pas, sauf si votre FAI le demande.

Certains FAI vous envoient ces informations techniques par la poste. Vous trouverez certaines d'entre elles, comme le nom du serveur entrant et du serveur sortant, sur leur site Web. Le support téléphonique peut aussi vous dépanner.

Le Tableau 9.1 indique les noms de serveur des principales messageries en ligne.

Tableau 9.1 : Les paramètres de courrier de quelques FAI.

Service	*Type*	*Serveur de courrier entrant*	*Serveur de courrier sortant*
Gmail, de Google (voir l'encadré à propos des comptes GLive Mail, un peu plus loin)	POP3	pop.gmail.com	smtp.gmail.com
America Online (voir l'encadré à propos des comptes AOL)	IMAP	imap.aol.com	smtp.aol.com
Yahoo! (voir l'encadré à propos des comptes Yahoo!)	POP3	pop.mail.yahoo.fr	smtp.mail.yahoo.fr

5. Cliquez sur Suivant.

La dernière fenêtre vous félicite. Il n'y a pas de quoi, car Live Mail ne vérifie par la validité de vos paramètres. C'est quand vous utiliserez la messagerie, comme expliqué plus loin à la section « Écrire et envoyer du courrier » que vous verrez si tout se passe bien.

6. Cliquez sur Terminer.

Un problème ? Voici quelques conseils qui peuvent vous tirer d'affaire :

- Des paramètres ne fonctionnent pas ? Modifiez-les depuis Live Mail : cliquez du bouton droit sur le nom de votre compte de messagerie, dans le volet de gauche, et choisissez Propriétés. Les informations entrées à l'Étape 4 figurent sous les onglets Général, Serveurs et Avancé.
- Vous avez plusieurs adresses de messagerie ? Créez un second compte en cliquant sur le lien Ajouter un compte de messagerie, dans le volet de gauche. Vous commencez la procédure à l'Étape 1 de la précédente manipulation, mais avec cette fois les informations concernant une autre adresse de messagerie.
- Vous désirez choisir une autre adresse par défaut ? La première adresse entrée dans Live Mail est l'adresse de messagerie par défaut, c'est-à-dire celle indiquée comme adresse de retour pour chaque message que vous envoyez. Pour en indiquer une autre, cliquez du bouton droit sur cet autre compte, dans le volet de gauche, et choisissez Définir comme compte par défaut.

- Sauvegardez les paramètres de messagerie afin de n'avoir plus à les ressaisir : appuyez sur la touche Alt pour afficher la barre de menus masquée, puis choisissez Outils > Comptes. Cliquez sur le compte de messagerie puis sur le bouton Exporter. Les informations du compte sont exportées dans un fichier .iaf (*Internet Account File,* fichier de compte Internet). Pour importer les paramètres dans Live Mail ou dans la messagerie de votre ordinateur portable, procédez de la même manière, mais cliquez cette fois sur Importer.

Compléter la création d'un compte Gmail dans Live Mail

Après avoir configuré un compte Gmail, vous devrez procéder à quelques manipulations supplémentaires pour qu'il soit reconnu par Live Mail :

1. **Connectez-vous à votre compte Gmail (www.gmail.com), cliquez sur le lien Paramètres, en haut de la page, puis cliquez sur le lien Transfert et POP/IMAP.**
2. **Sélectionnez l'option Protocole POP activé pour tous les messages. Cliquez ensuite sur le bouton Enregistrer les modifications.**
3. **Ouvrez Windows Live Mail, cliquez du bouton droit sur le compte Gmail, et dans le menu contextuel, choisissez Propriétés.**
4. **Dans la fenêtre des propriétés, cliquez sur l'onglet Serveurs.**
5. **Dans la zone Serveur de messagerie pour courrier sortant, cochez la case Mon serveur requiert une authentification. Cliquez sur le bouton Appliquer.**
6. **Cliquez sur l'onglet Avancé.**
7. **Dans la zone Numéros de ports des serveurs, cochez les deux cases Ce serveur nécessite une connexion sécurisée (SSL).**

   Le numéro de port du courrier entrant devient 995.
8. **Dans le champ Courrier sortant (SMTP), remplacez 25 par 465.**
9. **Cliquez sur Appliquer, puis sur OK et enfin sur le bouton Fermer.**

Compléter la création d'un compte AOL dans Live Mail

Après avoir configuré un compte dans Live Mail, une petite manipulation est indispensable pour qu'un compte AOL fonctionne sous Windows Live Mail :

1. **Cliquez du bouton droit sur le compte AOL, dans le volet de gauche de Live Mail, choisissez Propriétés puis cliquez sur l'onglet Serveurs.**
2. **Dans la zone Serveur de messagerie pour courrier sortant, cochez la case Mon serveur requiert une authentification.**
3. **Cliquez sur l'onglet Avancé.**
4. **Dans le champ Courrier sortant (SMTP), remplacez le numéro de port par 587 puis cliquez sur Appliquer.**
5. **Cliquez sur l'onglet IMAP et désélectionnez la case Stocker les dossiers spéciaux sur le serveur IMAP.**
6. **Cliquez sur Appliquer, puis sur OK et enfin sur le bouton Fermer.**

Si un message vous demande de télécharger des dossiers depuis le serveur de courrier, cliquez sur Oui.

Compléter la création d'un compte Yahoo! dans Live Mail

Seuls les comptes payants de Yahoo!, connus sous le nom de Yahoo! Mail Plus, fonctionnent avec Windows Live Mail. Après avoir payé Yahoo! et suivi les étapes de la section « Configurer Windows Live Mail », vous devez procéder à ces quelques paramétrages pour que le compte Yahoo! soit opérationnel sur Live Mail.

1. **Cliquez du bouton droit sur le compte Yahoo ! dans le volet de gauche de Live Mail, choisissez Propriétés puis cliquez sur l'onglet Serveurs.**
2. **Dans la zone Serveur de messagerie pour courrier sortant, cochez la case Mon serveur requiert une authentification. Cliquez sur Appliquer.**
3. **Cliquez sur l'onglet Avancé.**
4. **Dans le champ Courrier sortant (SMTP), remplacez le numéro de port par 465.**
5. **Sous Courrier entrant, cochez la case Ce serveur nécessite une connexion sécurisée (SSL).**

   Le numéro de port du courrier entrant devient 995.
6. **Cliquez sur Appliquer, puis sur OK et enfin sur le bouton Fermer.**

Écrire et envoyer du courrier électronique avec Windows Live Mail

La fenêtre de Windows Live Mail est divisée en trois parties : le volet des dossiers, à gauche, contenant les dossiers où votre courrier est stocké, la liste des messages, au milieu, montrant le contenu du dossier sélectionné, et le volet de lecture, à droite, qui affiche un aperçu du message sélectionné.

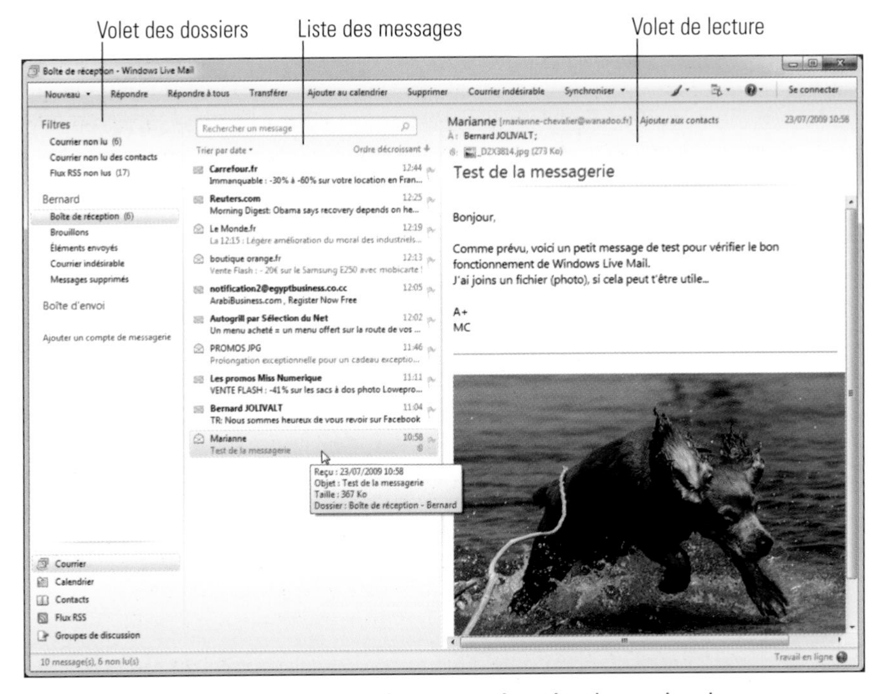

Figure 9.3 : Dans Live Mail, les informations sont présentées dans trois volets.

Le volet des dossiers de Live Mail repose sur le bon vieux principe des panières en plastique ou en métal pour classer le courrier reçu, ou en attente d'être posté. Double-cliquez sur un compte pour déployer ses dossiers et voir ce qu'ils contiennent. Windows Live Mail répartit les messages dans les dossiers suivants :

Synchroniser

- **Boîte de réception :** Dès que vous vous connectez à l'Internet, Windows Live Mail relève le courrier et le place dans le dossier Boîte de réception. Il le fait ensuite toutes les 30 minutes. Pour relever manuellement le courrier, cliquez sur le bouton Synchroniser, dans la barre d'outils.

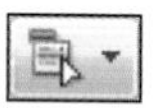

- Vous pouvez réduire l'intervalle entre les relèves : cliquez sur le bouton Menus, en haut à droite, choisissez Options puis réglez l'intervalle dans l'option Vérifier l'arrivée de nouveaux messages toutes les *x* minute(s).
- **Brouillons :** Si vous interrompez la rédaction d'un message et que vous désirez la reprendre ultérieurement, cliquez sur le bouton Enregistrer comme brouillon, en haut à gauche de la fenêtre. Windows Live Mail place le message dans le dossier Brouillons, où vous pourrez le rouvrir.
- **Éléments envoyés :** Une copie de tous les messages que vous envoyez est stockée dans ce dossier. Pour supprimer un message embarrassant, cliquez dessus du bouton droit et choisissez Supprimer (NdT : Attention, car le message compromettant se retrouve dans le dossier Messages supprimés, décrit plus loin. Si votre conjoint, patron ou autre dictateur de salon fouille les poubelles, vous n'êtes pas tiré d'affaire).
- **Courrier indésirable :** Comme un bon toutou, Windows Live Mail renifle les courriers entrants et déroute dans ce dossier tous ceux qui lui paraissent suspects. Ne manquez pas d'y jeter un coup d'œil de temps en temps pour voir si des courriers valides n'y ont pas été relégués par erreur.
- **Messages supprimés :** C'est la corbeille de Live Mail. Tout ce que vous supprimez dans les autres dossiers atterrit ici. Pour effacer définitivement un message, cliquez dessus du bouton droit et, dans le menu contextuel, choisissez Supprimer.

  tipPour que le dossier Messages supprimés ne soit pas encombré, cliquez sur l'icône Menus, choisissez Options, cliquez sur l'onglet Avancé, puis sur le bouton Maintenance. Cochez ensuite la case Vider les messages du dossier Éléments supprimés en quittant.
- **Boîte d'envoi :** Quand vous envoyez un message, Live Mail se connecte aussitôt à l'Internet et l'envoie au destinataire. Si l'ordinateur n'est présentement pas connecté, le message reste dans le dossier Boîte d'envoi. Cliquez sur le bouton Synchroniser pour établir la connexion Internet et envoyer le message en attente.

Pour voir le contenu d'un dossier, cliquez dessus. Les messages apparaissent dans le volet du milieu. Cliquez sur un message et son contenu est affiché à droite.

Vous voulez importer tous les messages d'un autre ordinateur dans celui-ci ? Cette tâche est expliquée au Chapitre 19.

De quoi ai-je besoin pour recevoir et envoyer du courrier électronique ?

Pour échanger du courrier électronique, il vous faut :

- **Un compte de messagerie :** Ce chapitre explique comment utiliser Windows Live Mail avec un compte. La plupart des fournisseurs d'accès Internet (FAI) vous fournissent votre adresse de messagerie.
- **L'adresse de votre correspondant :** Vous devez la lui demander. Une adresse est composée du nom d'utilisateur – qui ressemble généralement au véritable nom de la personne –, suivi du signe @ (ou "arobase", prononcé "at") et du nom du FAI. Une adresse électronique d'un correspondant abonné à Orange, dont le nom est Jacques Machinchose sera jacques.machinchose@orange.fr, jmachinchose@orange.fr, jm007@orange.fr ou n'importe quelle autre variante. Attention à l'orthographe : contrairement à la poste, Windows Live Mail ne tolère aucune faute de frappe.
- **Un message :** C'est l'équivalent de la feuille de papier. Après avoir indiqué l'adresse du destinataire et rédigé le message, cliquez sur le bouton Envoyer. Il est ensuite acheminé à bon port.

Vous trouverez l'adresse électronique des gens sur leur carte de visite, sur leur site Web, voire en répondant à un courrier électronique. Car, chaque fois que vous répondez à un message, Windows Mail ajoute le destinataire à la liste de vos contacts.

Si vous avez fait une erreur en tapant une adresse, le message vous est renvoyé avec un texte, souvent en anglais – *Undelivered mail returned to sender,* « courrier non distribué retourné à l'expéditeur », par exemple. Vérifiez scrupuleusement l'adresse (attention aux accents, points-virgules, espaces et autres caractères non admis) puis réessayez. Si le message est de nouveau renvoyé, vérifiez si la personne n'a pas changé d'adresse de messagerie, en lui téléphonant par exemple.

Rédiger un message

Prêt à envoyer votre premier courrier électronique ? Après avoir configuré votre compte d'utilisateur, procédez comme suit pour écrire une lettre puis l'envoyer à travers le cyberespace jusqu'à son destinataire :

1. **Ouvrez Windows Live Mail puis, dans le menu, cliquez sur le bouton Nouveau, à gauche dans la barre de commandes.**

   Vous n'aimez pas la souris ? (NdT : C'est pourtant la meilleure partie à l'extrémité du gigot, contre l'os). Appuyez sur Ctrl + N pour ouvrir une nouvelle fenêtre de message, semblable à celle de la Figure 9.4

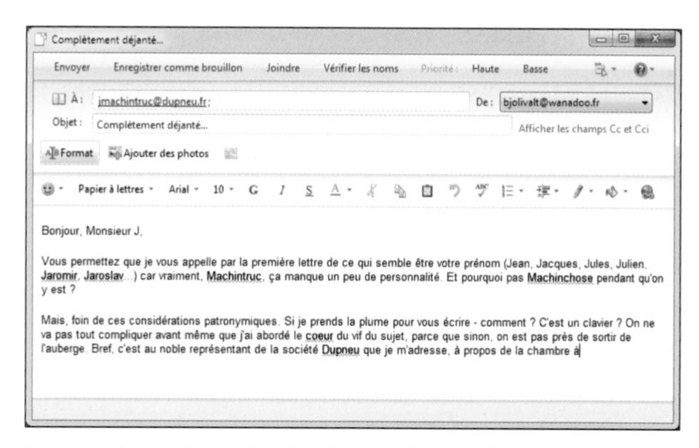

Figure 9.4 : Après avoir cliqué sur le bouton Nouveau, une fenêtre apparaît dans laquelle vous pouvez rédiger votre prose.

Si vous avez configuré plusieurs comptes, Windows Live Mail adresse automatiquement le courrier au compte par défaut, généralement le premier que vous avez créé.

Pour envoyer le courrier à un autre compte, cliquez sur le bouton fléché à droite du bouton De (NdT : visible en haut à droite dans la figure, le bouton De n'est affiché que si plusieurs comptes ont été créés) puis choisissez un autre nom de compte dans le menu.

2. **Saisissez l'adresse de votre correspondant dans le champ À.**

À :

Si vous savez que le destinataire figure dans la liste de vos contacts, vous gagnerez du temps en procédant comme suit : Cliquez sur le bouton À, ce qui affiche une fenêtre contenant tous vos contacts. Cliquez sur le contact approprié, cliquez sur le bouton À en bas à gauche, puis sur OK.

Ajoutez d'autres contacts avant de cliquer sur OK, si vous désirez envoyer le message à plusieurs personnes.

Cci ->

Vous voulez envoyer ou faire suivre un même message à plusieurs correspondants ? Préservez leur vie privée en cliquant sur le bouton Cci (Copie carbone invisible) au lieu de À. Tous recevront le message, mais les adresses des uns et des autres seront cachées, préservant ainsi leur confidentialité. Si le bouton Cci n'est pas visible, choisissez Affichage, dans le menu, puis Tous les en-têtes.

Cc ->

Pour permettre à chacun de voir les adresses des autres, sélectionnez leur nom puis cliquez sur le bouton Cc (Copie carbone). Sachez cependant que cette pratique n'est pas toujours appréciée car l'adresse de messagerie de chacun est communiquée à tout le monde.

3. **Remplissez le champ Objet.**

   Bien que facultative, cette information permet au destinataire de savoir de quoi il est question, et aussi d'identifier et trier plus facilement son courrier.

4. **Rédigez le message dans la grande zone de texte (la partie inférieure de la fenêtre).**

   Tapez sans vous soucier de la longueur de votre texte.

5. **(Facultatif) Pour joindre un fichier à votre message, faites-le glisser et déposez-le dans la zone de texte. Ou alors, cliquez sur l'icône en forme de trombone, naviguez jusqu'au fichier puis double-cliquez sur son nom afin de le joindre.**

   La plupart des fournisseurs d'accès Internet limitent la taille des pièces jointes à 5 ou 10 mégaoctets (Mo). Nous reviendrons plus loin dans ce chapitre sur l'envoi de pièces jointes.

6. **Cliquez sur le bouton Envoyer, en haut à gauche.**

   Et hop ! Windows Live Mail démarre le modem si nécessaire, et envoie le message à travers l'Internet jusqu'à la boîte aux lettres de votre correspondant. Selon la vitesse de la connexion Internet et la charge du réseau, le courrier parvient n'importe où dans le monde dans un délai de 15 secondes à quelques jours, la moyenne étant de quelques minutes.

   Par défaut, Live Mail ne vérifie pas l'orthographe des messages que vous rédigez. Pour activer le correcteur orthographique, cliquez sur le bouton Menus, choisissez Options, puis cliquez sur l'onglet Orthographe. Cochez ensuite la case Toujours vérifier l'orthographe avant l'envoi.

Lire le courrier électronique reçu

Si Windows Live Mail est ouvert pendant que vous êtes connecté à l'Internet, il vous informe de l'arrivée de tout courrier par un signal sonore. Une petite enveloppe apparaît brièvement en bas à droite de l'écran, près de l'horloge.

Pour vérifier l'arrivée du courrier lorsque Windows Live Mail n'est pas ouvert, chargez-le à partir du menu Démarrer. Cliquez ensuite sur le bouton Synchroniser. Live Mail se connecte à l'Internet, envoie tous vos messages qui étaient en attente puis relève le courrier et le place dans la Boîte de réception.

Procédez comme suit pour lire les lettres de la Boîte de réception et, soit y répondre, soit les classer dans un dossier.

1. **Ouvrez Windows Live Mail et consultez la Boîte de réception.**

Live Mail affiche les messages présents dans la Boîte de réception (Figure 9.5). Chaque courrier est listé chronologiquement, les plus récents en haut.

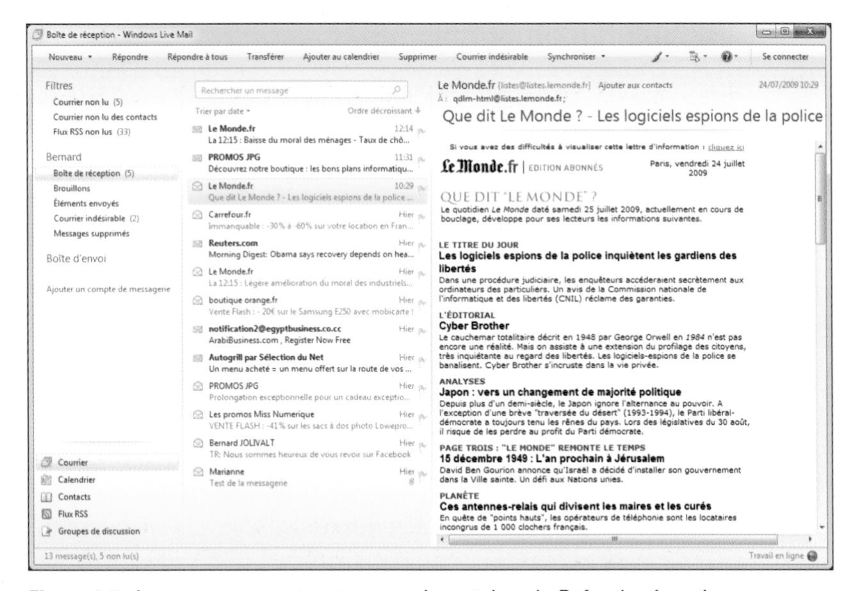

Figure 9.5 : Les messages entrants apparaissent dans la Boîte de réception. Le contenu du message sélectionné est affiché à droite.

Pour trouver rapidement un message, saisissez le nom de l'expéditeur ou un mot-clé dans le champ Rechercher un message, en haut de la liste (voir Figure 9.5). Notez que vous pouvez aussi effectuer la recherche depuis le champ Rechercher du menu Démarrer.

2. Cliquez sur l'objet d'un message pour le lire.

Le contenu du message est affiché dans le volet de lecture, à droite de Live Mail. Pour ouvrir le message et le voir dans sa propre fenêtre, double-cliquez sur son objet, dans le volet du milieu.

3. À partir de là, Live Mail propose plusieurs options, toutes décrites dans la liste suivante :

- **Ne rien faire :** Le message reste dans le dossier Boîte de réception.

Répondre

- **Répondre au message :** Cliquez sur le bouton Répondre, dans la barre de commandes. Une nouvelle fenêtre apparaît, prête à recevoir votre réponse. Elle est préadressée, ce qui est très commode. Le message original se trouve en bas, à titre de rappel pour votre correspondant.

Répondre à tous

- **Répondre à tous :** Certains courriers sont adressés à plusieurs destinataires. Si plusieurs adresses se trouvent dans le champ À, vous pouvez envoyer une réponse à toutes ces personnes à la fois en cliquant sur le bouton Répondre à tous.

Transférer

- **Transférer :** Vous voulez envoyer à quelqu'un d'autre un message que vous avez reçu ? Cliquez sur le bouton Transférer pour réacheminer ce courrier.

Ajouter au calendrier

- **Ajouter au calendrier :** Windows Live Mail est doté d'un calendrier rudimentaire pour gérer vos rendez-vous. Cliquez sur ce bouton pour ouvrir une nouvelle fenêtre grâce à laquelle vous pourrez insérer le message à la date de votre choix.

Supprimer

- **Supprimer le message :** Cliquez sur le bouton Supprimer ou déposez le message dans le dossier Éléments supprimés. Tous les messages supprimés restent dans ce dossier, jusqu'à ce que vous cliquiez sur ce dernier du bouton droit et choisissiez Vider le dossier Éléments supprimés. Pour un nettoyage automatique, cliquez sur l'icône Menus et choisissez Options ; cliquez sur l'onglet Avancé, puis sur le bouton Maintenance et cochez la case Vider les messages du dossier Éléments supprimés en quittant.

Courrier indésirable

- **Signaler comme courrier indésirable :** Live Mail filtre les courriers indésirables, mais certains parviennent à se glisser entre les mailles du filet. Si vous estimez qu'un courrier est du spam, comme on dit en jargon Internet, cliquez sur ce bouton pour le placer dans le dossier Courrier indésirable.

Imprimer

- **Imprimer le message :** Cliquez sur le bouton Imprimer, pour obtenir une sortie papier du message.

- **Parcourir les messages :** Cliquez sur les boutons Précédent ou Suivant pour voir le message placé avant ou après celui en cours dans la liste (si ces boutons ne sont pas visibles, élargissez quelque peu la fenêtre).

Ces conseils vous aideront à mieux exploiter Windows Live Mail :

- Quand vous lisez un message, cliquez sur le lien Ajouter aux contacts, à droite de l'adresse de l'expéditeur, pour placer son nom et son adresse de messagerie dans votre liste de contacts. Il suffira ensuite de cliquer sur le bouton À, puis de choisir ce contact dans la liste, pour lui écrire.
- Pour organiser les messages entrants, cliquez du bouton droit sur la Boîte de réception et choisissez Nouveau dossier. Nommez-le. Créez autant de dossiers et de sous-dossiers que nécessaires pour classer votre courrier.

- Pour déplacer un message d'un dossier vers un autre, contentez-vous de le glisser et de l'y déposer.
- Certains courriers sont accompagnés d'un fichier, ou pièce jointe. Leur gestion mérite qu'une section entière leur soit consacrée (la prochaine, fort opportunément).
- Si vous recevez du courrier d'une banque, d'eBay, PayPal ou autre site Web financier, regardez-y à deux fois avant de cliquer sur un lien. Une activité crapuleuse appelée « hameçonnage » consiste à envoyer massivement des courriers qui incitent le destinataire à divulguer son nom, son mot de passe, voire le code de sa carte bancaire. Armés de ces informations, les truands se dépêchent de vider votre compte bancaire. Windows Live Mail affiche un message d'alerte lorsqu'il repère des courriers douteux. Nous reviendrons sur l'hameçonnage au Chapitre 10 (NdT : Notez bien que jamais aucune banque n'envoie de courrier contenant un lien sur lequel vous devez cliquer. De plus, aucun organisme – banque, fisc, police... – ne vous demandera jamais de divulguer vos mots de passe ou codes bancaires, que ce soit pas courrier électronique ou par téléphone).

- Lorsqu'une petite icône avec un X rouge apparaît à la place d'une image ou d'une photo dans un courrier, cela signifie que Live Mail l'a bloquée. Pour voir les images, cliquez sur le bandeau en haut du message. Pour empêcher Live Mail de les bloquer, choisissez Outils puis Options, cliquez sur l'onglet Sécurité puis décochez la case Bloquer les images et les autres contenus externes dans les messages HTML.

Envoyer et recevoir des pièces jointes

À l'instar d'une photo que vous avez glissée dans une enveloppe pour montrer au destinataire à quoi ressemble votre nouvelle maison, une pièce jointe est un fichier ajouté au message.

Une pièce jointe est parfaite pour l'envoi de fichiers, mais pas très parlante lorsqu'il s'agit de photos. C'est pourquoi Live Mail contient une option permettant d'incorporer les images directement dans le message. Au lieu d'afficher les images sous forme d'austères icônes, Live Mail place une vignette de chacune d'elles dans le texte, ce qui permet de les regarder facilement.

Que vous choisissiez de joindre une pièce ou de l'incorporer au message, tenez compte d'un point important : la plupart des fournisseurs d'accès limitent la taille des pièces jointes, généralement à 5 ou 10 Mo (un peu plus généreux, Gmail accepte jusqu'à 20 Mo).

Les fichiers de photos numériques dépassant souvent la limite des 5 Mo, notamment lorsque vous en joignez plusieurs à un message, Windows Live Mail permet de les compresser, un procédé décrit au Chapitre 16. Les images ne sont pas du tout dégradées, mais sont transférées plus rapidement.

La prochaine section explique comment envoyer et recevoir des pièces jointes et des photos numériques incorporées à un message.

Attacher une ou plusieurs pièces jointes à un message

Nouveau

Pour envoyer un fichier à quelqu'un, commencez par créer un message : cliquez sur le bouton Nouveau, comme expliqué précédemment à la section « Rédiger un message « . Saisissez ensuite votre message comme d'habitude.

Le moment est venu de joindre un fichier (NdT : Il est préférable de joindre le fichier avant même d'écrire le message afin d'éviter le syndrome du « et hop! », autrement dit l'envoi précipité juste après avoir signé, en oubliant bien sûr de joindre le fichier), procédez comme suit :

Joindre

1. **Cliquez sur le bouton Joindre, puis localisez le fichier à attacher au message.**

   Dans la fenêtre qui apparaît, le volet de navigation contient les bibliothèques recevant vos documents, images, musiques et vidéos. Parcourez les dossiers à la recherche des fichiers à joindre.

2. **Pour ne joindre qu'un seul fichier, double-cliquez sur son nom. Pour en attacher plusieurs, sélectionnez-les tous, puis cliquez sur le bouton Ouvrir.**

   Le bouton Ouvrir n'ouvre bien sûr rien du tout. Il se contente de joindre les fichiers au message.

   Les fichiers joints apparaissent sous le champ Objet, dans un champ signalé par l'icône en forme de trombone, comme à la Figure 9.6.

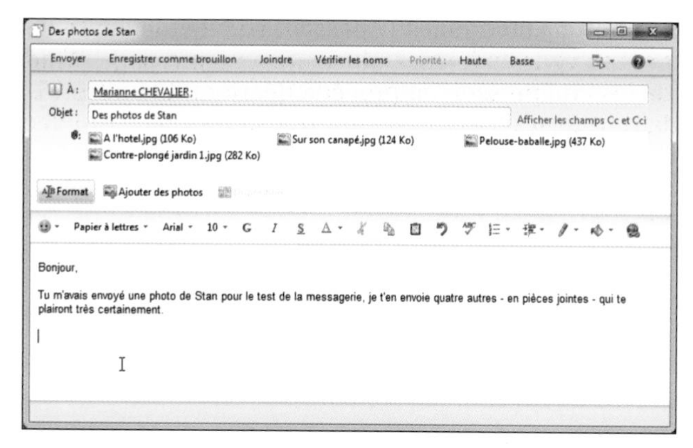

Figure 9.6 : Les pièces jointes apparaissent dans l'en-tête du message.

Vous avez joint par mégarde un fichier erroné ? Cliquez dessus du bouton droit et choisissez Supprimer.

Les étapes ci-dessus servaient à ajouter une ou plusieurs pièces jointes pendant la rédaction du message, mais vous pouvez aussi procéder selon l'une de ces deux manières :

- Cliquez du bouton droit sur le nom d'un fichier dans un dossier, et dans le menu contextuel, choisissez Envoyer vers > Destinataire. Une nouvelle fenêtre de message de Live Mail s'ouvre, à laquelle le fichier est déjà joint.
- Faites glisser le fichier du dossier jusque sur la fenêtre de saisie d'un message et déposez-le. Le fichier est aussitôt joint.

Enregistrer un fichier joint

Enregistrer un fichier joint à un message que vous avez reçu n'est pas compliqué. Voici la procédure à suivre :

1. **Ouvrez le message contenant la pièce jointe.**

   Le nom du fichier joint est affiché comme montré auparavant à la Figure 9.6, précédé d'un trombone.

2. **Cliquez du bouton droit sur le nom du fichier, et dans le menu contextuel, choisissez Enregistrer sous.**

   Le message contient plusieurs fichiers joints ? Dans ce cas, maintenez la touche Ctrl enfoncée et cliquez sur chacun d'eux. Cliquez ensuite du bouton droit dans la sélection et choisissez Enregistrer sous.

Dans tous les cas, l'action ouvre la boîte de dialogue Enregistrer la pièce jointe sous. Sélectionnez l'emplacement approprié pour le ou les fichiers (les textes dans Documents, les photos dans Images, *etc.*)

Le courrier électronique permet d'envoyer très facilement des fichiers dans le monde entier. À tel point que les programmeurs de virus n'ont pas laissé passer cette aubaine, créant des virus autoréplicants qui se propagent en envoyant des copies d'eux-mêmes à tous les contacts d'un carnet d'adresses.

Ce qui m'amène à cette mise en garde :

- Si quelqu'un que vous connaissez vous envoie inopinément une pièce jointe, ne l'ouvrez surtout pas. Envoyez-lui un courrier lui demandant confirmation de cet envoi. Le message peut avoir été envoyé à son insu par un virus ou par un robot. Pour plus de sécurité, tirez la pièce jointe jusque sur le Bureau et soumettez-la à votre antivirus. Ne l'ouvrez jamais directement depuis le message lui-même.
- Pour vous empêcher d'ouvrir un fichier infecté, Windows Live Mail refuse d'ouvrir la grande majorité des fichiers joints. S'il ne vous autorise pas à ouvrir un fichier provenant d'un correspondant sûr – un fichier que vous attendiez –, désactivez la protection : dans le menu Outils (NdT : appuyez au besoin sur Alt pour afficher la barre de menus), choisissez Options de sécurité, cliquez sur l'onglet Sécurité, puis décochez la case Ne pas autoriser l'ouverture ou l'enregistrement de pièces jointes susceptibles de contenir un virus.

Incorporer une photo dans un message

Des photos numériques peuvent être jointes comme expliqué précédemment, mais pour qu'elles soient directement visibles par le destinataire, il est préférable de les incorporer au message, comme à la Figure 9.7.

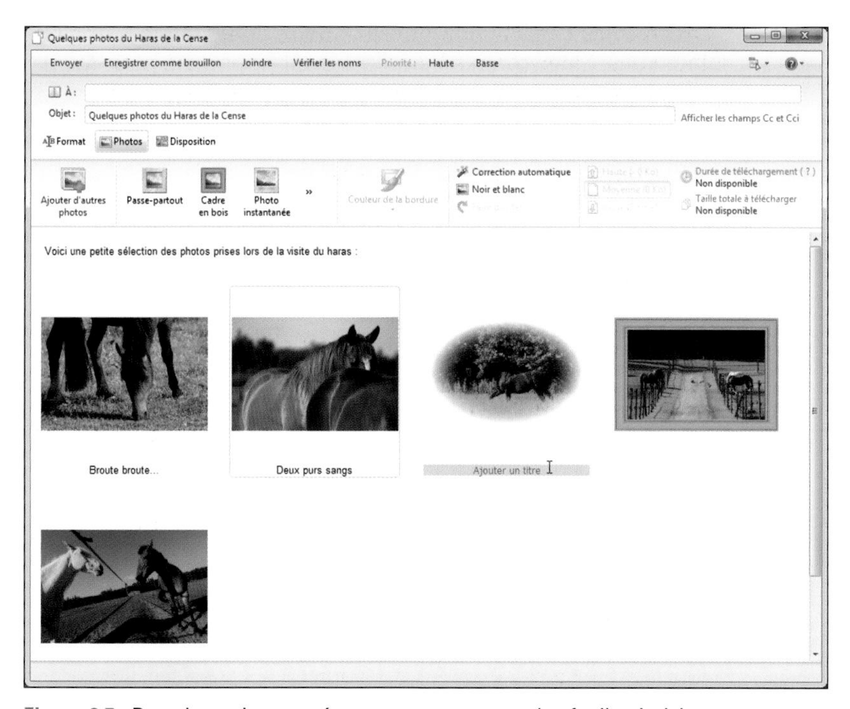

Figure 9.7 : Des photos incorporées au message sont plus faciles à visionner.

Le destinataire verra les vignettes. En double-cliquant dessus, il verra la version grandeur nature de la photo, et il pourra même visionner un diaporama en ligne.

Pour incorporer des photos à un message électronique, commencez par cliquer sur l'icône Windows Live Mail, comme décrit précédemment dans ce chapitre, à la section « Écrire et envoyer du courrier électronique avec Windows Live Mail ». Saisissez ensuite votre message comme d'habitude.

Pour ajouter des photos, procédez comme suit :

Ajouter des photos

1. **Cliquez sur le bouton Ajouter des photos.**

   La fenêtre Ajouter des photos apparaît, déjà ouverte sur la bibliothèque Images.

2. **Sélectionnez la ou les photos à insérer dans le message, puis cliquez sur le bouton Ajouter, puis sur Terminer.**

   Pour n'ajouter qu'une seule photo, cliquez sur son nom puis sur Ajouter.

   Pour joindre plusieurs photos, maintenez la touche Ctrl enfoncée tout en cliquant sur les photos. Cliquez ensuite sur Ajouter.

Dans les deux cas, cliquer sur le bouton Ajouter répartit les photos dans le message, comme à la Figure 9.7, précédemment.

Vous avez ajouté une image de trop ? Cliquez dessus du bouton droit, dans le message, et choisissez Supprimer.

3. **Pour ajouter une légende aux photos, si vous le désirez, placez le pointeur de la souris sous l'une d'elles puis saisissez le texte.**

   Limitez-vous à une ou deux lignes.

4. **Si vous le désirez, agrémentez les photos avec les options présentes dans le bandeau au-dessus de la zone de texte.**

   Cliquez sur le bouton Passe-partout, Cadre en bois ou Bords brossés pour encadrer les photos. Le bouton Correction automatique améliore le contraste et la luminosité de toutes les photos affichées.

5. **Cliquez sur le bouton Envoyer.**

   Live Mail envoie le message avec ses pièces jointes.

Enregistrer des photos incorporées

Pour enregistrer les photos incorporées à un message que vous avez reçu, cliquez dessus du bouton droit et choisissez Enregistrer l'image sous. Dans la boîte de dialogue Enregistrer l'image, nommez si vous le désirez la photo en question, choisissez un dossier de destination puis cliquez sur Enregistrer.

Si vous avez reçu des photos provenant d'un compte Windows Live Mail, enregistrez la photo de cette manière :

1. **Ouvrez le message contenant les photos incorporées.**

   Le message ressemble un peu à une page Web. Il contient des liens pointant vers le site Web de Microsoft où les photos sont en réalité stockées.

2. **Cliquez sur le lien Enregistrer toutes les photos.**

   La fenêtre Parcourir les dossiers apparaît. Sélectionnez un dossier pour le stockage des photos.

3. **Cliquez sur Enregistrer.**

   Windows Mail télécharge une copie des photos dans l'emplacement choisi. Les originaux restent dans le message, ce qui constitue une sauvegarde supplémentaire.

Bien que le message acheminé par Windows Live Mail contienne des versions réduites des photos, Microsoft ne conserve les originaux qu'un mois sur son serveur. Passé ce délai, ces originaux en haute résolution sont supprimés. Il ne vous reste alors que les vignettes.

Rechercher un courrier égaré

Quand un message important disparaît parmi des dossiers bien remplis, Windows 7 propose plusieurs moyens pour le retrouver :

- **Avec le champ Rechercher un message de Windows Live Mail :** Un champ Rechercher un message se trouve en haut volet du milieu (celui contenant la liste des messages). Saisissez un nom ou un mot censé se trouver dans le message recherché, et la liste est aussitôt filtrée, ne montrant que les messages contenant le critère de recherche. Un bandeau bleu, en haut de la liste, est en réalité un menu permettant d'effectuer la recherche dans un autre dossier de la messagerie.
- **Avec le champ Rechercher d'un dossier :** Si vous enregistrez vos messages dans des dossiers spécifiques, cliquez sur un dossier, dans le volet de gauche, puis saisissez le critère dans le champ Rechercher un message. La recherche sera limitée à ce seul dossier.
- **Avec le champ Rechercher les programmes et fichiers du menu Démarrer :** Vous n'avez aucune idée du dossier où peut bien se trouver le message ? Windows 7 indexe en permanence vos fichiers, mais aussi vos messages. Cliquez sur le bouton Démarrer, puis saisissez le critère dans le champ Rechercher les programmes et fichiers.

Gérer les contacts

Windows Vista conservait les contacts dans des fichiers séparés, stockés dans un dossier Contacts. Windows 7 fait de même, sauf si vous avez souscrit à un compte de messagerie Windows Live. Ce compte vous permet de stocker vos contacts dans deux emplacements : à l'intérieur de votre ordinateur et aussi en ligne. Quand vous ouvrez un compte dans Windows Live Mail, la version en ligne imite la version présente dans votre ordinateur, avec les mêmes contacts et les mêmes courriers envoyés et reçus.

Contacts

Pour voir la liste de vos contacts dans votre ordinateur, cliquez sur le bouton Contacts (ou sur son icône, si le panneau est réduit) en bas du volet des dossiers. La fenêtre Contacts Windows Live apparaît, avec la liste de tous vos correspondants.

La liste des contacts peut être enrichie de diverses manières :

- **En laissant Windows Live Mail s'en charger :** Quand vous répondez à un courrier électronique, Live Mail place immédiatement le nom et l'adresse de messagerie du destinataire dans le dossier Contacts. Si cette option vous paraît excessive, choisissez Options, dans le menu Menus, cliquez sur l'onglet Envoi et décochez la case Placer les personnes auxquelles j'ai répondu trois fois dans mon carnet d'adresses.
- **Importer un ancien carnet d'adresses :** Pour récupérer le carnet d'adresses d'un autre ordinateur, ouvrez le dossier Contacts et, dans la barre d'outils, cliquez sur l'icône Menus et choisissez Importer. Cette manipulation implique que vous avez d'ores et déjà utilisé la commande Exporter de l'ancien carnet d'adresses pour créer un fichier au format WAB, VCF, CSV ou Outlook.
- **Ajouter manuellement les contacts :** Depuis la fenêtre Contacts Windows Live, choisissez Fichier, Nouveau, puis Contact. Entrez au moins le nom et l'adresse de messagerie de la personne, ou créez une fiche exhaustive en remplissant la totalité des champs. Cliquez ensuite sur OK.

D'autres tâches fort utiles peuvent être exécutées à partir de la fenêtre Contacts Windows Live :

- Pour envoyer rapidement un message à un correspondant figurant parmi vos contacts, cliquez du bouton droit sur son nom et choisissez Envoyer un message. Live Mail affiche un nouveau message préadressé dans lequel vous taperez votre courrier avant de cliquer sur Envoyer.
- Pour sauvegarder vos Contacts, cliquez sur l'icône Menus, choisissez Exportez, puis décidez de les exporter, soit au format CSV (*Comma Separated Values,* champs séparés par des virgules), ou format Vcard (carte de visite virtuelle VCF).
- $2 Vous pouvez aussi copier vos adresses dans la liste Contacts de votre iPod. Après l'avoir connecté au PC, exportez les adresses au format vCard, comme décrit au paragraphe précédent. Lorsque Windows 7 vous demandera de sélectionner le dossier pour l'exportation des fichiers VCF, choisissez le dossier Contacts de l'iPod.

Limiter les courriers indésirables

Il est malheureusement impossible d'échapper totalement aux courriers non sollicités, ou spams (NdT : initiales de *spiced potatoes and meat,* « patates épicées et viande », un célèbre sketch des Monty Python, mais aussi et surtout, nom d'une infecte conserve de viande en vente aux États-Unis).

Incroyable mais vrai, il existe encore des gens assez naïfs pour acheter auprès des spammeurs, ce qui rend l'activité de ces derniers suffisamment lucrative pour qu'ils persistent.

Fort heureusement, Windows 7 fait preuve d'un peu plus de discernement pour reconnaître les spams. Lorsqu'il détecte un courrier douteux, il affiche le message de la Figure 9.8 et dépose le courrier en question dans le dossier Courrier indésirable.

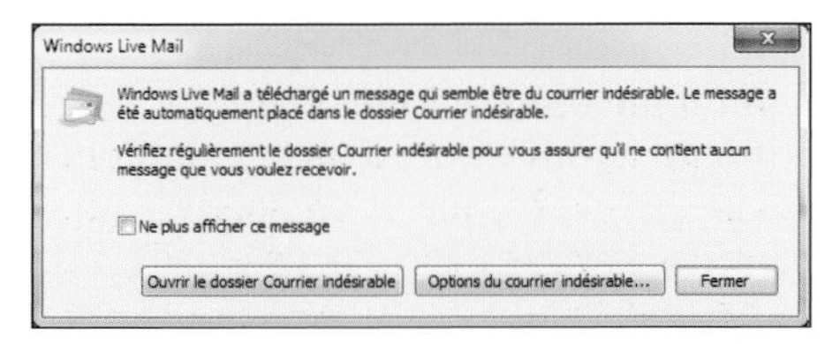

Figure 9.8 : Windows Live Mail détourne automatiquement les spams vers le dossier Courrier indésirable.

Si vous avez repéré dans le dossier Courrier indésirable des messages qui ne sont pas des spams, sélectionnez-les en cliquant dessus puis cliquez sur le bouton Courrier légitime, dans la barre d'outils. Windows Live Mail le renvoie immédiatement dans le dossier Boîte de réception.

Bien qu'il ne soit pas possible d'endiguer complètement les spams, il est possible d'en réduire la quantité grâce à ces quelques règles :

- Ne communiquez votre adresse de messagerie qu'à vos proches, amis, collègues de travail et sociétés très connues. Ne la donnez pas à des inconnus et ne la postez pas sur des sites Web.
- Créez une deuxième adresse, dite « jetable », que vous utiliserez pour les transactions commerciales, le remplissage de formulaires ou de la correspondance qui ne sera pas suivie. Lorsque cette adresse sera la cible d'innombrables spams, supprimez-la comme expliqué à la section « Configurer votre compte de messagerie », dans ce chapitre, et créez-en une nouvelle.
- Ne postez jamais votre véritable adresse de messagerie dans un forum, groupe de discussion ou *chat,* ou toute autre zone de conversations publiques. Et surtout, ne répondez jamais à un spammeur, même en cliquant sur un lien de désabonnement. Cette action prouve en effet qu'il y a quelqu'un à cette adresse, ce qui l'ajoutera à la liste très convoitée des adresses actives, suscitant ainsi davantage de spams.
- Voyez si votre FAI propose un filtrage antispam. Ce filtrage est si efficace que beaucoup de spammeurs tentent de le leurrer en utilisant des mots qui n'ont aucun sens. Si la ligne objet contient des mots qui n'existent dans aucun dictionnaire, c'est sans aucun doute du spam.

Chapitre 10

L'informatique sûre

Dans ce chapitre

- Les alertes de permission de Windows 7
- Assurer la sécurité depuis le Centre de maintenance
- Automatiser Windows Update
- Aller sur Internet en toute sécurité
- Éviter l'hameçonnage
- Supprimer les espiogiciels et autres ajouts au navigateur
- Configurer le contrôle parental

Comme la conduite automobile, l'utilisation de Windows est relativement sûre tant que vous restez sur la route, respectez la signalisation et ne téléphonez pas tout en essayant d'attraper l'allume-cigare et d'entrer une adresse dans le GPS.

Mais dans le monde de Windows et de l'Internet, il est difficile de savoir si on est toujours sur la route, de repérer la signalisation, voire distinguer le téléphone de l'allume-cigare. Des éléments qui paraissent totalement innocents – le courrier électronique d'un ami, un site Web – peuvent être des nids à virus qui mettent l'ordinateur sens dessus dessous et finissent par le planter.

Ce chapitre vous aide à reconnaître les dangers de la route dans le cyberespace et propose des mesures qui vous en protégeront.

Ces agaçants messages de permission

En dépit de sa vingtaine d'années d'existence, Windows est toujours aussi naïf. Par exemple, lorsque vous démarrez un programme afin de modifier la configuration du PC, Windows 7 est incapable de savoir si c'est vous qui le lancez, ou un virus déterminé à semer la pagaille dans votre ordinateur.

La solution ? Quand Windows 7 détecte une tentative d'exécuter une action risquée pour Windows ou pour l'ordinateur, il affiche un message demandant votre permission avant de continuer, semblable à celui de la Figure 10.1.

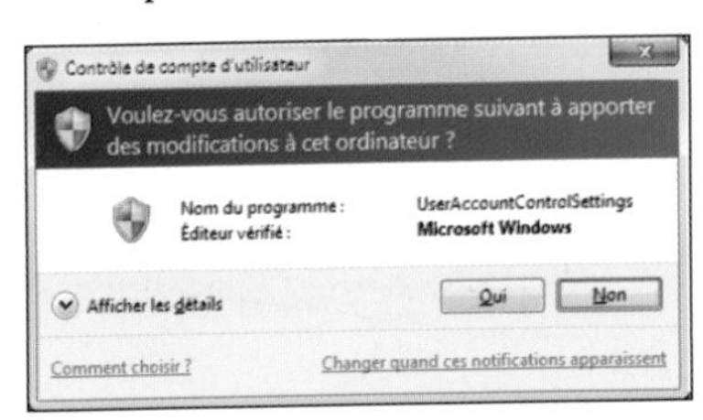

Figure 10.1 : Windows 7 a souvent des doutes. Est-ce bien vous qui avez demandé d'effectuer telle ou telle action ?

S'il s'avère alors que vous n'avez rien fait de spécial, c'est sans doute parce qu'un site Web piégé ou un programme subrepticement glissé dans un courrier électronique, que vous avez vous-même démarré en croyant que c'était une anodine pièce jointe, tente de s'immiscer dans le PC. Cliquez sur Annuler afin de refuser la permission. Mais si c'est vous qui avez enclenché une action spécifique, ce qui a alerté Windows 7, cliquez sur Continuer. Windows abaisse sa grosse trique noueuse et autorise l'exécution.

Ou alors, si votre compte n'est pas du type Administrateur, demandez à quelqu'un qui détient un compte d'administrateur d'ouvrir sa session afin que vous puissiez continuer.

Eh oui, Windows 7 est aussi rébarbatif qu'un vigile intransigeant, mais il lance ainsi un nouveau défi aux programmeurs de virus.

En langage technique, le panneau demandant la permission est un *contrôle du compte d'utilisateur*.

Désactiver les permissions

Désactiver les demandes de permissions de Windows 7 expose le PC aux forces obscures de l'informatique. Mais si vous passez plus de temps à cliquer dans ces panneaux qu'à travailler, et que vous détenez un compte d'Administrateur (ou que vous y avez accès), vous pourrez désactiver le vigile virtuel de Windows 7 en procédant ainsi :

1. **Cliquez sur le bouton Démarrer, choisissez Panneau de configuration puis cliquez sur Système et sécurité.**

   Le Panneau de configuration, décrit au Chapitre 11, permet de configurer les divers paramètres de Windows 7.

2. **Dans la catégorie Centre de maintenance, cliquez sur le lien Vérifier l'état de votre ordinateur et résoudre les problèmes.**

3. **Dans le volet de gauche, cliquez sur Modifier les paramètres de contrôle de compte d'utilisateur.**

   Une fenêtre dotée d'une grande glissière verticale apparaît.

4. **Pour que le contrôle du compte d'utilisateur cesse de se manifester, tirez le curseur jusqu'en bas (option Ne jamais m'avertir). Pour qu'il signale le moindre risque, tirez-le vers le haut (Toujours m'avertir).**

   La glissière comporte quatre crans :

   Toujours m'avertir : L'ordinateur est sécurisé au maximum, mais travailler dans un environnement truffé d'alertes en tous genres devient vite exaspérant.

   Par défaut. M'avertir uniquement quand des programmes tentent d'apporter des modifications à mon ordinateur : Ce choix est un bon compromis entre la sécurité et le confort de travail.

   M'avertir uniquement quand des programmes tentent d'apporter des modifications à mon ordinateur (ne pas estomper mon Bureau) : Moins sûre, cette option se contente de signaler les tentatives de modification de l'ordinateur par un programme.

   Ne jamais m'avertir quand : Plus aucune action risquée n'est signalée. Vous devez redémarrer l'ordinateur pour qu'elle soit prise en compte.

   Choisissez le niveau de sécurité qui vous convient. Personnellement, j'ai conservé l'option par défaut, qui est un excellent compromis entre la sécurité et le confort de travail.

5. **Cliquez sur OK.**

Si vous désirez changer provisoirement le niveau de sécurité, répétez les étapes précédentes, mais n'oubliez pas de rétablir ensuite l'option par défaut préconisée à l'Étape 4.

Le Centre de maintenance veille à votre sécurité

Accordez-vous une minute pour vérifier la sécurité de votre ordinateur grâce au Centre de maintenance de Windows 7. Accessible par le Panneau de configuration, il signale les problèmes qu'il a détectés dans le système de défense de Windows 7 et propose de les corriger. Dans la barre des tâches, une petite icône en forme de drapeau blanc indique l'état courant du centre de maintenance.

Le Centre de maintenance, présenté à la Figure 10.2, indique le niveau de risque par des codes de couleur. Une bande rouge signale un problème critique à corriger immédiatement. Si la bande est jaune, le problème devra être corrigé relativement vite.

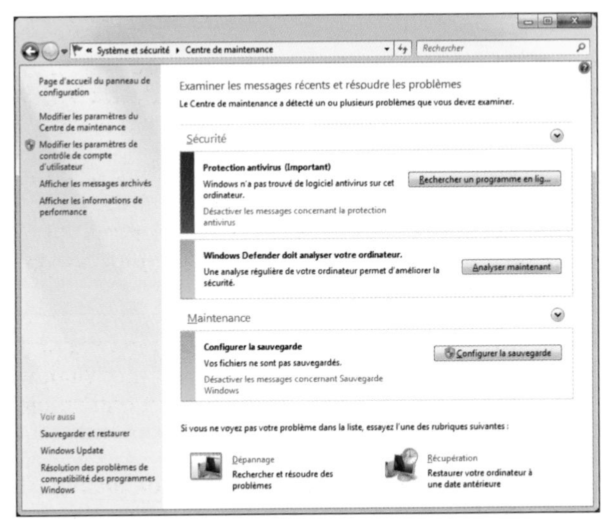

Figure 10.2 : Le Centre de maintenance permet d'activer les principales protections de votre ordinateur : le pare-feu de Windows, la mise à jour automatique et l'antivirus.

Pour l'ordinateur testé à la Figure 10.2, le Centre de maintenance signale qu'aucun antivirus n'est pas installé, et que Windows Defender doit analyser l'ordinateur à la recherche d'éventuels programmes malveillants.

Hormis quelques cas particuliers, comme celui exposé dans le paragraphe précédent, tous ces systèmes de défense devraient être actifs afin de garantir une protection maximale.

Si l'un des systèmes de défense de l'ordinateur n'est pas opérationnel, l'icône du Centre de maintenance, dans la barre des tâches, est un drapeau rouge.

Procédez comme suit si le drapeau rouge flotte dans la barre des tâches :

1. **Cliquez sur l'icône à drapeau rouge du Centre de maintenance, dans la barre des tâches.**

   Le panneau de la Figure 10.2 apparaît. Il révèle la sécurité de l'ordinateur au travers de paramètres répartis en quatre rubriques accessibles en cliquant, dans le volet de gauche, sur le lien Modifier les paramètres du Centre de maintenance (NdT : Cliquez sur un bouton à chevron, à droite du nom d'une rubrique, pour déployer les paramètres) :

   - **Les messages de sécurité :** Le Centre de maintenance peut signaler des problèmes dans l'un des éléments suivants (il est rare qu'il en apparaisse plus d'un ou d'eux à la fois) :

   - **Windows Update :** Ce programme s'enquiert régulièrement, sur le site Web de Microsoft, de la publication de nouveaux correctifs de sécurité gratuits, et les installe sans que vous ayez à intervenir.

   - **Paramètres de sécurité Internet :** Cette rubrique concerne les paramètres de protection d'Internet Explorer destinés à empêcher le piratage de ce logiciel par des programmes frauduleux.

   - **Pare-feu du réseau :** Le nouveau pare-feu de Windows 7 est enfin bidirectionnel. Il surveille non seulement le trafic entrant, mais aussi le trafic sortant. Dès qu'il détecte une tentative d'intrusion de programme ou d'extrusion de données, il la bloque, empêchant les actions de programmes malveillants.

   - **Protection contre les logiciels espions et autres :** Windows 7 est doté d'un éradicateur de logiciels espions nommé Windows Defender. Le Centre de maintenance veille à ce qu'il fonctionne toujours correctement.

   - **Contrôle de compte d'utilisateur :** Le Centre de maintenance attire votre attention sur les risques de certaines actions grâce aux messages et demandes de permission décrits dans la section précédente.

   - **Protection antivirus :** Windows 7 est dépourvu de fonction antivirus, mais il vérifie si vous avez installé un logiciel antivirus. S'il s'avère que vous n'en avez installé aucun, le Centre de maintenance le signale par un drapeau rouge dans la barre des tâches.

   - **Messages de maintenance :** En plus de surveiller les paramètres de sécurité, le Centre de maintenance s'acquitte de ces trois tâches :

   - **Sauvegarde Windows :** La fonction de sauvegarde de Windows, étudiée plus loin dans ce chapitre, procède automatiquement à des copies de vos fichiers les plus importants, afin que vous puissiez les récupérer en cas d'incident.

- **Dépannage de Windows :** Quand Windows détecte un problème d'ordinateur ou de logiciel, il affiche un message proposant de le résoudre. Si vous aviez décliné l'offre – ou plus sûrement, si vous l'aviez envoyé balader tellement vous étiez énervé – vous la retrouveriez là.

L'offre de dépannage n'est plus là ? Dans le volet de gauche du Centre de maintenance, cliquez sur le lien Afficher les messages archivés. Tous les messages passés de Windows 7 s'y trouvent.

- **Rechercher les mises à jour :** Cela signifie que Windows Update et Windows Defender ont cessé de vérifier l'existence de nouvelles mises à jour.

2. **Cliquez sur le bouton des éléments marqués pour corriger le problème correspondant.**

   Si l'un des systèmes de défense de Windows 7 est désactivé, cliquez sur le bouton qui se trouve à droite. Par exemple, à la Figure 10.2, cliquer sur le bouton Rechercher un programme en ligne ou sur Analyser maintenant permettra de résoudre le problème.

En appliquant les deux étapes précédentes, votre ordinateur sera mieux protégé qu'avec toutes les versions antérieures de Windows (NdT : Cette formule est aussi valable pour les futures versions).

Modifier les paramètres du pare-feu

Chacun de nous a décroché un jour le téléphone pour entendre le baratin d'un télévendeur. Dans les centres d'appels, un logiciel compose l'un après l'autre les numéros de téléphone qu'il trouve dans l'annuaire, jusqu'à ce que quelqu'un décroche. Les pirates informatiques procèdent de même : ils lancent un programme qui tente de s'introduire dans tous les ordinateurs connectés à l'Internet, les uns après les autres à raison de plusieurs milliers par seconde.

Les abonnés à l'Internet à haut débit sont particulièrement exposés car leurs ordinateurs sont longuement connectés. Ceci augmente le risque d'être localisés par des pirates décidés à exploiter n'importe quelle vulnérabilité.

C'est là que le pare-feu de Windows entre en jeu. Placé entre Windows et l'Internet, il agit comme un portier intelligent. Si quelque élément inconnu tente de se connecter alors que ni vous ni un de vos programmes ne l'avez demandé, le pare-feu stoppe cette connexion inopportune.

Il arrivera occasionnellement de vouloir interagir avec un autre ordinateur, quelque part sur l'Internet, pour participer à un jeu vidéo multijoueur, par exemple, ou utiliser un logiciel de partage de fichiers. Pour empêcher le pare-feu de bloquer ces programmes, vous ajouterez leur nom à la liste des exceptions en procédant ainsi :

1. **Dans le menu Démarrer, choisissez le Panneau de configuration, cliquez sur Sécurité et sécurité puis cliquez sur l'icône Pare-feu Windows.**

   Le pare-feu Windows apparaît, montrant les paramètres de sécurité des deux types de réseaux auxquels vous pourriez être connecté :

   - **Réseaux domestiques ou d'entreprise (privés) :** Les réseaux domestiques et d'entreprise étant les plus sécurisés, le pare-feu Windows relâche suffisamment sa surveillance pour permettre l'échange de fichiers avec les autres ordinateurs de votre famille ou ceux de vos collaborateurs.

   - **Réseaux publics :** Ces réseaux que l'on trouve dans les lieux publics (aéroports, cybercafés...) ne sont pas sûrs. C'est pourquoi le pare-feu resserre sa surveillance, empêchant votre ordinateur d'être vu sur le réseau, et empêchant les autres ordinateurs de collecter des informations à propos du vôtre.

2. **Dans le volet de gauche, cliquez sur le lien Autoriser un programme ou une fonctionnalité *via* le Pare-feu Windows.**

   La fenêtre qui apparaît (voir Figure 10.3) affiche tous les programmes actuellement autorisés à communiquer au travers du pare-feu (Windows lui-même est constitué de nombreux programmes ; ne vous étonnez donc pas de trouver une liste bien fournie).

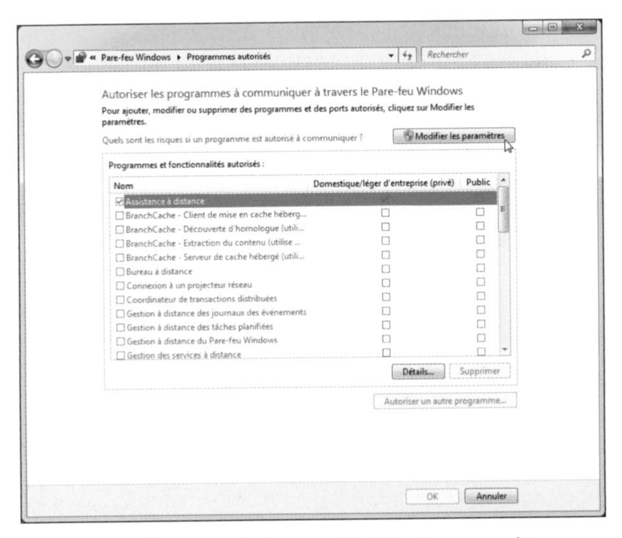

Figure 10.3 : Cliquez sur le bouton Modifier les paramètres pour ajouter un programme à la liste des exceptions.

Modifier les paramètres

3. Cliquez sur le bouton Modifier les paramètres.

Cliquez sur Continuez ou entrez $$$ Continuer ou entrer ? $$$ un mot de passe d'administrateur, si le panneau de demande de permission de Windows 7 montre le bout de son nez.

4. Cliquez sur le bouton Autoriser un autre programme, sélectionnez le programme (ou cliquez sur Parcourir pour le localiser), puis cliquez sur OK.

Si vous cliquez sur Parcourir, vous accéderez à quasiment tous les programmes, notamment ceux du dossier Programme du disque dur C:. Le fichier du programme à autoriser est reconnaissable à son icône, identique à celle qu'il arbore dans le menu Démarrer (NdT : Pour mieux voir les icônes, cliquez sur le bouton Changer l'affichage, à droite dans la barre de commandes, et choisissez l'un des affichages par icônes).

Dans la liste des programmes et fonctionnalités autorisés – la liste des exceptions –, la case du programme sélectionné est cochée. Les autres ordinateurs peuvent à présent s'y connecter.

- N'ajoutez pas un programme à la liste des exceptions tant que vous n'êtes pas sûr et certain que le pare-feu est à l'origine du problème. Car chaque fois que vous autorisez un programme, vous rendez l'ordinateur un peu plus vulnérable.

- Il est facile de rétablir le pare-feu à ses paramètres d'origine si vous avez l'impression de l'avoir configuré n'importe comment. À l'Étape 1, cliquez sur le lien Paramètres par défaut, dans le volet de gauche. Dans la grande fenêtre presque vide qui apparaît, cliquez sur le bouton Paramètres par défaut, puis sur le bouton Oui afin de confirmer les changements. Toutes vos modifications sont supprimées, laissant le pare-feu tel qu'il était à l'installation de Windows 7.

Modifier les paramètres de mise à jour de Windows

Chaque fois que quelqu'un découvre une nouvelle faille par laquelle s'introduire dans Windows, Microsoft concocte un nouveau correctif de sécurité. Malheureusement, les malfaisants trouvent des failles plus vite que Microsoft les colmate. Le résultat est qu'il ne cesse de sortir correctif sur correctif.

La cadence est si soutenue que la plupart des utilisateurs n'arrivent plus à suivre. La solution fut donc, pour Microsoft, d'automatiser les mises à jour. Chaque fois que vous vous connectez, que ce soit pour relever le courrier ou pour surfer sur le Web, l'ordinateur visite automatiquement le site Windows Update de Microsoft, et télécharge tous les nouveaux correctifs en tâche de fond.

Si votre ordinateur est connecté en permanence, c'est vers 3 heures du matin qu'il s'enquiert des nouveaux correctifs, afin de ne pas vous déranger dans votre travail. Au petit matin, il vous sera parfois demandé de redémarrer l'ordinateur afin que les correctifs soient opérationnels. Autrement, vous ne remarquez même pas ces actions.

Le Centre de maintenance de Windows 7, évoqué précédemment dans ce chapitre, explique comment s'assurer que Windows Update – qui se charge des mises à jour –, est actif et en fonction. Mais si vous désirez modifier ces paramètres, par exemple pour ne pas installer de correctifs sans les avoir vus, vous procéderez comme suit :

1. **Cliquez sur le bouton Démarrer, choisissez Tous les programmes, puis Windows Update.**

   La fenêtre de Windows Update apparaît.

   Vous vous demandez si Windows Update recherche réellement de nouvelles mises à jour ? Cliquez sur le lien Rechercher des mises à jour, dans le volet de gauche. Windows vérifiera sur le site de Microsoft si des mises à jour ne sont pas en attente.

2. **Dans le volet de gauche, cliquez sur Modifier les paramètres.**

La page des paramètres de Windows Update apparaît (Figure 10.4).

Figure 10.4 : Choisissez l'option Installer les mises à jour automatiquement (recommandé).

3. **Au besoin, sélectionnez l'option Installer les mises à jour automatiquement (recommandé).**

   Proposée par défaut, cette option permet à Windows de rechercher automatiquement les mises à jour.

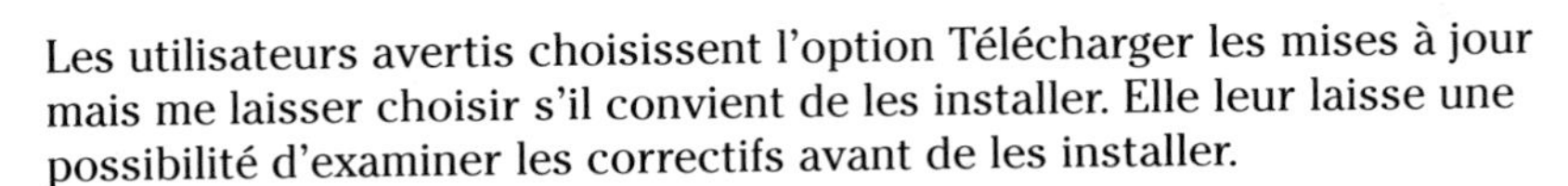

   Les utilisateurs avertis choisissent l'option Télécharger les mises à jour mais me laisser choisir s'il convient de les installer. Elle leur laisse une possibilité d'examiner les correctifs avant de les installer.

4. **Cliquez sur OK afin d'enregistrer les changements.**

   Il est possible que vous n'ayez jamais à changer quoi que ce soit, sauf peut-être l'heure des mises à jour.

Éviter les virus

On est jamais trop prudent lorsqu'il s'agit de virus. Ils se propagent non seulement par les courriers électroniques et les programmes infectés, mais aussi dans les fichiers d'écrans de veille, par les thèmes (NdT : configurations de Bureau sauvegardées), les barres d'outils et autres compléments à Windows. Comme Windows 7 ne comporte pas de programme antivirus, vous devrez vous en procurer un.

McAfee offre un antivirus gratuit (en anglais) qui élimine plus d'une cinquantaine de virus parmi les plus connus. Téléchargeable à l'adresse http://vil.nai.com/vil/stinger/, il est certes commode, mais ne saurait remplacer un antivirus digne de ce nom, capable de détecter et supprimer des dizaines de milliers de virus différents.

Vous recherchez un véritable antivirus gratuit ? Essayez Avast! Édition familiale (www.avast.com/fre/download-avast-home.html).

Réduisez les risques d'infection de votre ordinateur en appliquant ces quelques règles :

- Assurez-vous que l'antivirus analyse tout ce que vous téléchargez, et aussi tout ce qui transite par des courriers électroniques ou par la messagerie.
- Quand vous achèterez un antivirus, choisissez-en un qui tourne en tâche de fond. Pour trouver quelques propositions d'achats, ouvrez le Panneau de configuration, cliquez sur Centre de maintenance, puis sur la zone Protection contre les programmes malveillants, et cliquez sur le bouton Rechercher un programme.

- N'ouvrez que les pièces jointes que vous attendiez. Si vous en recevez une inopinément, même de quelqu'un que vous connaissez, ne l'ouvrez pas. Contactez d'abord l'expéditeur pour vérifier que c'est bien lui qui vous l'a envoyée.

- N'exécutez pas deux antivirus en même temps car ils ne font généralement pas bon ménage (NdT : les indispensables définitions de virus de l'un sont considérées comme de véritables virus par l'autre). Pour tester un autre logiciel, désinstallez d'abord le programme existant à partir du Panneau de configuration (lien Désinstaller un programme).
- Le simple achat d'un antivirus n'est pas suffisant. Vous devez impérativement vous abonner à la mise à jour des définitions de virus afin que le logiciel détecte les derniers virus lâchés dans la nature. Ces mises à jour s'effectuent deux ou trois fois par semaine. Les virus récents se propagent très vite, causant les pires dégâts.

NdT : Vous trouverez une foule d'informations sur la sécurité informatique, les virus, ainsi que des programmes de désinfection spécifiques (et gratuits) sur le site www.secuser.com.

Sortir couvert sur l'Internet

L'Internet n'est pas un lieu sûr. Certains programmeurs ont conçu des sites Web destinés à exploiter les failles et vulnérabilités de Windows les plus récemment découvertes, celles que Microsoft n'a pas encore eu le temps de corriger. Cette section explique certaines des fonctionnalités d'Internet Explorer, et comment naviguer sur l'Internet sans attraper la vérole.

Définir les zones de sécurité d'Internet Explorer

Vous n'aurez peut-être jamais à modifier les zones de sécurité d'Internet Explorer. Elles sont prédéfinies pour offrir une protection maximale. Mais si elles vous intéressent, choisissez Options Internet, dans le menu Outils, puis cliquez sur l'onglet Sécurité. Vous craignez d'avoir déréglé tous les paramètres de sécurité ? Cliquez dans ce cas sur le bouton Remettre toutes les zones au niveau pas défaut.

Internet Explorer propose quatre niveaux de sécurité offrant chacun différents niveaux de protection. Quand vous ajoutez des sites Web à ces diverses zones, Internet Explorer traite ces sites différemment, plaçant des restrictions sur les uns et les ôtant sur les autres. En voici un aperçu :

- **Internet :** À moins que vous ayez configuré les zones d'Internet Explorer, tous les sites Web sont traités comme s'ils se trouvaient dans cette zone. Elle offre une sécurité moyenne, appropriée à la plupart des besoins.
- **Intranet local :** Cette zone s'applique aux sites Web d'un réseau interne. Les utilisateurs à domicile sont rarement confrontés à ce cas de figure, car les intranets se trouvent plutôt dans les moyennes et grandes entreprises. Comme ces sites sont "maison" et autonomes, la zone Intranet local lève certaines restrictions.
- **Sites de confiance :** Placer des sites ici présume que vous leur accordez une confiance totale (personnellement, je ne fais jamais entièrement confiance en un site Web).
- **Sites sensibles :** Si vous ne faites pas du tout confiance à un site, placez-le ici. Internet Explorer vous permettra de le visiter, mais vous ne pourrez rien télécharger, ni utiliser aucun de ses plug-ins, ces modules complémentaires téléchargeables qui ajoutent des fonctions graphiques, d'animation, et autres améliorations. Je plaçais quelques sites dans cette zone afin d'éliminer leurs fenêtres publicitaires intempestives, mais le bloqueur de fenêtres publicitaires intégré à Windows 7 apporte une meilleure solution.

Si vous avez modifié ces paramètres de sécurité et que vous vous demandez si vous avez bien fait, cliquez sur le bouton Rétablir toutes les zones au niveau par défaut, et vous serez tiré d'affaire.

Éviter les modules complémentaires malfaisants et les logiciels espions

Microsoft a conçu Internet Explorer de manière à ce que les programmeurs puissent lui greffer des fonctions supplémentaires au travers de modules complémentaires comme, entre autres, des barres d'outils, des indicateurs de cours boursiers ou des lanceurs de logiciels. De même, beaucoup de sites utilisent des contrôles ActiveX qui permettent d'afficher des animations, du son, de la vidéo et autres éléments tape-à-l'œil dans un site Web.

Malheureusement, des programmeurs véreux se sont mis à créer des modules et des ActiveX qui nuisent à l'utilisateur. Certains espionnent votre activité, bombardent l'écran d'innombrables publicités, redirigent votre page de démarrage vers un autre site, ou font en sorte que votre modem téléphonique compose le numéro d'accès à un site pornographique, à l'étranger et donc au prix fort. Pire, certains de ces modules malhonnêtes s'installent d'eux-mêmes sitôt que vous visitez un site, sans vous demander la permission.

Windows 7 est équipé d'une artillerie lourde pour combattre ces trublions. D'abord, si un site tente d'introduire subrepticement un programme dans votre ordinateur, Internet Explorer le bloque immédiatement et vous prévient dans un bandeau affiché en haut de l'écran (voir Figure 10.5). Cliquer dessus propose les options exposées à la Figure 10.6.

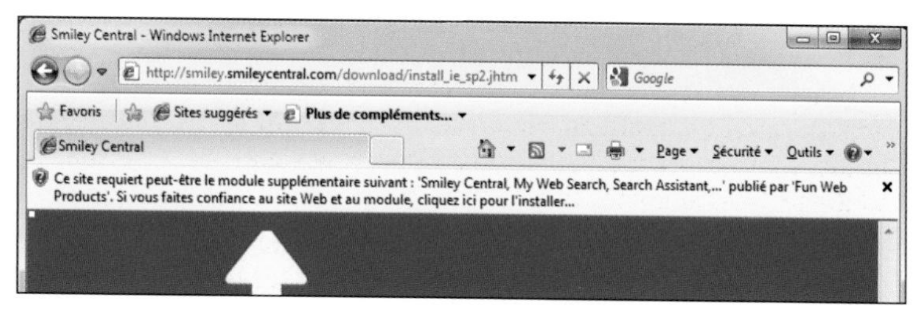

Figure 10.5 : Internet Explorer bloque un programme.

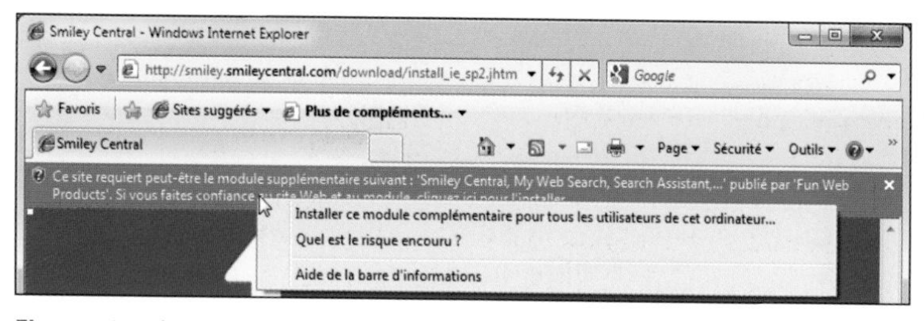

Figure 10.6 : Le bandeau d'alerte propose différentes options.

Internet Explorer ne peut hélas pas différencier un bon téléchargement d'un mauvais, et vous confie donc cette tâche. Prudence si un programme que vous n'avez pas demandé cherche à s'installer en vous demandant de le télécharger. Ne le téléchargez pas et n'installez pas de contrôles ActiveX. Pour éviter tout problème, cliquez sur l'icône Accueil pour quitter le site douteux et revenir à votre page de démarrage, ou choisissez un autre site parmi vos favoris.

Si un module parvient à se faufiler, vous n'êtes pas complètement démuni. Le gestionnaire de modules complémentaires permet en effet de les désactiver. Procédez comme suit pour voir tous ceux qui se trouvent dans l'ordinateur et supprimer ceux que vous savez pernicieux :

1. **Cliquez sur le bouton Outils, dans la barre de commandes d'Internet Explorer, et choisissez Gérer les modules complémentaires.**

   La fenêtre Gérer les modules complémentaires apparaît (voir Figure 10.7). Elle contient tous ceux actuellement chargés.

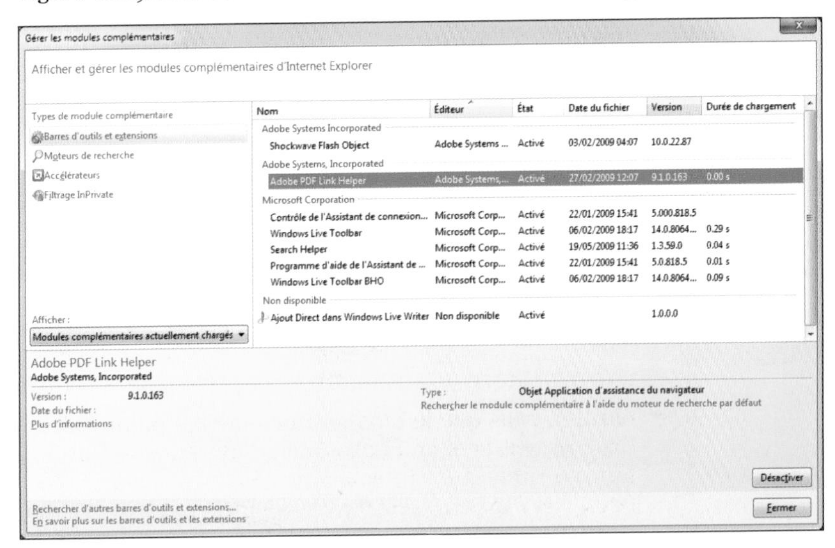

Figure 10.7 : Le gestionnaire de modules complémentaires d'Internet Explorer montre tous les modules actuellement chargés et permet de désactiver ceux dont vous n'avez pas l'utilité.

2. **Cliquez sur le module complémentaire qui est à l'origine d'un problème, puis cliquez sur le bouton Désactiver, en bas à droite.**

   Vous ne trouvez pas le module complémentaire indésirable ? Cliquez sur le menu sous Afficher, en bas du volet de gauche, pour accéder aux quatre options suivantes : Tous les modules complémentaires, Modules complémentaires actuellement chargés, Exécuter sans autorisation et

Contrôles téléchargés. Choisissez tour à tour chacune des options pour voir les modules de cette catégorie.

Si vous avez repéré une barre d'outils indésirable ou autre programme douteux, c'est le moment de vous en débarrasser en cliquant sur le bouton Désactiver.

3. **Répétez le processus pour chaque module complémentaire indésirable, puis cliquez sur le bouton OK.**

   Vous devrez sans doute redémarrer Internet Explorer pour que les modifications soient appliquées.

Tous les modules complémentaires ne sont pas véreux. Les meilleurs permettent de voir des vidéos, d'écouter du son ou de visionner des contenus spéciaux. Ne supprimez pas un module uniquement parce qu'il se trouve dans le gestionnaire de modules complémentaires.

- Dans les rares cas où la désactivation d'un module complémentaire empêche le chargement d'une page, cliquez sur le nom de ce module à l'Étape 2, puis cliquez sur l'option Activer afin de tout remettre en ordre.
- Mais comment diable différencier un bon module d'un mauvais ? Il n'y a hélas aucun moyen infaillible, bien que le nom figurant dans la colonne Éditeur fournisse un indice. Mais le meilleur moyen de se protéger, c'est de ne pas installer ce qu'Internet a essayé de bloquer.

- Vous n'aimez pas les accélérateurs d'Internet Explorer qui se montrent chaque fois que vous cliquez du bouton droit dans une page Web ? Débarrassez-vous d'eux en cliquant sur la catégorie Accélérateurs, dans le volet de gauche. Cliquez du bouton droit sur chaque accélérateur à éliminer, puis choisissez Supprimer, dans le menu contextuel.
- Assurez-vous que le bloqueur de fenêtres publicitaires d'Internet Explorer est actif en choisissant, dans le menu Outils, Bloqueur de fenêtre publicitaire intempestive $$$ au singulier ? $$$. Si l'option Désactiver le bloqueur de fenêtre intempestive est proposée, c'est parfait. Autrement, s'il vous est proposé de l'activer, c'est le moment de le faire.

Éviter l'hameçonnage

Peut-être recevrez-vous un jour un courrier provenant soi-disant de votre banque, d'eBay, de PayPal ou d'un autre site annonçant des problèmes concernant votre compte bancaire ou autre (Figure 10.8). Invariablement, ces courriers contiennent un lien bien visible, indiquant que vous devez fournir votre nom d'utilisateur et le mot de passe, voire le numéro de carte bancaire, sa date d'échéance, le cryptogramme et même le code secret, pour que tout revienne en ordre.

Cher client de **Crédit Agricole Centre France,**

Le département technique de Crédit Agricole procède à une mise à jour de logiciel programmée de façon à améliorer la qualité des services bancaires.

Nous vous demandons avec bienveillance de cliquer sur le lien ci-dessous et de confirmer vos détails bancaires.

http://www.cantal.credit-agricole.fr/id73001733411/modext

Nous nous excusons pour tout désagrément et vous remercions de votre coopération.

© Crédit Agricole 2009

Figure 10.8 : Ce courrier électronique frauduleux compte bien sûr extorquer vos coordonnées bancaires les plus confidentielles.

En aucun cas, quel que soit le réalisme du courrier ou du site, vous ne devez cliquer sur le lien. Vous êtes en effet visé par une activité frauduleuse très lucrative : l'hameçonnage. Les truands qui sont derrière cette manœuvre envoient des millions de messages dans le monde entier, espérant convaincre quelques pigeons, épouvantés à l'idée de voir leur compte clos sans remboursement, taper les précieux renseignements demandés.

Comme différencier un courrier réel d'un courrier frauduleux ? C'est en réalité très facile car jamais une banque ou un établissement financier n'enverra un courrier contenant un lien. De plus, personne – ni même le directeur de la banque, la police ou le fisc –, ne demandera votre code de carte bancaire et cela dans aucun cas, même et surtout en cas de vol ou de perte. Si vous avez un doute sur la réalité du courrier, visitez le véritable site de votre banque, en tapant son adresse Web manuellement (et non par un lien). Recherchez ensuite l'adresse d'un contact et transférez-lui le courrier en demandant s'il est authentique. Il y a de fortes chances que non.

Windows 7 dispose de plusieurs moyens pour empêcher l'hameçonnage :

- La première fois que vous exécutez Internet Explorer – mais même par la suite –, assurez-vous que le filtre SmartScreen est activé. Pour cela, cliquez sur le bouton Sécurité, dans la barre de commandes, et amenez le pointeur jusque sur l'option Filtre SmartScreen. Si l'option Désactiver le filtre SmartScreen est proposée, cela signifie que le filtre est actuellement actif.
- Internet Explorer examine chaque page à la recherche de signes révélateurs. Si un site semble douteux, la barre d'adresse d'Internet Explorer devient jaune et un panneau d'alerte affiché au milieu de l'écran prévient que la page est sans doute celle d'un site d'hameçonnage.

- Internet Explorer compare l'adresse du site Web avec une liste de sites frauduleux notoirement connus. S'il trouve une concordance, le filtre anti-hameçonnage vous empêche d'y accéder et affiche un message d'alerte. Quittez alors immédiatement la page Web.

N'est-il pas possible d'arrêter ceux qui commettent ces délits ? Cela arrive, mais il est néanmoins souvent difficile de découvrir et de poursuivre les délinquants informatiques sur l'Internet. Ils peuvent travailler depuis n'importe où dans le monde.

- Si vous venez de communiquer vos nom et mot de passe sur un site d'hameçonnage, ne perdez pas de temps : allez sur le véritable site et changez immédiatement votre mot de passe. Changez aussi votre nom d'utilisateur si c'est possible. Contactez ensuite la banque par téléphone et demandez ce qu'il faut faire. Ils peuvent stopper les voleurs avant qu'ils vident votre compte.
- Vous pouvez signaler à Microsoft un site qui vous semble frauduleux. Dans le menu Outils, choisissez Filtre anti-hameçonnage, puis Signaler ce site Web. Internet Explorer ouvre la page de Microsoft consacrée à l'hameçonnage. En dénonçant un site frauduleux, vous permettrez à Microsoft de prévenir les autres internautes.

Éviter et supprimer les logiciels espions et les parasites avec Windows Defender

Les logiciels espions, ou espiogiciels, et les parasites, sont des programmes qui s'incrustent dans Internet Explorer à votre insu. Les plus sournois tentent de changer votre page de démarrage, de composer un numéro avec votre modem téléphonique, d'espionner vos activités sur le Web, et de moucharder vos habitudes de surf sur l'Internet.

La plupart des espiogiciels reconnaissent être des logiciels espions, généralement à la 43e ou 44e page de la licence d'utilisateur que vous être supposée avoir lue avant d'installer le programme.

Comme personne, bien sûr, ne veut de ces affreux programmes, ils s'arrangent pour être très difficiles à supprimer. C'est là que le nouveau programme Windows Defender entre en lice. Il empêche certains espiogiciels de s'installer d'eux-mêmes et arrache au démonte-pneu ceux qui sont déjà fermement agrippés à votre PC. Mieux, Windows Update met Defender à jour de manière à ce qu'il puisse reconnaître et détruire les tout derniers espiogiciels.

Procédez comme suit pour que Windows Defender analyse aussitôt votre ordinateur :

1. **Cliquez sur le menu Démarrer, saisissez Windows Defender dans le champ Rechercher les programmes et fichiers, puis cliquez sur son nom, dans la liste.**

   Windows Defender ne se trouve plus dans le menu Démarrer, et il ne figure plus dans aucune des catégories du Panneau de configuration. L'accès par le champ de recherche est le moyen le plus rapide de le démarrer.

2. **Cliquez sur le bouton Analyser, dans la barre d'outils.**

   Windows Defender exécute une analyse rapide de l'ordinateur. Passez à l'Étape 3 dès qu'il aura terminé.

3. **Cliquez sur Outils, puis sur Options et cochez la case Analyser automatiquement mon ordinateur (recommandé). Cliquez ensuite sur Enregistrer.**

   Ceci démarre une analyse tous les jours à 2 heures du matin, un moyen facile de préserver la sécurité de l'ordinateur (NdT : Si vous n'êtes pas du genre couche-tard, sélectionnez une heure à laquelle l'ordinateur est peu sollicité, celle du déjeuner par exemple).

Plusieurs autres programmes antiespiogiciels peuvent aussi analyser votre ordinateur à la recherche du moindre intrus. Certains d'entre eux sont gratuits, dans l'espoir que vous voudrez acheter la version payante, qui comporte plus de fonctionnalités. Ad-Aware (www.lavasoft.fr) et Spybot Search and Destroy (www.safernetworking.org), qui existent tous deux en français, sont les plus connus. À noter aussi, l'excellent SuperAntiSpyware (www.superantispyware.com/), en anglais seulement.

N'hésitez pas à utiliser plusieurs antiespiogiciels, car chacun analyse à sa manière, signalant et éliminant les logiciels espions qu'ils rencontrent.

Configurer le contrôle parental

Fonctionnalité appréciée des parents, mais que les enfants trouvent ringarde, la fonction de contrôle parental de Windows 7 propose plusieurs nouvelles manières de gouverner l'usage de l'ordinateur et l'accès à l'Internet. À vrai dire, tous ceux qui partagent l'ordinateur avec quelqu'un d'autre peuvent être intéressés par le contrôle parental.

Le contrôle parental de Windows 7 est devenu beaucoup plus laxiste que son prédécesseur de Vista. Il ne permet plus de filtrer les sites Web par catégorie, et ne liste plus les sites Web visités par vos enfants, ni les programmes qu'ils ont utilisés. Désormais, le contrôle parental se cantonne à trois catégories :

- **Limites horaires :** Vous pouvez définir les plages de temps au cours desquelles l'enfant peut accéder à son compte d'utilisateur.
- **Jeux :** La plupart des jeux reçoivent une classification par tranche d'âge. Cette option permet d'autoriser ou d'interdire les jeux selon leur classification.
- **Autoriser et bloquer des programmes spécifiques :** Vous ne voulez pas que votre enfant démarre votre logiciel de comptabilité ou des outils de maintenance ? Cette catégorie permet d'interdire le démarrage de certains programmes à l'utilisateur du compte.

Pour configurer le contrôle parental, vous devez détenir un compte Administrateur (la création des différents types de comptes est expliquée au Chapitre 13). Si plusieurs personnes ont accès à l'ordinateur, veillez à ce que les enfants aient un compte Standard. S'ils possèdent leur propre PC, créez un compte Administrateur pour vous et mettez leur compte en mode Standard (NdT : il y a du conflit dans l'air...).

Procéder comme suit pour configurer le contrôle parental :

1. **Dans le menu Démarrer, ouvrez le Panneau de configuration et, à la catégorie Comptes et protection utilisateurs, cliquez sur Configurer le contrôle parental pour un utilisateur.**

   Si le vigile intégré à Windows 7 exige votre permission, cliquez sur Continuer.

2. **Cliquez sur le compte d'utilisateur à restreindre.**

   Un seul compte à la fois peut être configuré.

   Après avoir choisi un compte d'utilisateur, le panneau Contrôle parental apparaît (voir Figure 10.9). Les prochaines étapes vous en feront parcourir chacune des parties.

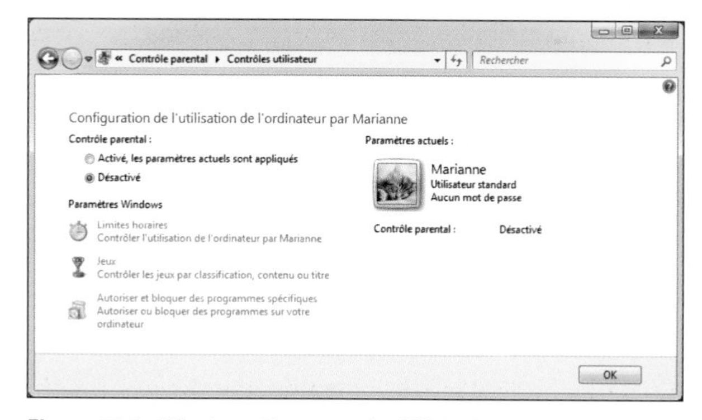

Figure 10.9 : Windows 7 permet de définir l'usage de l'ordinateur par vos enfants ou par n'importe quel autre utilisateur d'un compte standard.

3. Activez le contrôle parental.

Le contrôle parental peut à tout moment être activé ou désactivé. Cliquez sur le bouton d'option Activé pour qu'il entre en vigueur.

4. Choisissez la ou les catégories à configurer.

Cliquez sur les catégories suivantes pour imposer vos règles de bonne conduite :

- **Limites horaires :** La fenêtre qui apparaît contient une grille de temps permettant de définir, pour chacun des jours de la semaine, la ou les plages de temps au cours desquelles le compte est utilisable. Cliquez dans une case de la grille pour bloquer l'heure en question (elle devient bleue). Ce système permet de configurer très facilement les horaires d'utilisation.

- **Jeux :** Vous pouvez autoriser ou interdire les jeux, ou définir la classification (elle est mentionnée sur l'emballage de la plupart des jeux vidéo).

- **Autoriser et bloquer des programmes spécifiques :** C'est là que vous interdirez à vos enfants de bidouiller vos chiffres avec le logiciel de comptabilité. Vous pouvez bloquer tous les programmes, ou ne cocher que ceux que vous autorisez.

5. Cliquez sur OK pour quitter le contrôle parental.

Il existe des logiciels de contrôle parental capables, entre autres, de filtrer l'usage du Web ou de fliquer l'usage du navigateur Web, des messageries instantanées et autres logiciels.

Crypter le PC avec BitLocker

La fonction BitLocker de Windows 7 crypte le contenu du disque dur, et le décrypte automatiquement chaque fois que vous entrez le mot de passe de votre compte d'utilisateur. À quelle fin ? Pour préserver vos informations personnelles des voleurs. S'ils dérobaient le PC ou seulement le disque dur, ils seraient incapables d'accéder à vos données sensibles (mots de passe, numéro de carte bancaire...)

BitLocker fournit malheureusement une protection beaucoup plus élevée que celle nécessaire à la plupart d'entre nous. Il est difficile à configurer, et si jamais vous oubliez le mot de passe, vous perdez du même coup toutes vos données. De plus, le PC doit être configuré d'une certaine manière, avec une partition – une zone de stockage sur le disque dur – supplémentaire. Pour une protection totale, le PC doit être équipé d'un composant spécial, assez rare sur les ordinateurs actuels.

Si le cryptage – ou chiffrement – par BitLocker vous intéresse, adressez-vous à un spécialiste de la sécurité informatique. Ou alors, essayez-le sur une clé USB. Comme beaucoup d'entre elles sont emportées n'importe où, souvent sans précautions, et parce qu'elles se perdent facilement, les données qu'elles contiennent peuvent tomber entre de mauvaises mains. Procédez comme suit pour crypter une clé USB avec BitLocker :

1. **Insérez la clé USB dans l'ordinateur, puis cliquez sur le bouton Démarrer, puis sur Ordinateur, et localisez l'icône de la clé.**
2. **Cliquez du bouton droit sur l'icône de la clé USB et dans le menu contextuel, choisissez Activer Bitlocker.**
3. **Dans la fenêtre Chiffrement de lecteur BitLocker, cochez la case Utiliser un mot de passe pour déverrouiller le lecteur. Saisissez le mot de passe, confirmez-le, puis cliquez sur Suivant.**

   Le programme vous incite à choisir un mot de passe compliqué.
4. **Choisissez l'option Imprimer la clé de récupération, puis cliquez sur Suivant.**

   Cette importante étape imprime la clé de récupération afin que vous en disposiez, si jamais vous oubliez le mot de passe.
5. **Cliquez sur le bouton Démarrer le chiffrement. Attendez que BitLocker ait fini de crypter le contenu de la clé USB.**

La prochaine fois que la clé USB sera insérée dans un PC tournant sous Windows 7 ou sous Windows Vista, il faudra saisir le mot de passe pour accéder à son contenu (attention : Une clé cryptée avec BitLocker n'est lisible ni par un Mac, ni par un PC tournant sous Windows XP ou antérieur).

Quatrième partie

Personnaliser Windows 7 et le mettre à jour

Dans cette partie...

Quand votre vie change, vous voulez que Windows 7 change aussi. C'est de cela qu'il est question ici. Vous découvrirez le Panneau de configuration entièrement revu qui permet de modifier une kyrielle de paramètres.

Le Chapitre 12 explique comment maintenir l'ordinateur au mieux de sa bonne forme et effectuer des sauvegardes. S'il est partagé avec d'autres, vous découvrirez comment créer des comptes d'utilisateurs pour chacun, tout en vous réservant le droit de décider qui peut faire quoi.

Enfin, si vous êtes tenté d'acheter un deuxième, un troisième, un quatrième voire un cinquième ordinateur, un chapitre vous expliquera comment créer un réseau domestique permettant de partager la connexion Internet, l'imprimante et les fichiers.

Chapitre 11

Personnaliser Windows 7 avec le Panneau de configuration

Dans ce chapitre

- Personnaliser le Panneau de configuration.
- Modifier l'apparence de Windows 7.
- Changer de mode vidéo.
- Installer ou supprimer des programmes.
- Régler la souris.
- Régler automatiquement la date et l'heure de l'ordinateur.

Le Panneau de configuration de Windows 7 se trouve en toute logique dans le menu Démarrer.

Vous trouverez dans ce panneau des dizaines d'options, de boutons et de liens permettant de personnaliser l'apparence, l'utilisation et l'impression générale de Windows. Ce chapitre présente les boutons et glissières que vous pouvez régler si vous le désirez, et vous signale aussi ceux auxquels il vaut mieux ne pas toucher.

Certains paramètres ne peuvent être modifiés que par un utilisateur ayant les privilèges d'Administrateur. C'est généralement le propriétaire de l'ordinateur : peut-être vous, peut-être même quelqu'un qui se trouve à l'autre bout du pays.

Trouver la bonne option dans le Panneau de configuration

Ouvrez le Panneau de configuration de Windows 7, et vous pourrez passer une bonne semaine à cliquer sur des icônes et des options. En affichage classique, il héberge plus d'une cinquantaine d'icônes, dont certaines donnent accès à des boîtes de dialogue contenant plus d'une vingtaine de paramètres et tâches.

Pour vous éviter une pénible errance à la recherche de la bonne option, le Panneau de configuration peut être affiché par catégories, comme le montre la Figure 11.1.

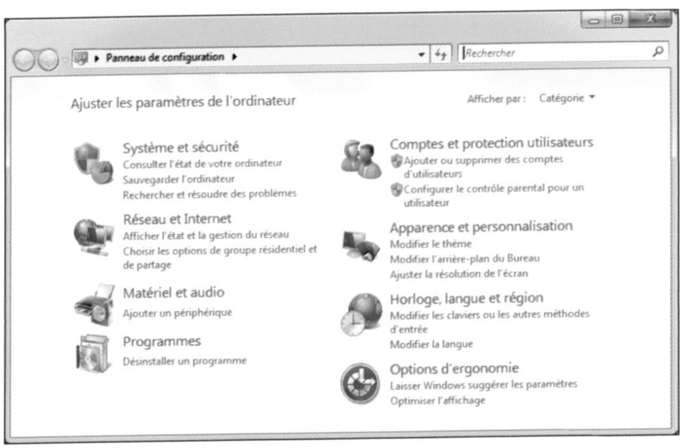

Figure 11.1 : Les paramètres sont plus faciles à localiser lorsqu'ils sont regroupés par catégories.

Sous chaque nom de catégorie se trouvent des liens vers les sujets principaux. Par exemple, après avoir cliqué sur l'icône de la catégorie Système et sécurité, vous accédez à d'autres liens permettant notamment de télécharger les dernières mises à jour de sécurité ou de vérifier l'état de la sécurité de Windows.

Certaines commandes ne correspondent pas exactement à une catégorie précise tandis que d'autres ne sont que des raccourcis accédant à des réglages situés ailleurs. Pour les voir, et surtout pour voir l'ensemble des icônes du Panneau de configuration, cliquez sur le bouton Afficher par, en haut à droite de la fenêtre, puis choisissez Grandes icônes ou Petites icônes – comme à la Figure 11.2 –, dans le menu déroulant.

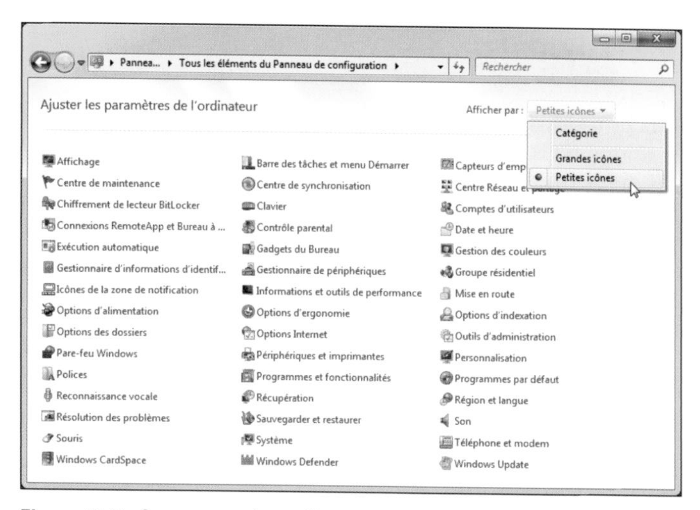

Figure 11.2 : Conçu pour les utilisateurs expérimentés, l'affichage par icônes du Panneau de configuration montre la totalité des icônes.

Ne vous inquiétez pas si votre Panneau de configuration diffère quelque peu de celui de la Figure 11.2. Différents programmes, accessoires et modèles d'ordinateurs y ajoutent souvent leurs propres icônes. Les différentes versions de Windows 7 décrites au Chapitre 1 omettent ou ajoutent également des icônes.

Immobilisez le pointeur de la souris sur une catégorie ou une icône du Panneau de configuration, et Windows 7 explique longuement son usage.

Le Panneau de configuration réunit tous les principaux commutateurs de Windows 7 dans un seul emplacement, mais ce n'est pas le seul endroit permettant de modifier les paramètres. Vous pouvez accéder à la plupart d'entre eux en cliquant du bouton droit sur l'élément à modifier, qu'il s'agisse du Bureau, du menu Démarrer ou d'un dossier, en choisissant ensuite Propriétés dans le menu contextuel.

Le reste de ce chapitre est consacré aux catégories du Panneau de configuration visibles dans la Figure 11.1, aux raisons pour lesquelles vous vous abstiendrez d'en visiter certaines, et aux raccourcis permettant d'accéder directement aux paramètres désirés.

Système et sécurité

Comme une Ford Mustang des années 1960, Windows 7 nécessite de l'entretien de temps en temps. À vrai dire, un peu de maintenance fait tourner Windows 7 de façon beaucoup plus fluide et rapide, à tel point que le meilleur du Chapitre 12 est consacré à ce sujet. Vous y découvrirez comment accélérer Windows, libérer de la place sur le disque dur, sauvegarder vos données et tendre un filet de sécurité nommé Point de restauration (non, un MacDo n'est pas un point de restauration Windows. C'est un simple bouff'room).

La présente catégorie Système et sécurité est truffée d'options. Nous en avons déjà rencontré quelques-unes au Chapitre 10, à propos du pare-feu de Windows, de Windows Update, de Windows Defender et du contrôle parental.

Comptes et protection utilisateurs

Le Chapitre 13 explique comment créer des comptes séparés pour tous ceux qui utilisent l'ordinateur. Ceci permet de limiter les risques encourus par Windows et par vos fichiers.

Voici un avant-goût du Chapitre 13 : choisissez le Panneau de configuration, dans le menu Démarrer puis, sous la catégorie Comptes et protection utilisateurs, cliquez sur Ajouter ou supprimer des comptes d'utilisateurs.

Vous accédez ainsi à la page des comptes d'utilisateurs où vous pouvez créer et modifier ceux qui existent, y compris leur mot de passe et leur image.

La catégorie Comptes et protection utilisateurs comporte aussi un lien vers le contrôle parental, une fonction décrite au Chapitre 10.

Réseau et Internet

Normalement, Windows 7 accède automatiquement à l'Internet et à d'autres ordinateurs, qu'il s'agisse de PC ou de Mac. Établissez une connexion à l'Internet, et Windows commence aussitôt à glaner des informations sur le Web. Reliez-le à un autre ordinateur, et il s'efforce de créer un réseau ou d'ajouter le PC à un groupe résidentiel d'ordinateurs.

Mais si Windows 7 ne parvient pas se débrouiller seul, vous devrez recourir à la catégorie Réseau et Internet du Panneau de configuration.

Le Chapitre 14 est entièrement consacré à la mise en réseau. La connexion à l'Internet a été évoquée au Chapitre 8.

Apparence et personnalisation

L'une des catégories les plus populaires, Apparence et personnalisation, permet de modifier le *look* de Windows 7 de diverses manières. Ouvrez cette catégorie pour découvrir les sept icônes suivantes :

- **Personnalisation :** À l'instar d'un décorateur d'intérieur, cette icône relooke entièrement votre environnement de travail. Cliquez dessus pour placer une nouvelle image ou une photo numérique sur le Bureau, choisir l'écran de veille qui démarrera quand vous vous éloignez du PC, changer la couleur des cadres de Windows, etc. Pour accéder directement à ces options, cliquez du bouton droit sur une partie vide du Bureau et choisissez Personnaliser.

- **Affichage :** Tandis que la personnalisation permet de changer les couleurs, la rubrique Affichage agit au niveau de l'écran lui-même : changement de la résolution de l'écran, configuration d'un affichage s'étendant sur deux écrans...

- **Gadgets du Bureau :** Cette rubrique gère les mini-programmes appelés *gadgets,* présents sur le Bureau, et décrits au Chapitre 2. Pour accéder rapidement à cette rubrique, cliquez du bouton droit sur le Bureau et choisissez Gadgets.

- **Barre des tâches et menu Démarrer :** Vous voulez remplacer l'image en haut du menu Démarrer par un portrait de vous ? Vous voulez personnaliser la Barre des tâches en bas de l'écran ? Ces deux sujets ont été couverts au Chapitre 2. Pour accéder rapidement à cette rubrique, cliquez du bouton droit sur le Bureau et choisissez Propriétés.

- **Options d'ergonomie :** Conçues pour venir en aide aux handicapés, ces options facilitent l'usage de Windows par les malvoyants, les malentendants et les personnes souffrant d'autres handicaps physiques. Une section est consacrée plus loin à ces paramètres.

- **Options des dossiers :** Principalement mise en œuvre par les utilisateurs expérimentés, cette zone permet de configurer subtilement l'aspect et le comportement des dossiers. Pour accéder rapidement à cette rubrique, cliquez sur Organiser et choisissez Options des dossiers et de recherche.

- **Polices :** C'est ici que vous installez les nouvelles polices qui agrémenteront vos textes.

Dans les quelques sections à venir, nous verrons quelles sont, dans ces catégories, les tâches que vous effectuerez le plus souvent.

Changer l'arrière-plan du Bureau

L'arrière-plan, parfois appelé aussi « papier peint », est une image de fond couvrant le Bureau. Procédez comme suit pour la changer :

Cliquer du bouton droit sur le Bureau, choisir Personnaliser et cliquer sur le bouton Arrière-plan du Bureau vous mène directement à l'Étape 3.

1. **Cliquez sur le menu Démarrer, choisissez Panneau de configuration et trouvez la catégorie Apparence et personnalisation.**

   Le panneau de la catégorie Apparence et personnalisation apparaît.

2. **Sous Personnalisation, cliquez sur le lien Modifier l'arrière-plan du Bureau.**

   La fenêtre de la Figure 11.3 apparaît.

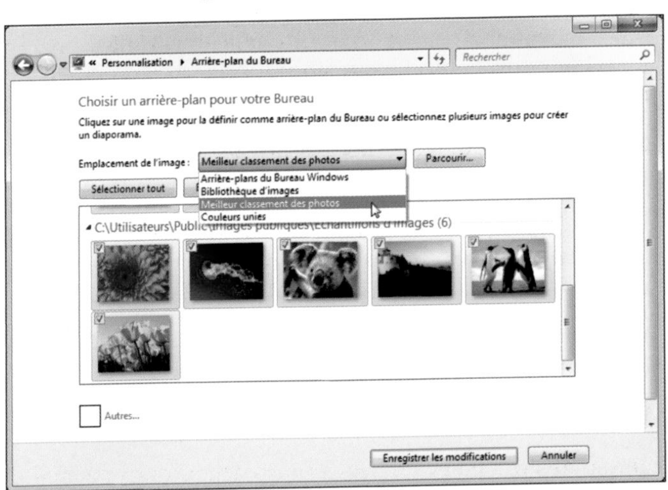

Figure 11.3 : Cliquez sur le menu déroulant pour trouver d'autres images à utiliser comme arrière-plan du Bureau.

3. **Cliquez sur une nouvelle image pour l'utiliser comme arrière-plan.**

Veillez à cliquer sur le menu déroulant, visible dans la Figure 11.3, pour découvrir toutes les photos, textures, peintures et atmosphères légères offertes par Windows 7. Cliquez sur Parcourir pour farfouiller dans des dossiers non répertoriés dans le menu déroulant. N'hésitez pas à chercher parmi vos propres photos.

Les fichiers d'arrière-plan peuvent être au format BMP, GIF, JPG, JPEG, DIB ou PNG. Autrement dit, vous pouvez utiliser presque n'importe quelle photo provenant de l'Internet ou d'un appareil photo numérique (NdT : on notera cependant l'absence du format TIFF produit par les scanners et les appareils photo haut de gamme).

Quand vous cliquez sur une nouvelle image, Windows 7 la place aussitôt sur le Bureau. Si elle vous plaît, passez à l'Étape 5.

4. **Décidez si l'image doit être affichée en mode Remplissage, Ajuster, Étirer, Mosaïque ou Centrer.**

   Toutes les images ne sont pas forcément à la taille de l'écran. Une image de petites dimensions doit être, soit étirée pour remplir tout l'espace, soit répétée à la manière des timbres-poste sur une feuille de timbres neufs. Si l'étirement ou la répétition sont disgracieux, centrez l'image en laissant du vide autour.

   Il est possible de varier l'arrière-plan en changeant d'image à intervalles réguliers. Pour cela, cliquez, touche Ctrl enfoncée, sur chacune des photos à afficher tour à tour. Le changement d'image s'effectue toutes les 30 minutes, à moins que vous modifiiez la fréquence grâce au menu déroulant Changer d'image toutes les...

5. **Cliquez sur Enregistrer les modifications afin de conserver l'image actuellement affichée à l'arrière-plan.**

Vous avez remarqué une fabuleuse image lors de vos pérégrinations sur le Web avec Internet Explorer ? Cliquez dessus du bouton droit et sélectionnez Choisir comme image d'arrière-plan. Windows copie furtivement l'image et l'étale sur le Bureau, où elle devient un nouvel arrière-plan.

Choisir un écran de veille

À l'époque des premiers PC, les écrans cathodiques avaient une fâcheuse tendance à conserver une image fantôme de ce qui s'y affichait longuement à la même place, comme des cadres par exemple. Pour éviter ce phénomène de rémanence, les utilisateurs activaient ce que l'on appelait aussi un « économiseur d'écran ». Il affichait un motif mouvant – feu d'artifice, lignes en mouvement… – empêchant l'usure du phosphore. Les écrans plats ne souffrant plus de cet effet, les gens n'utilisent l'écran de veille que pour son esthétique.

Windows est livré avec plusieurs écrans de veille. Procédez comme suit pour en essayer un :

Cliquer du bouton droit sur le Bureau, choisir Personnaliser puis Écran de veille vous mène directement à l'Étape 3.

1. **Cliquez sur le menu Démarrer, choisissez Panneau de configuration et cliquez sur la catégorie Apparence et personnalisation.**

   La catégorie choisie apparaît.

2. **Sous Personnalisation, choisissez Modifier l'écran de veille.**

   La boîte de dialogue Paramètres de l'écran de veille apparaît.

3. **Cliquez sur la flèche pointée vers le bas de l'unique menu déroulant et sélectionnez un écran de veille.**

   Après avoir choisi un écran de veille, cliquez sur le bouton Aperçu pour voir son effet en plein écran. Visionnez-en autant que vous le désirez avant d'en choisir un.

   N'oubliez pas de cliquer sur le bouton Paramètres, car la plupart des écrans de veille offrent des options. Vous pouvez par exemple régler la vitesse du diaporama et le sens du déplacement des photos à travers l'écran.

4. **Au besoin, renforcez la sécurité en cochant la case À la reprise, afficher ouverture de session.**

   Ce système de sécurité évite aux intrus de fouiller dans votre ordinateur pendant que vous êtes à la machine à café. Dès que l'écran de veille cesse, Windows demande le mot de passe (les mots de passe sont expliqués au Chapitre 13).

5. **Après avoir paramétré l'écran de veille, cliquez sur OK.**

Pour prolonger efficacement la vie de votre écran et faire par la même occasion des économies d'électricité, abandonnez les écrans de veille et, à l'Étape 3, cliquez plutôt sur Modifier les paramètres d'alimentation. La fenêtre qui apparaît permet de régler l'extinction de l'écran après une durée d'inactivité que vous aurez paramétrée.

Modifier le thème de l'ordinateur

Les thèmes sont simplement des ensembles de paramètres. Vous pouvez par exemple enregistrer l'écran de veille et l'arrière-plan du Bureau dans un thème, ce qui permet de passer rapidement de la présentation d'origine de Windows 7 à la vôtre et inversement.

Pour en essayer un, cliquez du bouton droit sur le Bureau, choisissez Personnaliser puis cliquez sur un thème. La boîte de dialogue de la Figure 11.4 apparaît.

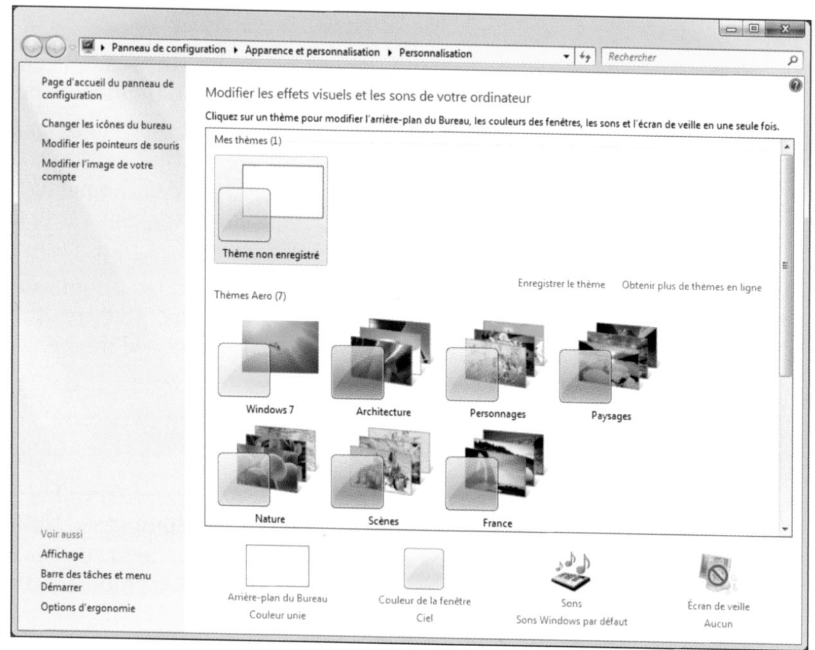

Figure 11.4 : Choisissez un thème prédéfini pour changer l'apparence et les sons de Windows.

Windows 7 montre ses différents thèmes :

- **Mes thèmes :** Les thèmes que vous aurez configurés et enregistrés apparaissent ici.
- **Thèmes Aero :** Le thème Windows 7, qui est celui en vigueur lorsque Windows vient d'être installé, se trouve dans cette catégorie. La carte graphique de l'ordinateur doit être suffisamment performante pour utiliser ces thèmes très sophistiqués.
- **Thèmes de base et à contraste élevé :** Le thème Windows 7 Basic propose une version allégée, sans les effets de transparence et d'ombres, pour les ordinateurs dont la carte graphique n'autorise pas les effets Aero. Windows Classique reproduit le *look* Windows 98, pour les nostalgiques de cette antique version. Les thèmes à contraste élevé sont destinés aux déficients visuels.

Au lieu d'opter pour les thèmes prédéfinis de Windows 7, créez les vôtres en modifiant l'arrière-plan, les couleurs, l'écran de veille et autres éléments graphiques ou sonores. Enregistrez ensuite le thème en cliquant sur le lien Enregistrer le thème, à la rubrique Mes thèmes, puis nommez-le.

- Vous ne trouvez pas votre bonheur parmi les thèmes fournis avec Windows 7 ? Cliquez sur le lien Obtenir plus de thèmes en ligne.
- Si vous êtes vraiment intéressé par la création de thèmes pour Windows, optez pour un programme comme WindowBlinds (www.windowsblinds.net). Vous pouvez télécharger des thèmes vraiment spectaculaires créés par les utilisateurs de ce logiciel sur le site WinCustomize (www.wincustomize.com).

- Avant de télécharger des thèmes sur le Web ou les obtenir en pièce jointe, assurez-vous d'avoir installé un antivirus et vérifié qu'il est à jour. Les virus sont souvent propagés au travers de thèmes véreux.

Modifier la résolution de l'écran

Paramètre souvent mésestimé, la résolution de l'écran détermine la quantité d'informations susceptibles d'être affichées en une seule fois. L'augmenter permet d'afficher davantage d'éléments mais en plus petit, tandis que la réduire affiche les éléments en plus gros, mais aussi en moins grand nombre.

Procédez comme suit pour trouver la résolution la plus confortable (NdT : consultez le manuel de votre écran plat car beaucoup n'affichent correctement une image qu'à la seule résolution native) :

1. **Dans le menu Démarrer, choisissez Panneau de configuration puis cliquez sur Apparence et personnalisation.**

   La zone Apparence et personnalisation répertorie les différentes manières de modifier la présentation de Windows 7.

2. **Sous Affichage, cliquez sur Ajuster le résolution de l'écran.**

   La fenêtre de configuration de l'écran apparaît (Figure 11.5).

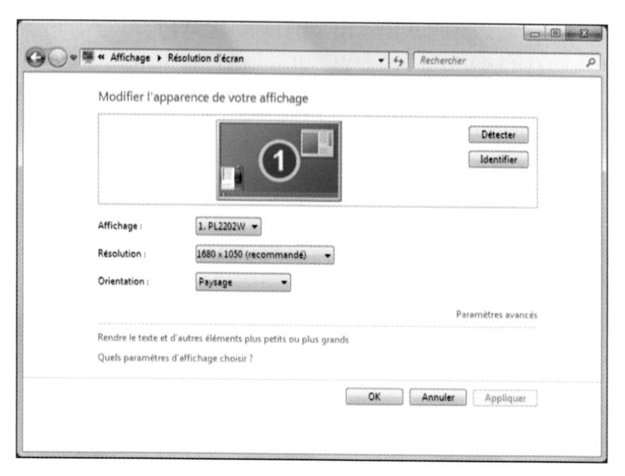

Figure 11.5 : Selon la résolution de l'écran, Windows affichera plus ou moins d'informations.

3. **Pour changer la résolution d'écran, cliquez sur le bouton Résolution. À la place du menu, Windows affiche une glissière verticale. Déplacez le curseur vers Élevé ou vers Bas, selon la résolution désirée.**

   Il n'y a pas de bon ou de mauvais choix, mais un conseil s'impose : la plupart des sites Web ne tiennent pas dans un écran en 640 x 480 pixels. Une résolution de 800 x 600 est meilleure, et 1024 x 768 conviendra à tous les sites Web que vous visiterez. Windows 7 s'accommodera de tous les sites.

4. **Testez ce que donnent les modifications en cliquant sur le bouton Appliquer.**

   Quand Windows 7 passe à une nouvelle résolution, il vous accorde un délai de 15 secondes pour approuver ou rejeter la modification. En effet, si l'écran devient tout noir, plus aucun bouton n'est visible. Si passé ce délai vous n'avez pas cliqué, Windows 7 rétablit la résolution antérieure.

5. **Cliquez sur OK afin de mémoriser vos réglages.**

   Après avoir défini la résolution qui vous convient, vous ne reviendrez sans doute plus dans cette boîte de dialogue. À moins que vous branchiez un second écran, comme expliqué dans l'encadré.

Étendre votre espace de travail avec un second moniteur

Vous avez un deuxième écran chez vous, provenant peut-être d'un PC mis au rebut ? Connectez-le à votre ordinateur et vous disposerez d'un espace de travail plus vaste, s'étendant sur les deux écrans. Vous pourrez ainsi afficher une encyclopédie en ligne dans l'un tandis que vous tapez votre texte dans l'autre.

Pour bénéficier de cet avantage, la carte graphique de votre PC doit être équipée de deux ports, qui doivent être du même type que ceux de votre moniteur (NdT : ou d'un seul port double, divisible grâce à un câble en «Y»), des détails techniques que vous trouverez dans mon livre *PC Mise à niveau et dépannage Pour les Nuls,* édité par First Interactive.

Après avoir connecté le second écran, cliquez dans une partie vide de l'écran principal et choisissez Résolution d'écran. Une seconde icône d'écran apparaît à côté de la première (cliquez sur le bouton Détecter si cette icône n'est pas visible). Tirez éventuellement l'écran secondaire de l'autre côté de l'écran principal, afin de reproduire le positionnement réel, puis cliquez sur OK. Les deux écrans ne forment alors qu'une seule entité unique, sans solution de continuité.

Matériel et audio

La catégorie Matériel et audio contient une foule d'icônes en tous genres, comme le révèle la Figure 11.6. La rubrique Affichage, en revanche, appartient aussi à une autre catégorie.

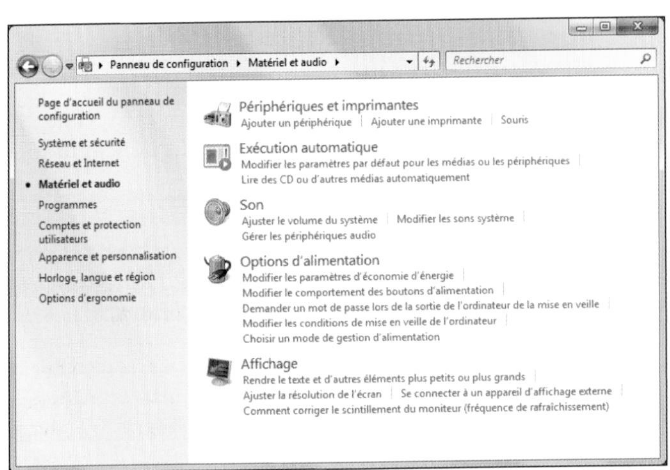

Figure 11.6 : La catégorie Matériel et audio régit tous les aspects matériels de l'ordinateur : l'affichage, le son et les équipements annexes.

Vous ne vous attarderez guère ici, en tout cas pas en passant par le Panneau de configuration, car la plupart des paramètres apparaissent ailleurs, accessibles d'un clic du bouton droit.

Que vous arriviez à ces pages par le Panneau de configuration ou par un raccourci, cette section explique les meilleures raisons de s'y intéresser.

Régler le volume et le son

La rubrique Son permet d'ajuster le volume du PC et aussi de connecter jusqu'à sept enceintes et un caisson de basses, une fonctionnalité appréciée par les inconditionnels du jeu massivement multijoueur World of Warcraft.

Pour baisser le volume du PC, cliquez sur le petit haut-parleur près de l'horloge et tirez le curseur vers le bas (Figure 11.7). Pas de petite icône de haut-parleur dans la Barre des tâches ? Rétablissez-la en cliquant du bouton droit sur l'horloge, choisissez Propriétés et cochez la case Volume.

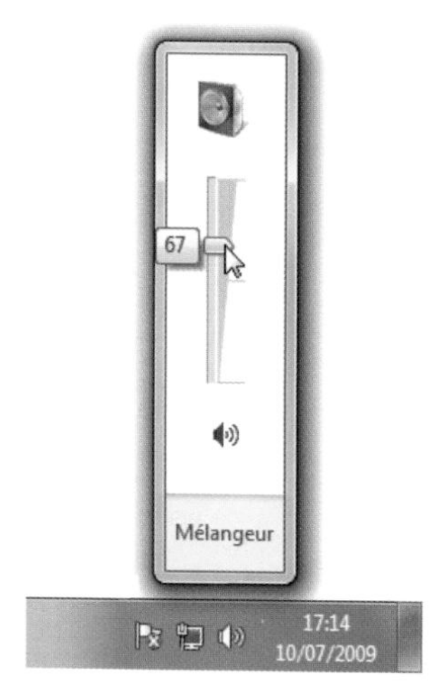

Figure 11.7 : Cliquez sur l'icône en forme de haut-parleur puis actionnez le curseur afin de régler le volume sonore.

Pour rendre le PC muet, cliquez sur l'icône en forme de haut-parleur, sous la glissière. Cliquez de nouveau dessus pour rétablir le son.

Windows 7 surenchérit sur Windows XP en permettant de régler le volume différemment pour différents programmes. Vous pouvez atténuer les détonations dans le jeu Démineur et augmenter le son de Windows Live Mail afin de bien entendre les notifications d'arrivée de courrier. Procédez comme suit pour régler le volume des programmes :

Double-cliquer sur le petit haut-parleur, dans la Barre des tâches, vous amène directement à l'Étape 3.

1. **Choisissez Panneau de configuration, dans le menu Démarrer, puis Matériel et audio.**

   La rubrique Matériel et audio, montrée à la Figure 11.6, affiche ses outils.

2. **Sous la rubrique Son, cliquez sur le lien Ajuster le volume du système.**

   La boîte Mélangeur de volume (Figure 11.8) apparaît.

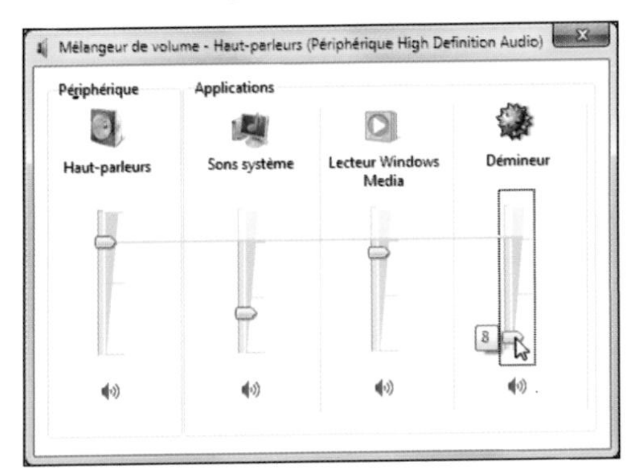

Figure 11.8 : Baissez le volume sonore de certains programmes afin qu'ils soient plus discrets.

3. **Réglez les volumes à l'aide des glissières.**

   Fermez le Mélangeur de volumes en cliquant sur le bouton «X», en haut à droite.

Installer ou configurer les enceintes

La plupart des PC ne sont livrés qu'avec une paire d'enceintes, mais certains en ont quatre, et les PC utilisés pour le home cinéma ou pour les jeux peuvent en avoir jusqu'à huit. Pour s'accommoder de cette diversité de configurations, Windows 7 est doté d'une interface de configuration des haut-parleurs, complète avec un test audio.

Si vous installez de nouvelles enceintes, ou si vous n'êtes pas sûr que les anciennes fonctionnent, suivez ces étapes afin de les mettre correctement en liaison avec Windows 7 :

Cliquez du bouton droit sur l'icône Volume, dans la Barre des tâches, et choisissez Périphériques de lecture pour passer directement à l'Étape 2.

1. Cliquez sur le bouton Démarrer, choisissez Panneau de configuration et cliquez sur Matériel et audio.

La familière catégorie Matériel et audio de la Figure 11.6 apparaît.

2. À la rubrique Son, cliquez sur Gérer les périphériques audio.

La boîte de dialogue Son apparaît, ouverte sur l'onglet Lecture qui liste vos haut-parleurs.

3. Cliquez sur votre haut-parleur ou sur l'icône des enceintes, puis cliquez sur Configurer.

La boîte de dialogue Configurer les haut-parleurs apparaît (Figure 11.9).

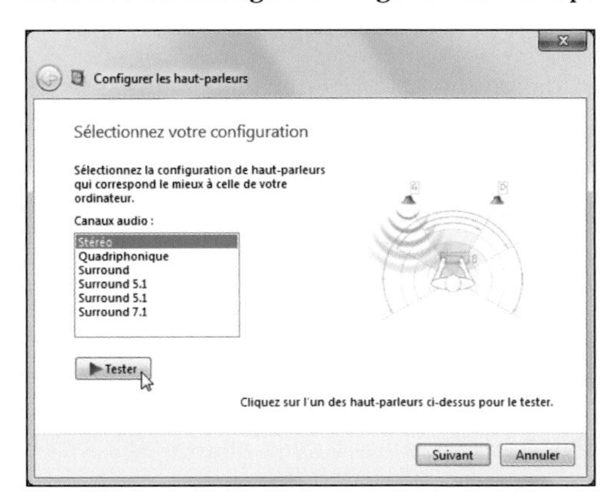

Figure 11.9 : Cliquez sur le bouton Tester pour écouter chacune de vos enceintes.

4. Cliquez sur le bouton Tester, ajustez les paramètres du haut-parleur puis cliquez sur Suivant.

Windows 7 vous propose de sélectionner les haut-parleurs les uns après les autres et de les tester selon leur emplacement, ce qui permet de les vérifier selon l'emplacement qu'ils occupent.

5. Testez tous les autres périphériques audio puis cliquez sur OK quand vous aurez terminé.

Vérifiez aussi le volume sonore des enceintes en cliquant sur l'onglet Enregistrement, à l'Étape 2, et cliquez aussi sur les autres onglets pour découvrir d'autres paramètres.

Si vos enceintes ou le microphone n'apparaissent pas parmi les équipements, cela signifie que Windows 7 ne les a pas reconnus. La solution consiste généralement à installer un nouveau pilote, une tâche décrite au Chapitre 12.

Ajouter une imprimante

Les fabricants d'imprimantes n'ont jamais réussi à se mettre d'accord sur la manière dont une imprimante doit être installée :

- Certains fabricants préconisent de simplement brancher l'imprimante, en insérant la petite prise rectangulaire dans un port USB, de l'allumer ensuite, après quoi Windows 7 la reconnaît et l'adopte. Assurez-vous que la cartouche d'encre et le papier sont en place, et vous pouvez imprimer.
- D'autres fabricants préconisent d'installer les logiciels de l'imprimante avant de la connecter à l'ordinateur. Autrement, elle ne fonctionnerait pas.

Le seul moyen de savoir comment procéder est de consulter le manuel de l'imprimante.

Si votre imprimante n'est pas accompagnée d'un logiciel d'installation, placez d'abord la ou les cartouches et le papier, puis procédez comme suit :

1. **L'ordinateur étant en marche, connectez l'imprimante et allumez-la.**

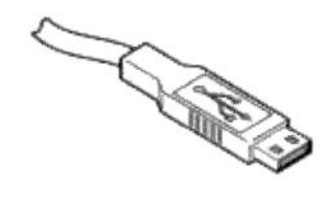

   Si le connecteur de l'imprimante est une petite prise rectangulaire, l'imprimante est de type USB, ce qui est le cas de presque tous les modèles actuels. Windows 7 affichera un message confirmant que l'installation de l'imprimante est réussie, mais suivez néanmoins les étapes suivantes afin de la tester.

   Si la prise de votre imprimante est un gros connecteur trapézoïdal à deux rangées de broches, sa connexion est de type «parallèle», appelée aussi LPT en jargon informatique. Branchez-la au port Imprimante de l'ordinateur (NdT : les PC récents sont aujourd'hui dépourvus de ce port désuet, mais il existe dans les boutiques d'informatique des adaptateurs qui convertissent la prise 25 broches de l'imprimante en prise USB).

2. **Cliquez sur le bouton Démarrer, puis sur Périphériques et imprimantes.**

   Le Panneau de configuration affiche tous vos périphériques, y compris votre imprimante, identifiable par sa marque et son modèle. Cliquez du bouton droit sur l'icône, choisissez Propriétés de l'imprimante (NdT : Et non Propriétés) puis cliquez sur le bouton Imprimer une page de test. Si elle est correctement imprimée, vous êtes au bout de vos peines. Félicitations, c'est terminé.

Quand vous créez un Groupe résidentiel d'ordinateurs, comme expliqué au Chapitre 13, votre imprimante USB est automatiquement mise à la disposition de tous les ordinateurs du réseau tournant sous Windows 7.

Si le nom de votre imprimante n'apparaît pas, passez à l'Étape 3.

La page de test n'a pas été imprimée ? Assurez-vous que tous les éléments d'emballage ont été retirés de l'imprimante et surtout, que la cartouche a bel et bien été insérée. Si elle n'imprime toujours pas, c'est qu'elle est probablement défectueuse. Contactez la boutique où vous l'avez achetée.

Windows 7 affiche une imprimante Microsoft XPS Document Writer qui n'en est pas vraiment une. Elle produit un fichier spécial, qui ressemble à un fichier PDF d'Adobe, qui exige un logiciel spécial pour être visionné et imprimé. Windows 7 visionne et imprime des fichiers XPS, ce qui n'était pas le cas de Windows XP qui exigeait le téléchargement et l'installation d'une visionneuse XPS depuis le site de Microsoft.

3. **Dans la barre d'outils de la fenêtre, cliquez sur le bouton Ajouter une imprimante, puis cliquez sur l'option Ajouter une imprimante locale.**

   Si vous installez une imprimante de réseau, reportez-vous au Chapitre 14.

4. **Choisissez le type de port par lequel l'imprimante est connecté puis cliquez sur Suivant.**

   Choisissez LPT1 si la connexion est de type Parallèle (connecteur trapézoïdal à deux rangées de broches, autant dire une antiquité). Si l'imprimante est de type USB, cliquez sur Annuler, installez son logiciel puis recommencez. Elle n'a pas de logiciel ? Téléchargez-le depuis le site Web du fabricant.

5. **Choisissez le port de l'imprimante et cliquez sur Suivant.**

   Quand Windows 7 demandera quel port choisir, sélectionnez LPT1.

6. **Sélectionnez le fabricant et le modèle de l'imprimante, puis cliquez sur Suivant.**

   Dans la boîte de dialogue Ajouter une imprimante, la liste des fabricants se trouve à gauche, leurs modèles d'imprimantes à droite (Windows 7 en reconnaît des centaines).

   Windows peut demander d'insérer le CD approprié. Vous ne l'avez pas ? Cliquez sur le bouton Windows Update : Windows 7 se connecte à l'Internet pour tenter de trouver le logiciel de cette imprimante.

   Après un moment, une nouvelle liste d'imprimantes apparaît. Imprimez la page de test comme le suggère Windows 7.

Et voilà ! En principe, votre imprimante devrait fonctionner à merveille. Si ce n'est pas le cas, vous trouverez quelques conseils et dépannages au Chapitre 7.

Si plusieurs imprimantes sont connectées à l'ordinateur, cliquez du bouton droit sur l'icône de celle que vous utilisez le plus fréquemment et, dans le menu, choisissez Définir comme imprimante par défaut. Elle sera systématiquement utilisée, à moins que vous en choisissiez une autre dans la boîte de dialogue Imprimer du programme en cours d'utilisation.

- Pour supprimer une imprimante inutilisée, cliquez du bouton droit sur son nom et, dans le menu, choisissez Supprimer. Cette imprimante ne figurera plus dans la liste des imprimantes disponibles, dans la fenêtre Imprimer des différents programmes. Si Windows propose de désinstaller les pilotes et logiciels de l'imprimante, cliquez sur Oui, sauf si vous envisagez de réinstaller cette imprimante ultérieurement.
- Les options d'impression peuvent être modifiées à partir de beaucoup de programmes. Choisissez Fichier dans la barre de menus puis l'option Mise en page ou Imprimer. À partir de là, vous accéderez généralement à la même boîte de dialogue que celle du Panneau de configuration. Vous pourrez modifier le format du papier, l'orientation, et choisir les types de graphisme.
- Pour partager rapidement une imprimante sur le réseau, créez un Groupe résidentiel d'ordinateurs, comme expliqué au Chapitre 13. Votre imprimante apparaîtra en tant qu'option d'installation pour tous les ordinateurs du réseau.

Installer ou paramétrer d'autres éléments informatiques

La zone Matériel et audio du Panneau de configuration contient des éléments attachés à la plupart des PC : la souris, le clavier, un scanner, un appareil photo numérique, une manette de jeu, voire un téléphone. Cliquez sur le nom d'un élément afin de le paramétrer. Le reste de cette section explique comment ajuster la plupart de ces équipements.

Si l'un de ces éléments – le clavier, par exemple – n'apparaît pas, affichez le Panneau de configuration sous la forme de petites icônes, comme à la Figure 11.2 précédemment. Vous trouverez parmi elles l'icône pour le périphérique en question.

Souris

Pour modifier les paramètres de la souris, accédez au Panneau de configuration, cliquez sur Matériel et audio, puis sur Périphériques et imprimantes, puis cliquez du bouton droit sur l'icône de la souris et choisissez Propriétés.

Vous trouverez de nombreux réglages d'une souris à deux boutons. Certains sont un peu futiles, comme le changement du pointeur. Les gauchers pourront permuter les boutons en cochant la case Permuter les boutons principal et secondaire. Le changement est immédiat, avant même d'avoir cliqué sur Appliquer.

Ceux qui manquent de dextérité régleront la rapidité du double-clic. Testez la vitesse actuelle en double-cliquant sur la représentation d'un dossier. S'il s'ouvre, les paramètres sont parfaits. Sinon, réduisez la rapidité du double-clic à l'aide de la glissière.

Les possesseurs de souris à boutons supplémentaires ou sans fil trouveront des paramètres spécifiques à ces fonctionnalités.

Scanneurs et appareils photo

Pour installer un scanneur ou un appareil photo, connectez cet équipement et allumez-le. Windows 7 le reconnaît aussitôt et affiche son nom. Si d'aventure ce n'était pas le cas, voici comment procéder :

1. **Ouvrez le menu Démarrer puis cliquez sur le bouton Panneau de configuration.**

2. **Dans le champ Rechercher, saisissez Afficher les scanneurs et les appareils photos (NdT : Mais souvent, ne taper que scanneur est suffisant). Cliquez ensuite sur le lien Afficher les scanneurs et les appareils photos.**

   La fenêtre Scanneurs et appareils photo apparaît, montrant tous les scanneurs et appareils détectés par Windows 7.

3. **Cliquez sur le bouton Ajouter un périphérique, puis sur Suivant.**

   Windows 7 démarre l'assistant Installation de scanneur et d'appareil photo, capable de faire en sorte que Windows 7 reconnaisse un scanneur ou un appareil photo ancien.

4. **Choisissez le fabricant et le modèle puis cliquez sur Suivant.**

   Cliquez sur le nom du fabricant à gauche et sur le nom du modèle à droite.

5. **Nommez votre scanneur ou votre appareil photo, cliquez sur Suivant puis sur Terminer.**

Tapez un nom pour identifier votre périphérique, ou conservez celui qui est suggéré. Si le scanneur ou l'appareil photo est branché, Windows devrait le reconnaître et placer une icône pour ce matériel dans la zone Ordinateur et dans la zone Scanneurs et appareils photo du Panneau de configuration.

L'installation d'un scanneur ou d'un appareil photo un peu ancien n'est malheureusement pas toujours aussi simple. Si Windows n'accepte pas spontanément votre équipement, utilisez le logiciel d'installation qui était livré avec. Il devrait fonctionner, mais vous ne pourrez peut-être pas utiliser le logiciel de transfert d'images de Windows 7.

Le Chapitre 16 explique comment récupérer les images depuis un appareil photo numérique, et ce qui compte pour ce matériel vaut aussi pour les scanneurs, car Windows 7 les traite sur un pied d'égalité.

Clavier

Si le clavier n'est pas connecté ou en panne, votre ordinateur signale cet incident dès l'allumage. Si vous voyez s'afficher le message Erreur de clavier, le moment est venu d'en acheter un autre. Il sera aussitôt reconnu par Windows.

Si votre clavier est doté de boutons supplémentaires, comme Web/Démarrage, Courrier, Calendrier, Fichiers..., vous devez installer le logiciel du clavier pour que ces boutons fonctionnent. Les claviers sans fil exigent presque tous l'installation de leur logiciel.

Windows 7 permet de configurer le comportement de la souris, comme la vitesse de rééééépétition de la frappe.

Régler la date, l'heure, la langue et les options régionales

Microsoft a conçu ces paramètres pour les possesseurs d'ordinateurs portables qui voyagent beaucoup et changent fréquemment de fuseau horaire. Autrement, vous ne les réglerez qu'une seule fois, au moment de la configuration initiale de l'ordinateur. L'ordinateur mémorise la date et l'heure même lorsqu'il est éteint, grâce à une petite pile bouton située sur la carte-mère.

Pour accéder à ces paramètres, cliquez sur le bouton Démarrer, puis sur le bouton Panneau de configuration, puis sur Horloge, langue et région. La fenêtre contient deux rubriques : Date et heure, et Région et langue. Vous y effectuerez les tâches suivantes :

- **Date et heure :** Vous réglez ces paramètres temporels (notez que cliquer sur l'horloge, dans la barre des tâches, et choisir Modifier les paramètres de la date et de l'heure, vous permet d'accéder à la même boîte de dialogue).
- **Région et langue :** Vous voyagez au Brésil ? Cliquez sur cette option et, dans le menu déroulant Format, choisissez Portugais (Brésil). Windows applique la langue de ce pays, le symbole monétaire du real, ainsi que le format de la date en portugais. Pendant que vous y êtes – dans la boîte de dialogue, pas au Brésil –, cliquez sur l'onglet Emplacement et dans le menu Lieu actuel, choisissez Brésil.

  Les polyglottes modifient souvent les options régionales, notamment lorsqu'ils travaillent sur des documents exigeant des caractères typographiques d'autres langues.

Ajouter ou supprimer des programmes

Que vous ayez acquis un nouveau programme ou que vous désiriez vous débarrasser d'un logiciel, c'est à la catégorie Programmes du Panneau de configuration que vous confierez la tâche. Cliquez sur l'icône. Dans la nouvelle fenêtre, la catégorie Programmes et fonctionnalités répertorie tous les programmes actuellement installés, comme le montre la Figure 11.10. Cliquez sur celui que vous désirez supprimer ou modifier.

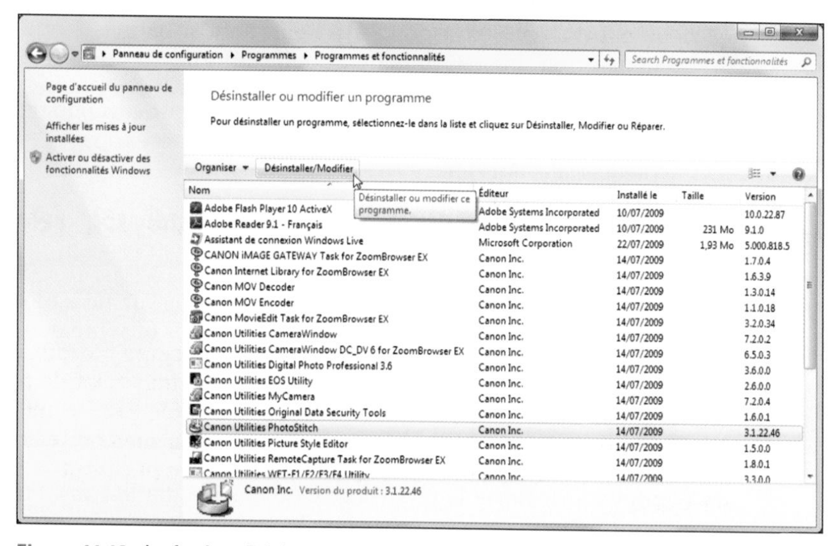

Figure 11.10 : La fenêtre Désinstaller ou modifier un programme permet de supprimer un programme.

La prochaine section explique comment supprimer ou modifier un programme, et aussi comment en installer un nouveau.

Supprimer ou modifier des programmes

Procédez comme suit pour supprimer un programme ou modifier ses paramètres :

1. **Cliquez sur Panneau de configuration, dans le menu Démarrer, et sous Programmes et fonctionnalités, cliquez sur le lien Désinstaller un programme.**

   La fenêtre Désinstaller ou modifier un programme, similaire à celle de la Figure 11.10, apparaît. Elle répertorie les programmes actuellement installés, leur éditeur, leur taille sur le disque dur ainsi que la date d'installation.

   Pour libérer de la place sur le disque dur, cliquez sur l'en-tête Installé le ou Taille. Les programmes seront ainsi triés par ancienneté ou par taille, ce qui vous permettra de mieux sélectionner ceux qui ne servent plus à grand-chose et occupent beaucoup de place sur le disque dur.

2. **Cliquez sur le programme à supprimer puis cliquez sur le bouton Désinstaller, Modifier ou Réparer.**

   Le bouton Désinstaller est toujours présent sur la barre de menus. Les deux autres boutons, Modifier et Réparer, n'apparaissent que pour certains programmes. Voilà de quoi il retourne :

   - **Désinstaller :** Supprime complètement de programme de votre ordinateur (pour certains programmes, ce bouton apparaît sous la forme Désinstaller/Modifier).

   - **Modifier :** Permet de modifier certains composants ou fonctionnalités, où d'ôter des éléments.

   - **Réparer :** Une option de choix pour un programme endommagé. Elle demande au programme de s'auto-inspecter et remplace les fichiers endommagés par de nouveaux fichiers. Vous devrez cependant disposer du CD d'origine.

3. **Windows 7 demande si vous êtes sûr : cliquez sur Oui.**

   Windows 7 démarre le programme de désinstallation associé au logiciel à supprimer, ou parfois, supprime le programme sans autre forme de procès, redémarrant l'ordinateur si c'est nécessaire.

Une fois supprimé, le programme l'est définitivement ; il ne transite pas par une corbeille. C'est pourquoi, veillez à toujours posséder son CD d'installation, pour le cas où vous désireriez le réinstaller.

Utilisez toujours la fenêtre Désinstaller ou modifier un programme, lorsque vous voulez vous débarrasser d'un logiciel. Se contenter de placer ses dossiers dans la Corbeille n'est ni suffisant ni à faire. Procéder ainsi provoque presque immanquablement une instabilité du système qui envoie en retour d'affreux messages d'erreurs qui hanteront vos nuits.

Ajouter un programme

Vous n'aurez peut-être jamais à utiliser cette fonction, car de nos jours, presque tous les programmes s'installent d'eux-mêmes sitôt que leur CD a été inséré dans le lecteur. Si vous ne savez pas si un programme a bien été installé, cliquez sur le bouton Démarrer et cherchez dans la liste Tous les programmes. S'il s'y trouve, c'est que tout s'est déroulé normalement.

Si un programme ne s'installe pas spontanément, voici quelques conseils qui vous aideront :

- Vous devez disposer d'un compte d'Administrateur pour installer des programmes. C'est généralement le cas du possesseur de l'ordinateur. Ceci empêche les enfants et ceux qui possèdent un compte limité ou Invité d'installer des programmes n'importe comment. Les comptes d'utilisateurs sont expliqués au Chapitre 13.
- Vous avez téléchargé un programme ? Windows 7 le stocke généralement dans le dossier Téléchargements, accessible en cliquant sur votre nom d'utilisateur, dans le menu Démarrer. Double-cliquez sur le nom du programme téléchargé pour l'installer.
- Beaucoup de programmes nouvellement installés veulent placer un raccourci sur le Bureau, dans le menu Démarrer et dans le menu Lancement rapide. Refusez toutes ces propositions hormis l'installation dans le menu Démarrer. Tous ces raccourcis finissent en effet par encombrer l'écran, compliquant la recherche d'un programme. Vous pouvez supprimer sans problème ces raccourcis superflus en cliquant dessus du bouton droit et en choisissant Supprimer.

- Il est vivement recommandé de créer un point de restauration avant d'installer un nouveau programme (les points de restauration sont décrits au Chapitre 12). Ainsi, si le nouveau programme se détraque, vous pourrez utiliser la fonction de restauration du système pour rétablir l'ordinateur tel qu'il était avant l'installation du fauteur de troubles.

Quand un programme est dépourvu de logiciel d'installation...

Des programmes, notamment ceux de petite taille téléchargés depuis l'Internet, sont parfois dépourvus d'un installeur. Si vous en avez téléchargé un, créez un nouveau dossier à son intention et placez-y le fichier téléchargé (non sans l'avoir préalablement analysé avec l'antivirus). Double-cliquez ensuite dessus ; c'est souvent le fichier dont l'icône est la plus sophistiquée. L'une de ces deux actions peut se produire :

- **Le programme démarre tout simplement** : Cela signifie qu'il n'est pas nécessaire de l'installer. Tirez son icône jusque sur le bouton Démarrer et déposez-le afin de l'ajouter au menu Démarrer. Pour désinstaller le programme, cliquez dessus du bouton droit et choisissez Supprimer. Ce type de programme apparaît très rarement dans la liste de la fenêtre Désinstaller ou modifier un programme.
- **Le programme s'installe de lui-même** : Cela signifie que c'est fait. Le programme d'installation a été lancé, vous épargnant tout problème. Pour désinstaller le programme, utilisez la commande de désinstallation du Panneau de configuration.

Si le programme se trouve dans un dossier compressé, reconnaissable à sa fermeture Éclair, une autre étape est nécessaire. Cliquez du bouton droit dans le dossier compressé – ou "zippé", en jargon informatique –, choisissez Extraire tout, puis cliquez sur Extraire. Windows décompresse le contenu du dossier et le place dans un nouveau dossier dont le nom est généralement celui du programme. Vous pouvez à présent démarrer le programme directement ou, s'il a un installeur, démarrer celui-ci.

Ajouter ou supprimer des éléments de Windows 7

Vous pouvez aussi vous défaire des parties de Windows 7 dont vous n'avez que faire, les jeux par exemple, si vous voulez empêcher vos employés d'y jouer. Ils ne doivent pas non plus utiliser le Lecteur Windows Media ? Mais qu'est-ce que c'est que cette boîte ? Bref, vous pouvez aussi passer le lecteur à la trappe (non, le lecteur qui est allé à Trappes sans se faire attraper, c'est encore une autre histoire).

Suivez ces étapes pour connaître les parties de Windows 7 que vous pouvez ôter :

1. **Cliquez sur le menu Démarrer, choisissez Panneau de configuration puis cliquez sur l'icône Programmes.**

2. **Sous Programmes et fonctionnalités, cliquez sur le lien Activer ou désactiver des fonctionnalités Windows. Cliquez au besoin sur Continuer.**

   Windows ouvre une fenêtre répertoriant toutes ses fonctionnalités. Celles qui sont cochées sont déjà installées, celles qui ne le sont pas ne sont évidemment pas installées. Si une case est remplie (ni vide ni cochée) cela signifie qu'une partie seulement des composants auxquels elle se rapporte est installée. Cliquez sur le bouton avec un signe «+» pour les afficher tous et savoir lesquels sont installés et lesquels ne le sont pas.

3. **Pour ajouter un composant, cliquez dans sa case vide. Pour un ôter un, l'ensemble des jeux par exemple, décochez la case Jeux.**

4. **Cliquez sur le bouton OK.**

   Windows ajoute et/ou supprime des programmes. Le DVD de Windows 7 vous sera peut-être demandé.

Choisir le programme par défaut

Microsoft permet aux fabricants de remplacer Internet Explorer, le Lecteur Windows Media ou Windows Messenger par des programmes d'autres éditeurs. C'est ainsi que votre nouvel ordinateur peut être équipé du navigateur Mozilla Firefox, à la place d'Internet Explorer. Sur certains PC, les deux sont déjà installés.

Quand plusieurs programmes peuvent effectuer une même tâche – ouvrir un lien Web, par exemple –, Windows 7 doit savoir lequel des deux il doit démarrer. C'est là que le choix du programme par défaut s'impose. Pour cela, ouvrez le Panneau de configuration depuis le menu Démarrer, cliquez sur Programmes, et sous Programmes par défaut, cliquez sur le lien Choisir les programmes par défaut.

Dans la fenêtre éponyme, les programmes sont répertoriés à gauche. Cliquez sur celui que vous utilisez le plus fréquemment puis cliquez sur Définir ce programme comme programme par défaut. Faites de même pour d'autres programmes de la liste que vous désirez utiliser de préférence, puis cliquez sur OK.

Adapter Windows 7 aux handicaps

Windows 7 peut être d'un abord difficile pour beaucoup de gens, mais pour d'autres s'ajoutent les difficultés causées par un handicap physique. Le panneau Ergonomie a été conçu pour les aider et leur faciliter l'usage de Windows.

Si votre vue n'est pas très bonne, vous apprécierez la possibilité d'agrandir le texte sur votre ordinateur.

Procédez comme suit pour modifier les paramètres de Windows 7 :

1. **Cliquez sur le menu Démarrer, puis sur Panneau de configuration. Cliquez sur l'icône Options d'ergonomie puis cliquez sur le lien Options d'ergonomie.**

   La fenêtre de la Figure 11.11 apparaît.

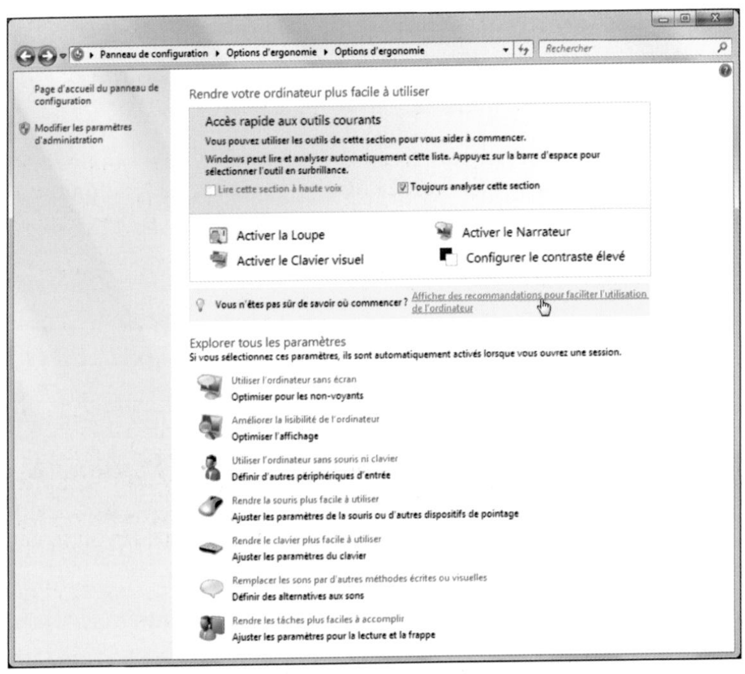

Figure 11.11 : Les Options d'ergonomie sont un ensemble de paramètres destinés à faciliter l'usage de Windows par les handicapés physiques.

2. **Cliquez sur le lien Afficher les recommandations pour faciliter l'usage de l'ordinateur.**

Ce lien est pointé par le doigt, à la Figure 11.11. Windows pose une série de questions permettant d'évaluer les paramétrages nécessaires. Ensuite, Windows 7 les applique et c'est tout.

Les changements apportés à Windows 7 ne sont pas satisfaisants ? Passez à l'Étape 3.

3. **Effectuez les changements manuellement.**

   La fenêtre Centre Options d'ergonomie contient des commutateurs qui facilitent l'utilisation du clavier, de la souris, de l'écran et du son :

   - **Activer la Loupe :** Conçue pour ceux qui ont une mauvaise acuité visuelle, cette option grossit l'écran autour du pointeur de la souris.
   - **Activer le Narrateur :** Une voix féminine lit le texte affiché à l'écran.
   - **Activer le Clavier visuel :** Affiche un clavier cliquable en bas de l'écran, permettant d'écrire en n'utilisant que la souris.
   - **Configurer le contraste élevé :** Ce paramètre atténue considérablement les couleurs, mais permet aux malvoyants de mieux distinguer le contenu de l'écran et le pointeur.

   Choisissez une ou plusieurs de ces options, qui deviennent immédiatement actives. Fermez la fenêtre associée à la fonction si l'option d'ergonomie complique les choses au lieu de les arranger.

   Si vous n'êtes toujours pas satisfait (pfff !), passez à l'Étape 4.

4. **Choisissez un paramètre spécifique dans la zone Explorer tous les paramètres.**

   C'est ici que Windows 7 passe aux choses sérieuses, en permettant d'optimiser Windows 7 pour :

   - Les aveugles et les malvoyants.
   - Utiliser un autre périphérique que la souris ou le clavier.
   - Permettre le réglage de la sensibilité du clavier et de la souris afin de compenser la limitation des mouvements.
   - Activer des alertes visuelles à la place des notifications sonores.
   - Faciliter la concentration sur les zones de lecture et d'écriture.

   Certains centres pour handicapés disposent de logiciels et d'une assistance qui permettent d'exploiter pleinement ces modifications.

Chapitre 12

Éviter que Windows 7 plante

Dans ce chapitre

- Créer un point de restauration.
- Sauvegarder les données de l'ordinateur.
- Libérer de l'espace sur le disque dur.
- Faire que l'ordinateur tourne plus vite.
- Rechercher et installer un nouveau pilote.
- Nettoyer la souris, le clavier et le moniteur.

En cas de dysfonctionnement de Windows, allez directement au Chapitre 17. Mais si l'ordinateur semble tourner plutôt bien, restez dans ce chapitre. Il vous explique comment faire en sorte qu'il continue le plus longtemps possible à vous rendre de bons services.

Dans ce chapitre, chaque section décrit une tâche relativement facile et indispensable pour que Windows tourne au mieux. Il n'est pas nécessaire de faire appel à un passionné d'informatique car la plus grande partie de cet entretien s'effectue avec les outils de maintenance intégrés à Windows – comme le programme Nettoyage de disque pour libérer de l'espace dans un disque dur encombré – ou à des produits de nettoyage ménagers.

Vous apprendrez aussi à venir à bout de l'ennuyeux et sempiternel problème de « mauvais » pilote.

Enfin, vous découvrirez un moyen rapide de nettoyer la souris, une opération souvent négligée et pourtant indispensable si vous tenez à ce que le pointeur se déplace en douceur, sans à-coups.

En plus d'effectuer la check-list que propose ce chapitre, veillez à ce que Windows Update et Windows Defender fonctionnent en mode automatique (voir Chapitre 10). Tous deux jouent un grand rôle dans la sécurité et la fiabilité de votre ordinateur.

Créer un point de restauration

Quand votre ordinateur est mal en point, le programme Restauration du système, décrit plus longuement au Chapitre 17, permet de remonter dans le temps jusqu'à une époque où l'ordinateur se portait comme un charme. Bien qu'il crée automatiquement des points de restauration, rien ne vous empêche de créer les vôtres. Un point de restauration permet de revenir à un point où votre ordinateur fonctionnait sans problème.

1. **Dans le menu Démarrer, cliquez du bouton droit sur le bouton Ordinateur et choisissez Propriétés.**

   La fenêtre Informations système générales apparaît.

2. **Dans le volet de gauche, cliquez sur le lien Protection système.**

   La fenêtre Propriétés système apparaît.

3. **Cliquez sur le bouton Créer, en bas à droite, nommez le nouveau point de restauration puis cliquez sur Créer afin de l'enregistrer.**

   Windows 7 crée un point de restauration portant ce nom.

En créant des points de restauration les jours où l'ordinateur fonctionne bien, vous saurez lesquels utiliser lorsque l'ordinateur fera des siennes. Vous apprendrez au Chapitre 17 comment tirer l'ordinateur d'un état précomateux grâce à la Restauration du système.

Régler Windows 7 avec les outils de maintenance

Windows 7 contient toute une panoplie d'outils destinés à le faire tourner le mieux possible. Plusieurs sont lancés automatiquement, limitant votre intervention à vérifier des commutateurs qui doivent être sur Activé. D'autres vous préparent à échapper au pire – la perte de vos données – en sauvegardant vos fichiers. Pour voir ces outils, cliquez sur le menu Démarrer, choisissez le Panneau de configuration et sélectionnez la catégorie Système et sécurité.

Voici les outils auxquels vous recourrez le plus souvent :

- **Sauvegarde et restauration :** Le programme de sauvegarde fonctionne beaucoup mieux que celui de Vista. Comme il est livré avec Windows 7, vous n'avez aucune excuse de ne pas sauvegarder vos fichiers. Tout disque dur peut en effet tomber en panne, anéantissant tout ce qui s'y trouvait.
- **Système :** Les petits génies du support technique y font des incursions. La zone Système indique votre version de Windows 7, la puissance de votre ordinateur et l'état du réseau, ainsi que l'indice de performance de Windows.
- **Windows Update :** Ces outils permettent à Microsoft de greffer des mises à jour et des correctifs de sécurité sur votre PC, par une connexion Internet, ce qui est généralement une bonne chose. C'est là aussi que vous pouvez désactiver Windows Update, si vous le jugez utile.
- **Options d'alimentation :** Vous ne savez pas quelle est la différence entre la veille, la veille prolongée et l'arrêt ? Le Chapitre 2 l'explique. Cette partie vous laisse choisir le degré de léthargie de votre PC quand vous appuyez sur le bouton Arrêt (ou, pour les possesseurs d'ordinateurs portables, quand ils referment l'écran).
- **Outils d'administration :** L'un d'eux est particulièrement utile car il permet de libérer de l'espace dans le disque dur en éliminant tout ce qui ne sert plus à rien.

Toutes ces tâches seront décrites plus en détail dans les cinq prochaines sections de ce chapitre.

Sauvegarder les fichiers

Un disque dur n'est pas à l'abri des pannes et dans ce cas, il emporterait avec lui tout ce qui s'y trouvait : des années de photos numériques, de morceaux de musique, de lettres, de documents administratifs, commerciaux ou bancaires, d'éléments numérisés avec le scanner, bref tout ce que vous avez engrangé dans l'ordinateur.

C'est pour éviter une telle catastrophe que vous devez sauvegarder régulièrement vos fichiers. Vos archives seront ainsi à l'abri le jour où le disque dur rendra soudainement l'âme.

La solution, pour prévenir cette calamité, est le programme de sauvegarde livré avec Windows, beaucoup plus convivial que son prédécesseur. Il est facile à utiliser, démarre automatiquement selon le planning que vous avez défini, et il met à l'abri tous les fichiers que vous voulez préserver.

Trois ingrédients sont nécessaires pour utiliser le programme de sauvegarde de Windows 7 :

- **Un graveur de CD ou de DVD, ou un disque dur externe :** Le programme de sauvegarde de Windows 7 grave aussi bien des CD que des DVD, mais rien ne vaut un disque dur externe. Il suffit de le brancher sur le port USB 2.0 ou FireWire, et Windows le reconnaît instantanément.
- **Un compte d'Administrateur :** Vous devez avoir ouvert une session comme administrateur. Les comptes d'utilisateurs et les mots de passe sont expliqués au chapitre 13.

  Quand vous sauvegardez vers un disque dur externe, connectez-le avant de démarrer le programme de sauvegarde.
- **Le programme de sauvegarde et de restauration de Windows 7 :** Livré avec toutes les versions de Windows, il sauvegarde automatiquement tout ou partie de votre travail. Mais il ne fera rien tant que vous ne l'aurez pas configuré une première fois.

Ces trois éléments réunis, effectuez ces étapes afin que votre ordinateur sauvegarde vos fichiers automatiquement tous les mois (bien), toutes les semaines (c'est mieux) ou toutes les nuit (c'est parfait) :

1. **Démarrez le programme Sauvegarder et restaurer.**

   Cliquez sur le bouton Démarrer, choisissez Panneau de configuration, sélectionnez la catégorie Système et sécurité puis cliquez sur Sauvegarder et restaurer.

   Si vous avez déjà configuré le programme de sauvegarde, vous pourrez modifier ses paramètres en cliquant sur le lien Modifier la configuration. Passez ensuite à l'Étape 3 pour choisir un nouvel emplacement de sauvegarde ou modifier la planification.

   Si vous ne l'avez pas encore fait, cliquez sur le lien Créer un disque de réparation, dans le volet de gauche. Vous pourrez ainsi graver un CD ou un DVD contenant un programme de réinstallation de Windows 7 à partir d'une image du système créée au moment de la sauvegarde. Inscrivez la mention *Disque de réparation Windows 7* sur le CD et conservez-le en lieu sûr.

2. **Cliquez sur le bouton Configurer la sauvegarde, en haut à droite de la fenêtre Sauvegarder ou restaurer des fichiers.**

   Le programme demande fort judicieusement où vous désirez sauvegarder les fichiers, comme le montre la Figure 12.1.

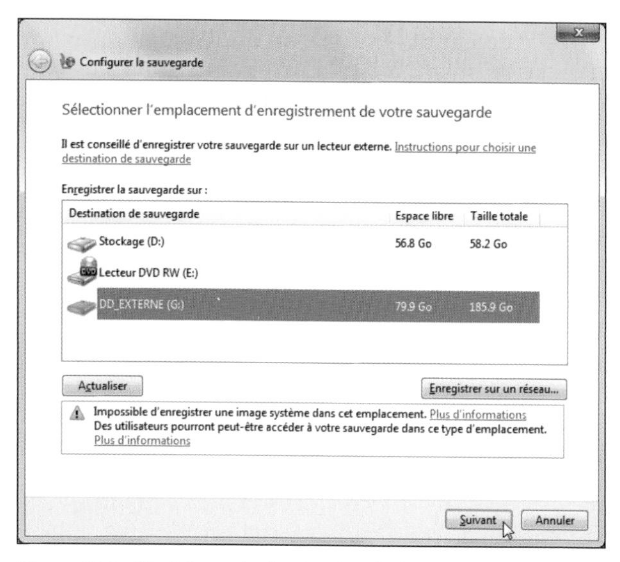

Figure 12.1 : Choisissez la destination de la sauvegarde.

3. Choisissez l'emplacement de la sauvegarde puis cliquez sur Suivant.

Windows 7 est capable de sauvegarder sur presque tous les supports : CD, DVD, clé USB, disque dur externe et même sur un lecteur se trouvant sur un autre ordinateur du réseau (voir Chapitre 14).

Bien que le choix dépende de la quantité de données à sauvegarder, la meilleure solution reste le disque dur externe, connecté à un port USB ou FireWire. Windows lui affecte une lettre de lecteur, après quoi il apparaît en tant qu'emplacement de sauvegarde.

Si vous n'avez pas de disque dur externe, les CD et DVD sont une bonne solution.

Si vous tentez de sauvegarder sur le disque d'un autre ordinateur du réseau, Windows 7 exigera que vous ayez un compte Administrateur et un mot de passe sur l'ordinateur distant.

4. Choisissez les types de fichiers à sauvegarder puis cliquez sur Suivant.

Windows propose deux options :

- **Laisser Windows choisir :** C'est l'option la plus facile, qui sauvegarde tout : les bibliothèques Documents, Images, Musique et Vidéos, et tout ce qui se trouve sur le Bureau. Si un second disque dur, dans votre ordinateur, est réservé aux sauvegardes, le programme crée également une *image du système,* c'est-à-dire une copie à l'identique du disque dur sur lequel se trouve Windows.

- **Me laisser choisir :** Un peu plus technique, cette option permet de choisir les éléments à sauvegarder et ceux à ne pas sauvegarder.

Windows 7 sauvegarde normalement chaque dimanche à 19:00 heures, comme le révèle la Figure 12.2. Pour choisir une autre date, cliquez sur le lien Modifier la planification puis sélectionnez la fréquence, le jour et l'heure des sauvegardes automatiques.

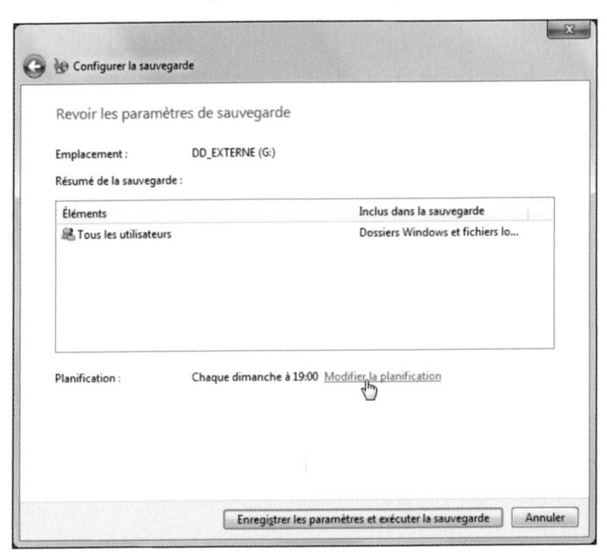

Figure 12.2 : Cliquez sur Modifier la planification pour changer la fréquence, la date et l'heure des sauvegardes.

Vous pouvez certes choisir une heure où vous travaillez sur le PC, mais les opérations de sauvegarde ralentissent l'ordinateur.

Après avoir cliqué sur le bouton Enregistrer les paramètres et exécuter la sauvegarde, Windows 7 démarre aussitôt la sauvegarde, même si ce n'est pas encore l'heure définie par la planification. C'est parce que le prudent Windows 7 tient à tout mettre en lieu sûr avant qu'un incident se produise.

5. **Restaurez quelques fichiers afin de tester la qualité de la sauvegarde.**

   Vérifiez que tout s'est bien déroulé. Répétez la première étape, mais choisissez Restaurer les fichiers. Suivez les indications de Windows 7 jusqu'à ce que vous puissiez parcourir la liste des fichiers sauvegardés. Restaurez l'un d'eux en vous assurant qu'il est copié à son emplacement initial.

Théoriquement, Windows quitte le mode Veille ou Veille prolongée pour sauvegarder le PC au cours de la nuit. Mais en réalité, certains vieux PC restent en léthargie. Si le vôtre ne se réveille pas lors d'un premier test, laissez l'ordinateur allumé à l'heure où il doit sauvegarder les fichiers. Un PC consomme assez peu de courant, surtout si vous avez pris la précaution d'éteindre l'écran.

Windows 7 enregistre la sauvegarde dans un dossier nommé `Windows 7`, à l'emplacement choisi à l'Étape 3. Ne le déplacez pas car Windows 7 serait incapable de le retrouver lorsque vous devrez procéder à une restauration.

Trouvez des informations techniques sur l'ordinateur

Pour savoir ce que Windows 7 a dans les tripes, ouvrez le Panneau de configuration, choisissez Système et sécurité, puis Système. La fenêtre que montre la Figure 12.3 est une fiche technique pleine d'enseignements. Elle mentionne en effet :

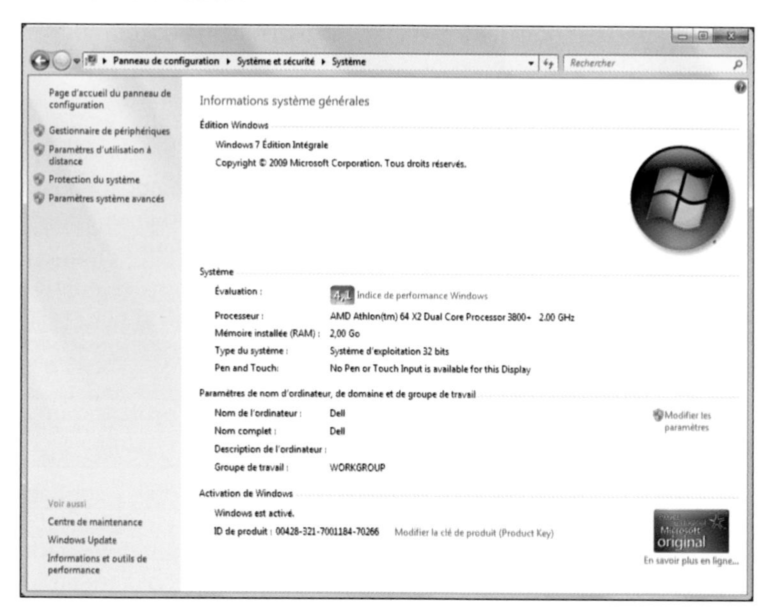

Figure 12.3 : Cliquer sur l'icône Système affiche les spécifications technique de votre ordinateur.

- **Édition Windows :** Windows 7 est décliné en plusieurs éditions. Si vous ne savez pas, ou plus, laquelle est installée dans votre ordinateur, vous l'apprendrez ici.
- **Système :** Windows 7 évalue les performances du PC et attribue un *indice de performance* de 1 (chétif) à 5 (costaud). Le type du microprocesseur est également mentionné ici, de même que la quantité de mémoire vive (RAM) installée.
- **Paramètres de nom d'ordinateur, de domaine et de groupe de travail :** Ces informations concernent la connexion de l'ordinateur à un réseau local. Nous y reviendrons au Chapitre 14.
- **Activation de Windows :** Pour éviter qu'un exemplaire de Windows 7 soit installé sur plusieurs ordinateurs (autrement dit piraté), Microsoft exige qu'il soit activé, ce qui l'associe à un seul et unique PC.

Le volet de gauche donne accès à quelques tâches plus avancées que vous apprécierez sans doute quand le PC devient rétif :

- **Gestionnaire de périphériques :** Il recense tous les éléments matériels de votre PC, mais en termes assez techniques. Les éléments précédés d'un point d'exclamation posent problème. Double-cliquez dessus pour obtenir quelques explications. Parfois, un bouton Dépannage apparaît avec l'explication ; double-cliquez dessus pour diagnostiquer le problème.
- **Paramètres d'utilisation à distance :** Rarement utilisé, ce paramétrage compliqué autorise quelqu'un à contrôler votre PC au travers de l'Internet, généralement pour corriger un problème. Si vous connaissez l'une de ces personnes secourables, laissez-la vous expliquer par téléphone ou par un courrier électronique ce qu'il faut faire.
- **Protection du système :** Cette option sert à créer des points de restauration, décrits à la première section de ce chapitre, et à restaurer l'un d'eux afin de mettre l'ordinateur à un état qui était le sien à un moment où il fonctionnait sans problème.
- **Paramètres système avancés :** Les techniciens professionnels passent beaucoup de temps ici. Les autres passent leur chemin.

La plupart des éléments de la zone Système de Windows 7 sont assez compliqués. N'y touchez pas si vous n'êtes pas sûr de ce que vous faites, ou si quelqu'un du support technique ne vous a pas demandé de modifier un paramètre. Pour en avoir un aperçu, lisez l'encadré consacré au réglage des effets visuels de Windows 7.

Accélérer le PC en réduisant les effets visuels

Tout en moulinant des chiffres en coulisses, Windows 7 tente d'en mettre plein la vue par des effets visuels : les menus et les fenêtres s'ouvrent et se ferment en douceur, une ombre esthétique borde les cadres et le pointeur de la souris. Si la carte graphique du PC est suffisamment musclée, le cadre des fenêtres est transparent, permettant de distinguer ce qu'il y a dessous.

Tous ces effets exigent des calculs graphiques qui ralentissent quelque peu Windows 7. Pour privilégier les performances, allez dans le Panneau de configuration, choisissez la catégorie Système et sécurité, puis Système et, dans le volet de gauche, cliquez sur Paramètres système avancés. Dans la boîte de dialogue Propriétés système, cliquez sur l'onglet Paramètres avancés. À la rubrique Performances, cliquez sur le bouton Paramètres.

Pour que le PC mouline aussi vite que possible, activez l'option Ajuster afin d'obtenir les meilleures performances. Windows se passe de tous les effets graphiques et revient à un affichage plus classique, pour ne pas dire désuet, qui ressemble beaucoup à Windows 98. Pour revenir à un affichage plus flatteur mais plus lent, choisissez l'option Laisser Windows choisir la meilleure configuration pour mon ordinateur.

Libérer de l'espace sur le disque dur

Windows 7 occupe de la place sur le disque dur, mais nettement moins que Vista auquel il a succédé. Si le disque dur est très rempli et que des programmes se plaignent de ne pas avoir assez de place, cette manipulation libérera de l'espace :

1. **Cliquez sur le bouton Démarrer, choisissez Panneau de configuration, puis la catégorie Système et sécurité. Ensuite, à la rubrique Outils d'administration, cliquez sur Libérer de l'espace disque.**

   Si le PC possède plus d'un disque dur (NdT : Ou si le disque dur a été partitionné en deux unités logiques), Windows 7 demande quel lecteur doit être nettoyé. Choisissez le lecteur C: puis cliquez sur OK.

   Le programme Nettoyage de disque calcule l'espace qui peut être récupéré.

2. **Cochez les cases des éléments à supprimer puis cliquez sur OK.**

   Windows 7 présente la fenêtre Nettoyage de disque dur de la Figure 12.4. Cochez toutes les cases et cliquez sur OK. Quand vous sélectionnez l'intitulé d'une case, la rubrique Description, dans la partie inférieure de la fenêtre, explique ce que vous supprimerez.

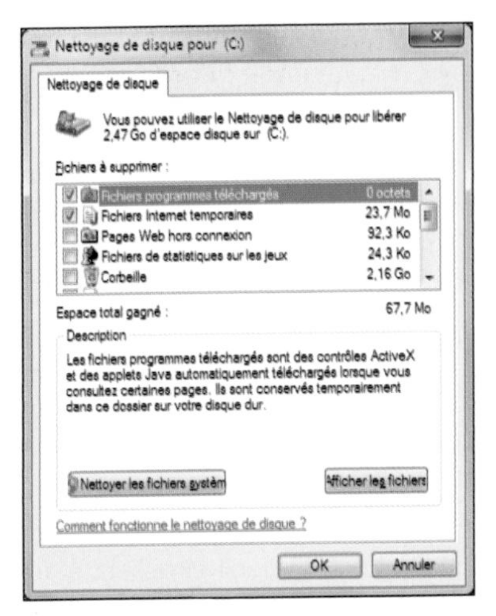

Figure 12.4 : Veillez à cocher toutes les cases.

Si le bouton Nettoyer les fichiers système est visible en bas à gauche, cliquez dessus. Windows éliminera ainsi les scories laissées pas lui, et non par vous.

3. **Cliquez sur Supprimer les fichiers, lorsque Windows 7 vous demandera confirmation.**

   Windows 7 vide la Corbeille, détruit les fichiers laissés dans l'ordinateur par des pages Web visitées et supprime bien d'autres éléments abandonnés dans le disque dur par divers programmes.

Pour accéder rapidement au nettoyeur de disque, cliquez sur le bouton Démarrer et tapez Nettoyeur de disque dans le champ Rechercher.

Ajouter des fonctions au bouton d'alimentation

Normalement, un appui prolongé sur le bouton marche-arrêt de votre PC l'éteint, que Windows 7 soit prêt ou non à cet arrêt forcé. C'est pourquoi vous devez systématiquement quitter Windows 7 proprement, en cliquant sur son bouton Arrêter qui se trouve en bas à droite du menu Démarrer, après avoir cliqué sur le petit bouton fléché à côté de l'icône en forme de cadenas. Windows 7 se prépare alors à la fermeture.

Pour éviter de malmener Windows 7 par une extinction intempestive, reprogrammez le bouton marche-arrêt de votre ordinateur portable ou de bureau de manière à ce qu'il n'éteigne pas le PC. Faites qu'il le mette en veille, le nouveau mode d'économie d'énergie de Windows 7.

Si votre ordinateur est un portable, cette zone permet aussi de contrôler ce qui se passe lorsque vous fermez le couvercle : l'ordinateur doit-il s'éteindre ou se mettre en veille ?

Procédez comme suit pour modifier le comportement du bouton marche-arrêt :

1. **Cliquez sur le bouton Démarrer, puis sur Panneau de configuration, et sélectionnez la catégorie Système et sécurité.**

2. **Cliquez sur Options d'alimentation.**

   La fenêtre de gestion de l'alimentation apparaît.

3. **Dans le volet de gauche, cliquez sur Choisir l'action du bouton d'alimentation.**

   La fenêtre qui apparaît contient un menu permettant de choisir l'action à effectuer : Ne rien faire, ce qui empêche quiconque d'éteindre l'ordinateur, Veille, Mettre en veille prolongée (la différence entre la veille et la veille prolongée est décrite au Chapitre 2) ou Arrêter.

   Un ordinateur portable contient un menu supplémentaire à cette page, permettant de choisir un comportement différent selon qu'il est branché à une prise de courant ou selon qu'il fonctionne sur sa batterie. Un autre menu permet de configurer l'action à effectuer lors de la fermeture du couvercle, à encore selon que l'ordinateur est sur secteur ou sur batterie.

Pour accéder rapidement à cette fenêtre, tapez **Options d'alimentation** dans le champ Rechercher du menu Démarrer.

Configurer des périphériques rétifs (y a-t-il un pilote dans l'ordinateur ?)

Windows est doté d'une kyrielle de *pilotes,* ces petits programmes qui lui permettent de communiquer avec les périphériques que vous connectez à l'ordinateur. Normalement, Windows 7 reconnaît un nouveau matériel, qui fonctionne aussitôt. Parfois, il fait une incursion sur l'Internet afin d'y récupérer quelques instructions avant de finir l'installation.

Mais de temps en temps, vous installez un périphérique qui est, soit trop nouveau pour Windows 7, soit trop vieux pour qu'il ait cru bon de s'embarrasser d'un pilote hors d'âge. Ou alors, un équipement relié au PC fonctionne mal, et un message signale qu'il faut installer un nouveau pilote.

Si Windows 7 ne reconnaît ni n'installe automatiquement un nouveau périphérique qui vient d'être connecté, et cela même après avoir redémarré le PC, essayez ce qui suit :

1. **Visitez le site Web du fabricant et téléchargez le plus récent pilote pour Windows 7.**

   L'adresse du site d'un fabricant figure souvent sur l'emballage, dans le manuel ou dans le CD d'installation. Si vous ne le trouvez pas, recherchez le nom du fabricant sur Google (`www.google.fr`) et localisez son site Web.

   NdT : Sur un emballage, l'adresse Web d'un fabricant est souvent celle de la maison mère, et le site est souvent en anglais. Essayez l'adresse avec une extension `.fr` (exemple : `www.netgear.fr` au lieu de `www.netgear.com`) pour accéder directement au site francophone. Cette astuce fonctionne souvent mais pas toujours.

   Le site ne propose aucun pilote pour Windows 7 ? Essayez avec celui pour Windows XP ou Windows 2000, car ils conviennent souvent (et n'oubliez pas de soumettre *tous* les fichiers téléchargés à l'antivirus).

2. **Exécutez le programme d'installation du pilote.**

   Parfois, double-cliquer sur le fichier téléchargé démarre le programme d'installation, qui se charge de tout. Dans ce cas, vous en avez fini. Autrement, passez à l'Étape 3.

   Si le fichier téléchargé arbore une fermeture Éclair, cliquez dessus du bouton droit et choisissez Extraire tout afin de décompresser son contenu dans un nouveau dossier. Ce dernier porte le même nom que le fichier décompressé, ce qui permet de le localiser plus facilement.

3. **Cliquez sur le bouton Démarrer, puis sur Panneau de configuration. Cliquez sur Système et sécurité puis sur Système. Dans le volet de gauche, cliquez sur le lien Gestionnaire de périphériques.**

   Le Gestionnaire de périphériques contient l'inventaire de tous les éléments matériels à l'intérieur de l'ordinateur ou qui sont connectés.

4. **Cliquez sur Action, dans la barre de menus du Gestionnaire de périphériques, et choisissez Ajouter un matériel d'ancienne génération.**

   L'Assistant Ajout de matériel vous guide à travers les étapes de l'installation de votre nouveau périphérique et, au besoin, installe le nouveau pilote.

- Évitez les problèmes en procédant à la mise à jour de vos pilotes. Celui qui était dans l'emballage est peut-être déjà ancien. Visitez le site Web du fabricant et téléchargez la dernière version. Il est possible qu'il corrige des problèmes signalés par les premiers utilisateurs.
- Des problèmes avec un nouveau pilote ? Cliquez sur le bouton Démarrer, choisissez le Panneau de configuration et ouvrez la catégorie Système et sécurité, puis cliquez sur Système. Cliquez sur Gestionnaire de périphériques, dans le volet de gauche, puis double-cliquez sur le nom de la pièce incriminée, *Claviers* par exemple. Windows 7 révèle la marque et le modèle de votre matériel. Double-cliquez sur son nom et, dans la fenêtre Propriétés de Périphérique, cliquez sur l'onglet Pilote. Cliquez sur le bouton Version précédente. Windows 7 remplace le nouveau pilote par le précédent.

Nettoyer l'ordinateur

Le nettoyage de l'ordinateur dont il est question dans cette section n'a rien à voir avec les tâches informatiques, comme le nettoyage du disque dur évoqué précédemment. Il est question ici de chiffons et de produits ménagers, et c'est à vous qu'incombe cette corvée.

Le nettoyage de la souris

Si le pointeur de la souris se déplace par saccades et devient erratique, c'est probablement parce que la souris est encrassée par tout ce qu'elle a récolté lors de ses innombrables allées et venues sur le tapis (lequel peut lui aussi s'encrasser et gêner le bon fonctionnement du mulot). Voici comment décrasser une souris mécanique ou optique :

1. **Retournez la souris et décrassez sa base.**

   La souris doit être bien à plat contre le tapis pour fonctionner correctement.

2. **Examinez le dessous de la souris.**

   Si elle comporte une boule dans un logement, continuez à l'Étape 3.

   Si vous voyez une petite lumière généralement rouge, passez à l'Étape 4.

3. **Nettoyez la boule et les rouleaux d'une souris mécanique.**

   Pivotez le petit couvercle circulaire et ôtez la boule. Nettoyez soigneusement toutes les saletés qui s'y sont incrustées et soufflez la poussière accumulée dans l'orifice. Utilisez une bombe à air comprimé (en vente dans les boutiques d'informatique et les papeteries) ou une soufflette. Elle éliminera aussi les miettes qui auraient pu obstruer les minuscules orifices des deux roues à claires-voies placées entre les cellules photoélectriques.

Ôtez toutes les miettes, poussières, cheveux et décrassez les rouleaux. Frottez-les avec un coton-tige imbibé d'alcool jusqu'à ce qu'ils soient parfaitement lisses et brillants, car leur encrassement est à l'origine de la plupart des dysfonctionnements.

Replacez la boule dans son logement puis verrouillez son couvercle circulaire.

4. **Nettoyez la souris optique.**

   Dans une souris optique, la boule en caoutchouc est remplacée par un minuscule rayon Laser. Comme elle est dépourvue de pièces mobiles, une souris mécanique nécessite peu d'entretien. Il suffit d'ôter de temps en temps les miettes ou cheveux qui peuvent se déposer sur ou autour de la source de lumière.

   Assurez-vous aussi que la souris optique se déplace sur une surface texturée peu brillante. Si votre bureau est en verre ou brillant (bois poli, polyester…), placez la souris sur un tapis.

Si, bien que nettoyée, la souris ne fonctionne toujours pas bien, il faudra peut-être la remplacer. Mais avant d'en arriver là, vérifiez ces points :

- La pile des souris sans fil s'épuise assez rapidement. Vérifiez-la et assurez-vous aussi que la souris est à portée du récepteur connecté à l'ordinateur, généralement dans un port USB.
- Vérifiez les paramètres de la souris : cliquez sur Démarrer, choisissez le Panneau de configuration, allez à la catégorie Matériel et audio puis, sous Périphériques et imprimantes, cliquez sur Souris. Voyez si un paramètre ne serait pas de toute évidence erroné.

Nettoyer l'écran

Ne projetez jamais directement du nettoyant à vitres sur un écran cathodique, car il risque de s'infiltrer à l'intérieur, risquant d'abîmer les circuits. Projetez-le d'abord sur un chiffon doux puis nettoyez. N'utilisez jamais de papier car il pourrait rayer le verre.

Pour le nettoyage d'un écran plat, utilisez un chiffon doux qui ne peluche pas et soit imprégné à part égale d'eau et de vinaigre. Nettoyez aussi le cadre, s'il n'est plus très propre.

Nettoyer le clavier

Secouer le clavier au-dessus de la corbeille à papier n'est pas la meilleure solution. Il est préférable de quitter Windows, d'éteindre l'ordinateur et de débrancher le clavier. S'il s'agit d'un clavier USB, vous pouvez le déconnecter « à chaud », sans même éteindre l'ordinateur.

Emportez-le à l'extérieur et secouez-le vigoureusement pour faire tomber les débris. Si les touches sont crasseuses, projetez un produit de nettoyage ménager sur un chiffon et nettoyez méticuleusement les côtés des touches (comme il y en a plus d'une centaine, la tâche est assez rébarbative).

NdT : Parcourir les touches avec la buse nue d'un aspirateur de ménage est efficace. Mais le risque d'aspirer des touches mal fixées n'est pas négligeable.

Rebranchez le clavier et rallumez l'ordinateur. Votre clavier est à présent (presque) comme neuf.

Chapitre 13

Partager l'ordinateur en famille

Dans ce chapitre

- Les comptes d'utilisateurs.
- Configurer, supprimer ou modifier des comptes d'utilisateurs.
- Se connecter à l'écran d'accueil.
- Passer rapidement d'un utilisateur à un autre.
- Échanger des fichiers entre des comptes d'utilisateurs.
- Changer l'image d'un compte d'utilisateur.
- Les mots de passe.

Windows 7 se distingue par son graphisme très classe, des fonctions de recherche élaborées et même un magnifique jeu d'échecs. Partant du principe qu'un ordinateur est souvent à la disposition de plusieurs personnes, Microsoft a aussi amélioré la sécurité. La sécurité de tous : Windows 7 envoie des mises en garde à foison.

L'un des points cruciaux de la sécurité est de permettre à plusieurs personnes d'utiliser un même ordinateur sans que les uns puissent farfouiller dans les fichiers des autres.

Comment ? En attribuant à chacun un compte d'utilisateur qui sépare nettement l'actuel utilisateur de l'ordinateur de ceux qui y ont aussi accès. Quand quelqu'un ouvre une session avec son propre compte d'utilisateur, l'ordinateur affiche son Bureau à lui, avec son arrière-plan personnalisé, ses icônes, ses programmes et bien sûr ses fichiers, mais sans qu'il puisse accéder aux éléments d'autrui.

Ce chapitre explique comment configurer un compte d'utilisateur pour chaque membre de la famille – ou tout groupe de personnes – et faire en sorte qu'un visiteur puisse relever son courrier électronique et vaquer à quelques menues tâches informatiques.

Les bons comptes font les bons utilisateurs

Windows 7 exige la création d'un compte d'utilisateur pour chaque personne utilisant votre PC. Il existe trois sortes de comptes : Administrateur, Standard et Invité. Lorsqu'il s'installe devant l'ordinateur, un utilisateur clique sur son nom de compte, comme à la Figure 13.1.

Figure 13.1 : Dans Windows 7, l'utilisateur clique sur son compte pour accéder à sa zone de travail.

L'intérêt de ces différents types de comptes est que chacun permet ou ne permet pas d'effectuer telle ou telle tâche. Si l'ordinateur était un vaste appartement, le compte Administrateur serait le propriétaire, chaque compte Standard un locataire, et le compte Invité quelqu'un qui voudrait utiliser la salle de bains. Voici l'équivalent de ce petit monde dans l'univers informatique :

- **Administrateur :** Le compte Administrateur contrôle la totalité de l'ordinateur, décidant qui utilise quoi et ce que chacun a le droit d'en faire. C'est généralement le propriétaire de l'ordinateur qui bénéficie de ce droit absolu. Il octroie les comptes à chacun des membres de la famille et use de son droit régalien pour décider selon son bon plaisir ce que chacun a l'insigne privilège de pouvoir faire.

- **Standard :** Les possesseurs d'un compte Standard peuvent utiliser largement l'ordinateur, mais sans pouvoir le modifier significativement. Ils ne peuvent pas installer des programmes, mais peuvent les exécuter. Dans Windows XP, ces comptes Standard s'appelaient des « comptes limités ».

- **Invité :** Les invités peuvent utiliser l'ordinateur, mais ils ne sont pas reconnus par leur nom. Un compte Visiteur ressemble à un compte Standard, mais sans confidentialité : quiconque ouvre une session Invité trouve le Bureau tel que le prédécesseur l'a laissé en sortant. Ce compte est parfait pour aller sur Internet, mais pas plus.

Voici comment les comptes sont généralement répartis :

- Dans une famille, les parents détiennent généralement un compte Administrateur, les enfants des comptes Standard et la baby-sitter ouvre une session avec le compte Invité.
- Dans une collectivité ou une colocation, le propriétaire de l'ordinateur détient le compte Administrateur, et les autres personnes ont un compte Standard ou Invité, selon le degré de confiance qui leur est accordé (et le désordre qu'ils ont laissé dans la cuisine).

Pour éviter que quelqu'un d'autre ouvre une session avec votre compte d'utilisateur, vous devez le protéger par un mot de passe. Cette formalité est décrite à la section « Mot de passe et sécurité », plus loin dans ce chapitre.

Dans Windows XP, tout nouveau compte que vous créiez était *ipso facto* de type Administrateur, sauf si vous cliquiez sur le bouton d'option Limité. Pour plus de sécurité, Windows 7 inverse la procédure : désormais, tout nouveau compte est Standard. Un compte Administrateur doit être expressément demandé.

S'octroyer un compte Standard

Lorsqu'un programme malveillant parvient à s'introduire dans l'ordinateur, et que la session est ouverte avec un compte Administrateur, ce logiciel bénéficie de tous vos pouvoirs. C'est dangereux car un compte d'administrateur permet de supprimer quasiment n'importe quoi. C'est pourquoi Microsoft suggère de créer deux comptes pour vous-même : l'un Administrateur, l'autre Standard. C'est ce dernier que vous utiliserez pour votre travail quotidien.

En procédant ainsi, Windows 7 vous traite comme n'importe quel utilisateur Standard. Si une activité nuisible s'engage dans l'ordinateur, Windows demande de taper le mot de passe d'un compte Administrateur. Si vous le faites, il autorise l'exécution de cette activité. Mais si cette demande d'exécution est inattendue, vous saurez qu'elle est suspecte et vous réagirez en conséquence.

Ce deuxième compte peut certes être un inconvénient, mais bien faible comparé à la sécurité accrue qu'il apporte.

Configurer ou modifier des comptes d'utilisateurs

En tant que citoyens de seconde zone, les possesseurs de comptes Standard manquent de pouvoir. Ils peuvent exécuter des programmes et modifier l'image de leur compte, par exemple, voire changer leur mot de passe. Mais ce sont les Administrateurs qui détiennent le véritable pouvoir : ils peuvent en effet créer ou supprimer n'importe quel compte, interdisant à quelqu'un d'utiliser l'ordinateur (voilà pourquoi il ne faut jamais se brouiller avec l'administrateur d'un ordinateur).

En tant qu'Administrateur, vous créerez des comptes d'utilisateurs Standard pour tous ceux avec qui vous partagez l'ordinateur. Ils sont suffisamment puissants pour que l'on ne vienne pas vous enquiquiner à tout bout de champ, tout en empêchant la suppression accidentelle de fichiers importants et la pagaille que quelqu'un pourrait semer dans l'ordinateur.

Procédez comme suit pour ajouter un autre compte au PC ou modifier un compte existant :

1. **Cliquez sur le bouton Démarrer, choisissez Panneau de configuration et, dans la zone Comptes et protection utilisateurs, cliquez sur le lien Ajouter ou supprimer des comptes d'utilisateurs.**

   La fenêtre de la Figure 13.2 apparaît.

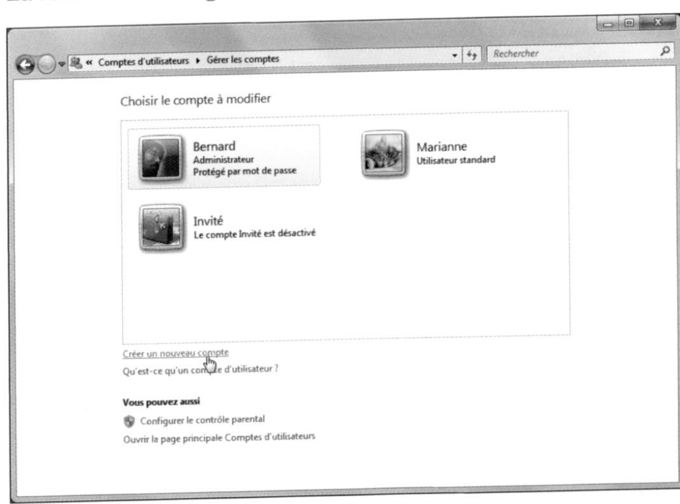

Figure 13.2 : Le gestionnaire de comptes sert à créer ou modifier des comptes d'utilisateurs.

2. **Créez un nouveau compte, si vous le désirez.**

   Après avoir cliqué sur Créer un nouveau compte, Windows vous laisse choisir entre un compte Standard ou Administrateur. Choisissez Standard, sauf si vous avez de bonnes raisons de créer un autre compte Administrateur. Saisissez le nom du compte puis cliquez sur Créer un compte, pour terminer.

   Passez à l'Étape 3 si vous désirez modifier un compte d'utilisateur.

3. **Cliquez sur le compte que vous désirez modifier.**

   Cliquez, soit sur le nom du compte, soit sur son image. La page qu'affiche ensuite Windows 7 permet de :

   - **Modifier le nom du compte :** C'est le moment de corriger une coquille ou une faute d'orthographe, ou de choisir un pseudonyme.
   - **Créer un mot de passe :** Chaque compte d'utilisateur devrait en avoir un afin d'éviter qu'il soit squatté par quelqu'un d'autre. C'est ici que vous pouvez le créer ou le modifier.
   - **Supprimer le mot de passe :** Vous ne devriez pas utiliser cette option, mais elle a le mérite d'exister.
   - **Modifier l'image :** N'importe quel possesseur de n'importe quel type de compte peut modifier la photo. Il n'est donc pas nécessaire de le faire dès maintenant.
   - **Configurer le contrôle parental :** Le contrôle parental permet de restreindre les activités sur un compte. Vous apprenez quels programmes ont été utilisés par le détenteur du compte et quels sites Web il a visités, listés par date et heure. Cette fonction est décrite au Chapitre 10.
   - **Modifier le type de compte :** Allez en ce lieu pour promouvoir un utilisateur Standard méritant en Administrateur tout puissant (la flagornerie est parfois payante), ou rétrogradez un Administrateur véreux en utilisateur lambda, c'est-à-dire Standard.

   - **Supprimer le compte :** N'utilisez surtout pas cette fonction inconsidérément, car la suppression d'un compte entraînerait la disparition de tous les fichiers de son détenteur. Même la Restauration du système serait incapable de les récupérer.
   - **Gérer un autre compte :** Enregistrez les modifications que vous venez de faire et commencez à modifier le compte de quelqu'un d'autre.

4. Les modifications terminées, fermez la fenêtre en cliquant sur le petit « X », en haut à droite.

Les modifications sont immédiatement prises en compte.

Passer rapidement d'un utilisateur à un autre

Windows 7 permet à une famille, une petite communauté ou un petit bureau d'utiliser le même ordinateur. Mieux, l'ordinateur conserve les programmes des uns et des autres ouverts, de sorte que Tatie Danièle peut jouer aux échecs puis quitter la partie un moment afin que Chloé puisse relever son courrier électronique. Quand Tatie Danièle reprend l'ordinateur quelques minutes plus tard, la partie d'échecs est au point où elle était précédemment, au moment où elle s'apprêtait à sacrifier le fou – c'est dingue… – pour sauver la reine.

Changer d'utilisateur

Appelée *changement rapide d'utilisateur,* la permutation entre les utilisateurs est des plus faciles. La touche Windows enfoncée – elle se trouve entre les touches Ctrl et Alt –, appuyez sur la touche L. Le bouton Changer d'utilisateur apparaît immédiatement, permettant de passer la main à quelqu'un d'autre.

Lorsque cette personne a terminé, elle ferme sa session normalement, en cliquant sur la petite flèche près du bouton Arrêt, dans le menu Démarrer, et en choisissant Fermer la session.

Rappelez-vous ces conseils lorsque vous gérez les comptes d'utilisateurs sur votre PC :

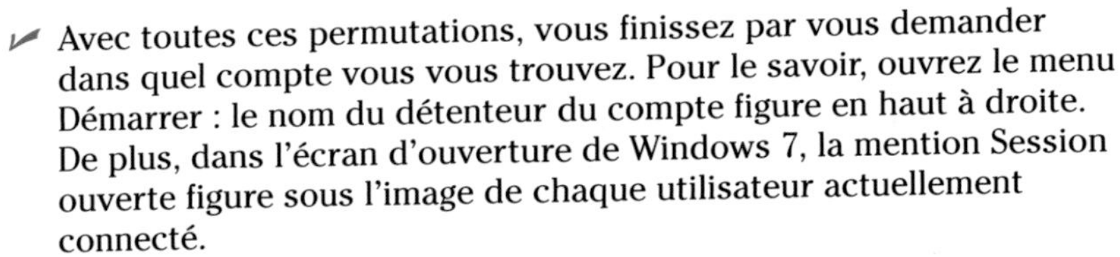

- Avec toutes ces permutations, vous finissez par vous demander dans quel compte vous vous trouvez. Pour le savoir, ouvrez le menu Démarrer : le nom du détenteur du compte figure en haut à droite. De plus, dans l'écran d'ouverture de Windows 7, la mention Session ouverte figure sous l'image de chaque utilisateur actuellement connecté.

- Ne redémarrez pas le PC pendant que d'autres personnes ont ouvert des sessions, faute de quoi elles perdraient leur travail en cours. Windows 7 vous prévient de ce risque, donnant une chance aux autres utilisateurs de sauvegarder leurs fichiers.

- La permutation entre les utilisateurs est aussi possible en cliquant sur le bouton Démarrer, puis sur la petite flèche à droite du cadenas, et en choisissant enfin l'option Changer d'utilisateur.

- Si vous désirez modifier un paramètre de sécurité pendant que votre enfant est sur l'ordinateur, il n'est pas nécessaire d'activer un compte Administrateur. Modifiez directement le paramètre depuis votre compte et, à l'instar de ce qui ce serait produit si votre enfant l'avait fait, Windows 7 demande un mot de passe. Tapez celui d'un Administrateur et Windows vous permet de changer la configuration, exactement comme si vous aviez ouvert une session sous votre nom.
- La fonction Changement rapide d'utilisateur ralentit les ordinateurs qui manquent de mémoire vive. Évitez cette fonction si votre PC rame lorsque plusieurs comptes sont ouverts. N'ouvrez qu'un seul compte à la fois, en demandant à la personne qui l'utilise de le fermer lorsqu'elle cessera de travailler sur l'ordinateur.

Les servitudes des comptes Standard

Les détenteurs de compte Standard accèdent librement à leurs propres fichiers. Mais ils ne peuvent rien faire qui affecterait les autres utilisateurs, comme supprimer des programmes ou modifier des paramètres de l'ordinateur, ni même régler l'horloge. S'ils essayent, Windows 7 gèle l'écran, exigeant un mot de passe d'Administrateur. C'est alors qu'un administrateur doit se déranger – jamais tranquille... – pour accéder à la demande.

Bien que certaines personnes apprécient ce surcroît de sécurité, d'autres ont l'impression d'être inféodées à leur PC. Il existe diverses manières de rendre Windows 7 moins exigeant :

- **Accorder un compte Administrateur à tout le monde :** Cette promotion autorise tout le monde à taper le mot de passe que demande l'écran d'alerte. C'est extrêmement risqué car n'importe qui peut faire n'importe quoi, y compris supprimer des comptes d'utilisateurs et tous les fichiers personnels qu'ils contiennent.
- **Régler la glissière de protection du compte d'utilisateur :** Choisissez cette option décrite au Chapitre 10 et Windows cesse d'être aux petits soins. Il n'affiche plus le panneau de demande de permission et ne s'occupe plus de la sécurité. Mettez la glissière au niveau le plus élevé, et Windows 7 vous interroge systématiquement au moindre risque pour votre PC.
- **Faire avec :** Vous pouvez considérer que les incessantes interventions des écrans sécuritaires de Windows 7 sont le prix à payer pour vivre à peu près tranquille dans ce qui est devenu une véritable jungle informatique. Définissez vous-même le degré de confort et de sécurité.

Si vous avez désactivé le contrôle du compte d'utilisateur et que vous désirez le rétablir, ouvrez le Panneau de configuration, choisissez la catégorie Comptes et protection utilisateurs, puis Comptes d'utilisateurs et enfin, cliquez sur Modifier les paramètres de contrôle de compte d'utilisateur. Mettez le curseur à la troisième graduation à partir du bas – celle à traits épais –, qui est le réglage par défaut, puis cliquez sur OK.

Partager des fichiers parmi des utilisateurs du PC

Normalement, le système de comptes d'utilisateurs fait en sorte que les fichiers de chaque utilisateur soient séparés de ceux des autres, ce qui évite effectivement que Roméo lise le journal intime de Juliette. Mais comment ferez-vous lorsque vous devrez co-rédiger un rapport avec quelqu'un, et que chacun devra donc pouvoir accéder au même fichier ? Vous pourriez certes envoyer et renvoyer le fichier par courrier électronique, ou le copier dans une clé USB que vous vous transmettrez, mais reconnaissez que c'est un peu lourd.

La solution la plus simple consiste à placer le fichier dans un dossier Public de l'une de vos bibliothèques. Ce fichier est alors visible dans la bibliothèque de tous les autres utilisateurs, permettant à chacun de l'ouvrir, le modifier ou le supprimer. Voici comment localiser les dossiers publics résidant à l'intérieur de vos bibliothèques, et y copier les fichiers à partager :

1. **Ouvrez un dossier et naviguez jusqu'au dossier contenant les fichiers que vous désirez partager.**

   Aucun dossier n'est ouvert sur le Bureau ? Ouvrez-en un en cliquant sur l'icône Bibliothèques, dans la barre des tâches.

2. **Dans le volet de navigation, à gauche, double-cliquez sur le mot Bibliothèques.**

   Cette action ouvre la fenêtre Bibliothèques, qui contient celles de Windows 7 : Documents, Vidéos, Musique et Images.

3. **Double-cliquez sur la bibliothèque dans laquelle vous désirez placer le fichier à partager.**

   Double-cliquez sur la bibliothèque Musique, par exemple, et vous accédez aux deux emplacements qu'elle contient : Ma musique et Musique publique.

   Chacune des quatre bibliothèques affiche en permanence le contenu d'un dossier public ainsi que le contenu de votre dossier personnel.

   L'intérêt d'un dossier public est que son contenu apparaît dans la bibliothèque de tous les utilisateurs. Si Éric a placé un fichier de musique dans son dossier Musique publique, il apparaîtra également dans la bibliothèque Musique de Rose, car sa bibliothèque affiche aussi le contenu du dossier Musique publique.

4. Copiez les fichiers à partager dans les dossiers publics des bibliothèques appropriées.

Vous pouvez les glisser et les déposer directement sur l'icône du dossier public du volet de navigation. Dès qu'un fichier est dans un dossier public, il est visible par tous les utilisateurs, qui peuvent les ouvrir, les modifier et les supprimer (c'est pourquoi il est plus prudent de copier les fichiers dans les dossiers publics plutôt que de les déplacer).

Voici quelques conseils à propos des dossiers publics :

- Pour savoir ce que vous partagez, examinez vos propres bibliothèques, affichées dans le volet de navigation. Par exemple, pour voir les morceaux que vous partagez, double-cliquez sur Musique pour déployer ses sous-dossiers, puis cliquez sur l'un d'eux intitulé Musique publique.
- Si vos ordinateurs sous Windows 7 sont reliés en réseau, comme décrit au Chapitre 14, vous pouvez créer un *Groupe résidentiel d'ordinateurs* offrant un moyen simple de partager les fichiers. Après en avoir créé un, n'importe qui utilisant l'un des PC de la maison peut partager n'importe quoi au travers des bibliothèques que vous avez choisies. C'est un moyen simple et commode pour échanger des photos, des musiques et des vidéos.

Modifier l'image d'un compte d'utilisateur

Passons aux choses sérieuses : le changement de la photo un peu mièvre que Windows 7 assigne automatiquement aux comptes d'utilisateurs. Elle est choisie aléatoirement parmi des photos d'animaux et d'objets hétéroclites. Il est beaucoup plus gratifiant de remplacer le portrait de chaton ou de robot par le portrait des détenteurs de comptes, à commencer par vous.

Pour changer l'image d'un compte, cliquez sur le bouton Démarrer puis sur la photo, en haut à droite du panneau. Dans la fenêtre qui apparaît, choisissez l'option Modifier votre image. Windows montre les illustrations présentées à la Figure 13.3.

Figure 13.3 : Windows propose ces illustrations comme images de compte, mais vous pouvez utiliser une de vos photos.

Pour utiliser une photo qui ne figure pas dans la photothèque, cliquez sur le lien Rechercher d'autres images. La fenêtre qui s'ouvre est celle du dossier Images, que Windows utilise notamment pour stocker les photos transférées depuis votre appareil photo numérique. Double-cliquez sur une photo qui vous plaît et Windows la colle aussitôt dans le petit cadre en haut du menu Démarrer.

Vous désirez une image qui se trouve dans votre appareil photo ou provenant du scanneur ? Voici quelques options supplémentaires :

- Vous pouvez récupérer n'importe quelle image sur l'Internet et l'enregistrer dans votre dossier Images pour en faire une image de compte (cliquez du bouton droit sur l'image et choisissez Enregistrer l'image sous).
- Ne vous inquiétez pas si l'image est trop grande ou trop petite. Windows 7 la réduit automatiquement à la taille d'un timbre-poste afin qu'elle tienne dans le cadre (NdT : En revanche, veillez à ce qu'elle soit carrée, sinon le redimensionnement la déformera).
- Tous les utilisateurs, quel que soit leur type de compte – Administrateur, Standard ou Invité –, peuvent modifier l'image de leur compte. C'est même l'un des rares éléments qu'un compte Invité puisse changer.

Mot de passe et sécurité

Rien ne sert d'avoir un compte d'utilisateur s'il n'est pas protégé par un mot de passe. Autrement, n'importe qui pourrait profiter d'un moment où vous n'êtes pas là pour fouiller dans vos fichiers.

Les comptes Administrateurs se doivent d'avoir un mot de passe. Autrement, il serait non seulement possible de fouiller dans l'ordinateur, mais aussi d'y causer des dégâts irrémédiables. À l'apparition du panneau de permission, il suffirait d'appuyer sur Entrée pour que le loup soit dans la bergerie.

Voici comment créer ou modifier un mot de passe :

1. **Ouvrez le menu Démarrer, choisissez Panneau de configuration puis sélectionnez Comptes et protection utilisateurs.**

   La fenêtre des comptes d'utilisateurs s'ouvre.

2. **Choisissez Modifier votre mot de passe Windows.**

   Ceux qui n'ont pas encore créé de mot de passe doivent, à la place, choisir Créer un mot de passe pour votre compte.

3. **Choisissez un mot de passe facile à retenir et tapez-le dans le champ Nouveau mot de passe (Figure 13.4). Retapez-le dans le champ Confirmer le nouveau mot de passe. C'est un moyen de détecter une éventuelle faute de frappe.**

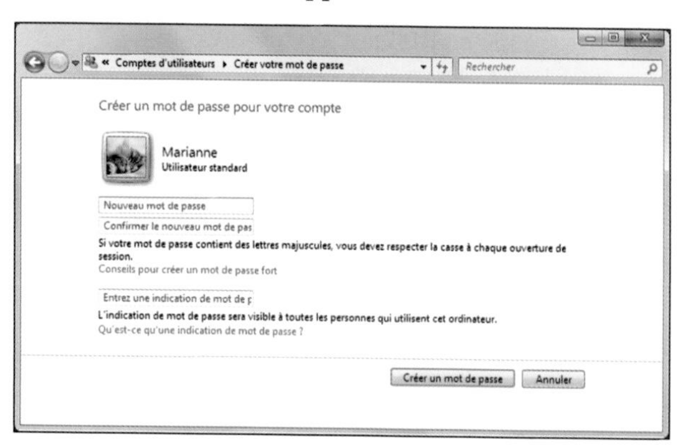

Figure 13.4 : Saisissez notamment un indice qui vous permettra de vous rappeler du mot de passe, si vous veniez à l'oublier.

La modification d'un mot de passe s'effectue un peu différemment : la fenêtre affiche un champ Mot de passe actuel dans lequel vous devez, en toute logique, taper d'abord le mot de passe existant.

Vous trouverez un peu plus loin des conseils pour créer des mots de passe sûrs.

4. **Dans le champ Entrez une indication de mot de passe, tapez un indice qui vous permettra de retrouver le mot de passe si vous l'avez oublié.**

   Veillez à ce qu'il ne soit compréhensible que par vous seul. Ne choisissez pas « Ma couleur de cheveux ». Au travail, vous pouvez choisir « La marque de croquettes du chat » ou « Mon metteur en scène préféré ». À domicile, choisissez quelque chose que vous seul connaissez, et surtout pas les enfants. N'hésitez pas à modifier le mot de passe de temps en temps. Vous en apprendrez plus sur les mots de passe au Chapitre 2.

5. **De retour dans la fenêtre des comptes d'utilisateurs, cliquez sur Créer un disque de réinitialisation de mot de passe, dans le volet gauche.**

   Ce disque peut être créé sur une disquette, dans une carte mémoire ou dans une clé USB.

Si vous oubliez le mot de passe, le disque de réinitialisation de mot de passe sera votre clé. Windows 7 vous autorisera à choisir un nouveau mot de passe. Mettez le disque en lieu sûr car quiconque le trouve aura accès à votre compte.

La création du disque de réinitialisation de mot de passe ne formate pas le support et ne supprime aucune donnée qui s'y trouverait. Il ajoute uniquement un fichier nommé `userkey.psw` que Windows 7 utilisera pour réinitialiser votre mot de passe.

Voici quelques conseils pour créer de meilleurs mots de passe :

- Mélangez des lettres, des chiffres et des symboles et optez pour une longueur de 7 à 14 caractères. N'utilisez jamais votre nom ou votre nom d'utilisateur. C'est la première chose que les filous essaient lorsqu'ils tentent de s'introduire dans l'ordinateur.
- Ne choisissez pas un nom aussi commun que « patate » ou « ornithorynque ». Pensez à un mot qui ne figure pas dans un dictionnaire. Combinez deux mots pour en faire un troisième (c'est ce que l'on appelle des « mots-valise »). NdT : Ou alors, utilisez un mot dans une langue rare comme l'amharique, le malayalam, le tagalog ou le suisse allemand du canton d'Appenzell.
- Notez le mot de passe sur papier, que vous cacherez au plus profond du tiroir du meuble le plus obscur de la chambre la plus reculée de l'un de vos nombreux châteaux.
- Les majuscules et les minuscules sont différenciées. *PopCorn* n'est pas la même chose que *popcorn*.

Chapitre 14

Relier des ordinateurs en réseau

Dans ce chapitre

- Les éléments d'un réseau.
- Choisir entre un réseau filaire et un réseau sans fil.
- Configurer un réseau domestique.
- Établir une connexion sans fil.
- Créer un groupe résidentiel d'ordinateurs.
- Partager une connexion Internet, des fichiers et des imprimantes.
- Dépanner un réseau.

L'achat d'un deuxième ordinateur pose un problème nouveau : comment deux PC peuvent-il partager la même connexion Internet et la même imprimante ? Et comment faire migrer les fichiers de l'ancien PC vers le nouveau ?

La solution réside dans la création d'un réseau informatique. En reliant les ordinateurs par un câble, Windows 7 les met en relation les uns avec les autres, leur permettant ainsi d'échanger des données, se connecter à l'Internet et utiliser la même imprimante.

Si les ordinateurs sont relativement éloignés les uns des autres, optez pour le réseau sans fil. Appelé aussi Wi-Fi – qui est une marque déposée –, il fait communiquer les ordinateurs grâce à une liaison par radio.

Ce chapitre explique différentes manières de relier un groupuscule d'ordinateurs. Mais soyez prévenus : ce domaine est assez compliqué. Ne vous y aventurez pas sans avoir des droits d'Administrateur, un minimum de culture informatique et les nerfs assez solides, car il peut se passer un certain temps avant que tout fonctionne enfin.

Les éléments d'un réseau

Un *réseau* est un groupe d'ordinateurs reliés entre eux afin qu'ils puissent partager des données. Qu'ils soient d'une grande simplicité ou horriblement compliqués, tous les réseaux ont trois éléments en commun :

- **Une interface de réseau :** Chaque ordinateur d'un réseau doit être équipé de sa propre interface de réseau. Il en existe de deux types : si le réseau est filaire, il s'agit d'une carte de réseau équipée d'une prise pour le câble (sur beaucoup d'ordinateurs de bureau et tous les portables, l'interface est intégrée à la carte mère). S'il s'agit d'un *réseau sans fil,* cette interface peut être une carte, voire une clé USB, qui sert d'émetteur-récepteur. Il est possible de créer un réseau à la fois filaire et sans fil car les deux technologies font bon ménage.
- **Un routeur :** Quand vous ne reliez que deux ordinateurs, chacun est capable d'échanger des données avec l'autre. En revanche, dès qu'ils sont plus nombreux, il leur faut une sorte de plaque tournante : le routeur. Chaque ordinateur est relié à un boîtier qui aiguille les données vers l'ordinateur auquel elles sont destinées.
- **Des câbles ou des émetteurs-récepteurs :** Les données sont acheminées, soit par des câbles de réseau, soit par une liaison hertzienne.

Après avoir connecté les ordinateurs entre eux par des câbles, une liaison sans fil, ou les deux à la fois, Windows 7 se mêle de la partie. S'il est dans ses bons jours, il établit aussitôt les échanges et tout communique. La plupart des réseaux informatiques sont en étoile, comme le montre la Figure 14.1.

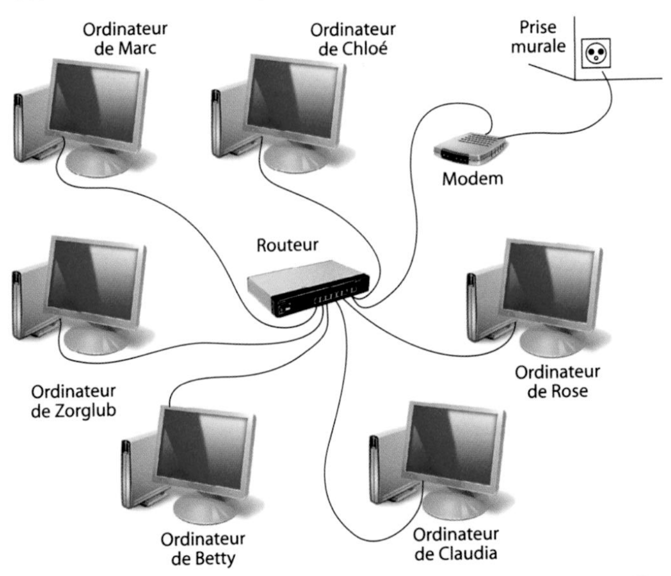

Figure 14.1 : Dans un réseau en étoile, le routeur est au centre du dispositif.

La topographie d'un réseau sans fil est fondamentalement identique, mais sans les câbles. Il est possible de mêler un réseau filaire à un réseau Wi-Fi, comme dans la Figure 14.2. Beaucoup de routeurs sont hybrides, à la fois filaire et sans fil, permettant de relier les ordinateurs aussi bien par des câbles Ethernet que par des liaisons hertziennes.

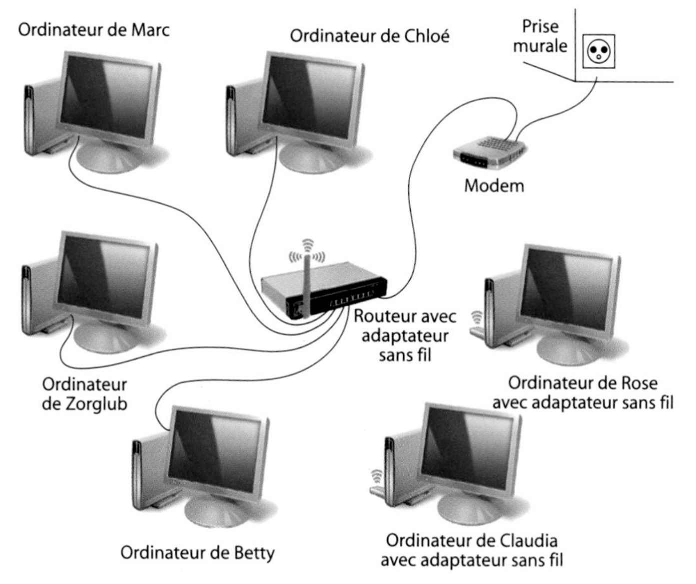

Figure 14.2 : L'ajout d'un routeur sans fil et d'adaptateurs de réseau sans fil (cartes ou USB) permet de créer un réseau hybride filaire/Wi-Fi.

Windows 7 se débrouille très bien avec les ordinateurs du réseau. Il autorise chacun à se connecter à l'Internet, permettant à tous les utilisateurs de surfer sur le Web et d'accéder à leur messagerie sans se gêner les uns les autres. Chaque ordinateur peut aussi se connecter à l'imprimante. Si deux personnes envoient simultanément un document à l'imprimante, Windows met l'un deux en attente en attendant d'être de nouveau disponible.

Que choisir ? Filaire ou sans fil ?

Aujourd'hui, le mot Wi-Fi – abrégé de *Wireless Fidelity* – est entré dans le langage courant. La Wi-Fi a mis fin en grande partie aux fouillis de câbles qui dégoulinaient de la table de l'ordinateur pour se répandre dans toute la maison et dans lesquels on se prenait les pieds. Le réseau sans fil est plus discret et plus élégant. Il repose sur des adaptateurs, en réalité des émetteurs-récepteurs qui convertissent les données en ondes radio à très haute fréquence et inversement.

L'inconvénient de la Wi-Fi est l'atténuation du signal selon la distance et les obstacles, qui ralentissent peu à peu le débit. Si les ondes radio doivent franchir plus de deux murs, les ordinateurs risquent de ne pas pouvoir communiquer.

Les réseaux filaires ont un débit supérieur, sont plus efficaces et moins onéreux. Mais s'il n'est pas question qu'un câble traverse le salon et la salle de bain, la Wi-Fi est la meilleure solution. Rappelez-vous que les réseaux filaires et sans fil peuvent coexister au sein d'un même ensemble d'ordinateurs.

Pour qu'un réseau sans fil puisse accéder à l'Internet, le routeur doit être équipé d'un point d'accès sans fil incorporé.

Configurer un petit réseau

Si vous voulez créer un réseau de plus de cinq ou dix ordinateurs, vous devrez acquérir un livre plus avancé que celui-ci. Le réseau lui-même est assez facile à mettre en place, mais le partage des ressources peut s'avérer très délicat à configurer, notamment si les ordinateurs contiennent des données sensibles. Mais si vous désirez seulement relier quelques ordinateurs chez vous ou dans un petit bureau, le contenu de ce chapitre sera sans doute suffisant.

Trève de bavardage, voyons comment configurer, étape par étape, un petit réseau peu onéreux. Les sections qui suivent expliquent comment acheter les trois éléments d'un réseau – adaptateurs de réseau, câbles et routeur – pour que l'information puisse circuler entre tous les ordinateurs.

Vous trouverez des instructions plus détaillées sur la mise en réseau dans mon livre *PC Mise à niveau et dépannage Pour les Nuls* (NdT : Et aussi dans *Les Réseaux Pour les Nuls* de Doug Lowe, et dans *Créer un réseau domestique Pour les Nuls,* de Kathy Ivens).

Le moyen le plus facile de relier des ordinateurs

Peut-être voudrez-vous seulement relier deux ordinateurs rapidement et facilement afin de transférer des données de l'un à l'autre. Le moyen le plus facile et le plus direct est de les relier par un câble de réseau *croisé,* qui est une variante du câble Ethernet. Assurez-vous au moment de l'achat que le câble est bien croisé (c'est écrit en clair sur l'emballage), car avec un câble droit, la connexion directe ne pourrait pas s'établir.

Connectez les deux ordinateurs et Windows 7 établira la liaison. Si l'un des ordinateurs est connecté à l'Internet, l'autre le sera aussi.

Bref, il suffit d'un câble pour relier économiquement et facilement deux ordinateurs.

Acheter les éléments du réseau

Entrez dans une boutique d'informatique et ressortez-en avec, dans votre besace, les éléments ci-dessous, et vous serez paré pour créer le réseau :

Des câbles Fast Ethernet ou 100BaseT : Achetez un câble pour chaque ordinateur non équipé de la Wi-Fi. Vous devrez acheter des câbles Ethernet, dont les prises ressemblent à celles du téléphone, mais un peu plus grosses (les connecteurs de téléphone sont de type RJ-11, ceux du câble Ethernet de type RJ-45). Les câbles Ethernet sont aussi désignés par leur qualité : Cat-5 (de catégorie 5), Cat-5e (« e » pour *enhanced,* « amélioré », en anglais) ou Cat-6, et parfois aussi un chiffre qui quantifie leur débit maximal : 10, 100 ou 1 000, appelés aussi 10BaseT, 100BaseT ou Fast Ethernet, ou encore 1000BaseT.

Quelques immeubles sont précâblés, avec des prises de réseau aux murs, ce qui évite de devoir tirer des câbles à travers les pièces. Si vos ordinateurs sont trop éloignés pour envisager le câble, achetez du matériel Wi-Fi, décrit un peu plus loin.

NdT : Une autre solution consiste à acheminer les données par les fils électriques de l'appartement, grâce à une technique appelée CPL, « courant porteur en ligne ». La prise réseau RJ-45 de chaque ordinateur est connectée à un adaptateur branché sur une prise électrique de la maison.

Des adaptateurs réseau : Chaque ordinateur du réseau doit être équipé d'une carte réseau interne ou externe. Sur les ordinateurs récents et bon nombre de portables, la carte est intégrée, avec en plus des fonctionnalités Wi-Fi, ce qui permet de se connecter à n'importe quel réseau, filaire ou non.

Si vous devez acheter des cartes réseau, vérifiez que :

- La carte réseau est équipée d'un connecteur Ethernet 10/100. Elle peut se brancher à un port USB ou être insérée dans un emplacement libre à l'intérieur du PC.
- L'emballage indique qu'elle est Plug and Play (« branchez, ça marche ») et compatible Windows 7.

Le routeur : La plupart des routeurs sont aujourd'hui Wi-Fi et certains intègrent même un modem. Votre achat dépendra de votre connexion Internet et des cartes réseau :

- La box – LiveBox, FreeBox, NeufBox et autres – vendue ou louée par votre fournisseur d'accès Internet (FAI) est en réalité un routeur à la fois filaire et Wi-Fi.
- Un routeur par câble doit être équipé de suffisamment de ports pour y connecter tous les ordinateurs du réseau. La Figure 14.3 montre comment connecter les câbles.

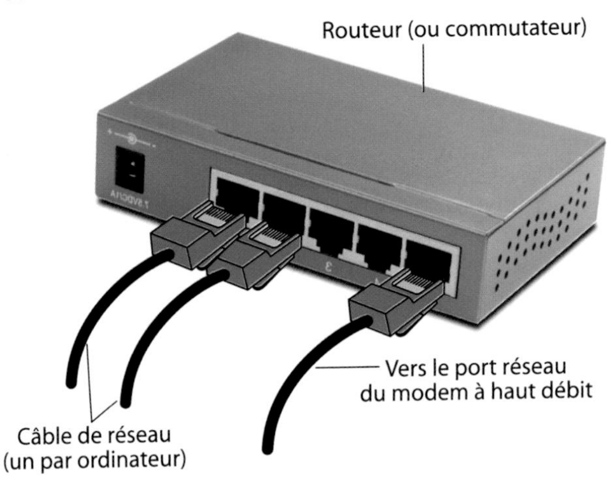

Figure 14.3 : Le routeur ou le commutateur doit comporter suffisamment de ports pour chaque câble relié à un ordinateur. Si c'est un routeur, comme sur l'illustration, il doit aussi avoir un port réservé au modem.

- Un routeur possède généralement quatre ou huit prise RJ-45.
- Si tout ou une partie de vos ordinateurs communiquent sans fil, assurez-vous que le routeur possède des capacités Wi-Fi. Si vous utilisez un commutateur, reliez-le à un point d'accès. Ce dernier peut desservir simultanément des dizaines d'ordinateurs Wi-Fi à la fois.
- Acheter la même marque de routeurs Wi-Fi et d'adaptateur de réseau Wi-Fi facilite leur configuration.

Voilà pour la liste d'achat. Il ne vous reste plus qu'à vous précipiter à la boutique informatique.

Installer un réseau filaire

Après avoir acheté les éléments du réseau, vous devrez les relier entre eux. Windows 7 devrait reconnaître automatiquement les nouvelles cartes réseau et les faire joyeusement communiquer :

1. **Éteignez et débranchez tous les ordinateurs à relier.**

   Débranchez-les aussi de la prise électrique.

2. **Débranchez tous les périphériques de tous les ordinateurs : écrans, imprimantes, box...**

3. **Installez des adaptateurs de réseau.**

   Insérez les adaptateurs USB dans les ports USB des ordinateurs. Si vous avez acheté des cartes réseau, ôtez le capot de chaque ordinateur puis insérez chaque carte dans le connecteur approprié. Si votre environnement est chargé en électricité statique, touchez le châssis de l'ordinateur afin de la décharger.

   Ne forcez pas une carte qui semble ne pas s'insérer dans le connecteur. Il existe en effet différents types de cartes pour différents types de connecteurs. Peut-être tentez-vous d'insérer une carte inappropriée. Voyez si elle s'insère mieux dans un autre connecteur (reportez-vous à mon livre *PC Mise à niveau et dépannage Pour les Nuls* pour en apprendre plus sur les divers connecteurs).

4. **Remettez le capot des ordinateurs en place puis tirez des câbles entre le routeur (ou le commutateur) et chaque ordinateur.**

   À moins d'utiliser des adaptateurs sans fil, vous devrez tirer des fils à travers la pièce, en les faisant passer sous les tapis ou contourner les portes. La plupart des routeurs doivent aussi être branchés sur le secteur.

5. **Les abonnés à l'Internet à haut débit doivent brancher leur modem (ou box) à la prise WAN du routeur.**

   Sur les routeurs, le port WAN (*Wide Area Network,* réseau étendu) est réservé au modem. Les ordinateurs se branchent sur les ports LAN (*Local Area Network,* réseau local), qui sont numérotés.

   Les utilisateurs qui se connectent en bas débit peuvent laisser leur modem téléphonique branché à l'ordinateur. Lorsque ce dernier sera allumé et connecté, tous les autres ordinateurs auront accès à l'Internet.

6. **Allumez tous les ordinateurs et leurs périphériques.**

   Rallumez les ordinateurs, les écrans, imprimantes, modems, etc.

7. Sélectionnez un emplacement pour le réseau.

Lorsqu'au démarrage Windows 7 détecte le nouvel équipement de réseau, il demande de préciser son emplacement : au domicile, sur le lieu de travail ou dans un lieu public. Windows 7 adapte automatiquement le niveau de sécurité à l'environnement choisi : sûr chez soi ou au bureau, moins sûr dans un lieu public.

En principe, Windows 7 établit aussitôt la communication. Si l'adaptateur de réseau était livré avec un CD d'installation, insérez-le maintenant (si l'installation ne démarre pas automatiquement, double-cliquez sur le fichier Setup pour la lancer).

Si au contraire tout ne s'est pas bien passé, l'adaptateur de réseau nécessite sans doute un pilote plus récent (reportez-vous au Chapitre 12).

Windows 7 se débrouille très bien avec les ordinateurs du réseau, qu'il s'agisse d'autres PC et même de Mac. Après les avoir correctement connectés et redémarrés, il y a de fortes chances pour qu'ils communiquent désormais tous entre eux. Autrement, redémarrez-les.

Souvenez-vous de ces quelques recommandations lorsque vous configurez votre réseau :

- Si vous avez choisi Réseau domestique comme lieu où se trouve le réseau, à l'Étape 7, Windows vous demande si vous désirez créer un *groupe résidentiel d'ordinateurs* afin de partager des fichiers entre des comptes d'utilisateurs de l'ordinateur, et entre les ordinateurs en réseau. Acceptez l'offre puis reportez-vous à la section « Configurer un groupe résidentiel d'ordinateurs », plus loin dans ce chapitre.

- Après avoir créé un groupe résidentiel d'ordinateurs, Windows 7 partage aussitôt vos bibliothèques Images, Musique et Vidéos avec chacun des ordinateurs du réseau. Les fichiers qui s'y trouvent sont accessibles par tout le monde. Le partage des fichiers, dossiers, imprimantes et autres éléments est expliqué un peu plus loin dans ce chapitre.

- Dans Windows XP, le dossier partagé s'appelait « Documents partagés ». Dans Windows 7, il se nomme « Public », mais les deux ont le même usage : fournir un emplacement accessible à tous les autres utilisateurs du réseau.

- Pour voir les autres ordinateurs connectés au réseau, ouvrez n'importe quel dossier puis cliquez sur le bouton Réseau, dans le volet de navigation, à gauche.

- Si les ordinateurs ne communiquent pas entre eux, assurez-vous que tous utilisent le même nom de groupe, comme expliqué dans l'encadré « Noms de groupe et Windows XP ».

Noms de groupe et Windows XP

Le nom d'un réseau est appelé « nom de groupe » et, pour quelque obscure raison, Microsoft utilise des noms différents dans les diverses versions de Windows, d'où des problèmes lorsque vous voulez mettre des ordinateurs sous Windows XP et des ordinateurs sous Windows 7 en réseau.

Sous Windows XP, les PC utilisent par défaut le nom de groupe MSHOME. Mais sous Windows 7, c'est le nom de groupe WORKGROUP qui est utilisé. Le résultat ? Reliez ces ordinateurs à un même réseau, et ils seront incapables de se reconnaître. Les PC du groupe MSHOME chercheront en vain ceux du groupe WORKGROUP et réciproquement.

La seule solution consiste à leur donner à tous un même nom de groupe, en procédant ainsi :

1. **Sur un PC sous Windows 7, cliquez sur le bouton Démarrer, cliquez du bouton droit sur Ordinateur puis choisissez Propriétés.**

   Les informations de base de l'ordinateur apparaissent.

2. **Dans le volet de gauche, cliquez sur Paramètres système avancés.**

   La boîte de dialogue Propriétés du système apparaît.

3. **Cliquez sur l'onglet Nom de l'ordinateur puis sur le bouton Modifier.**

   La boîte de dialogue Modification du nom ou du domaine de l'ordinateur apparaît.

4. **Sous l'option Groupe de travail, remplacez WORKGROUP par MSHOME.**

   L'ordinateur sous Windows 7 rejoint ainsi le même groupe que les autres ordinateurs sous Windows XP.

   Vous pouvez aussi faire l'inverse : renommer WORKGROUP le groupe d'appartenance des ordinateurs sous XP. La procédure est identique, sauf qu'il faut cliquer du bouton droit sur Poste de travail au lieu de Ordinateur, à l'Étape 1, puis cliquer sur l'onglet Nom de l'ordinateur.

   Une recommandation : ne confondez pas le nom de l'ordinateur avec le nom du groupe. Ce sont deux notions fondamentalement différentes.

5. **Cliquez sur OK pour fermer les fenêtres et, lorsque cela vous le sera demandé, cliquez sur le bouton Redémarrer maintenant.**

   Répétez ces étapes pour tous les ordinateurs du réseau en veillant à ce qu'ils aient tous un même nom de groupe.

Se connecter en Wi-Fi

La création d'un réseau domestique sans fil s'effectue en deux phases :

- La première consiste à configurer le point d'accès ou le routeur (appelé aussi « box ») qui enverra les données vers les ordinateurs et en recevra d'eux.
- La seconde est la configuration de Windows 7 sur chacun des PC afin qu'ils puissent détecter le signal puis échanger des informations.

Cette section est consacrée à ces deux délicates tâches.

Configurer un point d'accès ou un routeur sans fil

La Wi-Fi apporte le même confort que la téléphonie sans fil, mais elle est autrement plus compliquée à configurer qu'une connexion filaire. Il s'agit en effet de configurer des petits émetteurs-récepteurs radio branchés à votre ordinateur. Vous devez vous soucier de la force du signal hertzien, trouver le signal approprié et aussi entrer des mots de passe afin d'éviter que les voisins s'introduisent dans votre réseau.

Le transmetteur sans fil, connu sous le nom de WAP (*Wireless Access Point,* point d'accès sans fil), est soit intégré au routeur, soit connecté à l'un de ses ports. Les diverses marques d'équipement sans fil ont hélas développé chacune leur propre programme d'installation, de sorte qu'il est impossible de proposer des instructions étape par étape pour configurer un routeur en particulier.

Toutefois, les logiciels d'installation ont en commun ces trois paramètres :

- **Un nom de réseau :** Appelé SSID (*Service Set Identifier,* identifiant de l'ensemble des services), il identifie votre réseau. Choisissez-en un facile à retenir. Par la suite, lorsque vous vous connecterez au réseau sans fil avec l'un des ordinateurs, c'est ce nom que vous sélectionnerez. Si plusieurs SSID sont affichés, les autres sont sans doute ceux de voisins disposant eux aussi d'un réseau sans fil.
- **L'infrastructure :** C'est l'une des deux options systématiquement proposées, et que vous devez choisir. L'autre s'appelle Ad-hoc.

- **La sécurité :** Cette option crypte les données envoyées dans les airs. La plupart des routeurs ou box offrent généralement trois types de sécurité : WEP (*Wired Equivalent Privacy,* « confidentialité équivalente au filaire ») est à peine meilleur que pas de mot de passe, WPA (*Wi-Fi Protected Access,* « Accès protégé à la Wi-Fi ») est déjà mieux et WPA2 est encore mieux. Voyez dans le manuel du routeur quelles sont les protocoles de cryptage qu'il reconnaît. Notez que le niveau de sécurité du routeur doit être au moins aussi bon que celui de la sécurité de l'adaptateur ; autrement, ils ne peuvent pas communiquer.

Certains routeurs sont équipés d'un programme d'installation qui permet de modifier ces paramètres. D'autres, les box notamment, contiennent un programme incorporé auquel vous accédez à l'aide du navigateur Web, Internet Explorer par exemple.

Notez sur papier les trois paramètres que nous venons de citer, car vous devrez les entrer dans les différents ordinateurs du réseau sans fil, une tâche décrite à la prochaine section.

Paramétrer Windows 7 pour la connexion sans fil

Après avoir configuré le routeur ou le point d'accès pour qu'ils émettent des signaux, vous devez indiquer à Windows 7 comment il peut les recevoir.

Voici comment faire pour vous connecter à un réseau sans fil, que ce soit dans un lieu public (un cybercafé, un hôtel, un aéroport…) ou chez soi :

1. **Activez l'adaptateur réseau, si nécessaire.**

   Sur de nombreux ordinateurs portables, l'adaptateur Wi-Fi est inactif afin d'économiser la batterie. Pour ce faire, accédez au Centre de mobilité en appuyant sur les touches Windows+X (la touche Windows se trouve entre les touches Ctrl et Alt) et cliquez sur le bouton Activation sans fil. Il ne se passe rien ? Dans ce cas, vous devrez consulter le manuel de l'ordinateur.

2. **Cliquez sur le bouton Démarrer, puis sur Panneau de configuration. Cliquez ensuite sur Réseau et Internet, puis sur Centre Réseau et partage.**

   Le Centre Réseau et partage apparaît comme à la Figure 14.4.

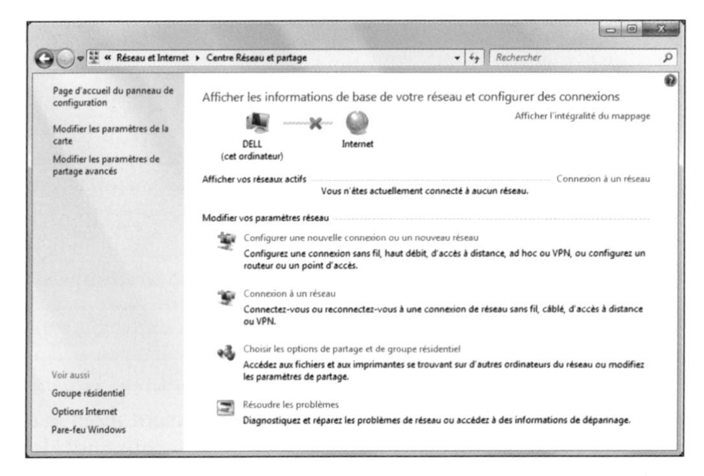

Figure 14.4 : C'est dans le Centre Réseau et partage que vous configurez le réseau. C'est là aussi que vous pouvez diagnostiquer d'éventuels problèmes.

3. Cliquez sur le lien Connexion à un réseau.

Une fenêtre apparaît dans le coin inférieur droit de l'écran, montrant tous les réseaux sans fil à proximité. Ne vous étonnez pas d'en découvrir plusieurs, comme à la Figure 14.5 : ce sont ceux de vos voisins les plus proches (qui verront eux aussi votre réseau, mais sans pouvoir y accéder).

Figure 14.5 : Windows détecte tous les réseaux Wi-Fi des environs.

Quand vous immobilisez le pointeur de la souris sur l'un des réseaux, Windows affiche plusieurs paramètres :

- **Nom :** C'est, comme nous l'avons expliqué précédemment, son SSID. Comme plusieurs réseaux sans fil peuvent émettre dans une même zone et s'interpénétrer, leur SSID permet de les différencier. Choisissez celui de votre routeur ou de votre point d'accès ou, en voyage, celui du réseau sans fil du cybercafé ou de l'hôtel.

- **Force du signal :** Ce système à barre est comparable à l'indicateur de la qualité de réception d'un téléphone mobile : plus les barres vertes sont nombreuses, plus le signal est fort. Si deux barres ou moins sont en vert, la connexion est terriblement sporadique.

- **Type de sécurité :** Les réseaux apparaissant avec la mention « Réseau non sécurisé » sont accessibles sans mot de passe. Cela signifie que vous pouvez vous y connecter et surfer aussitôt sur le Web gratuitement, même si vous ne savez pas à qui peut bien appartenir ce réseau (NdT : Un réseau ouvert, celui d'un hôtel par exemple ou d'une connexion 3G, peut cependant afficher une page Web demandant un mot de passe ou invitant à acheter de la durée de connexion). Sans mot de passe, un réseau est ouvert à n'importe qui. Les réseaux non sécurisés sont parfaits pour une incursion rapide sur le Web, mais ne sont pas du tout sûrs pour des achats en ligne. Un réseau sécurisé est en revanche plus sûr car le mot de passe filtre les importuns.

- **Type de radio :** Indique le protocole de liaison radio, ce qui permet de connaître son débit. La norme 802.11g est rapide, la norme 802.11n l'est encore plus, tandis que la norme 802.11b est lente.

Pour revenir à une étape précédente, cliquez sur le bouton fléché Précédent, en haut à gauche de la fenêtre.

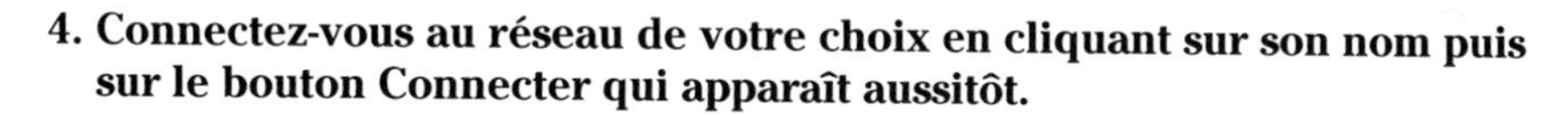

4. **Connectez-vous au réseau de votre choix en cliquant sur son nom puis sur le bouton Connecter qui apparaît aussitôt.**

Si vous vous connectez à un réseau non sécurisé, qui n'exige pas la saisie d'une clé de sécurité WEP ou WPA, la procédure est terminée. Windows 7 vous prévient des risques liés à un réseau non sécurisé (évitez les opérations bancaires ou les achats en ligne).

Si vous avez coché la case Connexion automatique, Windows se connectera automatiquement à ce réseau chaque fois qu'il le détectera, sans que vous ayez rien à faire.

Cliquer sur la double flèche circulaire, en haut à gauche du panneau de la Figure 14.5, demande à Windows de recommencer à détecter des réseaux. Utilisez ce bouton si vous vous êtes déplacé dans une zone Wi-Fi afin de bénéficier d'une meilleure connexion.

5. **Choisissez si vous vous connectez depuis la Maison, le Travail, ou un Lieu public.**

   Au moment de vous connecter, Windows 7 demande si vous vous connectez de chez vous, sur votre lieu de travail ou depuis un lieu public afin de sélectionner le niveau de sécurité approprié, qui est respectivement moyen, fort ou renforcé.

   Si vous vous connectez à un réseau non sécurisé, sans mot de passe, Windows 7 vous prévient de cette particularité. Cliquez sur Connexion et vous voilà en ligne.

   Mais si vous vous connectez à un réseau sécurisé, Windows 7 exige la saisie d'une clé de sécurité, comme il expliqué à la prochaine section.

6. **Entrez la clé de sécurité, puis cliquez sur OK.**

   Lorsque vous tentez de vous connecter à une connexion sans fil sécurisée, Windows 7 affiche une boîte de dialogue demandant la saisie d'une clé. Il s'agit le plus souvent d'un code de 26 chiffres et lettres (en majuscules).

   Ce mot de passe est celui que vous avez entré dans le routeur en configurant votre réseau sans fil.

   Si vous vous connectez au réseau sans fil d'un lieu public, il est possible que la connexion soit payante. Dans ce cas, préparez votre carte bancaire.

   Le nom du réseau sans fil n'est pas affiché ? Passez à l'Étape 6.

7. **Connectez-vous à un réseau non listé.**

   Si le nom de votre réseau sans fil n'apparaît pas, cela peut être pour deux causes :

   - **Un signal trop faible :** À l'instar des stations de radio et des émetteurs de téléphones mobiles, les réseaux sans fil ont une portée limitée. En terrain libre, sans obstacle, le signal Wi-Fi porte à une centaine de mètres, mais en intérieur, les murs, planchers et plafonds réduisent sensiblement la zone couverte. Dans ce cas, essayez de rapprocher l'ordinateur du point d'accès ou du routeur sans fil. Essayez différents emplacements en cliquant chaque fois sur le bouton Actualiser jusqu'à ce le réseau apparaisse.

   - **Le réseau est masqué :** Pour des raisons de sécurité, certains réseaux sans fil n'affichent pas leur nom. Cela signifie que vous devez connaître le nom réel du réseau et le taper pour pouvoir vous y connecter. Si vous pensez que c'est là votre problème, passez à l'Étape suivante.

8. Cliquez sur le réseau sans nom puis cliquez sur Connexion.

Lorsqu'il vous le sera demandé, entrez le nom du réseau – son SSID – et, si exigé, le mot de passe. Après avoir obtenu ces deux informations, Windows 7 ouvre la connexion.

9. Optez pour un réseau de type Réseau domestique ou Réseau de bureau.

Quand vous configurez une connexion sans fil, Windows 7 présume parfois que vous vous connectez depuis un lieu public. Il renforce donc la sécurité de votre ordinateur, ce qui rend le partage des fichiers plus difficile.

Corrigez ce comportement en optant pour un réseau domestique ou de lieu de travail. Accédez au Centre réseau et partage comme expliqué à l'Étape 2, puis cliquez sur le lien Réseau public, à la rubrique Afficher vos réseaux actifs. Dans la boîte de dialogue Définir un emplacement réseau, choisissez Réseau domestique ou Réseau de bureau.

Ne choisissez Réseau domestique ou Réseau de bureau que si vous établissez la connexion depuis votre domicile ou votre lieu de travail. Dans tous les autres cas, choisissez Réseau public afin de bénéficier d'une sécurité renforcée.

Une fois connecté, les autres ordinateurs du réseau peuvent tous accéder à l'Internet. Si vous rencontrez toujours des problèmes de connexion, voici quelques conseils qui pourront s'avérer utiles :

- Quand Windows 7 ne parvient pas à établir la connexion au réseau sans fil, il propose deux choix : Diagnostiquer la connexion ou Se connecter à un autre réseau. Ces deux messages peuvent se traduire par : « Rapprochez-vous du point d'accès ou du routeur sans fil. »
- Si vous ne parvenez pas vous connecter au réseau désiré, essayez plutôt avec un réseau non sécurisé. Il est parfait pour surfer sur le Web tant que vous ne divulguez pas de renseignements confidentiels (mot de passe, numéro de carte bancaire ou autres informations sensibles).
- Si vous tenez à en savoir plus sur les réseaux, je vous recommande la lecture de mon livre *PC Mise à niveau et dépannage Pour les Nuls* (NdT : Ainsi que *Les Réseaux Pour les Nuls* de Doug Lowe, et *Créer un réseau domestique Pour les Nuls,* de Kathy Ivens) déjà cités dans ce chapitre.

Configurer un groupe résidentiel d'ordinateurs

Un réseau peut parfois être une véritable usine à gaz. Pour résoudre les problèmes de ces réseaux compliqués, Microsoft a doté Windows 7 d'une fonction appelée *groupe résidentiel*. Elle permet de partager facilement des fichiers (documents, musique, photos, vidéos… et même l'imprimante.

Le seul inconvénient est que les groupes résidentiels ne fonctionnent qu'avec des ordinateurs sous Windows 7. Mais, même si vous n'en avez qu'un seul, configurez néanmoins un groupe afin de bénéficier de ces gros avantages :

- Les groupes résidentiels d'ordinateurs permettent aux comptes d'utilisateurs de partager rapidement et facilement leurs fichiers, bien plus efficacement que sous Windows XP ou Vista.
- Créer un groupe résidentiel sur votre PC permet de partager des fichiers avec des PC anciens tournant sous Windows XP ou Vista.

Voici comment configurer un groupe résidentiel d'ordinateurs sur un PC tournant sous Windows 7, et aussi comment se rejoindre un groupe :

1. **Cliquez sur l'icône Bibliothèques, dans la barre des tâches, pour ouvrir la fenêtre Bibliothèques.**

   À vrai dire, vous pouvez ouvrir n'importe quel dossier du PC. Ou encore cliquer sur le bouton Démarrer puis sur le bouton Ordinateur. De toutes manières, vous trouvez le bouton Groupe résidentiel d'ordinateurs dans le volet de gauche.

2. **Double-cliquez sur le bouton Groupe résidentiel d'ordinateurs, dans le volet de navigation, et dans la fenêtre qui apparaît, cliquez sur le bouton Créer un groupe résidentiel.**

   Si vous trouvez un bouton Rejoindre maintenant, cela signifie que quelqu'un a déjà créé un groupe résidentiel dans votre réseau. Après avoir cliqué sur ce bouton, passez à l'étape suivante.

   Si vous ne parvenez pas à obtenir la fenêtre Créer un groupe résidentiel, cliquez du bouton droit sur Groupe résidentiel d'ordinateurs et choisissez Modifier le groupe résidentiel.

3. **Cochez les cases des éléments à partager dans le cadre du groupe résidentiel. Cliquez ensuite sur Suivant (ou sur Enregistrer les modifications).**

La Figure 14.6 montre la fenêtre permettant de sélectionner les types de fichiers à partager avec les autres membres du groupe résidentiel (si vous êtes arrivé à cette fenêtre en cliquant sur Enregistrer les modifications, à l'étape précédente, le fenêtre sera légèrement différente).

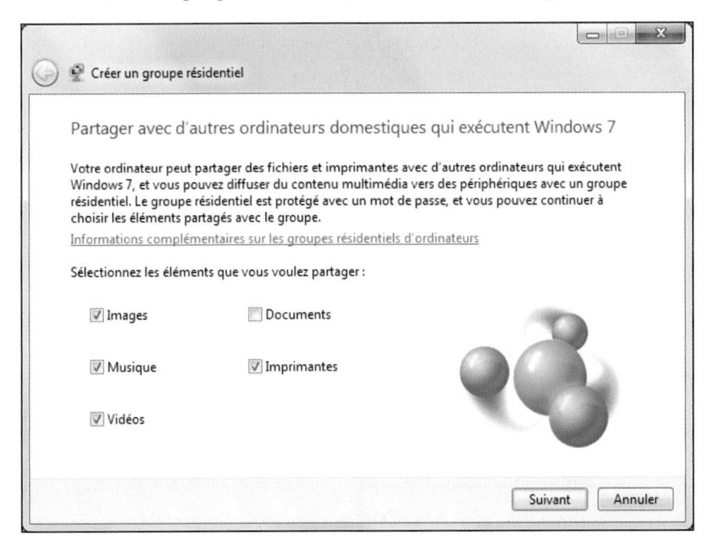

Figure 14.6 : Cochez ou décochez les éléments que vous désirez partager ou non.

Par défaut, Windows 7 propose de partager les bibliothèques Images, Musique et Vidéos ainsi que les imprimantes. La plupart des gens préfèrent ne pas partager la bibliothèque Documents car elle contient des éléments plutôt personnels.

Le partage d'un dossier autorise uniquement la consultation des fichiers : un morceau peut être écouté, ou une photo vue, de même qu'une vidéo. Il n'autorise pas la modification ou la suppression de ces fichiers, et il n'est pas possible d'en déposer ou d'en créer dans vos dossiers.

4. Occupez-vous du mot de passe puis cliquez sur Terminer.

À cette étape, la gestion du mot de passe varie selon que vous créez un groupe ou que vous vous y joignez.

- **Création d'un groupe résidentiel :** Windows 7 propose un mot de passe, comme le montre la Figure 14.7. Il est formé d'un mélange de chiffres et de lettres en majuscules et en minuscules. C'est pourquoi vous devez être particulièrement vigilant en le recopiant.

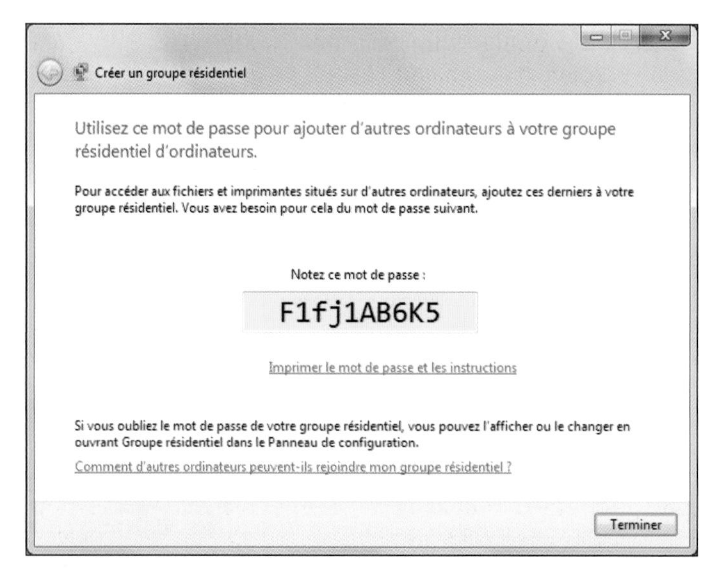

Figure 14.7 : Notez soigneusement ce mot de passe que vous devrez copier dans les autres PC sous Windows 7 du groupe résidentiel.

- **Rejoindre un groupe résidentiel :** Saisissez le mot de passe fourni par le PC sur lequel le groupe a été créé (pour voir le mot de passe, cliquez sur le bouton Groupe résidentiel d'ordinateurs, dans le volet de navigation, et choisissez Afficher le mot de passe du groupe résidentiel).

Les étapes que vous venez d'effectuer vous ont permis de créer un groupe résidentiel d'ordinateurs ou de vous y joindre. Tous les ordinateurs du groupe peuvent désormais accéder à vos bibliothèques Images, Musique et Vidéos.

- Quand vous créez ou rejoignez un groupe résidentiel, vous ne choisissez les bibliothèques à partager que dans votre propre compte d'utilisateur. Si d'autres utilisateurs de ce même PC désirent partager leurs bibliothèques, ils doivent procéder ainsi : ouvrir un dossier, cliquer du bouton droit sur le bouton Groupe résidentiel d'ordinateurs, dans le volet de navigation, et choisir Modifier les paramètres du groupe résidentiel. Ils pourront ensuite choisir les éléments à partager et enregistrer leur choix.
- Vous avez changé d'avis quant aux éléments à partager ? Procédez comme au paragraphe précédent puis cochez ou décochez les cases appropriées.

- Vous avez oublié l'indispensable mot de passe du groupe résidentiel ? Il se trouve dans chacun des PC du groupe : ouvrez un dossier, cliquez sur le bouton Groupe résidentiel d'ordinateurs, dans le volet de gauche, et choisissez Afficher le mot de passe du groupe résidentiel.
- Les PC tournant sous Windows 7 Édition Starter ne peuvent pas créer de groupe résidentiel, mais ils peuvent s'y joindre (cette version est destinée aux petits ordinateurs ultraportables bon marché).

Partager des fichiers au sein d'un groupe résidentiel

Windows 7 sépare admirablement bien les comptes afin qu'un utilisateur ne vienne pas farfouiller dans les affaires d'un autre. Mais parfois, vous voudrez justement que des fichiers soient à la disposition de tous les utilisateurs du PC. Car après tout, les photos de vacances ont été prises pour que tout le monde puisse les admirer.

La réponse réside évidemment dans le *groupe résidentiel.* Après en avoir créé dans un compte d'utilisateur, comme expliqué précédemment, chacun pourra partager sa musique, ses photos, ses vidéos et ses documents avec n'importe quel autre utilisateur de l'ordinateur ou sur le réseau.

Cette section explique comment partager certains éléments, ne pas en partager d'autres, et comment accéder aux fichiers d'autres utilisateurs du PC ou présents sur le réseau.

Choisir les éléments à partager dans un groupe résidentiel

Windows 7 n'autorise que le partage des éléments que vous avez expressément choisis. Voici comment les rendre accessibles :

1. **Ouvrez n'importe quel dossier, cliquez du bouton droit sur le bouton Groupe résidentiel d'ordinateurs, dans le volet de navigation, et dans le menu contextuel, choisissez Modifier les paramètres du groupe résidentiel.**

   Une fenêtre apparaît, similaire à celle de la Figure 14.6, contant des cases pour les quatre bibliothèques principales : Images, Musique, Vidéos et Documents.

2. **Cochez les cases des bibliothèques à partager puis cliquez sur le bouton Enregistrer les modifications.**

   La plupart des gens évitent de partager la bibliothèque Documents car elle contient des fichiers personnels ou confidentiels. Ne touchez pas à la case Imprimantes, qui doit rester cochée, afin que tous les ordinateurs du réseau puissent l'utiliser.

Quelques instants après avoir cliqué sur Enregistrer les modifications, tous les utilisateurs du PC peuvent accéder aux bibliothèques que vous avez choisi de partager.

Les éléments à partager ou non ne peuvent pas être supprimés ou modifiés par autrui à moins que vous ayez expressément accordé l'autorisation. Et pour tout savoir sur les risques encourus par la création d'un groupe résidentiel, lisez l'encadré « Mes fichiers partagés sont-ils en danger ? »

Mes fichiers partagés sont-ils en danger ?

Quand vous partagez vos bibliothèques au sein d'un groupe résidentiel, vous voulez uniquement profiter de ses avantages, comme montrer vos photos de vacances à toute votre famille. Mais personne ne doit pouvoir supprimer vos chefs-d'œuvre ou y semer la pagaille. Le partage de fichiers permet-il à quelqu'un de supprimer vos photos ou de dessiner des moustaches sur d'autres ?

Non, car le groupe résidentiel ne révèle que le contenu des bibliothèques (décrites au Chapitre 4), qui montre le contenu d'au moins deux dossiers : Votre dossier et un autre nommé Public. Leur contenu apparaît certes dans une seule et même fenêtre, mais les dossiers sont traités différemment :

- **Votre dossier :** Quand vous créez un sous-dossier ou que vous enregistrez des fichiers dans votre bibliothèque, Windows les place dans votre propre dossier. Si vous avez choisi de le partager au travers d'un groupe résidentiel, les autres personnes peuvent voir vos photos et vos vidéos, écouter vos morceaux, et même les copier à volonté. Mais fort heureusement, ils ne peuvent ni les modifier ni les supprimer.

- **Le dossier Public :** En plus d'afficher le contenu de votre dossier, les bibliothèques affichent celui d'un autre dossier, appelé Public, qui attire les convoitises de chacun. Tout ce que vous placez dans un dossier Public peut en effet être consulté, modifié ou supprimé par n'importe qui d'autre que vous. Mais comme vous avez sciemment fait le choix de placer un élément dans un dossier public plutôt que dans un dossier à vous, vous assumez le risque lié au fait de mettre un fichier entièrement à la disposition des foules.

Bref, quand vous voulez que quelqu'un d'autre intervienne sur un fichier, placez-le dans un dossier public. Autrement, si c'est uniquement pour le montrer – à titre consultatif –, placez-le dans un dossier qui vous est personnel.

Accéder aux éléments partagés par d'autres personnes

Pour voir les bibliothèques partagées appartenant à d'autres utilisateurs du PC ou du réseau, cliquez sur le bouton Groupe résidentiel d'ordinateurs (il se trouve dans le volet de navigation de tous les dossiers). Le volet de droite affiche l'icône de chacun des utilisateurs ayant choisi de partager ses fichiers.

Les noms d'utilisateurs d'autres PC tournant sous Windows 7 ayant choisi de partager leurs fichiers, connectés au réseau par câble ou par la Wi-Fi, peuvent être également affichés.

Pour parcourir les bibliothèques partagées par une autre personne du groupe résidentiel, double-cliquez sur son icône, dans la fenêtre Groupe résidentiel d'ordinateurs. La fenêtre affiche aussitôt ses bibliothèques partagées.

En plus de seulement parcourir les bibliothèques, vous pouvez :

- **Ouvrir un fichier :** Pour ouvrir un fichier se trouvant dans une bibliothèque partagée, double-cliquez sur son icône comme vous le feriez pour un fichier à vous. Si un message d'erreur apparaît, le fichier a été créé avec un programme que vous ne possédez pas. Vous devrez l'installer, ou alors demander au propriétaire du fichier de le réenregistrer dans un format lisible par un logiciel de votre ordinateur.
- **Copier un fichier :** Pour copier le fichier provenant d'un autre membre du groupe résidentiel, faites-le glisser puis déposez-le dans votre propre bibliothèque. Ou alors, cliquez sur le fichier, appuyez sur Ctrl+C, cliquez dans votre dossier de destination et appuyez sur Ctrl+V pour le copier dedans.
- **Modifier ou supprimer un fichier :** Certains éléments peuvent être modifiés ou supprimés, dans un groupe résidentiel, mais pas tous. Reportez-vous à l'encadré « Mes fichiers partagés sont-ils en danger ? » pour en savoir plus.

Les groupes résidentiels ne fonctionnent malheureusement qu'entre des ordinateurs tournant sous Windows 7. Ceux qui tiennent à conserver leur ordinateur sous XP ou Vista peuvent cependant partager des fichiers et des dossiers par le réseau, en utilisant les dossiers Public et Documents partagés.

Partager des fichiers avec des PC sous Windows XP et Vista

Configurer un groupe résidentiel d'ordinateurs facilite le partage des fichiers, des dossiers et même des imprimantes entre des ordinateurs sous Windows 7. Différents comptes d'utilisateurs sur un même PC peuvent partager des fichiers en cliquant sur Groupe résidentiel d'ordinateurs, dans le volet de navigation, et en choisissant le nom d'un autre compte.

Mais quelques manipulations supplémentaires s'imposent pour pouvoir partager des fichiers avec un PC sous Windows XP ou Vista :

a) Il faut d'abord que les PC sous Windows 7 apparaissent sur les PC équipés des anciennes versions et puissent partager leurs fichiers.

b) Il faut savoir où se trouvent ces fichiers, dans les ordinateurs sous XP et Vista.

c) Enfin, vous devez savoir comment accéder aux dossiers partagés, dans les ordinateurs sous XP et Vista.

Les trois prochaines sections abordent ces trois points dans le même ordre.

Faire en sorte que les anciens PC reconnaissent les ordinateurs sous Windows 7

Les PC tournant sous Windows 7 dépendent de leur groupe résidentiel. Comme il est protégé par un mot de passe, les règles sont sans détour, facilitant ainsi le partage des informations.

Les PC tournant sous Windows XP ou Vista ne peuvent pas voir les PC sous Windows 7, sur le réseau, si vous n'appliquez pas la procédure suivante.

Assurez-vous d'avoir bien créé un groupe résidentiel sur le PC tournant sous Windows 7, avant d'exécuter les étapes suivantes.

1. **Créez un réseau comprenant les ordinateurs sous XP et Vista.**

   La création d'un réseau sous Windows XP et Vista est expliquée dans mon livre *PC Mise à niveau et dépannage Pour les Nuls* (NdT : Et aussi dans *Les Réseaux Pour les Nuls* de Doug Lowe, et *Créer un réseau domestique Pour les Nuls,* de Kathy Ivens).

2. Connectez le PC sous Windows 7 à ce réseau, comme expliqué précédemment dans ce chapitre.

La connexion peut être établie par un câble ou sans fil. Une fois établie, il faut indiquer à Windows 7 qu'il doit désormais partager ses fichiers avec des ordinateurs équipés d'anciennes versions de Windows.

3. Sur le PC sous Windows 7, cliquez sur le bouton Démarrer, puis sur Panneau de configuration. Cliquez sur Réseau et Internet, puis sur Centre Réseau et partage.

Le Centre Réseau et partage apparaît (Figure 14.8).

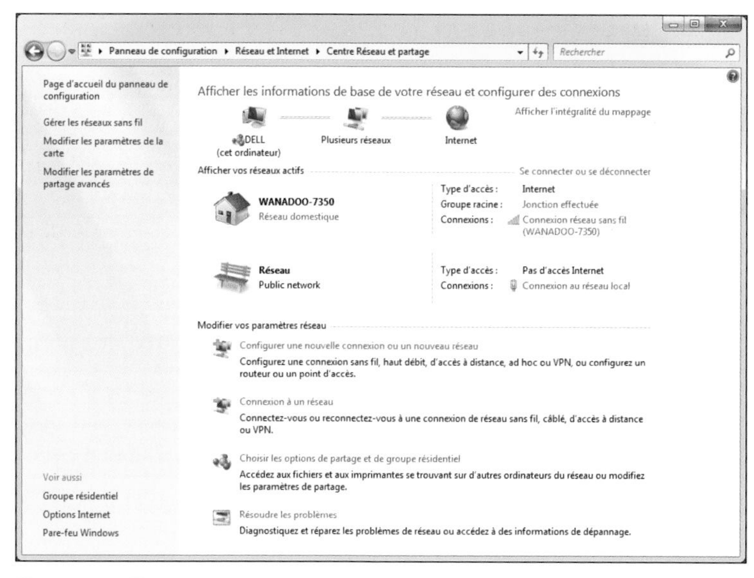

Figure 14.8 : Toutes vos connexions de réseau sont gérées à partir du Centre Réseau et partage.

Un moyen rapide d'accéder au Centre Réseau et partage consiste à cliquer sur l'icône de l'adaptateur de réseau, dans la barre des tâches, et de cliquer sur Ouvrir le Centre Réseau et partage, dans le petit panneau.

4. Dans le volet de gauche du Centre Réseau et partage, cliquez sur le lien Modifier les paramètres de partage avancés.

La fenêtre des paramètres de partage avancés apparaît (voir Figure 14.9).

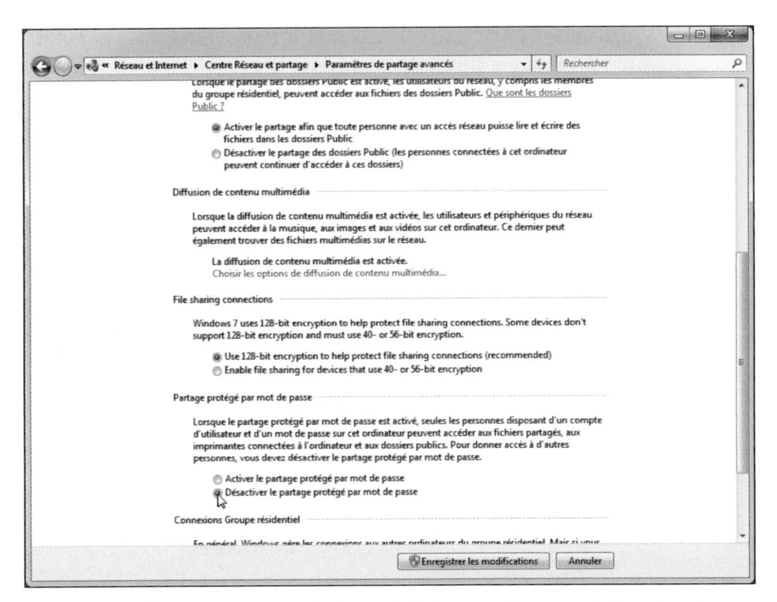

Figure 14.9 : C'est ici que vous indiquez à Windows 7 comment il doit partager des fichiers avec des versions plus anciennes de Windows.

5. Modifiez les éléments suivants dans la fenêtre des paramètres de partage :

- **Recherche du réseau :** Activez ce paramètre afin que les PC sous Windows 7 et les autres PC du réseau puissent se reconnaître.

- **Partage de fichiers et d'imprimantes :** Maintenant que les PC se sont mutuellement découverts et se connaissent par leur nom, ce paramètre leur permet de voir les fichiers ainsi que les imprimantes.

- **Partage de dossiers publics :** Activez cette option afin que n'importe qui, sur le réseau, puisse lire et modifier des fichiers dans les dossiers publics.

- **Partage protégé par mot de passe :** Cette option, en revanche, doit être désactivée. Autrement, les utilisateurs sous Windows XP et Vista devront entrer un nom d'utilisateur et un mot de passe chaque fois qu'ils tenteront d'accéder à vos dossiers publics.

Si vous possédez une console de jeu Xbox 360, activez aussi la diffusion de contenu multimédia. Votre Xbox accédera ainsi à la musique, aux photos et aux vidéos stockées dans le PC.

6. Cliquez sur Enregistrer les modifications.

Windows 7 enregistre les nouveaux paramètres, permettant ainsi aux autres PC du réseau de partager les fichiers des dossiers Public du PC sous Windows 7.

Accéder aux fichiers partagés de Windows 7 à partir d'un ancien PC

Après avoir exécuté les étapes précédentes, les PC tournant sous Windows XP et Vista peuvent voir et accéder aux fichiers placés dans n'importe lequel des dossiers publics de Windows 7. Ces PC doivent cependant savoir exactement où ils doivent les rechercher. Pour cela, les fichiers doivent se trouver à un emplacement visible par ces PC :

1. **Dans le PC sous Windows 7, placez le fichier à partager dans l'un des dossiers Public.**

   Chacune de vos bibliothèques montre le contenu d'au moins deux fichiers : le vôtre et un dossier public. Tous les éléments à partager avec les PC tournant sous XP ou Vista doivent se trouver dans un dossier Public.

2. **À partir d'un PC sous XP ou Vista, localisez l'un des dossiers public de Windows 7.**

   La manipulation diffère selon la version de Windows :

   - **Windows Vista :** Cliquez sur le bouton Démarrer puis sur Réseau. La fenêtre Réseau apparaît, montrant tous les ordinateurs du réseau. Double-cliquez sur le nom du PC sous Windows 7, double-cliquez sur le dossier Utilisateurs et vous découvrirez son dossier Public.

   - **Windows XP :** Cliquez sur le bouton Démarrer et choisissez Favoris réseau. Double-cliquez sur le nom du PC sous Windows 7 et vous voyez le dossier Public convoité.

3. **À partir d'un PC sous XP ou Vista, ouvrez le dossier Public puis ouvrez le dossier contenant le ou les fichiers partagés.**

   Double-cliquer sur le dossier Public fait apparaître la liste de tous les dossiers publics du PC sous Windows 7. Double-cliquez sur celui qui vous intéresse, qu'il s'agisse de Document, Images, Musique ou Vidéos. Vous y trouverez les fichiers partagés que vous pourrez ouvrir ou copier dans le PC sous XP ou Vista.

Supprimer des fichiers dans un ordinateur du réseau

Normalement, tout ce que vous supprimez dans l'ordinateur que vous utilisez est placé dans la Corbeille, ce qui permet de le récupérer. En revanche, tout ce que vous supprimez dans un ordinateur distant, sur le réseau, est aussitôt définitivement supprimé, sans transiter par la Corbeille. Pensez-y et faites attention !

Accédez depuis Windows 7 aux dossiers partagés dans un PC sous XP et Vista

Cette section explique comment placer les éléments à partager dans les dossiers appropriés d'un PC sous XP ou Vista, puis comment y accéder depuis un PC sous Windows 7 :

1. **Dans le PC sous XP ou Vista, placez les fichiers à partager dans le dossier partagé du PC.**

   Ce dossier partagé est à un endroit différent dans Windows XP et dans Windows Vista :

   - **Windows XP :** Cliquez sur le bouton Démarrer puis sur Poste de travail. Le dossier partagé s'appelle *Documents partagés.*
   - **Windows Vista :** Cliquez sur le bouton Démarrer puis sur Ordinateur. Dans la catégorie Liens favoris, cliquez sur le dossier *Public.*

2. **Dans le PC sous Windows 7, double-cliquez sur le PC du réseau contenant les fichiers.**

   Ouvrir n'importe quel dossier puis cliquer sur le dossier Bibliothèques, dans la barre des tâches, fait l'affaire. Recherchez l'ordinateur – sous XP ou Vista – dans la liste sous Réseau, en bas du volet de navigation.

3. **Cliquez sur le nom de l'ordinateur, sous Réseau.**

   Le volet de droite affiche le contenu de l'ordinateur sélectionné. Le dossier partagé d'un PC sous Vista s'appelle Public (voir Figure 14.10), celui d'un PC sous XP s'appelle Documents partagés.

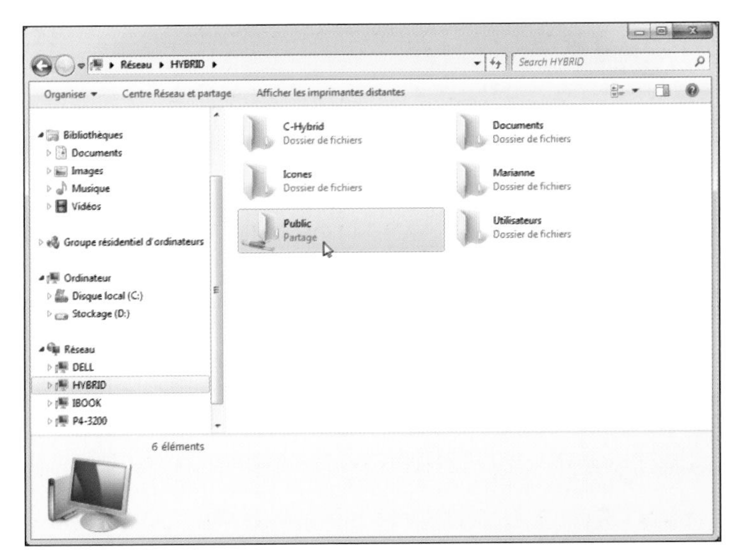

Figure 14.10 : Cliquez sur le nom d'un dossier partagé, sur le réseau, pour accéder à son contenu.

4. **Double-cliquez sur le dossier partagé pour accéder à ses fichiers et à ses dossiers.**

   Double-cliquez sur le fichier à ouvrir, ou copiez-le en le faisant glisser jusque sur le Bureau de votre ordinateur, si vous le préférez.

Partager une imprimante sur le réseau

Avec Windows 7, le partage d'imprimante est plus facile que jamais. Beaucoup de foyers ou de petites entreprises possèdent plusieurs ordinateurs, mais une seule imprimante. Et bien sûr, tout le monde doit pouvoir y accéder.

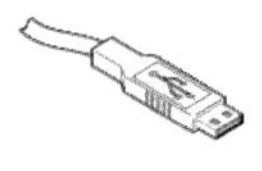

Si vous avez configuré un groupe résidentiel, comme expliqué précédemment, le partage d'une imprimante est extraordinairement facile : dès qu'une imprimante USB a été branchée à l'un des PC sous Windows 7, elle est aussitôt reconnue et opérationnelle.

De plus, Windows 7 diffuse cette information à tous les ordinateurs du réseau. En quelques instants, le nom de l'imprimante apparaît dans le menu Imprimer de tous les programmes.

Dépanner le réseau

Le paramétrage est la partie la plus ardue de la mise en réseau. Après que les ordinateurs se sont reconnus mutuellement, et connectés à l'Internet, soit directement, soit au travers d'un autre ordinateur, le réseau tourne sans problème. Sauf quand il s'en présente un... Dans ce cas, voici quelques pistes :

- Assurez-vous que le nom de groupe de chaque ordinateur du réseau est le même. Cliquez du bouton droit sur Ordinateur, dans le menu Démarrer, et choisissez Propriétés. Dans le volet gauche, choisissez Paramètres système avancés, cliquez sur le bouton Modifier puis vérifiez le nom dans Groupe de travail.
- Éteignez chaque ordinateur (proprement, avec l'option Arrêt du menu Démarrer). Vérifiez les câbles. Si vous n'utilisez pas de routeur, allumez l'ordinateur connecté à l'Internet. Lorsque la connexion Internet est établie, allumez un autre ordinateur, puis un autre.

- Au besoin, demandez à Windows 7 de vérifier puis réparer la connexion. Dans le menu Démarrer, choisissez Panneau de configuration et sélectionnez Réseau et Internet. Cliquez sur Centre réseau et partage et, dans le volet de gauche, cliquez sur Gérer les connexions réseau. Cliquez du bouton droit sur celle qui ne fonctionne pas et choisissez Diagnostiquer.

Cinquième partie

Musique, films et souvenirs

"Si je n'ai pas pris de poids, comment se fait-il que cette photo numérique a 3 Mo de plus que la même prise il y a six mois ?"

Dans cette partie...

Jusqu'à présent, ce livre avait abordé les sujets un peu arides, comme on dit dans les instituts de beauté où l'on préfère parler de peau lisse, mais cependant indispensables : le paramétrage de l'ordinateur afin qu'il puisse servir à quelque chose. Dans cette partie du livre, nous le transformons en centre de loisirs permettant :

- De regarder des DVD sur votre PC de bureau ou portable.
- D'écouter vos CD audio en voiture.
- De créer un album de photos numériques.
- De monter vos séquences vidéo.
- De créer des DVD et des diaporamas afin de visionner vos films.

N'hésitez pas à consulter cette partie du livre pour découvrir le côté divertissant de la micro-informatique.

Chapitre 15

Écouter et copier de la musique avec le Lecteur Windows Media

Dans ce chapitre

- Lire des DVD, écouter de la musique, et regarder la télévision
- Créer, enregistrer et modifier des sélections
- Copier des CD sur le disque dur, sur un autre CD ou sur un lecteur de musique mobile
- Enregistrer des émissions de télévision et des films avec Windows Media Center

Le Lecteur Windows Media de Windows 7 montre tout le matériel audiovisuel supplémentaire que vous avez acheté pour votre PC. Avec un équipement coûteux, la qualité peut être celle d'un home cinema. Mais sur un ordinateur bon marché, elle peut n'être que celle d'une sonnerie de téléphone mobile.

Le Lecteur Windows Media est parfait pour lire des CD et des DVD, classer les fichiers de musique et de films et transférer de la musique numérique sur un lecteur MP3 mobile. Mais comme il n'est compatible ni avec l'iTunes d'Apple, ni avec le Zune de Microsoft, beaucoup d'utilisateurs ne cliquent jamais sur le bouton du Lecteur Windows Media.

Ce chapitre présente Windows Media Center, un programme complètement différent du Lecteur Windows Media, qui permet de regarder la télévision sur le PC, à condition que ce dernier possède l'équipement approprié.

La bibliothèque du Lecteur Windows Media

Dès que vous commencez à l'utiliser, le Lecteur Windows Media affiche une liste parfaitement triée de toutes les musiques numériques, photos, vidéos et émissions de télévision enregistrées dans votre ordinateur. Mais si cette bibliothèque multimédia n'a pas été créée, vous devrez lui demander de la faire en procédant comme suit :

Démarrer le Lecteur Windows Media pour la première fois

La première fois que vous démarrez le Lecteur Windows Media, un écran d'accueil vous demande comment il doit gérer la confidentialité, le stockage, les magasins en ligne et autres paramètres. Deux options sont proposées :

- **Paramètres recommandés :** Conçue pour les impatients, cette option charge le Lecteur Media avec les paramètres définis par Microsoft. Il est déclaré comme lecteur par défaut pour tous vos morceaux et vidéos (supplantant les prérogatives d'iTunes ou tout autre lecteur de média, si l'un d'eux est installé).
- **Paramètres personnalisés :** Apprécié des connaisseurs, ce choix permet de peaufiner le comportement du Lecteur Windows Media. Une succession de boîtes de dialogue propose de choisir les types de fichiers audiovisuels que le Lecteur Windows Media est capable de lire, les habitudes d'écoute que vous consentez à transmettre à Microsoft et les magasins en ligne qui vous intéressent.

Pour paramétrer le Lecteur Windows Media – que vous l'ayez préalablement configuré en mode Rapide ou Personnalisé –, maintenez la touche Alt enfoncée afin de révéler les menus, et choisissez Outils puis Options.

Le Lecteur Windows Media peut aussi être démarré depuis la barre Lancement rapide, à côté du bouton Démarrer.

Organiser ▾

1. **Dans la barre de commandes, cliquez sur le bouton Organiser et, dans le menu déroulant, choisissez Gérer les bibliothèques puis sélectionnez l'une des quatre bibliothèques proposées : Musique, Vidéos, Images ou TV enregistrée.**

   Le Lecteur Windows Media cherchera les fichiers dans la bibliothèque sélectionnée (Musique, à la Figure 15.1).

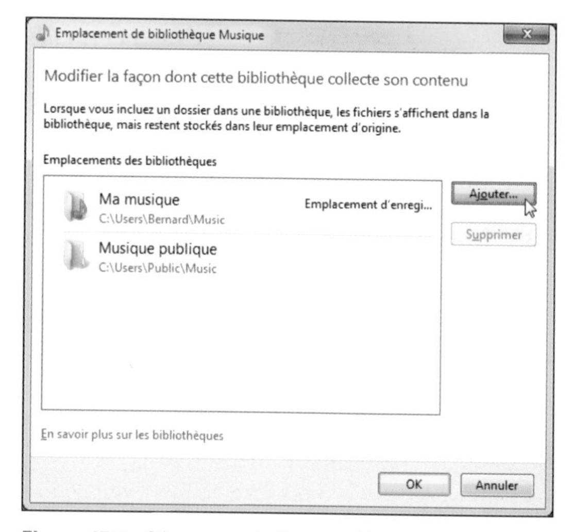

Figure 15.1 : Cliquez sur le bouton Ajouter si vous désirez que le Lecteur Windows Media parcourt d'autres dossiers.

Pour ajouter dans le Lecteur Windows Media des morceaux provenant d'autres dossiers et lecteurs – y compris sur un autre ordinateur du réseau –, vous devrez lui indiquer cet emplacement.

2. **Cliquez sur le bouton Ajouter, sélectionnez le dossier contenant les fichiers, cliquez sur le bouton Inclure le dossier, puis cliquez sur OK.**

   Cliquer sur le bouton Ajouter affiche la fenêtre Inclure le dossier dans Musique. Le Lecteur Windows Media commence par ajouter tous les fichiers qu'il contient dans la bibliothèque de musiques, puis il surveillera ce dossier en permanence, ajoutant ensuite automatiquement à sa bibliothèque tous les nouveaux fichiers qu'il trouvera.

   Répétez les étapes de cette section pour rechercher des fichiers chaque fois que vous en avez envie. Le Lecteur Windows Media ignore ceux qui ont déjà été catalogués et n'ajoute que les nouveaux.

   Pour demander au Lecteur Windows Media de cesser de surveiller un dossier, répétez les étapes mais, à l'Étape 3, cliquez sur le dossier à ne plus surveiller, puis sur le bouton Supprimer (visible à la Figure 15.1).

Le Lecteur Windows Media montre les fichiers qu'il a collectés (Figure 15.2) et continue d'enrichir sa bibliothèque de la manière suivante :

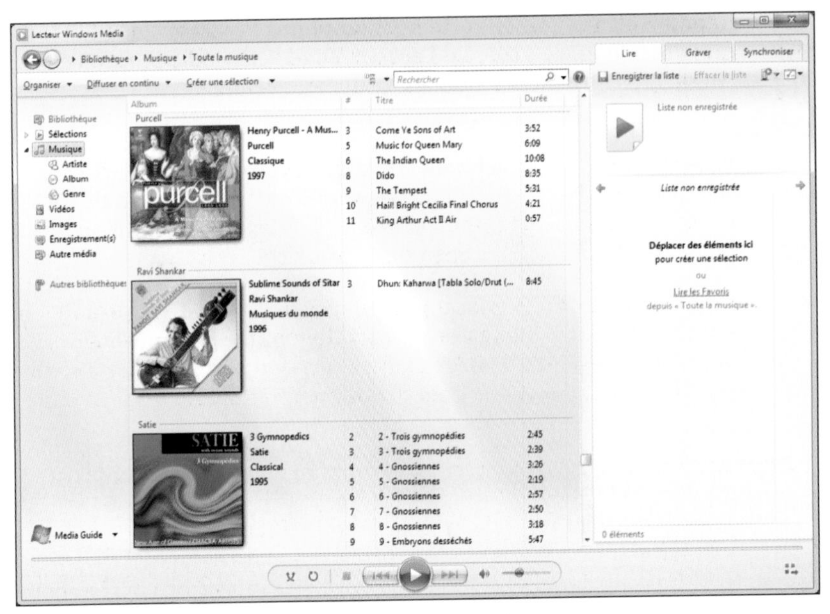

Figure 15.2 : Cliquez sur un morceau, à droite, pour l'écouter.

- **La surveillance du dossier Public :** Le Lecteur Windows Media catalogue automatiquement tout ce qui a été placé dans le dossier Public de votre ordinateur par d'autres comptes d'utilisateurs, ou par un utilisateur du réseau.
- **L'ajout d'éléments lus :** Chaque fois que vous écoutez de la musique du PC ou sur l'Internet, le Lecteur Windows Media ajoute le morceau ou son adresse Internet dans sa bibliothèque afin que vous puissiez le retrouver ultérieurement. Sauf instruction contraire, il n'ajoute pas les éléments lus sur les PC du réseau, les clés USB ou les cartes mémoire.
- **L'extraction des pistes d'un CD audio :** Quand vous insérez un CD audio dans le lecteur, le Lecteur Windows Media propose d'en extraire les morceaux, autrement dit de les copier dans votre PC, comme l'explique la section « Copier des CD dans le PC », plus loin dans ce chapitre. Tout morceau extrait apparaît dans la bibliothèque multimédia (le Lecteur Windows Media ne copie malheureusement pas les films en DVD).
- **Télécharger de la musique et des vidéos téléchargés depuis des magasins en ligne :** Le Lecteur Windows Media permet d'acheter de la musique et des vidéos dans des magasins en ligne. La musique achetée est automatiquement stockée dans la bibliothèque, avec les derniers achats.

Répétez les étapes de cette section pour rechercher des fichiers chaque fois que vous le jugez utile. Le Lecteur Windows Media ignore ceux qu'il a déjà catalogués et n'ajoute que les nouveaux venus.

Vous remarquerez quelques surprises sympa dans la version 12 du Lecteur Windows Media, notamment de nouveaux *codecs* permettant de lire différents formats de fichiers audiovisuels. Il est désormais capable de lire un plus grand nombre de types de fichiers qu'auparavant.

Contrairement à la version précédente, le Lecteur Windows Media ne possède plus d'éditeur permettant de modifier les informations – autrefois appelées « balises » – décrites dans l'encadré. Il les édite à présent automatiquement, à partir d'une base de données en ligne.

À propos des informations

Dans chaque fichier de musique réside un formulaire indiquant le titre du morceau, l'artiste, l'album et autres données du même genre. Quand vous décidez de trier, d'afficher ou de classer les morceaux, le Lecteur Windows Media les lit. La plupart des lecteurs de musique mobiles, y compris l'iPod, se basent aussi sur ces informations. C'est pourquoi il est important de veiller à ce qu'elles soient exactes.

C'est à ce point crucial que le Lecteur Windows Media se connecte à Internet pour récupérer des informations et les répartit automatiquement dans le formulaire lorsqu'il ajoute le fichier à la bibliothèque.

Beaucoup de gens ne se soucient guère de ces informations. D'autres les mettent méticuleusement à jour. Si celles de vos morceaux vous conviennent, demandez au Lecteur Windows Media de ne plus s'en occuper : cliquez sur la flèche en bas du bouton Organiser, choisissez Options puis, sous l'onglet Bibliothèque, décochez la case Récupérer des informations supplémentaires sur Internet. Si c'est la pagaille dans vos informations, laissez cette case cochée afin que Lecteur Windows Media puisse y mettre un peu d'ordre.

Pour modifier les informations manuellement, cliquez du bouton droit sur le nom du morceau et choisissez Rechercher les informations sur l'album. Dans la fenêtre qui apparaît, cliquez sur le lien Modifier, sous l'album. Vous pourrez ainsi modifier le nom de l'album, de l'artiste, *etc.*

Parcourir les bibliothèques

Contrairement à la version précédente qui tentait d'intégrer toutes les commandes dans une fenêtre, le Lecteur Windows Media 12 affiche deux interfaces distinctes : la Bibliothèque d'une part, et d'autre part l'interface Lecture en cours.

La fenêtre Bibliothèque du Lecteur Windows Media affiche tout ce qui se déroule en coulisse. C'est là que vous organisez les fichiers, créez des listes de lecture – appelées « sélections » – gravez ou copiez des CD et choisissez les morceaux à écouter. En revanche, la fenêtre Lecture en cours ne montre que la pochette de l'album du morceau que vous écoutez, ou la vidéo que vous regardez. Quelques commandes permettent de régler le volume, de passer à un autre morceau ou vidéo, de suspendre la lecture ou d'afficher des effets visuels pendant que vous écoutez de la musique.

Lorsqu'il est démarré pour la première fois, le Lecteur Windows Media affiche les morceaux d'une manière suffisamment appropriée. Mais il contient en réalité plusieurs bibliothèques, conçues non seulement pour engranger de la musique, mais aussi des photographies, des vidéos et des émissions de télévision enregistrées.

Tous les éléments que l'on peut écouter ou regarder apparaissent dans le volet de navigation, à gauche, visible à la Figure 15.3. La moitié supérieure, nommée Bibliothèque, donne accès à vos fichiers audiovisuels. La moitié inférieure, nommée Autres bibliothèques, permet de parcourir les collections des autres utilisateurs du PC, de même que les dossiers des personnes partageant leurs fichiers multimédias à partir d'autres ordinateurs sous Windows 7.

Sous Bibliothèque, dans le volet de navigation, les fichiers sont répartis dans les catégories suivantes :

- **Sélection :** Vous désirez écouter des albums ou des morceaux dans un ordre bien précis ? Cliquez sur Sélections et créez des listes de lecture.
- **Musique :** Tous les morceaux de musique numérique apparaissent ici. Le Lecteur Windows Media reconnaît bon nombre de formats audio dont MP3, WAV, WMA et même 3GP, le format utilisé en téléphonie mobile, mais pas les fichiers AAC vendus par iTunes, ni les formats audio compressés comme APE, FLAC ou OGG.
- **Vidéos :** Recherchez ici les séquences que vous avez filmées avec un caméscope ou la fonction vidéo d'un appareil photo numérique, ou téléchargées depuis l'Internet. Le Lecteur Windows Media reconnaît les formats ASF, AVI, DivX, MPG, WMV ainsi que certains fichiers MOV et quelques autres formats.

- **Images :** Le Lecteur Windows Media peut présenter les photos sous forme de diaporama simple, mais la bibliothèque Images, décrite au Chapitre 16, est plus appropriée pour cette tâche.
- **Enregistrement(s) :** Les émissions de télévision enregistrées apparaissent ici, à condition que le PC soit équipé d'un tuner TV. L'enregistreur d'émissions de télévision Windows Media Center est décrit à la dernière section de ce chapitre.
- **Autre média :** Les éléments que le Lecteur Windows Media ne reconnaît pas sont cachés à cet emplacement que vous ne visiterez pas souvent.
- **Autres bibliothèques :** Vous trouverez ici les fichiers audiovisuels apparaissant dans d'autres PC du groupe résidentiel, un type de réseau propre à Windows 7, décrit au Chapitre 14.
- **Média Guide :** Il vous donne accès au magasin de musique en ligne de Microsoft.

Figure 15.3 : Dans le volet de navigation, à gauche, cliquez sur le type de média que vous désirez afficher.

Après avoir cliqué dans une catégorie, le panneau de navigation du Lecteur Windows Media permet d'afficher les fichiers de différentes manières. Cliquez sur Artiste, dans la catégorie Musique, et le volet principal présente les œuvres classées alphabétiquement par noms d'interprètes.

Dans le même esprit, cliquer sur Genre sépare les éléments en différents types de musique. Au lieu de n'afficher qu'un nom sur lequel cliquer, « blues » par exemple, le Lecteur Windows Media empile leurs couvertures, comme si vous aviez étalé puis empilé les albums sur le plancher du salon pour mieux les trier.

Pour écouter ou voir quoi que ce soit dans le Lecteur Windows Media, cliquez dessus du bouton droit et choisissez Lire. Ou alors, pour écouter tous les morceaux d'un artiste ou d'un genre, cliquez du bouton droit dans une pile et choisissez Lire tout.

Oui, le Lecteur Windows Media vous espionne

À l'instar de votre banque, de votre organisme de crédit ou du fisc, le Lecteur Windows Media récolte des informations vous concernant. La quinzaine de pages de la pompeuse Déclaration de confidentialité en ligne se réduit à simplement ceci : Le Lecteur de Windows Media cafarde auprès de Microsoft chaque morceau de musique, vidéo et autres fichiers que vous lisez. Certaines personnes détestent ce flicage, mais si Microsoft était dans l'impossibilité de s'informer sur ce que vous écoutez, le Lecteur Windows Media ne pourrait pas rechercher les informations à placer dans le fichier (artiste, album, nom du morceau, genre...) et la pochette pour l'illustration.

Si cela ne vous ennuie pas que Microsoft s'informe sur vos CD audio, vous pouvez vous en tenir à cela. Mais si vous tenez à contrôler le niveau de surveillance par Microsoft, cliquez sur le bouton Organiser, choisissez Options puis cliquez sur l'onglet Confidentialité. Voici un bref descriptif des options qui hérissent les défenseurs des libertés privées :

- **Afficher les informations sur le média provenant d'Internet :** Si cette case est cochée, le Lecteur Windows Media indique à Microsoft quel CD ou DVD vous lisez et récupère tout un tas d'infos à afficher sur votre écran : la pochette du CD, les titres des morceaux, le nom de l'artiste, *etc.*
- **Mettre à jour les fichiers de musique à l'aide d'informations d'Internet :** Microsoft examine vos fichiers et, s'il en trouve un qu'il connaît, il introduit les informations correctes (pour en savoir plus à ce sujet, reportez-vous à l'encadré plus haut "À propos des informations").
- **Télécharger automat. droits d'util. lors de la lecture ou de la synchro. :** Appelée "extraction de connaissances à partir de données" dans les milieux du marketing, cette technique permet à d'autres entreprises de suivre à la trace votre utilisation du Lecteur Windows Media. Pour ne pas figurer dans l'une de ces bases de données, décochez la case de la présente option.
- **Cookies :** À l'instar de plusieurs autres programmes de Windows 7, le Lecteur Windows Media trace votre activité grâce à de petits fichiers appelés "cookies". Ils ne sont pas forcément à rejeter car ils permettent au Lecteur Windows Media de conserver une trace de vos préférences.
- **Enregistrer et afficher la liste des fichiers lus récemment/fréquemment :** Pour votre commodité, le Lecteur Windows Media conserve, dans le menu Fichier, la liste des noms des morceaux récemment lus. Décochez toutes les cases puis cliquez sur les boutons Effacer l'historique et Effacer les caches afin que votre entourage – surtout professionnel – ne puisse pas voir la liste des titres de musique et de vidéo récemment lus.

Les commandes du mode Lecture en cours

Le Lecteur Windows Media contient les mêmes commandes de base quel que soit le type de fichier lu, qu'il s'agisse d'un son, d'une vidéo, d'un CD, d'un DVD ou d'un diaporama. La Figure 15.4 montre le Lecteur Windows Media tel qu'il se présente en mode page Lecture en cours. Les légendes expliquent les fonctions, mais vous pouvez aussi immobiliser la souris sur une commande pour afficher une info-bulle explicative.

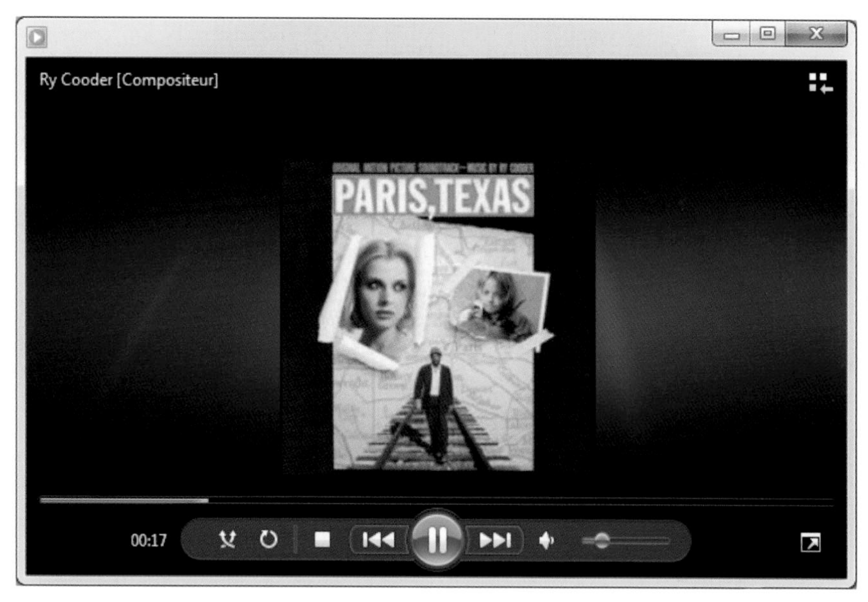

Figure 15.4 : Les boutons en bas fonctionnent comme ceux d'un lecteur de CD.

Les boutons en bas du Lecteur Windows Media sont similaires à ceux d'un lecteur de CD ou de DVD. Ils permettent de lire, d'arrêter, de revenir en arrière ou d'avancer rapidement. Vous pouvez aussi cliquer du bouton droit n'importe où dans la fenêtre Lecture en cours, et accéder ainsi aux options suivantes :

- **Afficher la liste :** Affiche la liste de lecture – ou sélection – à droite de la fenêtre. Elle est commode pour passer directement à un autre morceau.
- **Plein écran :** La fenêtre occupe tout l'écran.
- **Lecture aléatoire :** Les morceaux écoutés sont choisis au hasard.
- **Répéter :** Le morceau écouté est répété sitôt terminé.
- **Visualisations :** Choisissez entre l'affichage de la pochette de l'album ou des effets visuels quelque peu psychédéliques.

- **Améliorations :** Donne accès à un égaliseur graphique, permet de régler la vitesse de lecture, la balance du volume, *etc.*
- **Paroles, légendes et sous-titres :** Affiche ces éléments s'ils sont disponibles. Pratique pour comprendre une chanson en langue étrangère ou pour une soirée karaoké.
- **Acheter plus musique :** Donne accès au site shopformusic.microsoft.com où vous pourrez acheter des albums et des morceaux.
- **Lecture en cours toujours visible :** Maintient la fenêtre Lecture en cours au-dessus des autres fenêtres du Bureau.
- **Options supplémentaires :** Affiche la boîte de dialogue Options permettant de configurer le Lecteur Windows Media.
- **Aide sur la lecture :** Ouvre l'aide en ligne du Lecteur Windows Média.

Les commandes de la fenêtre Lecture en cours disparaissent lorsque la souris reste immobile un moment. Pour les revoir, déplacez la souris dans la fenêtre.

Pour revenir à la Bibliothèque du Lecteur Windows Média, cliquez sur l'icône en haut à droite de la fenêtre Lecture en cours.

Écouter des CD

Introduisez un CD audio dans le lecteur de votre ordinateur, et le Lecteur Windows Media apparaît, prêt à le lire. Il identifie généralement l'interprète et bien souvent, il affiche aussi la pochette.

Les commandes en bas de l'interface permettent de passer d'une piste à une autre, de régler le volume et d'améliorer l'écoute.

Si pour quelque obscure raison le Lecteur Windows Media ne lit pas spontanément le CD, jetez un coup d'œil à l'élément Bibliothèque, dans le volet de navigation. Vous devriez découvrir, en fin de liste, le nom du CD ou la mention Album inconnu. Cliquez sur le nom ou la mention, et la lecture du CD démarre.

Pour que le Lecteur Windows Media lise automatiquement le CD de musique dès l'insertion, cliquez sur le bouton Démarrer, puis sur Programmes par défaut, puis cliquez sur Modifier les paramètres de la lecture automatique. À la catégorie CD audio, déroulez le menu et choisissez l'option Lire un CD audio avec Lecteur Windows Media.

Appuyez sur F7 pour réduire le Lecteur Windows Media au silence lorsque vous recevez un coup de téléphone.

Vous voulez copier les pistes du CD dans votre ordinateur ? Cette opération, l'*extraction,* est décrite plus loin dans ce chapitre.

Lire des DVD

Le Lecteur Windows Media sait aussi lire des DVD, ce qui permet de transformer un ordinateur portable en lecteur de DVD portable. Emportez vos DVD préférés, des écouteurs, et regardez les films qui vous plaisent au cours d'un long vol international.

Bien que le Lecteur Windows Media lise, grave et copie des CD audio, il ne peut copier un film en DVD sur votre disque dur, ni dupliquer un DVD, car ils sont efficacement protégés contre la copie.

Quand vous insérez un DVD dans le lecteur, le Lecteur Windows Media le lit immédiatement. Il fonctionne un peu comme votre lecteur de DVD de salon, la souris servant de télécommande.

Pour lire un DVD en plein écran, maintenez la touche Alt enfoncée et appuyez sur Entrée (la même combinaison de touches rétablit le mode fenêtré). Placez le pointeur de la souris hors de l'écran, et le panneau de commande disparaît. Ramenez le pointeur dans l'écran, et le panneau est de retour.

Ces satanés codes de région !

Si vous essayez de lire un DVD acheté loin, très loin à l'étranger, il risque de vous envoyer un message d'erreur vous informant que votre DVD est configuré pour la région 2 (Europe, Moyen-Orient, Afrique du Sud...), mais que pour le lire ce DVD que vous avez acheté en Papouasie, vous devez le configurer pour la région 4 (Australie, Océanie...).

Après avoir cliqué sur le bouton OK du message d'erreur, une fenêtre apparaît, vous permettant de saisie le nouveau code de région. Cliquez sur OK, et le Lecteur Windows Media lit le DVD. Génial !

Pas tant que ça, car le Lecteur Windows Media n'autorise que quatre changements de code, après quoi il refusera la lecture, même si vous réinstallez Windows ou si vous connectez le lecteur à un autre PC.

La solution ? Si vous regardez de nombreux films de diverses régions, envisagez l'achat d'un second lecteur de DVD, ce qui vous permettra d'en avoir un pour chaque région. Des éditeurs vendent aussi des logiciels qui, le plus légalement du monde, outrepassent le code de région, permettant de lire des DVD de toutes origines. Enfin, en dernier recours, vous pouvez envisager le flashage du microprogramme du lecteur, une manipulation assez technique réservée à « ceux qui s'y connaissent ».

Voir des vidéos et des émissions de télévision

En plus des caméscopes, de nombreux appareils photo numériques et téléphones mobiles peuvent aussi enregistrer des séquences vidéo. Le Lecteur Windows Media montre aussi les vidéos enregistrées avec Movie Maker, un programme téléchargeable décrit au Chapitre 16.

La lecture d'une vidéo ne diffère guère de la lecture d'un fichier audio. Commencez par cliquer sur le bouton Bibliothèque et choisissez Vidéos. Double-cliquez sur la vidéo que vous désirez visionner et admirer le spectacle (Figure 15.5).

Figure 15.5 : Amenez le pointeur de la souris sur la fenêtre du Lecteur Windows Media pour afficher les commandes.

Le Lecteur Windows Media permet de visionner des vidéos à différentes tailles. La touche Alt enfoncée, appuyez sur Entrée pour la regarder en plein écran (c'est comme pour un DVD). La même combinaison de touches rétablit l'affichage à la taille originale.

- Pour que la vidéo s'adapte d'elle-même aux dimensions du Lecteur Windows Media, cliquez du bouton droit dans la vidéo et, dans le menu contextuel, choisissez Taille vidéo > Ajuster la vidéo au lecteur lors du redimensionnement.

- Quand vous téléchargez des vidéos depuis l'Internet, assurez-vous que le fichier est dans un format reconnu par le Lecteur Windows Media. Il est en effet incapable de lire des fichiers aux formats QuickTime ou RealVideo. Ces formats concurrents exigent un lecteur spécifique, téléchargeable depuis le site d'Apple (www.apple.com/fr/quicktime/) ou de Real (http://fr.real.com/realplayer/). Veillez à télécharger la version gratuite (ces sites mettent toujours la version payante en avant).
- La vitesse de la connexion joue un rôle déterminant dans la qualité de la vidéo. Si vous vous connectez en bas débit, choisissez la version pour modem 56K (NdT : 56 kilobits par seconde). Les abonnés à l'Internet à haut débit peuvent choisir les versions 100 ou 300K et plus. L'ordinateur ne risque rien si vous ne choisissez pas la bonne option. L'image sera seulement beaucoup moins bonne.
- Le Lecteur Windows Media peut aussi visionner les émissions de télévision enregistrées avec Windows Media Center (reportez-vous à la section qui lui est consacrée, à la fin de ce chapitre).

Lire des fichiers MP3 et WMA

Le Lecteur Windows Media sait lire plusieurs types de fichiers de musique. Ils ont un point commun : lorsque vous demandez au Lecteur Windows Media de lire un album ou un morceau, il le place dans la liste Lecture en cours, c'est-à-dire une liste d'éléments mis en attente, lus les uns après les autres.

De la musique peut être écoutée de diverses manières, même si le Lecteur Windows Média n'est pas encore ouvert :

- Double-cliquez sur l'icône Bibliothèques, dans la barre des tâches, ou cliquez du bouton droit sur un dossier rempli de morceaux de musique, et choisissez Lire avec Lecteur Windows Media. Il s'ouvre aussitôt et commence à lire un morceau.
- Dans la bibliothèque Musique, cliquez du bouton droit sur un fichier et choisissez Ajouter à la liste du Lecteur Windows Media. Il sera ainsi joué dès que le morceau en cours sera terminé.
- Double-cliquez sur un fichier de musique, quel que soit le dossier dans lequel il se trouve, et même s'il se trouve sur le Bureau, et le Lecteur Windows Media le lira immédiatement.

Pour lire un morceau présent dans la Bibliothèque du Lecteur Windows Media, cliquez-le du bouton droit et choisissez Lire. Il est aussitôt joué et son titre ajouté à la liste Lecture en cours.

Voici quelques manières d'écouter de la musique depuis le Lecteur Windows Media :

- Pour écouter la totalité d'un album de la Bibliothèque du Lecteur Windows Media, cliquez du bouton droit dans la catégorie Artiste de l'album et choisissez Lire.
- Vous désirez écouter plusieurs fichiers et albums les uns après les autres ? Cliquez du bouton droit dans le premier d'entre eux et choisissez Lire. Cliquez du bouton droit sur le suivant et choisissez Ajouter à la sélection. Répétez cela autant de fois que vous le désirez. Tous les albums et les morceaux figurent désormais dans liste Lecture en cours.
- Pour réécouter un morceau récemment entendu, cliquez du bouton droit sur l'icône du Lecteur Windows Media, dans la barre des tâches, et choisissez-le dans la liste Fréquent.
- Aucune musique intéressante dans la bibliothèque ? Pour l'agrémenter, copiez vos CD préférés dans le PC, en extrayant les pistes audio. Nous y reviendrons plus tard, à la section « Copier des CD dans le PC ».

Écouter des stations de radio Internet

Le Lecteur Windows Media n'offre plus de bouton permettant d'accéder aux stations radio par Internet, bien qu'il soit possible d'acheter des droits d'écoute dans certains magasins en ligne comme URGE, aux États-Unis. Vous trouverez toutefois des stations radio gratuites à ces emplacements, sur le Web :

- Allez sur Google (www.google.fr), faites une recherche sur les mots « radio Internet » et voyez ce que vous trouvez. Si vous en trouvez qui émettent en MP3 ou en WMA (*Windows Media Audio*), allez sur le site et cliquez sur le bouton Écouter (ou tout bouton apparenté).
- Vous trouverez un vaste répertoire des radios, mais aussi des télévisions, vidéos, musiques et podcasts sur le site Comfm (www.comfm.com/).
- Téléchargez et installez un exemplaire de Winamp (www.winamp.com), un lecteur MP3 permettant d'écouter des milliers de radios gratuites au travers du site Shoutcast (www.shoutcast.com).

Créer, enregistrer et modifier des sélections

Dans le Lecteur Windows Media, une sélection est tout simplement une liste de lecture, dans un ordre défini, de morceaux ou de vidéos. Ah oui ? Et encore ? Eh bien, c'est surtout par ce qu'elles permettent de faire que les sélections sont intéressantes. Vous pourrez par exemple faire votre programmation de morceaux préférés et l'enregistrer. Elle sera toujours disponible d'un seul clic.

Vous pouvez créer des sélections thématiques pour un romantique dîner aux chandelles – non, vous n'y mettrez pas *La danse des canards* –, ou pour un trajet en voiture particulièrement long.

Procédez comme suit pour créer une sélection :

1. **Ouvrez le Lecteur Windows Media et trouvez le bouton Sélections.**

   Il se trouve dans le volet de navigation, juste sous Bibliothèque. Si le lecteur est en mode Lecture en cours, cliquez du bouton droit dans une partie vide et dans le menu, choisissez Afficher la liste.

2. **Cliquez du bouton droit sur l'album ou le morceau désiré, puis choisissez Ajouter à > Lire la liste.**

   Vous pouvez aussi faire glisser un ou plusieurs morceaux jusque sur le volet des sélections, à droite, comme à la Figure 15.6. Dans tous les cas, le Lecteur Windows Media commence à lire les morceaux qui sont listés dans la partie droite du lecteur.

3. **Peaufinez la sélection en modifiant l'ordre ou en supprimant des morceaux.**

   Vous avez ajouté un morceau par erreur ? Cliquez dessus du bouton droit et choisissez Supprimer de la liste. Réordonnez la liste à votre convenance en faisant glisser des éléments vers le haut ou vers le bas.

   Le nombre de morceaux et la durée totale de lecture est indiqué tout en bas du volet contenant la liste.

4. **Si vous êtes content de votre sélection, cliquez sur le bouton Enregistrer la liste, en haut à gauche. Nommez-la et appuyez sur Entrée.**

   Le Lecteur Windows Media place la liste dans la catégorie Sélections, prête à être réécoutée d'un seul double-clic.

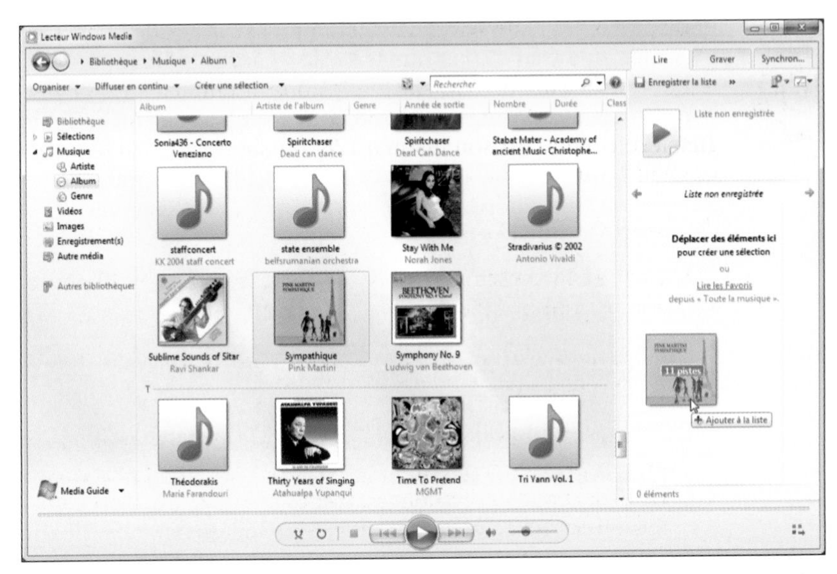

Figure 15.6 : Faites glisser un ou plusieurs éléments du volet du milieu vers le volet de droite pour créer une liste de lecture.

Après avoir enregistré une sélection, vous pouvez la graver sur CD, également d'un seul clic, comme l'explique l'astuce suivante.

Réalisez vos propres compilations thématiques – d'une durée de moins de 80 minutes – puis gravez-les sur un CD que vous écouterez dans votre île déserte aux Seychelles ou bloqué sur le périph' à la Porte de Bagnolet. Pour ce faire, après avoir inséré un CD vierge dans le lecteur, cliquez sur l'onglet Graver. Choisissez ensuite la sélection que vous venez de concocter et cliquez sur le bouton Démarrer la gravure.

Pour modifier une sélection, double-cliquez dessus dans la catégorie Sélections. Ensuite, réordonnez, ajoutez ou supprimez des éléments dans le volet de droite, puis cliquez sur le bouton Enregistrer la liste.

Copier des CD dans le PC

Le Lecteur Windows Media est capable d'extraire les pistes d'un CD audio afin de les copier dans votre ordinateur. Par défaut, les fichiers audio ainsi produits sont au format WMA, qui n'est pas reconnu pas tous les lecteurs de musique portable, dont l'iPod. Pour enregistrer de la musique au format MP3, plus universel, vous devrez configurer le Lecteur Windows Media.

Pour que le Lecteur Windows Media puisse créer des fichiers MP3, beaucoup plus largement reconnus que le WMA (*Windows Media Audio*), cliquez sur le bouton Organiser, choisissez Options et cliquez sur l'onglet Extraire de la musique. Déroulez le menu Format et choisissez MP3. Tirez ensuite la glissière Qualité du son jusqu'à 128, ou 256, voire 320 pour bénéficier d'une meilleure qualité audio.

Procédez comme suit pour copier des CD sur le disque dur du PC :

1. **Ouvrez le Lecteur Windows Media, insérez un CD audio puis cliquez sur le bouton Extraire.**

   Vous devrez appuyer sur le bouton en façade du lecteur pour que le tiroir s'éjecte.

   Le Lecteur Windows Media se connecte à l'Internet, identifie votre CD et inscrit le nom de l'album, le nom de l'artiste et les titres des morceaux. Le programme commence ensuite à copier les morceaux dans le PC et lister leur titre dans la Bibliothèque. C'est fait.

   Si le Lecteur Windows Media ne trouve pas les morceaux automatiquement, passez à l'Étape 2.

2. **Au besoin, cliquez du bouton droit sur la première piste et choisissez Rechercher les informations sur l'album.**

   Si l'ordinateur est connecté à l'Internet, tapez le nom de l'album dans le champ Rechercher et appuyez sur la touche Entrée. Si l'album est trouvé, cliquez sur son nom, cliquez sur Suivant puis sur Terminer.

   Si l'ordinateur n'est pas connecté à l'Internet, ou si la recherche n'a rien donné, cliquez du bouton droit sur le premier morceau, choisissez Modifier et changer manuellement le nom du morceau. Faites de même pour les autres pistes, le nom de l'album, l'artiste, le genre et l'année de sortie.

Voici quelques recommandations pour l'extraction des CD vers l'ordinateur :

- Normalement, le Lecteur Windows Media copie chaque morceau sur le CD. Pour que *La danse des canards* ne vienne pas troubler votre compilation « soirée romantique », décochez sa case. Si le Lecteur Windows Media est déjà en train de copier le morceau dans le PC, vous le supprimerez ultérieurement : dans la Bibliothèque, cliquez du bouton droit sur la chanson inopportune et, dans le menu, choisissez Supprimer.

- Certaines maisons d'édition ajoutent une protection contre la copie à leurs CD afin d'empêcher les copies sur PC. Si vous avez acheté un de ces CD, maintenez la touche Majuscule enfoncée quelques secondes avant d'insérer le CD, et aussi quelques secondes après l'avoir introduit. Cette manipulation empêche parfois la protection de fonctionner.
- N'utilisez pas l'ordinateur pendant l'extraction. N'y touchez plus et laissez mouliner. D'autres gros programmes risqueraient en effet de le distraire de sa tâche et d'interférer avec la musique.
- Le Lecteur Windows Media place automatiquement les CD extraits dans le dossier Musique. Vous y accédez en choisissant Musique, dans le menu Démarrer.

Les paramètres de qualité de l'extraction

Un CD audio contient une colossale quantité de données, à tel point que l'intégrale des Rolling Stones ne tiendrait peut-être pas dans certains disques durs de faible ou moyenne capacité. Afin que la taille des fichiers des morceaux soit raisonnablement gérable, les programmes d'extraction, comme le Lecteur Windows Media, compressent les données à environ un dixième de leur encombrement normal. Cette compression s'effectuant au détriment de la qualité, la grande question est de savoir quelle perte de qualité vous êtes prêt à admettre.

La réponse est : quand cette perte devient perceptible. C'est une notion subjective qui fait débat parmi les mélomanes. Beaucoup de gens sont incapables de faire la différence entre un CD d'origine et un son extrait à 128 kilobits par seconde. C'est pourquoi 128 Kbps est la valeur par défaut, dans le Lecteur Windows Media.

Si vous êtes disposé à sacrifier un peu d'espace disque pour une meilleure qualité, augmentez-la un petit peu : cliquez sur le bouton Organiser, choisissez Options puis cliquez sur l'onglet Extraire de la musique. Tirez le curseur de la glissière Qualité du son vers la droite (Qualité optimale). Pour obtenir des fichiers de musique sans aucune perte de qualité, déroulez le menu Format, choisissez WAV (sans perte) et préparez-vous à engranger des fichiers extrêmement volumineux.

Graver des CD de musique

Pour créer un CD de musique avec vos morceaux préférés, créez une sélection en mettant les morceaux dans l'ordre où ils doivent être lus. Gravez-la ensuite sur un CD comme l'explique la section « Créer, enregistrer et modifier des sélections », précédemment dans ce chapitre.

Mais comment ferez-vous pour dupliquer un CD afin de ne pas faire courir de risques à l'original, et écouter la copie avec le lecteur de CD du salon ou celui de la voiture ?

Malheureusement, ni le Lecteur Windows Media, ni Windows 7 ne proposent de commande de duplication de CD audio. Vous devez user d'un petit subterfuge pour contourner le problème et créer un CD dont le contenu est le même que celui de l'original :

1. **Extrayez le CD audio vers le disque dur.**

   Réglez auparavant la qualité de gravure afin qu'elle soit la plus élevée possible : cliquez sur Organiser, choisissez Options, cliquez sur l'onglet Extraire de la musique et choisissez le format WAV (sans perte). Cliquez sur OK.

2. **Insérez un CD vierge dans le graveur.**

3. **Dans le Lecteur Windows Media, cliquez sur la catégorie Musique et choisissez Album afin de voir le CD audio qui vient d'être extrait.**

4. **Cliquez du bouton droit dans l'album de la bibliothèque et choisissez Ajouter à > Graver la liste.**

   Si des morceaux se trouvent déjà dans la liste de lecture, cliquez sur le bouton Effacer la liste (NdT : Élargissez éventuellement le volet de droite pour que le bouton Effacer la liste apparaisse à côté du bouton Enregistrer la liste).

5. **Cliquez sur le bouton Démarrer la gravure.**

Avis aux mélomanes : à moins de choisir le format WAV (sans perte de données), le Lecteur Windows Media compresse les morceaux au fur et à mesure qu'il les enregistre sur le disque dur, ce qui entraîne inévitablement une perte de qualité. La gravure sur un CD audio ne la rendra pas. Pour une copie exacte sur le CD, vous devez enregistrer au format WAV.

Quand vous enregistrez en haute qualité WAV, n'oubliez pas de rétablir l'enregistrement au format MP3 quand vous aurez fini. Autrement, vous risqueriez d'enregistrer des fichiers extrêmement volumineux.

Une solution plus commode consiste à acheter un logiciel de gravure. Contrairement au Lecteur Windows Media de Microsoft, la plupart de ces logiciels spécialisés ont une commande permettant de dupliquer un CD à l'identique, et cela en un seul clic.

Copier des morceaux dans un lecteur portable

Le Lecteur Windows Media 12 ne fonctionne qu'avec certains lecteurs de musique mobiles, ou baladeurs. Il lui est par exemple impossible de se connecter à un iPod, et il ne fonctionnera pas même avec le Zune de Microsoft, ce qui est un comble ! Le Lecteur Windows Media est clairement optimisé pour transférer des fichiers WMA et non les fichiers MP3 utilisés par la plupart des lecteurs mobiles.

En fait, beaucoup de gens n'utilisent pas le Lecteur Windows Media, s'en tenant au logiciel de transfert livré avec leur appareil : iTunes pour l'iPod (www.apple.com/fr/itunes/) et le logiciel Zune (www.zune.com) pour le Zune. Mais si vous tenez à utiliser le Lecteur Windows Media, voici comment faire :

1. **Connectez le lecteur MP3 à l'ordinateur.**

   Cette connexion s'effectue généralement à l'aide du câble USB fourni avec l'appareil.

2. **Démarrez le Lecteur Windows Media.**

   Il peut à présent se passer plusieurs choses, selon le modèle de lecteur MP3 et sa fabrication.

   Si le Lecteur Windows Media reconnaît votre lecteur MP3, un volet Synchroniser apparaît à droite.

   Si le lecteur MP3 a été configuré pour une synchronisation automatique, le Lecteur Windows Media copie consciencieusement tous les morceaux – et les vidéos, si le lecteur les accepte – de la bibliothèque vers le lecteur MP3. L'opération est assez rapide pour quelques centaines de fichiers, mais si votre lecteur peut en héberger des milliers, vous devrez patienter pendant quelques minutes.

   Si le lecteur MP3 est configuré pour la synchronisation manuelle, cliquez sur Terminer. Vous devrez indiquer au Lecteur Windows Media quels morceaux il doit copier, comme l'explique l'Étape suivante.

   S'il ne se passe rien, ou si Lecteur Windows Média contient plus de morceaux que le lecteur MP3 peut en contenir, vous serez obligé d'effectuer l'Étape 3.

3. Choisissez les morceaux à copier dans le baladeur.

Vous avez le choix entre deux options :

- **Lecture aléatoire :** Située dans le volet Synchroniser, cette option rapide et facile demande au Lecteur Windows Media de copier des morceaux choisis au hasard dans la liste de synchronisation (NdT : Cliquez sur l'icône en haut à droite du volet et choisissez le nom ou la lettre du lecteur, F:\ par exemple, puis Lecture aléatoire). C'est génial pour remplir le lecteur MP3 en vitesse, mais vous ne savez pas ce qui se trouvera dedans.

- **Sélection :** Créez une sélection – une liste de morceaux – à placer dans le lecteur MP3. Vous en avez déjà concocté une ? Cliquez du bouton droit dessus et dans le menu, choisissez Ajouter à > Synchroniser la liste. Le Lecteur Windows Media ajoute les morceaux de la sélection à la liste de ceux destinés au lecteur MP3.

4. Cliquez sur le bouton Démarrer la synchronisation.

Le Lecteur Windows Media copie les morceaux vers le lecteur de musique mobile. L'opération peut durer de quelques secondes à plusieurs minutes.

- Si le Lecteur Windows Media ne parvient pas à trouver le lecteur MP3, cliquez sur le bouton Organiser, choisissez Options et cliquez sur l'onglet Appareils mobiles. Cliquez ensuite sur le bouton Actualiser.

- Pour modifier la manière dont le Lecteur Windows Media envoie les fichiers à un appareil, cliquez sur le bouton Organiser, choisissez Options puis cliquez sur l'onglet Appareils mobiles. Double-cliquez sur le nom du lecteur MP3 afin d'accéder à ses propriétés. Certains lecteurs offrent d'innombrables options ; d'autres quelques-unes seulement.

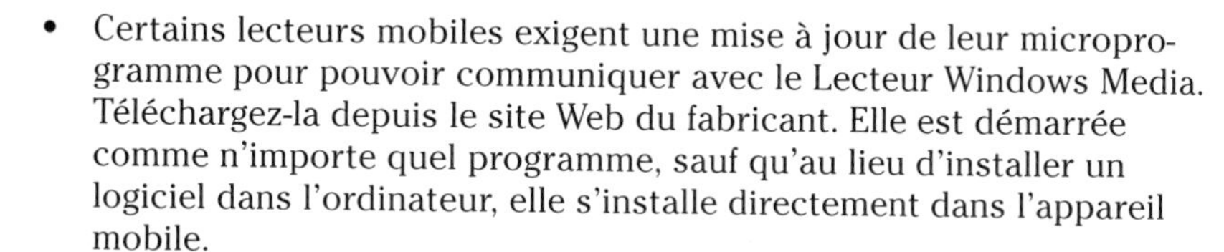

- Certains lecteurs mobiles exigent une mise à jour de leur microprogramme pour pouvoir communiquer avec le Lecteur Windows Media. Téléchargez-la depuis le site Web du fabricant. Elle est démarrée comme n'importe quel programme, sauf qu'au lieu d'installer un logiciel dans l'ordinateur, elle s'installe directement dans l'appareil mobile.

Ce n'est pas le Lecteur Windows Media qui ouvre mes fichiers !

Ce n'est pas Microsoft qui vous l'apprendra : le Lecteur Windows Media n'est pas le seul lecteur de musiques et de vidéos. En fait, vous devrez aussi télécharger QuickTime (www.apple.com/fr/quicktime/) pour pouvoir visionner certaines des vidéos enregistrées au format MOV, nombreuses sur l'Internet, que le Lecteur Windows Media n'ouvre pas. De plus, beaucoup de sons et de vidéos sont enregistrés aux formats RealAudio ou RealVideo (www.real.com).

Et ce n'est pas fini : nombreux sont ceux qui utilisent aussi Winamp (www.winamp.com) pour écouter la musique ainsi qu'une grande variété de radios en ligne, et regarder des vidéos. En raison de tous ces formats concurrents, il est souvent indispensable d'installer plusieurs lecteurs multimédias. Malheureusement, ces lecteurs ne se font pas de cadeau au niveau des formats par défaut, chacun essayant d'en accaparer un maximum.

Windows 7 tente de mettre de l'ordre dans cette foire d'empoigne avec sa fonction Programmes par défaut. Pour indiquer à chaque lecteur le format de fichier qu'il doit ouvrir, cliquez sur le bouton Démarrer, puis sur Programmes par défaut. Une fenêtre apparaît, vous laissant choisir quels programmes doivent lire vos CD, DVD, photos, vidéo, sons, *etc.*

Windows Media Center

Windows Media Center fut à l'origine une version spéciale de Windows conçue pour être visionnée sur un écran de télévision et manipulée avec une télécommande. À vrai dire, ses menus surdimensionnés et ses commandes simples semblent ne pas avoir leur place dans Windows 7. Comme Windows Media Center fait en partie double usage avec le Lecteur Windows Media, vous trouverez sans doute ce dernier plus commode.

Mais, si vous tenez à découvrir cette curiosité qu'est Windows Media Center, notamment pour regarder des émissions de télévision et les enregistrer, sachez qu'il vous faudra :

- **La version appropriée de Windows 7 :** Hormis Starter et Édition familiale Basique, toutes les versions de Windows 7 sont dotées de Windows Media Center.
- **Un tuner TV :** Il n'est pas indispensable de connecter un téléviseur au PC pour regarder les émissions et les enregistrer. En revanche, votre PC doit être équipé d'un tuner TV. C'est une carte, voire une clé USB, qui permet de recevoir et choisir les chaînes. L'idéal est un tuner équipé d'une télécommande, mais Windows Media Center fonctionne aussi bien à la souris et au clavier.

- **Un signal TV :** À l'instar de celui d'un téléviseur, le tuner ne peut capter des chaînes que s'il reçoit un signal hertzien ou par câble. Si vous n'avez pas de prise à proximité, l'antenne intérieure livrée avec le tuner devrait convenir, mais la qualité de l'image sera moins bonne.
- **Une carte graphique avec sortie TV :** La télévision passe bien sur un écran d'ordinateur, mais pour la voir sur un vrai poste de télévision, le tuner TV doit être équipé d'une prise pour la télévision. La plupart des tuners ont une sortie S-Video composite et parfois des prises coaxiales, ces trois types de connecteurs étant les plus courants sur les téléviseurs.

Démarré sur un ordinateur correctement équipé, Windows Media Center devrait tout détecter : le tuner, le signal vidéo et le moniteur. Pour faire un essai, cliquez sur Démarrer, Tous les programmes, puis choisissez Windows Media Center.

Si Windows Media Center ne trouve pas tous les éléments, le tuner exigera sans doute un nouveau pilote compatible Windows 7, téléchargeable depuis le site du fabricant.

Appuyer sur la touche F8 rend Windows Media Center muet. En revanche, le Lecteur Windows Media, lui, est réduit au silence par la touche F7 (pourquoi faire simple quand on peut faire compliqué ?).

Démarrer Windows Media Center pour la première fois

Ne démarrez pas Windows Media Center si vous ne disposez pas d'une bonne vingtaine de minutes, car il lui faut au moins ça. Il commence en effet par analyser le PC à la recherche d'une connexion Internet et d'un réseau local domestique, puis il vous pose bon nombre de questions. Microsoft exige que vous approuviez ses clauses de confidentialité, qui s'étalent sur près d'une centaine de pages en petits caractères.

Windows Media Center demande votre code postal et sélectionne les canaux. Après avoir téléchargé la liste des émissions à venir, il termine en vous laissant sélectionner le type de moniteur, les enceintes et comment tout ceci est connecté. Ces paramètres sont surtout importants pour les gens qui relient leur ordinateur au téléviseur.

Quand il a enfin terminé, Windows Media Center affiche une sorte de « guide télé » dans lequel vous choisirez les émissions que vous regarderez ou enregistrerez.

Les menus de Windows Media Center

Windows Media Center offre bien plus d'options qu'un magnétoscope. Voici quelques explications du menu que montre la Figure 15.7 :

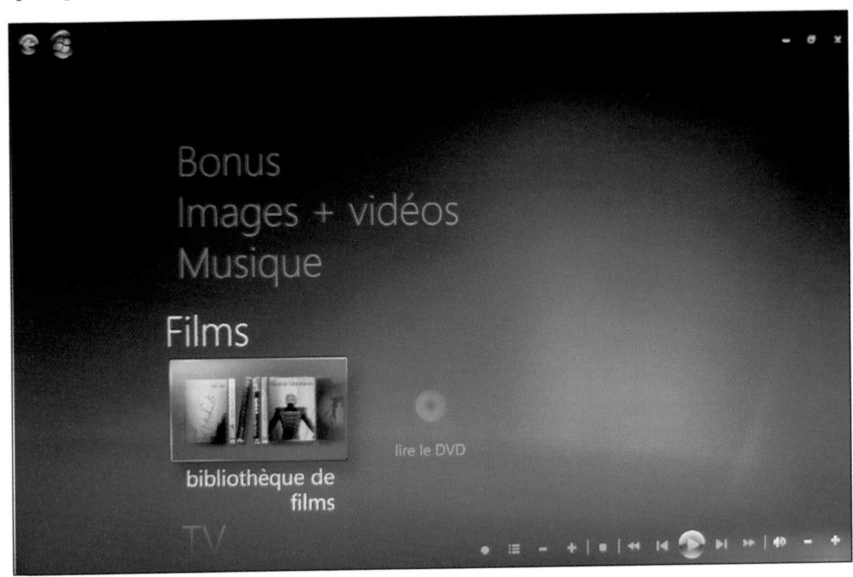

Figure 15.7: Windows Media Center est un véritable centre de loisirs multimédia permettant de regarder et enregistrer la télévision, d'écouter de la musique et de visionner des vidéos.

- **Bonus :** Vous trouverez essentiellement des jeux et un outil de gravure de CD et de DVD.
- **Images + vidéos :** Ce menu donne accès au contenu de vos bibliothèques Images et Vidéos.
- **Musique :** Windows Media Center est capable de lire les fichiers de musique. Mais, là où le Lecteur Windows Media regorge d'options, Windows Media Center n'offre que quelques choix. L'option Audiothèque affiche les albums du dossier Musique ; cliquez sur l'un d'eux pour l'écouter. L'option Radio ne se connecte pas à des radios sur Internet, mais au tuner radio FM de votre PC si vous en avez installé un.
- **Films :** Cette catégorie contient vos enregistrements d'émissions de télévision et vos vidéos. Vous pouvez regarder vos DVD ou des bandes-annonces sur Internet (non, ce n'est pas ici que vous trouverez les vidéos de YouTube).
- **TV :** Cette catégorie doublonne la catégorie Films. Vous y trouvez les émissions que vous avez enregistrées.

- **Tâches :** Les commandes qui se trouvent ici permettent de graver des CD de toute votre collection de musiques et des DVD des émissions enregistrées, mais bien sûr sans supprimer les publicités.

Pour passer d'un menu à un autre, utilisez la télécommande livrée avec le tuner TV. Vous n'en avez pas ? Dans ce cas, cliquez sur une option. Un clic du bouton droit affiche les menus. Les boutons fléchés du clavier fonctionnent très bien pour naviguer parmi les options.

Pour revenir à un menu précédent, utilisez la touche Arrière de la télécommande, ou cliquez sur le bouton Précédent, en haut à gauche de Windows Media Center.

Tirer le meilleur de Windows Media Center

Du fait que Windows Media Center doublonne les fonctions du Lecteur Windows Media, vous ne l'utiliserez peut-être pas beaucoup. Il est toutefois commode dans ces cas :

- **Une Xbox branchée au téléviseur :** La console de jeu de Microsoft est prévue pour être branchée au téléviseur. Mais connectée à un réseau, la Xbox 360 peut se connecter à Windows Media Center et accéder à l'audiothèque, aux photos et aux films.
- **Tuner TV :** Si votre PC est équipé d'un tuner TV, il a sans doute été livré avec un logiciel d'enregistrement et de visionnage des émissions. Mais si vous trouvez Windows Media Center plus commode, n'hésitez pas à l'utiliser.
- **Le PC est branché au téléviseur :** Peu de gens sont disposés à placer une encombrante et bruyante unité centrale près du téléviseur. Mais si votre PC fait partie de votre home cinema, Windows Media Center sera un excellent centre de contrôle.
- **Facilité d'accès :** les menus simples et surdimensionnés ne satisferont pas le féru de hautes technologies. Mais si vous recherchez des menus faciles à lire et n'exécutez que des tâches élémentaires, vous préférez Windows Media Center au Lecteur Windows Media.

Chapitre 16

Photos et films

Dans ce chapitre

- Transférer les photos de l'appareil numérique vers l'ordinateur
- Regarder les photos dans le dossier Images
- Sauvegarder les photos numériques sur un CD
- Envoyer des photos par courrier électronique
- Imprimer des photos
- Retoucher des photos avec la Galerie de photos Windows Live
- Transférer des séquences du caméscope vers l'ordinateur
- Monter les clips pour en faire un film et le graver sur un DVD
- Créer un diaporama avec le programme Création de DVD Windows

Ce chapitre présente la relation de plus en plus étroite entre Windows, les appareils photo numériques et les caméscopes, aussi bien numériques qu'analogiques. Vous découvrirez comment transférer des photos numériques et des films vers l'ordinateur, éliminer ce qui est raté, montrer le reste à la famille, l'envoyer par courrier électronique à vos correspondants lointains, et enregistrer le tout à un emplacement où photos et films seront faciles à retrouver.

Un mot encore : après avoir commencé à créer un album de famille dans l'ordinateur, ne manquez pas de tout sauvegarder dans les règles, comme le décrit le Chapitre 12. Ce chapitre explique comment le graver sur un CD ou un DVD. Vos souvenirs de famille sont en effet irremplaçables.

La boîte à chaussures numérique

Jusqu'à présent, vous entassiez peut-être vos photos dans des boîtes à chaussures. Désormais, vous les classerez dans des dossiers informatiques. Désireux de ne pas manquer la révolution de l'imagerie numérique, les programmeurs de chez Microsoft ont transformé le dossier Images de Windows en un album de famille informatisé. Après y avoir mis toutes vos photos numériques, Windows 7 permet de créer à la volée des diaporamas, des écrans de veille et des papiers peints, et aussi de retoucher les images.

Pour les retouches, j'expliquerai comment télécharger le logiciel gratuit Windows Live Essentials de Microsoft. Il vous permettra de corriger les petits défauts que vous n'aviez pas remarqués au moment de la prise de vue.

Windows ne trouve pas mon appareil photo !

Bien que Windows 7 détecte l'appareil photo dès qu'il est connecté à l'ordinateur, il arrive que le contact ne s'établisse pas spontanément : Windows n'affiche pas le menu d'importation des photos ou encore, un autre programme tente de le supplanter. Dans ce cas, débranchez l'appareil et attendez quelques secondes avant de le reconnecter.

Si cela ne donne toujours rien, suivez ces étapes :

1. **Cliquez sur Démarrer, choisissez Programmes par défaut et cliquez sur Modifier les paramètres de la lecture automatique.**
2. **Faites défiler jusqu'à la rubrique Périphériques.**

   Elle se trouve tout en bas de la fenêtre.
3. **Choisissez votre appareil photo et, dans le menu déroulant, sélectionnez Importer les images en utilisant Windows. Cliquez ensuite sur Enregistrer.**

Si Windows 7 persiste à ne pas reconnaître l'appareil photo, cela signifie qu'un logiciel est nécessaire pour établir la communication. S'il n'a pas été livré avec l'appareil, visitez le site Web du fabricant où vous avez une petite chance de le trouver.

Transférer les photos vers l'ordinateur

La plupart des appareils photo numériques sont livrés avec un logiciel de transfert – ou plus exactement, de copie – qui achemine les fichiers d'image vers l'ordinateur. Mais vous pouvez vous en passer car un programme intégré à Windows est capable de trouver les photos dans quasiment n'importe quel modèle d'appareil, et de les récupérer. Voici comment :

1. **Branchez le câble de liaison de l'appareil photo à l'ordinateur.**

   La plupart des appareils photo numériques sont livrés avec deux câbles : l'un qui se branche au téléviseur afin de visionner les images, l'autre qui se branche à l'ordinateur. Vous aurez besoin de ce dernier pour transférer vos photos.

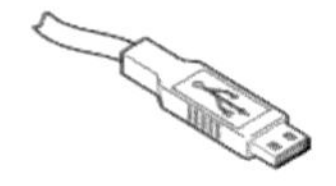

   Le câble se branche généralement à l'un des ports USB de l'ordinateur. À l'autre extrémité, la taille et la forme du minuscule connecteur varient selon les marques d'appareil.

2. **Mettez l'appareil photo en marche, si ce n'est déjà fait, et attendez que Windows 7 le détecte.**

   Quand vous branchez l'appareil pour la première fois, Windows 7 signale sa présence par une petite info-bulle dans la zone de notification en bas à droite de l'écran, près de l'horloge.

   Si Windows 7 ne reconnaît par votre appareil photo, assurez-vous qu'il est en mode Affichage, qui permet de visionner les photos sur l'écran de contrôle, plutôt qu'en mode Prise de vue. Là encore, réessayez en débranchant le câble pendant quelques secondes de l'ordinateur, puis en le rebranchant.

   Dès que Windows 7 a reconnu l'appareil photo, il affiche la fenêtre Exécution automatique de la Figure 16.1.

Figure 16.1 : Choisissez l'unique option présentée afin que Windows 7 transfère automatiquement les photos de l'appareil vers le PC.

La fenêtre Exécution automatique n'est pas visible ? Cliquez sur le bouton Démarrer, puis sur Ordinateur, puis double-cliquez sur l'icône de l'appareil photo.

3. **Dans la fenêtre Exécution automatique, cochez la case Toujours faire ceci pour le périphérique suivant. Cliquez ensuite sur l'option Importer des images et des vidéos avec Windows.**

   Cocher la case Toujours faire ceci pour le périphérique suivant fait gagner du temps car par la suite, Windows transférera automatiquement les photos chaque fois que l'appareil sera connecté au PC.

   Après avoir cliqué sur Importer des images et des vidéos avec Windows, la boîte de dialogue éponyme apparaît (Figure 16.2).

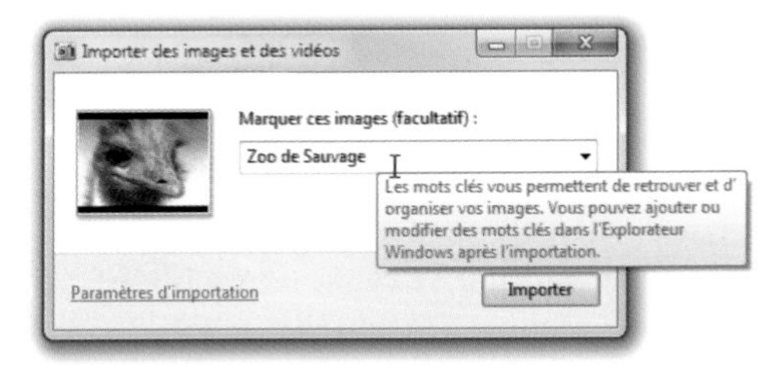

Figure 16.2 : Saisissez un ou plusieurs mots-clés caractérisant la série de photos.

4. **Dans le champ Marquez ces images, tapez un ou plusieurs mots-clés caractérisant toute la série de photos à transférer, puis cliquez sur Importer.**

   Tapez un ou deux mots qui décrivent la série de photos (ne vous laissez pas influencer par l'aperçu de la première d'entre elles, affiché sur le panneau). Si vous tapez **Zoo de Sauvage**, comme dans la Figure 16.2, toutes les photos transférées seront nommées Zoo de Sauvage 001, Zoo de Sauvage 002, Zoo de Sauvage 003 et ainsi de suite. Par la suite, vous les retrouverez par une recherche sur le mot **Zoo** ou encore **Sauvage**, une réserve zoologique dans les Yvelines où la série de photos a été prise.

   Cliquez sur Importer afin de transférer toutes les photos vers le PC.

Cliquer sur le lien Paramètres d'importation, à la Figure 16.2, permet de modifier la procédure de transfert des photos. Jetez-y un coup d'œil car vous pourrez éventuellement activer ou désactiver les options d'importation selon vos préférences.

5. **Cochez la case Effacer après l'importation.**

   Si vous ne supprimez pas les photos dans l'appareil après leur importation dans l'ordinateur, la mémoire ou la carte mémoire finira par être pleine. Cocher la case Effacer après l'importation, comme à la Figure 16.3, vous évite d'avoir à parcourir les menus de l'appareil photo.

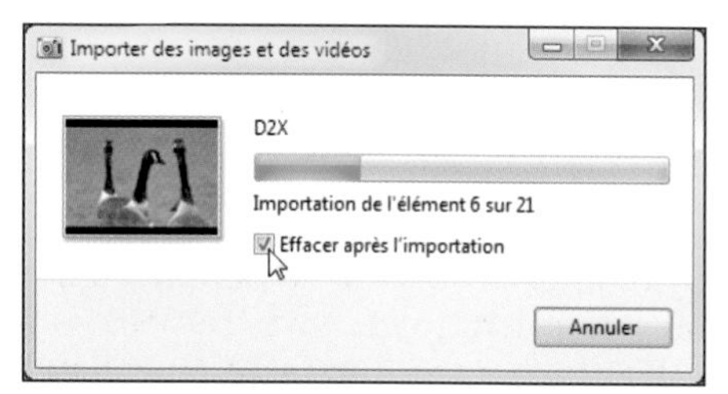

Figure 16.3 : Cochez cette case afin de libérer de la place pour de nouvelles photos.

Après avoir importé les photos, Windows 7 affiche le dossier où elles se trouvent.

Récupérer les photos depuis un lecteur de cartes mémoire

Windows 7 importe assez facilement les photos de votre appareil. Un lecteur de cartes mémoire accélère non seulement la tâche et économise la batterie de l'appareil, mais c'est en plus la seule option si vous avez perdu le câble de transfert. Le lecteur de cartes mémoire est un petit boîtier qui se branche au port USB de l'ordinateur.

Pour transférer les images dans l'ordinateur, ôtez la carte mémoire de l'appareil photo et insérez-la dans la fente appropriée du lecteur. Windows détecte l'insertion et traite le lecteur de cartes comme si c'était un appareil photo, proposant les mêmes menus.

Ou alors, dans le menu Démarrer, choisissez Ordinateur et double-cliquez sur l'icône du lecteur de cartes mémoire pour voir toutes les photos. Vous pouvez dès lors les couper et les coller dans le dossier Images ou dans un de ses sous-dossiers.

Les lecteurs de cartes mémoire sont bon marché (moins de 30 euros), faciles à mettre en œuvre, rapides et très pratiques. De plus, l'appareil photo n'étant pas utilisé, sa batterie n'est pas sollicitée, ce qui préserve son autonomie. Quand vous achetez un lecteur de cartes mémoire, assurez-vous qu'il est capable de lire le type de carte utilisé par votre appareil. Un lecteur multiformat est un bon choix car il est plus polyvalent.

Visionner les photos dans la bibliothèque Images

Le dossier Images, à un clic du menu Démarrer, est incontestablement le meilleur endroit où stocker les photos numériques. Quand Windows 7 les importe, c'est toujours là qu'il les met afin de tirer avantage des outils de visualisation de ce dossier.

Pour regarder dans un dossier, double-cliquez sur son icône. Chaque sous-dossier offre les outils de visualisation de fichiers, mais ils comportent en plus une commode rangée de boutons pour afficher, envoyer par courrier électronique et imprimer les photos. Cliquez sur le bouton Changer l'affichage pour trouver la glissière permettant notamment d'afficher les miniatures en différentes tailles.

La bibliothèque Images (Figure 16.4) propose diverses manières de trier rapidement des milliers de photos en cliquant sur le menu Organiser par, et en sélectionnant l'une des options proposées :

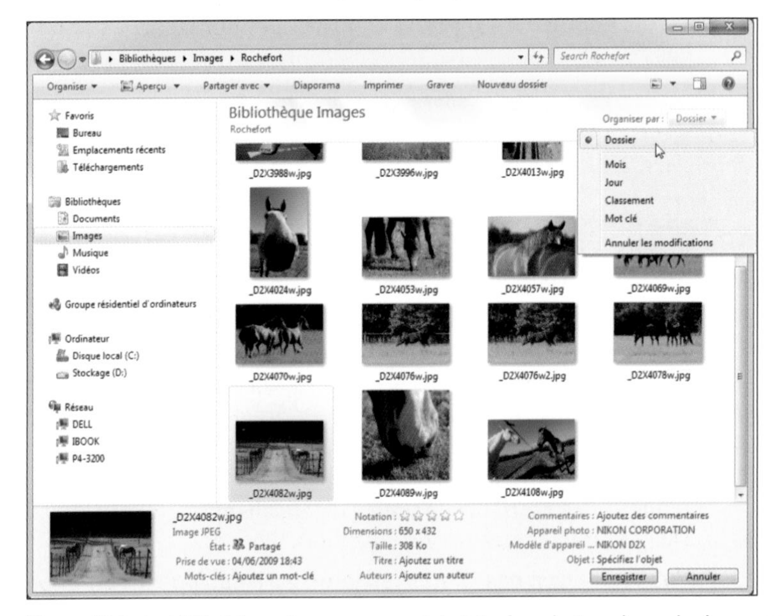

Figure 16.4 : La bibliothèque Images permet de trier les photos chronologiquement, par mots-clés ou d'après leur notation.

- **Dossier :** C'est l'affichage le plus courant. Il montre la bibliothèque Images et tous les dossiers qui s'y trouvent. Double-cliquez sur un dossier pour voir son contenu. Cliquez sur la flèche bleue, dans le coin supérieur gauche, pour revenir en arrière.
- **Mois :** Commode pour voir les photos selon la période où elles ont été prises. Elles sont présentées par piles mensuelles. Double-cliquez sur la pile Juillet 2009, par exemple, pour voir toutes les photos prises ce mois-là.

- **Jour :** Choisissez cette option pour voir les photos par journées. Les plus récentes se trouvent en haut de la liste.
- **Classement :** Une photo est particulièrement réussie ? Ou complètement ratée ? Attribuez de une à cinq étoiles à une photo ou à une sélection de photos, dans le volet des détails (voir Figure 16.4).
- **Mot-clé :** Vous vous souvenez des mots-clés attribués à vos photos lors du transfert dans l'ordinateur (reportez-vous à la Figure 16-2) ? La bibliothèque Images est capable d'empiler les photos par mots-clés, permettant de les retrouver d'un seul clic. Des mots-clés peuvent être ajoutés à la volée : sélectionnez une ou plusieurs photos de Stan le chien – cliquez sur chacune, touche Ctrl enfoncée –, puis cliquez sur la mention Ajouter un mot-clé dans le volet des détails, puis saisissez **Chien Stan** pour caractériser la ou les photos par l'un ou l'autre de ces mots.

Le tri par dates, mots-clés et classement permet de localiser rapidement les photos que vous recherchez. Voici quelques conseils qui augmenteront vos chances de les trouver :

- Une photo est floue ou mal cadrée ? Cliquez dessus du bouton droit et choisissez Supprimer. Il est plus facile de trouver une belle image dans une photothèque débarrassée des photos ratées.
- Assignez plusieurs mots-clés à une photo. Par exemple, créez-en un par personne, pour une photo de groupe. Vous pourrez ainsi faire des recherches nominatives. Séparez les mots-clés par des points-virgules. Une recherche peut être effectuée sur chacun des mots-clés.

- Le volet de visualisation permet d'afficher une miniature de la photo sélectionnée, à droite de la fenêtre. Élargissez le volet afin d'agrandir l'image. Pour afficher le volet de visualisation, cliquez sur Organisez > Disposition > Volet de visualisation.
- Vous ne voyez pas toutes les informations concernant la photo sélectionnée ? Tirez la bordure supérieure du volet des détails vers le haut, et vous découvrirez quantité de paramètres techniques.
- Double-cliquez sur une miniature pour afficher la photo en grand. La fenêtre dans laquelle elle s'ouvre contient des outils de correction, d'impression, d'envoi par courrier électronique, et le Volet d'information reste affiché. Nous reviendrons sur ces boutons à la section « Corriger les photos avec la Galerie de photos Windows Live », un peu plus loin.
- Saisissez n'importe quel mot-clé dans le champ Rechercher pour afficher les photos correspondantes.

- Vous voulez utiliser une photo comme arrière-plan du Bureau ? Cliquez dessus du bouton droit et choisissez Définir en tant que papier peint du Bureau.

- Immobilisez le pointeur de la souris sur une miniature pour connaître son nom de fichier, sa date de prise de vue, sa notation, ses dimensions en pixels et sa taille en octets.

Une photothèque bien classée

Il est tentant de créer, dans le dossier Images, un sous-dossier nommé Nouvelles photos et d'y stocker toutes les images à venir. Mais ce système montrera vite ses limites. L'outil d'importation de Windows 7 fait heureusement du bon travail en nommant chaque série de photos d'après la date et les mots-clés. Les conseils suivant vous permettront de classer plus efficacement vos photos, et donc les retrouver plus vite :

- Affectez quelques mots-clés généraux comme Maison, Voyage ou Vacances. Il sera ainsi aisé de commencer une recherche par toutes les photos faites chez vous, ou toutes celles prises en voyage, ou toutes les photos de vacances.
- Windows assigne le mot-clé créé lors de l'importation à tout le lot de photos transférées. Accordez-vous immédiatement un peu de temps pour ajouter des mots-clés pus spécifiques à chaque photo.
- Si vous êtes passionné de photo, envisagez de télécharger un programme tiers comme la Galerie de photos Windows Live (www.windowslive.fr/galerie/) décrite dans ce chapitre, ou Picasa (www.picasa.google.fr). Ces produits offrent des possibilités d'archivage plus intéressantes que celles de Windows 7 seul.

Visionner un diaporama

Windows 7 possède une fonction de diaporama simple permettant de les afficher les unes après les autres. Elle n'est pas très perfectionnée, mais offre un moyen agréable de présenter des photos à un groupe de personnes réunies autour de l'ordinateur. Le diaporama peut être démarré de deux manières :

Diaporama

- Dans la bibliothèque Images ou dans un de ses sous-dossiers, cliquez sur le bouton Diaporama, dans la barre de commandes.
- Dans la Visionneuse de photos Windows (NdT : Démarrée en double-cliquant sur une photo), cliquez sur le gros bouton Lire le diaporama, en bas au milieu.

L'écran s'assombrit aussitôt et la première image apparaît en plein cadre. Elle s'estompe tandis que la suivante apparaît par un effet de fondu-enchaîné.

Le bouton Diaporama crée rapidement un diaporama. Mais si vous envisagez d'en graver sur un CD ou un DVD pour épater vos proches, reportez-vous à la dernière section de ce chapitre. Vous y apprendrez comment créer et enregistrer des diaporamas avec Création de DVD Windows, un programme livré avec Windows 7.

Voici quelques conseils pour réussir un diaporama :

- Avant de commencer le diaporama, faites pivoter toutes les photos qui sont couchées sur le côté : cliquez dessus du bouton droit et dans le menu, choisissez Faire pivoter vers la droite ou Faire pivoter vers la gauche.
- Le diaporama montrera toutes les photos du dossier courant et aussi de ses sous-dossiers.
- Pour ne limiter le diaporama qu'à certaines photos, sélectionnez-les en maintenant la touche Ctrl enfoncée, puis cliquez sur le bouton Diaporama.

- N'hésitez pas à sonoriser un diaporama en faisant jouer un morceau par le Lecteur Windows Media, comme l'explique le Chapitre 15, juste avant le spectacle. Ou, si vous avez ramené un CD de musique de vos vacances à Tahiti, insérez-le dans le lecteur et laissez la musique pendant tout le diaporama.

Graver des photos sur un CD ou un DVD

Pour sauvegarder toute votre photothèque, démarrez le programme de sauvegarde présenté au Chapitre 12. Mais si vous désirez seulement copier quelques photos sur un CD ou un DVD – assurez-vous d'avoir un stock suffisant –, procédez comme suit :

Graver

1. **Ouvrez le dossier Images, sélectionnez les photos désirées, puis cliquez sur le bouton Graver.**

   Ouvrez la bibliothèque Images et ouvrez le dossier contenant les photos à copier sur le disque compact. Sélectionnez les photos et/ou dossiers en cliquant dessus, touche Ctrl enfoncée, ou sélectionnez tout en appuyant sur Ctrl + A. Après avoir cliqué sur le bouton Graver, Windows 7 vous demande d'insérer un disque vierge dans le lecteur.

2. **Insérez un CD ou un DVD vierge dans le graveur de CD.**

   Si vous comptez graver beaucoup de photos, ou des fichiers volumineux, utilisez plutôt des DVD que des CD, car un DVD peut stocker jusqu'à cinq fois plus de données. Si vous n'avez que quelques photos à remettre à quelqu'un, gravez-les sur un CD, qui est meilleur marché.

3. **Définissez ce que vous voulez faire de ce disque.**

   Windows propose deux options lorsque vous créez un disque :

   - **Comme un lecteur USB :** Choisissez cette option si d'autres PC doivent pouvoir lire le disque. Windows 7 le traite alors comme un dossier, vous permettant d'ajouter d'autres photos par la suite. C'est un bon choix lorsque vous ne gravez que quelques photos, car le restant du disque est exploitable.

   - **Avec un lecteur de CD/DVD :** Choisissez cette option pour visionner les photos avec un lecteur de DVD de salon branché à un téléviseur. La gravure terminée, le disque est clos, interdisant toute écriture ultérieure. Ne choisissez cette option que pour les photos qui doivent être montrées sur un téléviseur.

4. **Nommez le disque puis cliquez sur Suivant.**

   La date d'aujourd'hui est déjà insérée dans le champ Titre du disque. Ajoutez des mots **Sauvegarde photos**.

   La gravure commence aussitôt.

5. **Au besoin, cliquez de nouveau sur le bouton Graver.**

   Si vous avez opté pour lecteur de DVD, à l'Étape 3, cliquez sur Graver.

   Si vous n'avez pas sélectionné de photos ou de dossier à l'Étape 1, Windows 7 ouvre une fenêtre montrant le contenu du nouveau disque inséré : il est vide. Faites glisser les photos à graver jusque sur la fenêtre. Ou, pour les copier toutes, retournez à la bibliothèque Images et cliquez sur Graver.

La place manque sur le CD ou le DVD pour sauvegarder toutes les photos ? Windows 7 n'est hélas pas assez intelligent pour demander l'insertion d'un deuxième disque. Il se contente d'annoncer benoîtement qu'il n'y a plus assez de place et cesse de graver. Dans ce cas, optez pour le programme Sauvegarder et restaurer (voir Chapitre 12), qui saura répartir vos sauvegardes sur plusieurs disques.

Envoyer des photos par courrier électronique

Contrairement aux versions précédentes, Windows 7 n'est pas doté d'un logiciel de messagerie. Dans ce cas, comment faire pour envoyer un courrier électronique ? Beaucoup de gens finissent par opter pour une messagerie en ligne comme Gmail (www.gmail.com) de Google.

Microsoft préférera sans doute que vous téléchargiez son propre programme de messagerie, Windows Live Mail, décrit au Chapitre 9.

Imprimer les photos

L'assistant d'impression de photos de Windows 7 propose presque autant d'options de tirage qu'une boutique photo : format, brillant ou mat, avec ou sans bord, *etc.*

Pour obtenir de beaux tirages, vous devez utiliser une imprimante photo de bonne qualité ainsi que du beau – et onéreux – papier photo. Demandez à voir des échantillons d'impression avant d'acheter une imprimante, puis achetez le papier photo recommandé pour cette marque.

Avant d'imprimer vos photos, corrigez les couleurs et recadrez-les avec un programme comme la Galerie de photos Windows Live décrite plus loin dans ce chapitre, à la section «Corriger les photos avec la Galerie de photos Windows Live «.

Voici comment faire migrer vos images de l'écran vers le papier :

1. **Ouvrez le dossier Images à partir du menu Démarrer, puis sélectionnez les photos à imprimer.**

   Vous ne voulez en imprimer qu'une seule ? Cliquez dessus. Pour en sélectionner et donc en imprimer plusieurs à la fois, cliquez sur chaque photo, touche Ctrl enfoncée.

2. **Demandez à Windows 7 d'imprimer les photos.**

   L'impression peut être lancée de deux manières :

   Imprimer

   - En cliquant sur le bouton Imprimer, dans la barre d'outils du dossier. Il y en a un dans la barre de commandes de chaque dossier de la bibliothèque Images (NdT : visible seulement si au moins une photo est sélectionnée).

   - En cliquant du bouton droit sur les photos sélectionnées et en choisissant Imprimer, dans le menu contextuel.

   Quelle que soit la technique adoptée, la fenêtre Imprimer les images apparaît (Figure 16.5).

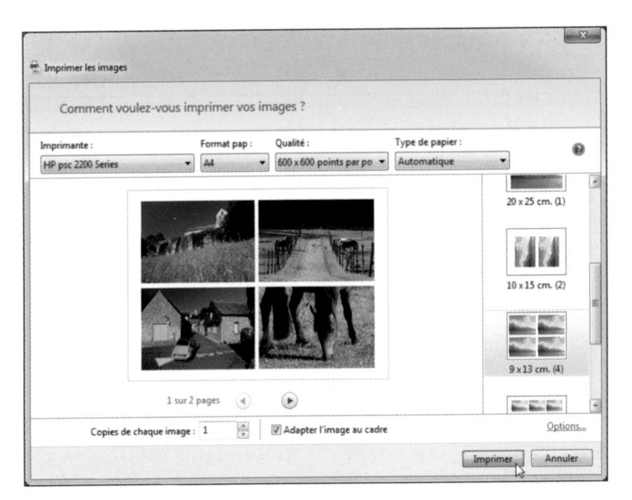

Figure 16.5 : Choisissez la disposition des photos sur le papier, puis cliquez sur le bouton Imprimer.

3. **Choisissez l'imprimante, le format de papier et la disposition des photos ainsi que le nombre d'exemplaires à tirer.**

   La fenêtre Imprimer les images permet de régler plusieurs paramètres (si vous ne faites rien, Windows 7 imprime chaque photo sur une seule feuille au format A4) :

   - **Imprimante :** Windows 7 affiche l'imprimante par défaut. Si vous en avez plusieurs, dont une imprimante photo, sélectionnez-la dans la liste.

   - **Format de papier :** La liste déroulante contient plusieurs formats usuels, dont le format A4.

   - **Qualité :** Conserver l'option 600 × 600 points par pouce si vous utilisez une imprimante photo. En revanche, 300 × 300 points pas pouce sont suffisants avec une imprimante de bureau.

   - **Type de papier :** Choisissez le type de papier, généralement Papier photo (la liste varie selon la marque et le modèle d'imprimante).

   - **Disposition :** Choisissez dans le volet de droite comment Windows 7 doit disposer les photos sur le papier : sur des pages entières, deux ou quatre photos par page, voire neuf photos au format Wallet (photo d'identité) ou une planche-contact. Chaque fois que vous choisissez une disposition, l'assistant montre un aperçu des pages (voir Figure 16.10).

   - **Copies de chaque image :** Vous pouvez imprimer de 1 à 99 exemplaires de chaque image.

- **Adapter l'image au cadre :** Laissez cette case cochée afin que Windows 7 remplisse au mieux la surface du papier avec vos photos (il peut cependant arriver que certaines photos soient rognées pour mieux s'insérer parmi les autres).

4. **Insérez du papier photo dans l'imprimante, puis cliquez sur Imprimer.**

   Respectez les instructions fournies sur l'emballage de la ramette de papier. Le côté traité doit être correctement orienté sous peine d'imprimer au dos du papier, ce qui serait du gâchis.

   Cliquez sur Imprimer, et Windows 7 envoie les photos à l'imprimante.

La plupart des labos tirent vos photos sur un meilleur papier et avec une encre de meilleure qualité que votre imprimante. Étant donné le coût des consommables, le labo est souvent moins cher qu'imprimer soi-même. Étudiez leurs tarifs et demandez sur quel support ils préfèrent recevoir les photos : CD, carte mémoire ou par Internet.

Corriger les photos avec la Galerie de photos Windows Live

Windows 7 est parfait pour les tâches élémentaires comme parcourir les photos, les visionner, les envoyer par courrier électronique et les imprimer. Mais il vous faudra un logiciel de retouche simple pour corriger les défauts courants d'une photo, comme l'horizon incliné, les yeux rouges causés par le flash, des couleurs délavées ou pour recadrer la photo afin de mieux mettre le sujet en valeur.

Microsoft espère bien que son programme téléchargeable Galerie de photos Windows Live répondra à vos besoins de retouches. Les corrections qu'il applique ne sont pas irréversibles. Si vous avez fait une erreur, cliquez sur le bouton Annuler, en bas de la Galerie de photos. Si vous ne remarquez la bévue que quelques jours plus tard, cliquez sur la photo en question, cliquez sur le bouton Corriger, et vous verrez qu'en bas à droite, le bouton Rétablir est accessible. Cliquez dessus et la photo originale sera affichée.

La Galerie de photos Windows Live est aussi capable d'importer de la vidéo d'un caméscope numérique.

Installer la Galerie de photos Windows Live

Le téléchargement du programme Live Essentiels est détaillé au Chapitre 9, où il est question de l'installation de la messagerie Windows Live Mail.

Le processus est exactement le même pour le téléchargement de la Galerie de photos Windows Live. À un moment, le programme vous demandera si vous désirez qu'il ouvre les fichiers au format JPG, TIF, PNG, WDP, BMP et ICO. Si vous estimez que la Visionneuse de photos Windows s'acquitte fort bien de cette tâche, cliquez sur Non. Autrement, si vous préférez voir ces images dans la Galerie de photos Windows Live, cliquez sur Oui.

Après l'installation, la Galerie de photos Windows Live apparaît (voir Figure 16.6), contenant déjà vos photos classées par dates de prise de vue.

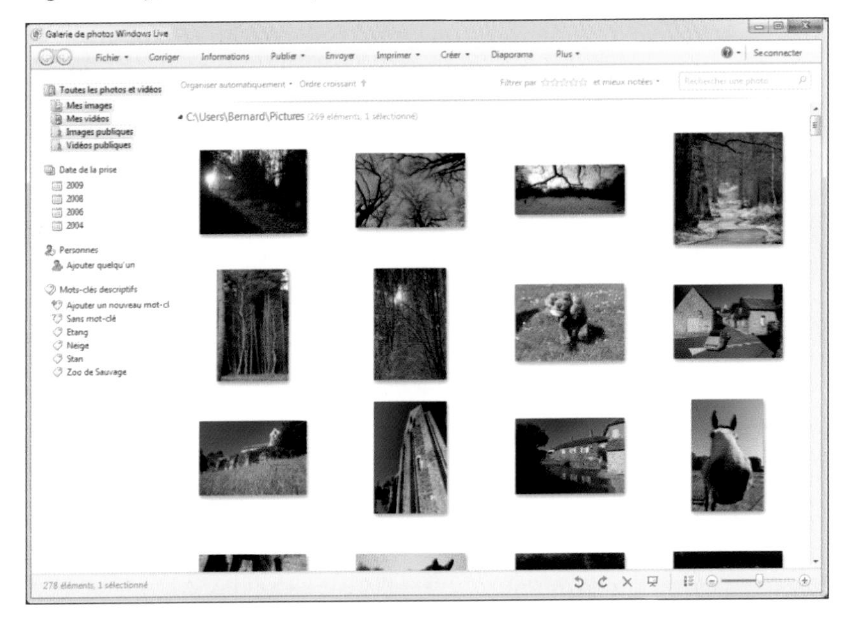

Figure 16.6 : La Galerie de photos Windows Live, téléchargeable gratuitement, permet de trier les photos et de les corriger.

Pensez à corriger les photos avant de les imprimer ou les envoyer à un labo photo. Une légère correction et un peu de recadrage les amélioreront avant de les tirer sur papier.

Dans beaucoup de logiciels de retouche, les réglages sont effectués en actionnant des glissières. Au lieu de les manipuler timidement, tirez carrément le curseur d'un bout de la glissière à l'autre. Vous découvrirez les effets d'une surcorrection ou d'une sous-correction, ce qui vous permettra de mieux comprendre comment utiliser cet outil.

Régler automatiquement les photos

Il est rare que toutes les photos soient parfaitement exposées. Parmi toutes celles que l'on prend, certaines sont un peu surexposées (photos trop claires, aux couleurs délavées), d'autres un peu sous-exposées (photos trop sombres). La Galerie de photos Windows Live permet de corriger ces défauts.

Voici comment corriger l'exposition d'une photo :

Corriger

1. **Ouvrez la Galerie de photos Windows Live, cliquez sur la photo incriminée puis, dans la barre d'outils, sur le bouton Corriger, dans la barre de commandes.**

   Les outils de correction apparaissent dans un volet à droite de la photo.

2. **Cliquez sur le bouton Ajustement automatique.**

   Windows 7 analyse l'image et applique les réglages qui, selon lui, s'imposent : aussi étonnant que cela puisse paraître, le résultat est souvent satisfaisant. Mais parfois, il est pire ou alors, la correction est insuffisante. Vous devrez alors passer à l'Étape 3.

3. **Cliquez sur le bouton Ajuster l'exposition, puis réglez les curseurs Luminosité, Contraste, Ombre et Reflets (en fait, les hautes lumières).**

   Le réglage automatique fausse toujours quelque peu les paramètres d'exposition. Les curseurs des glissières Luminosité et Contraste sont normalement centrés, mais après l'application de la commande Ajustement automatique, l'un ou l'autre peut être décentré. Si la photo n'est pas encore satisfaisante, passez à l'Étape 4.

   Après avoir utilisé des commandes, cliquez sur le nom du réglage auquel elles appartiennent pour rétracter le panneau.

4. **Cliquez sur Ajuster la couleur. Réglez les paramètres Température de couleur, Teinte et Saturation.**

   NdT : Réglez le curseur Température de couleur si la photo semble globalement trop orangée, verdâtre ou bleutée. Vous pouvez aussi, en l'utilisant délicatement, renforcer une impression de crépuscule ou une ambiance intimiste. La glissière Teinte décale la totalité du spectre chromatique. Vous aurez peu l'occasion de l'utiliser. La glissière Saturation règle l'intensité des couleurs : vers la droite, les couleurs plus vives ; calée à gauche, l'image est privée de couleur et apparaît en noir et blanc (réglez de nouveau le contraste et la luminosité pour obtenir un beau noir et blanc).

5. **Enregistrez ou annulez vos modifications.**

   Si vous estimez que la photo est corrigée, enregistrez vos interventions en cliquant sur le bouton Retour à la galerie, à gauche dans la barre d'outils, ou en fermant la Galerie de photos Windows.

Mais si la photo est encore pire qu'avant, renoncez aux modifications les unes après les autres en cliquant à chaque fois sur le bouton Annuler, ou rétablissez la photo originale en cliquant sur la petite flèche à droite de Annuler et, dans le menu, choisissez Annuler tout.

Redresser une photo

L'attention concentrée sur le sujet, beaucoup de photographes oublient de vérifier si la ligne d'horizon est à niveau. C'est souvent après coup qu'ils s'aperçoivent que la photo est penchée. L'outil Redresser la photo permet de les remettre bien droit.

Corriger

1. **Ouvrez la Galerie de photos Windows Live, cliquez sur la photo inclinée puis sur le bouton Corriger, dans la barre de commandes.**

   La Galerie de photos Windows Live ouvre la photo et affiche les outils de correction, à droite.

2. **Cliquez sur le bouton Redresser la photo.**

   Le programme détecte aussitôt l'inclinaison, redresse la photo et applique un quadrillage par-dessus.

3. **Au besoin, rectifiez l'inclinaison avec la glissière.**

   Basez-vous sur le quadrillage et sur un élément censé être horizontal ou vertical (immeuble, personne debout...) pour bien mettre la photo à niveau.

4. **Cliquez sur Retour à la Galerie afin d'enregistrer vos modifications.**

Ne cliquez pas sur Ajustement automatique après avoir redressé une photo, car cet outil ne se contente pas de corriger la couleur et le contraste. Il la redresse aussi, risquant de ce fait de fausser les délicates mises à niveau que vous venez d'effectuer. Si vous tenez à utiliser l'ajustement automatique, appliquez-le avant l'outil Redresser la photo.

Rogner les photos

Rogner les photos, c'est les recadrer. À vrai dire, le recadrage commence dès la prise de vue, lorsque vous recherchez le point de vue et orientez l'appareil afin d'obtenir une bonne image.

Mais, de retour chez vous, vous constatez parfois que la composition de l'image n'est pas aussi bonne que vous le pensiez : un pied ou un bras dépasse dans l'image, un poteau ou un pylône gâche le paysage.

Un recadrage peut remédier à ces défauts. Vous ne retiendrez que la partie intéressante d'une image et éliminerez le reste. Ces trois étapes expliquent comment faire pour recadrer un sujet pris d'un peu trop loin et donner ainsi plus de force à l'image.

Corriger

1. **Ouvrez la Galerie de photos Windows, cliquez sur la photo à recadrer puis, dans la barre d'outils, cliquez sur le bouton Corriger.**

2. **Cliquez sur l'outil Rogner l'image, déroulez le menu Proportions et choisissez un format de papier.**

   L'outil Rogner l'image place un cadre dans l'image, comme le montre la Figure 16.7. Tout ce qui se trouve à l'extérieur sera supprimé.

Figure 16.7 : Cadrez la partie de la photo à conserver.

Vous envisagez de créer un DVD avec le programme Création de DVD Windows ? Choisissez la proportion 16 x 9 pour obtenir un format horizontal 16/9 qui emplira entièrement l'écran large d'un téléviseur.

3. **Délimitez le recadrage.**

   Windows 7 centre le cadre, ce qui n'est pas toujours la meilleure solution. Repositionnez-le en cliquant dedans et en le tirant, bouton de la souris enfoncé. Réglez ensuite les dimensions du cadre : en tirant un coin, la proportion est maintenue. En tirant un côté, la proportion n'est plus respectée (le bouton Proportion affiche alors Personnalisé).

   Pour recadrer en fonction de différents formats de papiers, déroulez le menu Proportion et choisissez-en un. Cliquez sur le bouton Faire pivoter l'image pour obtenir un cadrage, soit en hauteur, soit en largeur.

Évitez de centrer le sujet. Respectez la règle des tiers pour qu'une photo soit plus forte : imaginez qu'elle soit divisée par des lignes aux tiers de la hauteur et aux tiers de la largeur et placez le sujet à l'une des intersections.

Appliquer

4. **Cliquez sur le bouton Appliquer pour recadrer l'image.**

   Tout ce qui est à l'extérieur du cadre est éliminé.

   Cliquer sur Annuler si vous n'aimez pas le nouveau cadrage. Si au contraire il vous plaît, cliquez sur le bouton Aller à la Galerie pour l'enregistrer et revenir à la photothèque.

Rogner une image est commode pour réaliser les photos qui illustreront vos comptes d'utilisateurs. Choisissez la proportion Carrée, cadrez le portrait bien serré puis, après avoir enregistré l'image, intégrez-la à un compte d'utilisateur comme l'explique le Chapitre 13.

Accentuation de la netteté et effets noir et blanc

Deux commandes de la Galerie de photos Windows Live sont relativement méconnues. Il s'agit de Ajuster les détails et de Effets noir et blanc :

- **Ajuster les détails :** La glissière Améliorer la netteté renforce la netteté en contrastant les contours des zones de différentes luminosités. N'appliquez qu'une correction très modérée, faute de quoi cette commande produirait des halos véritablement hideux. La glissière Réduire le bruit tente d'atténuer la dégradation de la photo prise avec une sensibilité ISO élevée.
- **Effets noir et blanc :** Cette commande propose un choix entre quatre nuances de noir et blanc. Choisissez celle qui, visuellement, respecte le mieux les tonalités d'origine. La même commande peut virer la photo en sépia ou en bleu, simulant un cyanotype.

Corriger les yeux rouges

La lumière du flash est si soudaine et intense que les pupilles n'ont pas le temps de se contracter. Au lieu d'être noires, sur la photo, elles sont d'un rouge soutenu car la lumière se reflète sur le réseau sanguin de la rétine.

L'outil Corriger les yeux rouges de la Galerie de photos Windows remplace le rouge par des nuances de gris foncé et de noir plus esthétiques.

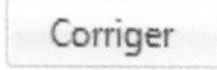

1. **Ouvrez la Galerie de photos Windows Live, double-cliquez sur la photo présentant des yeux rouges, puis cliquez sur le bouton Corriger.**

Zoomez sur les yeux rouges en cliquant sur le bouton en forme de loupe, dans la barre de navigation en bas de la fenêtre.

2. **Cliquez sur le bouton Corriger les yeux rouges, tirez un rectangle autour de la pupille et relâchez le bouton de la souris.**

Dès que le bouton est relâché, le rouge des pupilles est remplacé par des nuances de gris presque noir (NdT : Cette commande corrige les yeux rouges, mais moins bien, voire pas du tout, les yeux verts ou jaunes des animaux de compagnie).

Graver un film ou un diaporama avec le programme Création de DVD Windows

Le programme Création de DVD Windows, absent sous Windows XP, permet la gravure de DVD lisibles par un lecteur de salon. Auparavant, les utilisateurs de Windows devaient acheter un logiciel de gravure de DVD ou espérer qu'il y en est un déjà installé sur leur nouveau PC.

Remarque : N'utilisez pas Création de DVD Windows si vous voulez copier ou sauvegarder des fichiers sur un DVD vierge. Copiez plutôt les dossiers ou les fichiers directement sur le DVD, comme expliqué au Chapitre 4.

Procédez comme suit pour graver un film ou un diaporama sur un DVD qui pourra être lu par un lecteur de salon et donc regardé sur le téléviseur :

1. **Démarrez Windows Création de DVD Windows.**
2. **Cliquez sur le bouton Ajouter des éléments. Sélectionnez vos films ou vos photos, puis cliquez sur Suivant.**

Vous pouvez choisir des séquences vidéo, éventuellement montées avec Movie Maker.

Pour créer un diaporama, choisissez les photos à placer sur le DVD. Vous pouvez modifier leur ordre en les tirant vers le haut ou vers le bas.

Pour ajouter toutes les photos d'un dossier, sélectionnez-les toutes en appuyant sur Ctrl + A.

3. **Personnalisez le menu d'ouverture, si vous le désirez.**

Consacrez quelques minutes à fignoler le menu d'ouverture. C'est une sorte de titrage qui apparaît avant d'avoir démarré la lecture d'un film ou d'un diaporama. Le programme Création de DVD Windows propose ces trois options :

- **Texte de menu :** Cliquez sur ce bouton pour choisir le titre du film ou diaporama, de même que les options qui doivent figurer dans le menu. Ou alors, tenez-vous-en aux deux options par défaut de tous les DVD : Lecture Scènes.

- **Personnaliser le menu en effet :** Vous pouvez modifier la police du menu et changer les photos, choisir une vidéo qui se répétera à l'arrière-plan, sélectionner une musique d'accompagnement et même changer l'apparence des *menus de scènes* qui permettent de passer rapidement à différentes parties du film. Cliquez sur le bouton Aperçu pour vérifier que c'est bien ce que vous désirez.

- **Diaporama :** Conçue spécifiquement pour les diaporamas, cette commande permet de choisir la musique d'accompagnement, la durée d'affichage des photos et les transitions.

- **Styles de menus :** Ce menu déroulant contient des arrière-plans empruntés à Movie Maker, destinés à agrémenter le graphisme (j'aime beaucoup les styles Mur vidéo et Voyage, pour les diaporamas).

4. **Cliquez sur Graver.**

   Vous pouvez abandonner l'ordinateur pendant quelques heures, car Création de DVD Windows prend largement son temps !

   Quand il a terminé, Création de DVD Windows éjecte un DVD prêt à être étiqueté avec un feutre indélébile – NdT : Ou, si vous êtes soigneux, avec une étiquette imprimée et collée avec une machine spéciale – puis inséré dans le lecteur de DVD de salon afin de regarder votre impérissable chef-d'œuvre sur l'écran du téléviseur.

Créer, monter et visionner des vidéos numériques

Les étagères des vidéastes amateurs croulent sous les cassettes de films de vacances, d'événements sportifs et de bains de bébé. Malheureusement, Windows 7 n'est pas doté de Movie Maker, le logiciel de montage vidéo livré auparavant avec Windows XP et Windows Vista.

Vous devrez donc télécharger son équivalent, Windows Live Movie Maker depuis le site www.download.live.com/. Pour pouvoir importer des séquences vidéo depuis votre caméscope numérique, il vous faudra le programme Galerie de photos Windows Live, décrit à la précédente section.

Le reste de cette section explique les trois phases du montage vidéo :

1. **L'importation.**

   Il s'agit de la collecte des matériaux bruts. Vous copierez sur le disque dur les scènes filmées avec le caméscope, qui apparaîtront dans Movie Maker sous forme de clips séparés. Ajoutez d'autres vidéos, des émissions de télévision enregistrées, des fichiers de musique, des photos numériques, bref tout ce dont vous avez besoin pour le film.

2. **Le montage.**

   Montez les clips vidéo, la musique et les images fixes pour en faire un film digne de ce nom. Faites glisser vos meilleurs clips sur la Table de montage séquentiel dans l'ordre où ils doivent apparaître, et placez des transitions entre certaines séquences. Ajouter aussi une bande sonore, et un titrage de début et de fin.

3. **La diffusion.**

   Le montage terminé, Movie Maker produit un film terminé, prêt à entre enregistré dans votre ordinateur, gravé sur un CD ou un DVD ou réintroduit dans votre caméscope.

La création d'un film exige beaucoup de place libre sur le disque dur. Prévoyez 2,5 gigaoctets pour un court-métrage de 15 minutes. Si la place manque, vous avez deux possibilités : créer des films plus courts ou ajouter un second disque dur de grande capacité à l'ordinateur.

Étape 1 : Importer la vidéo, les photos et la musique

Si vous avez déjà importé des séquences vidéo de votre caméscope numérique, passez directement à l'Étape 4 car vous avez pris de l'avance.

Mais si vous êtes sur le point de le faire, vous avez du pain sur la planche. Pour que Movie Maker puisse monter vos vidéos, vous devez d'abord les copier dans l'ordinateur à l'aide d'un câble. La plupart des caméscopes se connectent au port FireWire ou USB 2.0 (le premier, parfois appelé du nom de sa norme, IEEE-1394, fonctionne mieux).

Si votre ordinateur n'est pas équipé d'un port FireWire, installez une carte d'extension FireWire, qui est de surcroît bon marché. J'explique comment faire dans mon livre *PC Mise à niveau et dépannage Pour les Nuls.*

Votre caméscope est un ancien modèle analogique ? Il est parfaitement possible de transférer les films dans Windows 7 en recourant à une carte d'acquisition vidéo installée dans l'ordinateur.

Quand vous importez de la vidéo par le port FireWire, ou IEEE-1394, il suffit d'utiliser le câble approprié. Au travers de ce seul câble, Windows 7 récupère le son et la vidéo et contrôle aussi la caméra.

Procédez comme suit pour importer de la vidéo numérique dans l'ordinateur :

1. **Téléchargez et installez la Galerie de photos Windows Live, si cela n'a pas encore été fait. Connectez le caméscope à l'ordinateur, ouvrez la Galerie de photos Windows Live, cliquez sur le bouton Fichier et choisissez Importer depuis un appareil photo ou un scanneur.**

   Si c'est la première fois que vous branchez le caméscope numérique, Windows 7 le reconnaît et propose aussitôt d'importer les vidéos qui s'y trouvent. Dans le cas contraire, pour qu'il soit détecté, vous devrez peut-être configurer le caméscope dans le mode où il visionne les vidéos, et non en mode d'enregistrement.

2. **Dans la fenêtre Importer des photos et des vidéos, cliquez sur l'icône de votre caméscope. Cliquez ensuite sur Importer.**

3. **Nommez la vidéo, indiquez comment l'importer et cliquez sur Suivant.**

   Commencez par nommer la vidéo en fonction du sujet (vacances à Trifouillis-les-Oies, mariage…).

   Choisissez ensuite l'un des trois moyens par lequel vos films seront stockés dans le dossier Vidéos :

   - **Importer la bande vidéo complète sur mon ordinateur :** Cette option importe la totalité des vidéos. Ce choix est surtout approprié pour ceux qui enregistrent chaque série de prises de vue sur une bande différente.

   - **Importer uniquement des parties de la bande vidéo sur mon ordinateur :** Choisissez cette option pour importer rapidement quelques parties de la bande. Windows 7 affiche une fenêtre de lecture avec des boutons de commande. Effectuez une avance rapide jusqu'au début de la séquence désirée, cliquez sur le bouton Lancer Importation de vidéo, enregistrez un bout de scène, puis cliquez sur Arrêter l'importation de la vidéo. Répétez cette manipulation jusqu'à ce que vous ayez obtenu toutes les scènes voulues, puis cliquez sur Terminer.

   - **Graver la totalité de la vidéo sur un DVD :** Le fichier audiovisuel est gravé directement sur un DVD. Bien que commode, cette option donne à voir le film non monté, avec toutes ses éventuelles longueurs et parties inintéressantes.

L'ordinateur doit fonctionner en continu pendant la récupération des séquences, car il a besoin d'un maximum de puissance de calcul pour produire des séquences fluides. N'utilisez aucun autre programme pendant qu'il mouline et n'en profitez pas pour aller sur le Web.

Windows 7 stocke les séquences dans le dossier Vidéos, que vous pouvez atteindre en cliquant sur l'icône de Windows Explorer, dans la barre des tâches.

4. **Ouvrez Movie Maker Live, s'il ne l'est pas encore.**

   Vous le trouverez bien évidemment dans Tous les programmes, après avoir cliqué sur le bouton Démarrer.

5. **Collectez les vidéos, photos, musiques et sons à incorporer dans votre vidéo.**

   Dans le ruban visible à la Figure 16.8, un bouton Ajouter est présent dans deux groupes : Vidéos et photos, ainsi que Bande son.

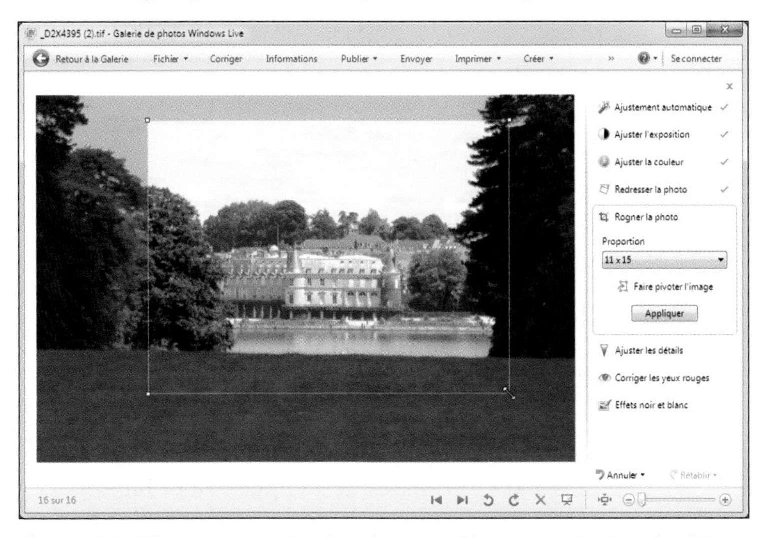

Figure 16.8 : Cliquez sur l'un des deux boutons Ajouter pour insérer des éléments visuels ou audio dans le film.

Pour supprimer des éléments placés par erreur dans le volet de droite, cliquez dessus puis cliquez sur le bouton Supprimer approprié, dans le ruban (ou appuyez sur la touche Supprimer).

Au terme de cette étape, Movie Maker héberge toutes les vidéos, photos et musiques dont vous avez besoin pour votre film. À la prochaine étape, nous monterons et mixerons tous ces éléments pour obtenir le produit fini.

Étape 2 : Monter le film

Après avoir importé les vidéos, sons et photos, vous êtes prêt à assembler tout cela pour en faire un film, en éliminant au passage les séquences ratées et en coupant les meilleures prises aux bons endroits. Cliquez sur le bouton Démarrer la lecture – le bouton bleu en bas à gauche – pour regarder votre œuvre.

Le film peut être monté de diverses manières :

- **En changeant l'ordre de lecture :** Tirez les clips et les photos à différents endroits, dans le volet de droite.
- **En supprimant les séquences ou photos ratées :** Un bougé de la caméra ou une photo floue ? Cliquez du bouton droit sur cet élément et choisissez Supprimer.
- **En coupant dans les clips :** Pour couper dans un clip, cliquez sur l'onglet Édition, dans le ruban, et cliquez sur Découper. D'épaisses barres apparaissent à chaque extrémité de la barre de temps. Positionnez celle de gauche là où la séquence doit commencer, et celle de droite là où elle doit se terminer. C'est bon ? Cliquez sur Enregistrer et fermer.
- **En insérant des transitions :** Elles agrémentent l'enchaînement des séquences. Cliquez sur l'onglet Effets visuels, dans le ruban. Cliquez sur un effet puis sur l'une des trois transitions proposées.

Ne vous inquiétez pas pour vos vidéos originales, elles ne risquent rien car vous ne travaillez que sur des copies. L'original reste en lieu sûr dans la bibliothèque Vidéos.

Visionnez fréquemment votre travail, pendant le montage, en cliquant sur le bouton Démarrer la lecture, sous l'aperçu.

Étape 3 : Enregistrer le film ou le diaporama

Le montage terminé, cliquez sur le bouton Enregistrer, à droite dans le ruban Accueil. Le programme peut enregistrer le film dans la bibliothèque Vidéos, dans l'un des trois formats suivants :

- **Qualité DVD Windows Media :** Cette option produit un fichier qui pourra être gravé avec le programme Création de DVD Windows, évoqué à la section précédente.

- **Périphérique portable Windows Media :** Cette option crée un fichier de petite taille pour la lecture sur des baladeurs vidéo comme Zune (l'enregistrement au format iPod n'est toutefois pas possible).

Après avoir choisi une option et cliqué sur Enregistrer, Windows confectionne votre film, choisissant la taille de fichier et la qualité appropriées à la destination sélectionnée.

La publication de films et de diaporamas peut être fort longue. Windows doit en effet arranger tous vos clips, créer les transitions et la bande sonore, et tout compresser dans un seul fichier.

Sixième partie

À l'aide !

"Visiblement, l'aide de Windows 7
n'a pas été assez rapide !"

Dans cette partie...

Windows 7 est capable de faire des centaines de choses de dizaines de manières. Ce qui signifie que plusieurs milliers de tâches peuvent se détraquer à un moment ou à un autre.

Certains problèmes sont faciles à corriger, à condition bien sûr de savoir comment. Par exemple, un clic mal placé dans le Bureau et hop ! toutes les icônes disparaissent soudain. Un clic bien placé les ramène heureusement.

D'autres problèmes sont beaucoup plus complexes, exigeant le recours à un spécialiste pour diagnostiquer le mal, y remédier et vous envoyer la facture en conséquence.

Cette partie du livre vous aide à faire la part des choses entre les gros problèmes et les petits pépins. Vous apprendrez à réparer des dysfonctionnements en quelques clics. Vous apprendrez aussi comment résoudre un problème qui se pose à bon nombre de nouveaux adeptes de Windows 7 : comment copier les données de votre ancien PC vers le nouveau.

Chapitre 17

Rien que des misères...

Dans ce chapitre

- Désactiver les écrans de permission de Windows 7
- Récupérer les versions antérieures des dossiers et fichiers supprimés
- Récupérer un mot de passe oublié
- Remettre la souris au pas
- Ne pas se laisser faire par des icônes et des fichiers évanescents, des menus cachés et des écrans gelés

Il y a des jours comme ça où rien ne va. L'ordinateur gronde comme le chien qui attend sa gamelle, ou alors Windows 7 se traîne lamentablement. À d'autres moments, il se détraque pour de bon : des programmes se bloquent, des menus ne se rétractent plus ou alors, à peine allumé, Windows affiche un message d'erreur peu amène.

Beaucoup de ces problèmes, qui peuvent vous paraître graves, sont en fait résolus assez simplement. Peut-être trouverez-vous la solution au vôtre dans ces pages.

Windows 7 demande sans cesse la permission !

En ce qui concerne la sécurité, Windows XP était assez facile à vivre. Pour peu que vous possédiez un compte Administrateur – c'était le cas de la plupart des gens – il ne se faisait pas remarquer. En revanche, les détenteurs de comptes plus restreints, comme Limité ou Invité, étaient souvent invités à s'adresser à l'administrateur de l'ordinateur.

Mais avec Windows 7, même les comptes Administrateurs sont harcelés par des messages, souvent pour les actions les plus inoffensives. Plus sécurisé – voire sécuritaire – que XP, Windows 7 a tendance à élever murs et barbelés à tous moments. Lorsqu'un autre programme tente de modifier des paramètres dans votre PC, Windows affiche un message comme celui de la Figure 17.1.

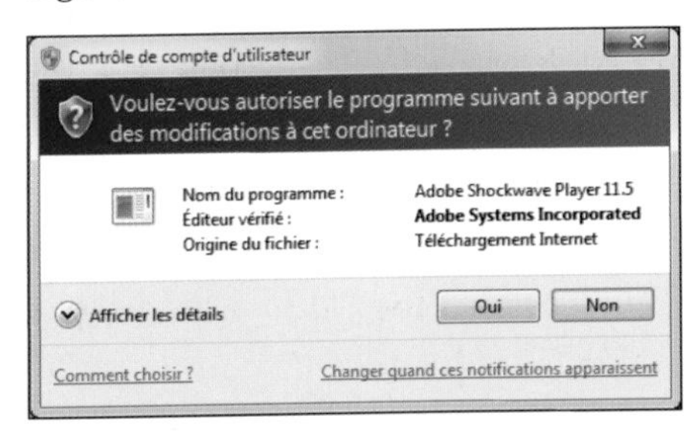

Figure 17.1 : Cet écran de demande d'autorisation apparaît chaque fois qu'un programme tente de modifier un élément de votre PC.

Les détenteurs d'un compte Standard voient s'afficher un message légèrement différent qui leur demande de s'adresser au détenteur d'un compte Administrateur afin qu'il tape un mot de passe.

Lassés par les incessantes apparitions de ce message, les gens finissent par cliquer sur Continuer sans même y réfléchir, au risque de donner leur accord pour l'intrusion d'un malfaisant espiogiciel dans leur ordinateur.

Quand Windows demande une permission, vous devez systématiquement vous interroger sur sa pertinence. Cette demande résulte-t-elle d'une action de ma part ? Si oui, cliquez sur Continuer, ce qui autorise Windows à exécuter la commande. Mais si le message tombe comme un cheveu dans la soupe, alors que vous n'avez rien fait de particulier, cliquez sur Annuler. Vous empêcherez ainsi des éléments potentiellement nuisibles de s'introduire dans votre PC.

Si vous n'avez pas de temps à perdre avec ces demandes d'autorisation et que votre PC est efficacement protégé par un pare-feu et un antivirus à jour, vous trouverez au Chapitre 10 la manipulation qui les désactive.

Retour dans le futur avec la Restauration du système

Quand Windows est bien mal en point, ne serait-il pas agréable de revenir en arrière, à une époque où il fonctionnait parfaitement ? À l'instar de Windows XP et Vista, Windows 7 est doté d'une fonction de voyage dans le temps : la Restauration du système.

En voici le principe : de temps en temps, Windows enregistre une sorte d'instantané, appelé «point de restauration», qui mémorise les paramètres les plus importants et les enregistre en notant la date. Quand votre ordinateur fait des siennes, demandez à la Restauration du système de revenir à un point de restauration où tout allait bien.

La Restauration du système n'efface aucun de vos fichiers ni aucun de vos courriers électroniques. En revanche, il faudra peut-être réinstaller certains logiciels installés entre-temps. La Restauration du système est réversible : vous pouvez annuler le dernier point de restauration ou en essayer un autre.

Procédez comme suit pour renvoyer le système à un point de restauration antérieur :

1. **Enregistrez tous les fichiers ouverts, fermez tous les programmes et chargez la Restauration du système.**

   Choisissez Démarrer, puis cliquez sur Tous les programmes et baladez-vous dans les menus : Accessoires, Outils système et enfin Restauration du système. Cliquez dessus.

   Vous n'aimez pas errer parmi les menus ? Accédez plus rapidement au programme en tapant *Restauration* dans le champ Rechercher les programmes et fichiers, en bas du menu Démarrer.

2. **Cliquez sur l'option correspondant à ce que vous désirez faire : Annuler le restauration du système, Restauration recommandée ou Choisir un autre point de restauration.**

   La restauration du système se comporte un peu différemment selon les conditions du moment. Quoi qu'il en soit, vous avez toujours le choix entre deux de ces trois options :

   • **Annuler la restauration du système :** Ne choisissez cette option que si la restauration du système n'a fait qu'empirer la situation. Elle rétablit l'ordinateur au point de restauration le plus récent, autrement dit à son état antérieur. Vous pourrez alors choisir un autre point de restauration (cette option n'est affichée que si vous venez de restaurer un point dans l'espoir de réparer le PC).

- **Restauration recommandée :** Si cette option est proposée, choisissez-la car c'est votre meilleure chance de rétablir le bon fonctionnement d'un PC rétif. Elle désinstalle les mises à jour, installations de logiciels et de pilotes les plus récentes, qui sont généralement à l'origine d'un dysfonctionnement soudain.

- **Choisir un autre point de restauration :** Cette option disponible en permanence permet de choisir un point de restauration dans une liste. Si le point de restauration précédemment sélectionné ne corrige pas le problème, essayez d'en choisir un plus ancien dans la liste (les plus récents sont en tête de liste).

Vous vous interrogez sur les effets d'un point de restauration sur le PC ? Cliquez sur le bouton Rechercher les programmes concernés. Vous obtiendrez la liste de tous les programmes et pilotes concernés.

3. **Assurez-vous d'avoir enregistré tous les fichiers actuellement ouverts, cliquez sur Suivant, si nécessaire, puis sur Terminer.**

   L'ordinateur grommelle un moment – il a horreur d'être rattrapé par son passé, mais c'est vous son seigneur et maître –, puis il redémarre en utilisant les paramètres d'antan qui, espérons-le, ramèneront l'ordinateur à de meilleurs sentiments.

Si actuellement votre ordinateur tourne à merveille, ne manquez pas de créer vous-même un point de restauration Créez systématiquement un point de restauration après toute installation réussie. Retourner à ce point de restauration évitera de ne pas perdre cette installation (la création de points de restauration est expliquée au Chapitre 12).

Voici quelques recommandations :

- Avant d'installer un programme ou un nouvel équipement informatique, commencez par créer un point de restauration, pour le cas où l'installation tournerait au désastre. De même, créez un point restauration après coup, lorsque vous vous êtes assuré que tout fonctionne bien. Revenir à ce point préservera ainsi ce qui a été correctement installé.
- De nombreux points de restauration peuvent être enregistrés, selon la taille du disque dur. Vous devriez avoir de la place pour des dizaines. Windows supprime les plus anciens afin de libérer de la place pour les nouveaux. C'est pourquoi vous avez intérêt à en créer fréquemment.
- Si vous restaurez l'ordinateur à un point antérieur à l'installation de tel ou tel matériel ou logiciel, ces derniers risquent de ne plus fonctionner correctement. Dans ce cas, réinstallez-les.

Supprimer des points de restauration infectés

Si un virus s'est introduit dans l'ordinateur, supprimez tous les points de restauration avant de le désinfecter avec un antivirus. Voici ce qu'il faut faire :

1. **Cliquez sur Démarrer, puis cliquez du bouton droit sur Ordinateur et choisissez Propriétés.**
2. **Dans le volet à gauche, cliquez sur Protection du système.**
3. **À la rubrique Paramètres de protection, cliquez sur le lecteur Disque local (C:) (Système), puis sur le bouton Configurer.**
4. **Cliquez sur le bouton Supprimer, puis sur Continuer.**
5. **Cliquez sur le bouton OK pour fermer la fenêtre.**
6. **Après avoir mis l'antivirus à jour avec les dernières définitions de virus, lancez une analyse et une désinfection de tout l'ordinateur.**

Cela fait, créez un nouveau point de restauration (nommez-le "Après désinfection"). Vous disposerez ainsi d'un point de restauration sûr, à l'avenir.

Récupérer des fichiers supprimés ou endommagés

Quiconque utilise un ordinateur a un jour connu l'horreur des nombreuses heures de travail perdues, parce que des fichiers ont été supprimés par mégarde, ou parce que d'autres ont été modifiés pour les améliorer, mais qu'en fait, l'intervention n'a fait qu'y semer la pagaille.

La restauration du système ne sera ici d'aucun secours, car elle mémorise les paramètres du PC, mais pas les fichiers. Windows 7 offre toutefois le moyen de récupérer des fichiers perdus, mais aussi la possibilité de restaurer leurs anciennes versions, deux fonctionnalités décrites dans cette section.

Récupérer des fichiers supprimés par mégarde

Windows 7 ne supprime pas réellement un fichier, mais si vous avez commandé de le faire, il le place dans la Corbeille, dont l'icône se trouve sur votre Bureau. Ouvrez-la et vous y trouverez tout ce que vous avez supprimé ces dernières semaines. Cliquez sur le fichier à récupérer puis, dans la barre de commandes de la Corbeille, cliquez sur le bouton Restaurer cet élément. Le fichier retourne aussitôt là à sa place d'origine.

La Corbeille est décrite au Chapitre 2.

Récupérer des versions précédentes de fichiers et de dossiers

Ne vous est-il jamais arrivé de modifier un fichier, l'enregistrer et vous rendre compte que l'original était bien meilleur ? Vous n'avez jamais eu envie de reprendre à zéro un document que vous aviez commencé à modifier en début de semaine ? Une nouvelle fonctionnalité de Windows 7 permet de récupérer des documents qui, voici quelque temps, pouvaient être considérés comme perdus.

Windows inventorie à présent ce qui se trouve relégué dans ses oubliettes, et vous offre de quoi leur remettre le grappin dessus et les ramener au grand jour.

Pour découvrir et récupérer une ancienne version d'un de vos fichiers, cliquez du bouton droit dessus et choisissez Restaurer les versions précédentes. Dans la fenêtre qui apparaît, Windows 7 répertorie toutes les versions antérieures disponibles, comme le montre la Figure 17.2.

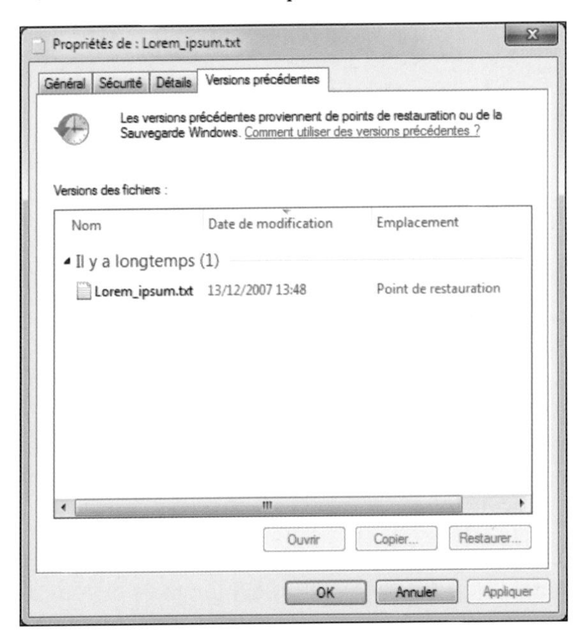

Figure 17.2 : Windows 7 mémorise les versions précédentes de vos fichiers. En cas d'incident, vous pouvez les récupérer.

Windows liste les versions précédentes, ce qui nous amène à la grande question : laquelle choisir ? Pour jeter un rapide coup d'œil sur une version antérieure, cliquez sur son nom puis sur Ouvrir. Vous verrez alors si le fichier que vous avez extrait des insondables profondeurs de Windows est le bon.

Si cette version récupérée s'avère meilleure que l'actuelle version, cliquez sur le bouton Restaurer. Windows vous prévient que la restauration de l'ancien fichier supprimera le fichier existant. Après avoir approuvé la suppression, il le remplace par la version restaurée.

Si vous n'êtes pas certain que l'ancienne version est meilleure que la nouvelle, une solution sûre consiste à cliquer plutôt sur le bouton Copier. Windows 7 vous permettra de placer la version restaurée dans un autre dossier ; vous pourrez ainsi comparer les deux avant de décider laquelle garder.

La restauration des versions précédentes fonctionne même avec les dossiers, permettant de voir les versions plus anciennes d'éléments qui ne s'y trouvent plus.

Les paramètres sont faussés

Vous voudrez parfois que des éléments se retrouvent dans l'état où ils étaient avant que vous les ayez mis en désordre. Votre sauveur est alors la commande de restauration par défaut stratégiquement placée un peu partout dans Windows 7. Elle rétablit les éléments tels qu'ils étaient à l'origine.

Voici quelques commandes de restaurations qui peuvent vous être utiles :

- **Bibliothèques :** Chaque dossier du volet de navigation contient les bibliothèques recelant vos dossiers et fichiers, comme nous l'avons vu au Chapitre 4. Si l'une d'elles est manquante, la bibliothèque Musique, par exemple, vous pouvez la récupérer en cliquant du bouton droit sur Bibliothèques, dans le volet de navigation, et en choisissant Restaurer les bibliothèques par défaut. Toutes les bibliothèques Documents, Images, Musique et Vidéos que vous auriez pu supprimer réapparaissent.
- **Menu Démarrer :** Il peut être personnalisé en faisant glisser les icônes de-ci de-là. Si ces reconfigurations ont fini par rendre le menu Démarrer difficile à utiliser, cliquez du bouton droit sur le bouton Démarrer, choisissez Propriétés, cliquez sur le bouton Personnaliser puis cliquez sur le bouton Paramètres par défaut. Le menu Démarrer se présente tel qu'il était au premier jour.

- **Barre des tâches et notifications :** Cliquez du bouton droit sur une partie vide de la barre des tâches et choisissez Propriétés. Cliquez sur le bouton Personnaliser. En bas de la fenêtre, cliquez sur Restaurer les comportements des icônes par défaut.
- **Internet Explorer :** Si Internet Explorer est encombré d'innombrables barres de tâches plus ou moins indésirables, rétablissez-le tel qu'il était à l'origine. Cliquez sur Outils > Options Internet. Cliquez sur l'onglet Avancé puis sur le bouton Réinitialiser.

  Attention, car cette action efface quasiment tout : les barres d'outils supplémentaires, mais aussi les compléments et le moteur de recherche préféré. Si vous cochez la case Supprimer les paramètres personnels, l'historique du navigateur et les mots de passe mémorisés sont supprimés. Seuls les favoris, les flux RSS et quelques autres éléments subsistent. Pour une liste complète des éléments effacés ou réinitialisés, cliquez sur le lien Quel effet la réinitialisation a-t-elle sur mon ordinateur ?.
- **Pare-feu :** Si vous soupçonnez quelqu'un d'avoir reconfiguré le pare-feu, réinitialisez-le. Sachez toutefois que vous serez obligé de réinstaller certains programmes. Cliquez sur le bouton Démarrer, puis choisissez Panneau de configuration > Système et sécurité > Pare-feu Windows. Dans le volet de gauche, cliquez sur Paramètres par défaut.
- **Lecteur Windows Media :** Si la bibliothèque du Lecteur Windows Media contient des erreurs, vous devrez supprimer son index afin qu'il reprenne tout à zéro. Pour cela, appuyez sur la touche Alt, cliquez sur Outils > Options avancées > Restaurer la bibliothèque multimédia (en revanche, si vous avez ôté des éléments par mégarde, choisissez Restaurer les éléments de la bibliothèque supprimés).
- **Dossiers :** Windows 7 possède quelques commandes méconnues concernant les dossiers, leur volet de navigation, les éléments qui s'y trouvent, leur comportement et aussi la manière de rechercher un élément. Pour les voir ou rétablir leur présentation normale, ouvrez un dossier, cliquez sur le bouton Organiser et choisissez Options des dossiers et de recherche. Un bouton de rétablissement des paramètres par défaut se trouve sous chacun des trois onglets Général, Affichage et Rechercher.

Mot de passe oublié ?

Si Windows 7 refuse obstinément votre mot de passe au moment d'ouvrir une session, vous ne vous retrouvez pas pour autant sur le paillasson de l'ordinateur. Vérifier ces points avant de pousser un interminable hurlement de désespoir :

- **Vérifiez la touche de verrouillage des majuscules :** Les mots de passe de Windows sont sensibles à la casse. Ce terme d'imprimerie ne signifie pas que les caractères sont fragiles, mais que la différence est faite entre les majuscules et les minuscules. De ce fait, «LaisseMoiPasser» et «laissemoipasser» sont deux mots de passe différents. Si le témoin de verrouillage des majuscules est allumé, appuyez sur la touche de verrouillage des majuscules afin de la désactiver, puis tapez de nouveau le mot de passe.
- **Utilisez le disque réinitialisation de mot de passe.** La création de ce disque est expliquée au Chapitre 13. Si vous ne vous souvenez plus de votre mot de passe, insérez ce disque et Windows vous laissera rentrer dans votre compte d'utilisateur, où vous pourrez promptement recréer un mot de passe plus facile à retenir (et n'oubliez pas de créer un nouveau disque de réinitialisation).
- **Laisser un autre utilisateur réinitialiser votre mot de passe :** Quiconque possède un compte Administrateur sur le PC peut réinitialiser votre mot de passe. Demandez à cette personne (« À moi Comte, deux mots ! » *Le Cid,* acte 2, scène 2) d'ouvrir le Panneau de configuration, de choisir la catégorie Comptes d'utilisateurs et protection des utilisateurs et de cliquer sur Comptes d'utilisateurs. Là, il cliquera sur le lien Gérer un autre compte, puis sur le nom de votre compte et choisira Supprimer le mot de passe, vous permettant ainsi d'ouvrir une session.

Si aucune de ces options ne fonctionne, vous n'êtes malheureusement pas sorti de l'auberge (et encore moins entré dans l'ordinateur). Comparez la valeur de vos données au coût facturé par un spécialiste de la récupération des mots de passe.

Mon dossier (ou le Bureau) n'affiche pas tous les fichiers

Quand vous ouvrez un dossier – et le Bureau en est un –, vous vous attendez à voir tout ce qu'il contient. Mais s'il manque des éléments, voire tous les éléments, vérifiez ces deux points avant de déprimer grave :

- **Utilisez l'outil Rechercher :** Dès que vous saisissez du texte dans le champ Rechercher, en haut à droite de chaque dossier, Windows 7 affiche tout ce qui correspond à la saisie en filtrant tout le reste. Si un dossier n'affiche pas tout ce qu'il est censé contenir, assurez-vous que le champ Rechercher est vide.

- **Assurez-vous que le Bureau ne masque pas tout :** Windows 7 s'efforce toujours de présenter un écran net, bien rangé. Et comme certaines personnes aiment un Bureau vide, Windows se fait un plaisir de s'en charger. Mais ce n'est pas pour autant qu'il range tout le fatras là où il devrait être. Il se contente seulement de tout ôter de la vue. Pour être sûr que rien dans votre Bureau n'est caché, cliquez dessus du bouton droit et, dans le menu, choisissez Affichage. Si l'option Afficher les icônes du Bureau n'est pas cochée, cochez-la.

Si tout a vraiment disparu d'un dossier, tentez de récupérer une version antérieure de ce dossier à l'aide de la manipulation expliquée dans la section « Récupérer des versions précédentes de fichiers et de dossiers », précédemment dans ce chapitre. Car Windows ne mémorise pas seulement les anciennes versions des fichiers, mais aussi les vies antérieures des dossiers.

Ma souris ne va pas bien

La souris ne fonctionne parfois pas très bien. Ou alors, son pointeur saute à l'écran comme une puce en folie. Voici quelques points à vérifier :

- Si le pointeur de la souris n'apparaît pas après le démarrage de Windows, assurez-vous qu'elle est branchée au port USB de l'ordinateur. Si votre souris est ancienne, et qu'elle se branche sur un port PS/2 circulaire, vous devrez redémarrer le PC pour redonner vie au mulot.

- Pour redémarrer le PC lorsque la souris ne fonctionne pas, vous devrez le faire au clavier : enfoncez simultanément les touches Ctrl, Alt et Suppr. Appuyez ensuite sur la touche Tab jusqu'à ce que le petit bouton fléché, en bas à droite, soit illuminé. Appuyez sur Entrée pour déployer le menu, remontez jusqu'à l'option Arrêter à l'aide de la touche Flèche haut et appuyez sur Entrée. Le PC redémarre.
- Si le pointeur est visible mais qu'il ne bouge pas, c'est peut-être parce que Windows confond la marque de la souris avec une autre. Vous pouvez obliger Windows à reconnaître la bonne souris en suivant les instructions pour l'ajout de matériel. Si votre souris est sans fil, vérifiez l'état de la pile.
- Un pointeur erratique est révélateur d'une souris encrassée. Reportez-vous au Chapitre 12 pour savoir comment la nettoyer.

- Si la souris fonctionnait bien mais que maintenant, les boutons semblent inversés, c'est probablement parce que quelqu'un – un gaucher – les a permutés dans le Panneau de configuration. Rouvrez ce panneau, trouvez les paramètres de la souris et changez sa configuration. Le réglage de la souris pour les gauchers est expliqué au Chapitre 11.

Mes doubles-clics sont maintenant des clics simples

Dans son effort pour faciliter la vie de l'utilisateur, Windows 7 lui permet de choisir si un dossier ou un fichier doit être ouvert par un double-clic ou par un clic simple.

Voici comment ce choix s'effectue :

1. **Ouvrez un dossier (n'importe lequel ; le dossier Documents, dans le menu Démarrer convient très bien).**
2. **Cliquez sur le bouton Organiser et choisissez Options des dossiers et de recherche.**
3. **Choisissez votre préférence de clic dans la rubrique Cliquer sur les éléments de la manière suivante.**
4. **Cliquez sur OK afin d'enregistrer votre préférence.**

Pour rétablir le double-clic et d'autres comportements standard de Windows 7, cliquez simplement sur le bouton Paramètres par défaut, dans la boîte de dialogue Options de dossiers.

Mon programme est bloqué !

Il arrive qu'un programme se bloque, ne laissant aucune possibilité de cliquer sur le bouton Fermer. La manipulation suivante extirpera le programme de la mémoire vive de l'ordinateur et le fera disparaître de l'écran :

1. **Enfoncez simultanément les trois touches Ctrl, Alt et Suppr.**

   Cet ensemble de touches rappelle Windows 7 à l'ordre lorsqu'il navigue sur des flots déchaînés. Mais s'il ne réagit pas, il ne reste plus qu'une seule solution : la méthode forte. Maintenez le bouton d'allumage du PC enfoncé pendant cinq à six secondes, et il s'éteint. Attendez quelques secondes, le temps de laisser les courants de fuite disparaître et le disque dur s'arrêtera complètement, puis redémarrez le PC pour voir si Windows 7 est de meilleure humeur.

2. **Choisissez Ouvrir le gestionnaire de tâches.**

   Le Gestionnaire des tâches de Windows apparaît.

3. **Sous l'onglet Applications, cliquez sur le nom du programme bloqué.**

4. **Cliquez sur le bouton Fin de tâche et Windows chasse le programme bloqué.**

Si l'ordinateur a du mal à se remettre de ce traitement, jouez la prudence en le redémarrant à partir du menu Démarrer.

Utiliser des vieux programmes avec Windows 7

Beaucoup de programmeurs conçoivent leur programme en fonction d'une version spécifique de Windows. Quand une nouvelle version voit le jour quelques années plus tard, certains programmes ne s'accommodent pas de ce nouvel environnement et refusent de fonctionner.

Si un ancien programme ou jeu vidéo refuse de fonctionner sous Windows 7, rien n'est peut-être perdu si le mode de compatibilité veut bien vous aider. Il fait croire au programme récalcitrant qu'il tourne sous son environnement favori, c'est-à-dire l'ancienne version de Windows pour laquelle il a été conçu.

Procédez comme suit si un ancien logiciel renâcle à être installé sous Windows 7 :

1. **Cliquez du bouton droit sur l'icône du programme (NdT : celle du logiciel lui-même, pas sur un raccourci) et choisissez Propriétés.**

2. **Dans la boîte de dialogue Propriétés, cliquez sur l'onglet Compatibilité.**

3. **À la rubrique Mode de compatibilité, cochez la case Exécuter ce programme en mode de compatibilité pour.**

4. **Sélectionnez le programme dans la liste déroulante, comme le montre la Figure 17.3.**

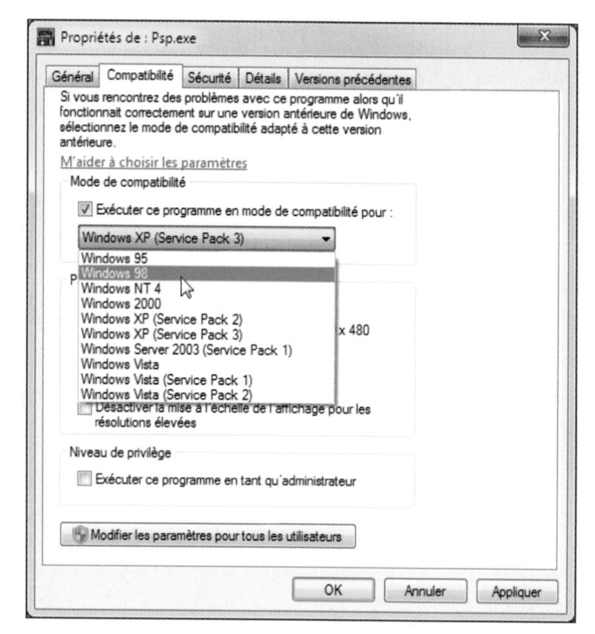

Figure 17.3 : Un mode de compatibilité sert à faire croire à un ancien programme qu'il tourne sous une ancienne version de Windows.

Vérifiez sur le disque d'installation, sur le manuel, voire sur l'Internet, à quelle version de Windows le programme était destiné.

5. **Cliquez sur OK, puis démarrez le programme pour voir s'il s'exécute normalement.**

Les menus sont introuvables

Un brin facétieux, Windows 7 cache les menus auxquels les utilisateurs étaient habitués depuis des années. Pour les faire apparaître, appuyez sur la touche Alt. Pour qu'ils soient affichés en permanence, cliquez sur le bouton Organiser, choisissez Options des dossiers et de recherche, cliquez sur l'onglet Affichage et cochez la case Toujours afficher les menus. Cliquez sur OK.

Mon ordinateur est planté

De temps en temps, Windows rend son tablier et prend le chemin des écoliers, laissant l'ordinateur bloqué ou, en jargon informatique, «planté». Il ne se passe plus rien, les clics n'ont plus aucun effet, ni d'ailleurs l'appui sur quelque touche que ce soit. Ou alors, pire, il réagit par un bip à chaque appui sur une touche. Pour un beau plantage, c'est un beau plantage.

Quand plus rien ne se produit à l'écran, hormis peut-être le pointeur de la souris qui consent à bouger, essayez ces manipulations dans l'ordre suivant :

- **Solution 1 :** Appuyez deux fois sur la touche Échap.

  Ça marche rarement, mais sait-on jamais…

- **Solution 2 :** Appuyez simultanément sur les touches Ctrl, Alt et Suppr, et choisissez Ouvrir le gestionnaire de tâches.

  Avec un peu de chances, le Gestionnaire apparaît. Il répertorie sous l'onglet Programmes tous les programmes en cours, y compris ceux qui ne répondent plus. Cliquez sur le nom de celui qui fait des misères puis sur le bouton Fin de tâche. Tout le travail non enregistré est perdu, mais vous vous y attendiez. Ou alors, si vous voulez quitter le Gestionnaire de tâches sans rien faire, appuyez sur Échap pour retourner dans Windows.

  <ma002>Si la situation n'est toujours pas débloquée, appuyez de nouveau sur Ctrl + Alt + Suppr mais cette fois, cliquez à proximité du petit bouton rouge, en bas à droite de l'écran, très exactement sur la flèche. L'ordinateur devrait s'arrêter et redémarrer, puis tourner – espérons-le – dans de meilleures conditions.

- **Solution 3 :** Si la solution précédente est sans effet, appuyez sur le bouton de réinitialisation de l'ordinateur, s'il en possède un. Si la boîte de dialogue Éteindre apparaît, choisissez Redémarrer.

- **Solution 4 :** Si même le bouton de réinitialisation ne donne rien (beaucoup d'ordinateurs n'en ont plus), éteignez le PC en appuyant sur le bouton de mise en marche. Cette action affiche généralement la boîte de dialogue Éteindre, où vous cliquerez sur Redémarrer.

- **Solution 5 :** En maintenant le bouton d'arrêt de l'ordinateur pendant quelques secondes, il finit souvent par redémarrer.
- **Solution 6 :** Faire appel à un marabout africain, un rebouteux, un sorcier du Bourbonnais ou même : un dépanneur informatique !

Chapitre 18

Des messages étranges et inattendus

Dans ce chapitre

- Quelques messages de sécurité
- Quelques messages d'interdiction
- Réagir aux messages sur le Bureau

Dans la vie courante, la plupart des messages d'erreur sont faciles à comprendre. Si l'horloge du magnétoscope clignote, cela signifie qu'elle n'a pas été mise à l'heure. Un couinement dans la voiture, quand une porte est ouverte, indique que vous n'avez pas ôté la clé. Le regard noir d'une épouse laisse à penser qu'un anniversaire a été oublié (mais comment se souvenir de tout ?).

Les messages d'erreurs de Windows, eux, semblent avoir été écrits par des technocrates obtus. Ils décrivent rarement la cause du problème et surtout, ne proposent pas grand-chose pour le résoudre.

Dans ce chapitre, nous ferons le tour de quelques messages courants.

L'activation de Windows

Signification : Si l'activation n'est pas faite dans les délais – deux semaines environ – Windows 7 s'arrête de fonctionner. Pour certains ordinateurs où le logiciel est préinstallé par le fabricant, elle n'est pas nécessaire.

Cause probable : Quand vous utiliserez votre exemplaire de Windows 7 nouvellement installé, il est probable que voyez apparaître de temps en temps un message décomptant les jours qu'ils vous restent pour l'activer.

Solution : Vous devez activer Windows 7. Cette formalité s'effectue auprès de Microsoft, soit en ligne par le Web, soit, si vous n'avez pas de connexion Internet, en téléphonant à Microsoft ou en lui écrivant. Il sert à éviter les copies illicites en associant, dans la banque de données de Microsoft, chaque exemplaire de Windows 7 à un seul et unique ordinateur. Lorsque l'activation vient d'être faite, Windows 7 affiche le message de la Figure 18.1.

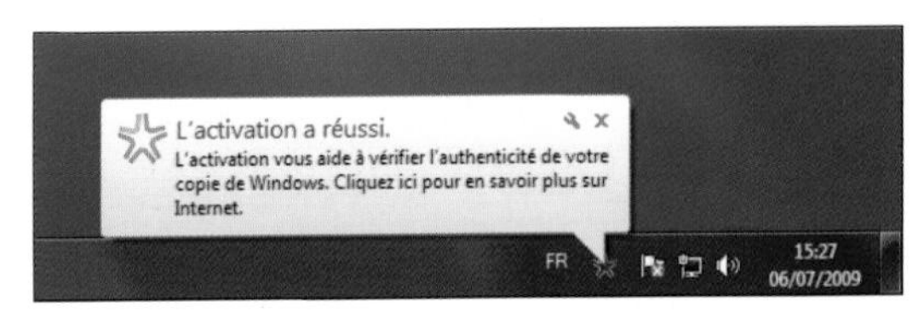

Figure 18.1 : Votre exemplaire de Windows 7 a été déclaré à Microsoft.

Impossible d'effectuer cette opération parce que le client de messagerie n'est pas installé

Signification : Le message de la Figure 18.2 signifie vous essayez d'envoyer un message avec l'une des nombreuses commandes de courrier électronique de Windows 7, alors que ce dernier n'est pas livré avec un logiciel de messagerie.

Cause probable : Faute de trouver un logiciel de messagerie, Windows envoie un message d'erreur signalant le problème.

Solution : Téléchargez et installez un logiciel de messagerie, ou configurez un programme de messagerie en ligne. Reportez-vous au Chapitre 9 pour les détails.

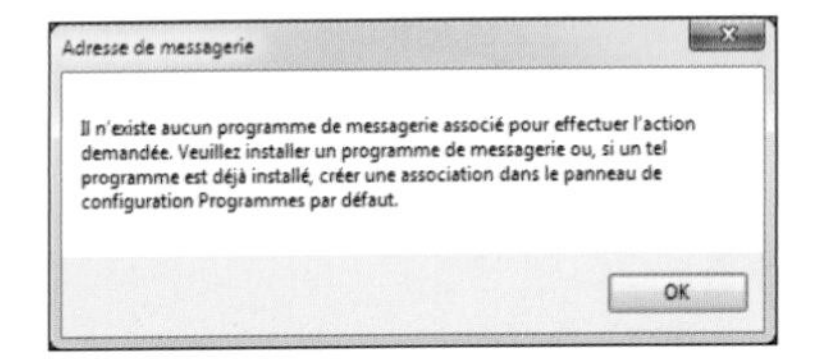

Figure 18.2 : Vous n'avez pas de messagerie installée.

Le pilote du périphérique n'a pas été correctement installé

Signification : L'info-bulle de la Figure 18.3 apparaît lorsque vous connectez un nouveau périphérique à votre PC alors que son logiciel n'a pas encore été installé.

Cause probable : Le logiciel n'a pas encore été installé. Ou alors, il n'est pas compatible avec Windows 7, ou encore, il est défectueux.

Solution : Installez d'abord le logiciel requis. Si cela a déjà été fait, déconnectez le périphérique, attendez 30 secondes puis rebranchez-le. S'il n'est toujours pas reconnu, laissez-le branché mais redémarrez l'ordinateur. Si le périphérique ne fonctionne toujours pas, allez sur le site Web du fabricant et voyez s'il propose un nouveau pilote pour ce matériel.

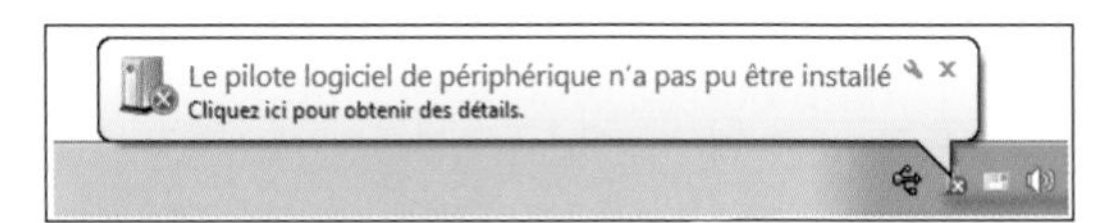

Figure 18.3 : Windows 7 ne veut pas de votre nouveau périphérique.

Autorisez-vous ce programme à bidouiller votre PC ?

Signification : Un programme tente de modifier des paramètres, des fichiers ou des programmes dans votre PC.

Cause probable : Lorsque le panneau de la Figure 18.4 apparaît, Windows assombrit l'écran afin d'attirer votre attention sur ce message à caractère sécuritaire. Il vous demande d'approuver la ou les modifications ou de les refuser.

Solution : Si vous êtes en train d'installer un programme ou de modifier un paramètre, cliquez sur Oui. Mais s'il apparaît spontanément, cliquez sur Non afin d'empêcher linstallationn d'un programme malfaisant.

Si le message exige un mot de passe et si vous avez approuvé son exécution, demandez à un détenteur de compte d'administrateur de saisir son mot de passe, comme décrit au Chapitre 10. Cliquez ensuite sur le bouton Oui.

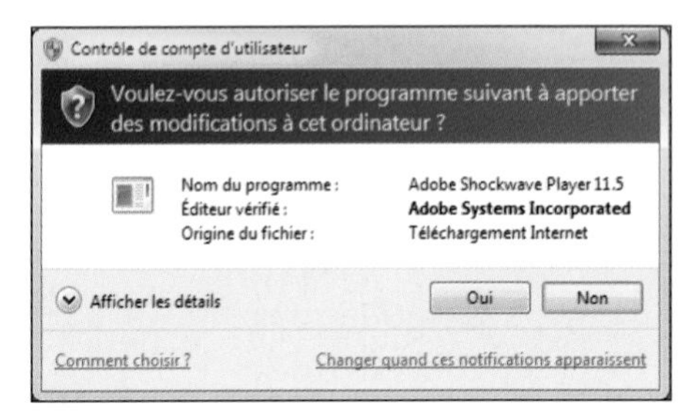

Figure 18.4 : Un logiciel d'installation a été détecté.

Voulez-vous installer ou exécuter ce programme ?

Signification : Êtes-vous certain que ce programme est exempt de virus, d'espiogiciel ou autres menaces ?

Cause probable : Une fenêtre similaire à celle de la Figure 18.5 apparaît lorsque vous tentez d'exécuter un programme qui a été téléchargé depuis l'Internet ou le réseau local.

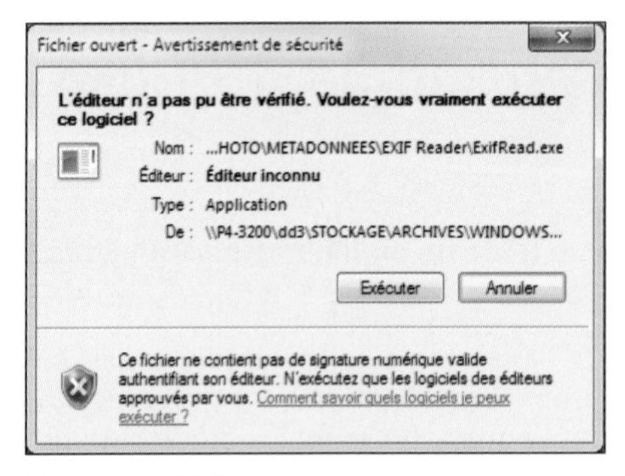

Figure 18.5 : Estimez-vous que ce programme est sûr ?

Solution : Si vous estimez que ce programme est sûr, cliquez sur Exécuter ou Installer. Mais si ce message apparaît spontanément, ou si vous avez un doute, cliquez sur le bouton Annuler. Pour plus de sécurité, analysez avec votre antivirus tous les programmes téléchargés. La sécurité informatique est abordée au Chapitre 10.

Voulez-vous enregistrer les modifications ?

Signification : Le message de la Figure 18.6 signale que vous n'avez pas enregistré le travail en cours, et que si vous ne le faites pas, il sera perdu.

Cause probable : Vous quittez une application, vous fermez votre session ou vous arrêtez ou redémarrer l'ordinateur avant d'avoir enregistré votre travail en cours.

Solution : Le nom du programme – le logiciel de dessin Paint à la Figure 18.6 – est mentionné dans la barre de titre. Cliquez sur le bouton Enregistrer afin que votre travail ou les modifications apportées depuis le dernier enregistrement soient sauvegardées sur le disque dur (l'enregistrement des fichiers est décrit au Chapitre 5).

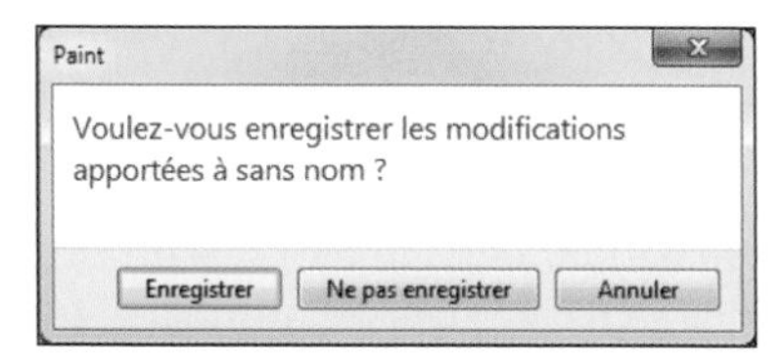

Figure 18.6 : Windows 7 vous rappelle que vous devez enregistrer votre travail.

Voulez-vous activer la saisie semi-automatique ?

Signification : La saisie automatique, illustrée par une animation à gauche dans le panneau de la Figure 18.7, s'efforce de deviner ce que vous tapez afin de compléter la saisie à votre place.

Cause probable : Cette fonctionnalité est proposée à tout utilisateur d'Internet Explorer.

Solution : La saisie automatique est commode pour remplir rapidement des formulaires avec des informations que vous fournissez fréquemment, qu'elle présente dans une liste. Bien qu'elle fasse gagner du temps, cette fonctionnalité pose un problème de sécurité, car elle permet à d'autres personnes de savoir ce que vous avez saisi précédemment. Pour la modifier, cliquez sur Outils, à droite dans la barre de commandes d'Internet Explorer, et dans le menu, choisissez Options Internet. Cliquez sur l'onglet Contenu puis, à la rubrique Saisie automatique, cliquez sur le bouton Paramètres. Décochez ensuite toutes les options qui ne doivent pas faire l'objet d'une saisie semi-automatique.

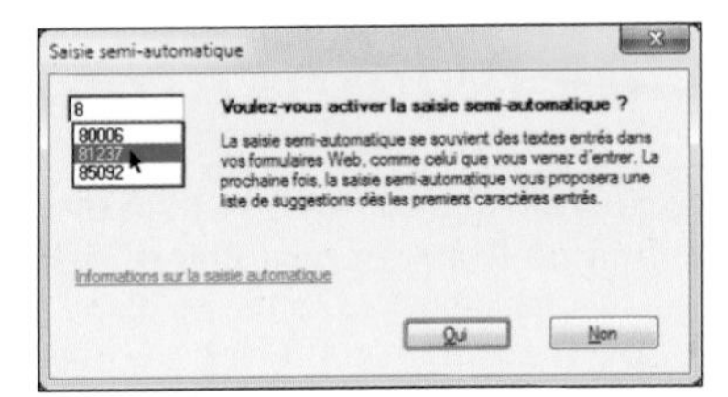

Figure 18.7 : La saisie semi-automatique mémorise vos saisies et les propose ensuite à la volée.

Rechercher un antivirus en ligne

Signification : Le petit panneau de la Figure 18.8 est affiché chaque fois que Windows 7 détecte des problèmes potentiels. Ici, il signale qu'aucun logiciel antivirus n'est installé et que la sauvegarde automatique n'a pas été planifiée.

Cause probable : Aucun antivirus n'est installé. Ou alors, il ne fonctionne pas correctement. D'autres messages peuvent attirer l'attention sur l'état de Windows Defender, la faiblesse des paramètres de sécurité de Windows 7 ou la désactivation du contrôle des comptes d'utilisateur (qui régit les panneaux d'alerte).

Solution : Cliquez sur l'info-bulle pour obtenir des précisions sur le ou les problèmes. Si elle a disparu avant que vous ayez pu cliquer dessus, cliquez sur l'icône en forme de drapeau blanc, dans la barre de notification. Windows signale le problème et propose une solution, comme expliqué au Chapitre 10.

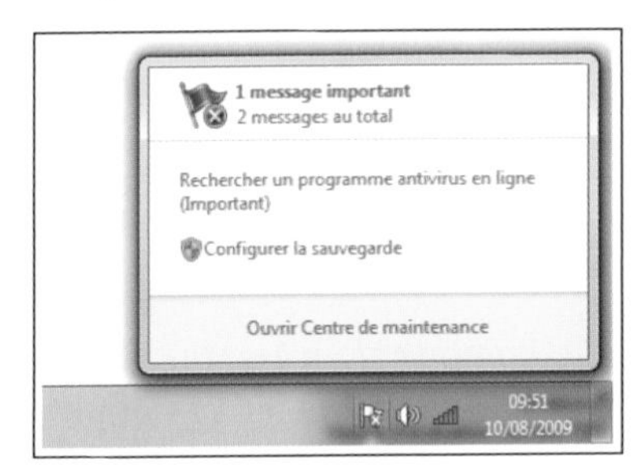

Figure 18.8 : Windows 7 n'a pas trouvé d'antivirus sur l'ordinateur.

Installation d'un pilote

Signification : Windows 7 reconnaît le nouveau périphérique venant d'être connecté et installe le pilote qui lui permettra de l'utiliser. S'il ne l'avait pas reconnu, vous auriez été obligé de l'installer manuellement, une tâche un peu rébarbative expliquée au Chapitre 12.

Cause probable : Le message de la Figure 18.9 indique que tout va bien. Windows 7 a trouvé un pilote parmi les milliers qu'il connaît.

Solution : Dans quelques secondes, un autre message confirmera que le pilote du périphérique a été installé et que vous pouvez utiliser votre nouvel équipement.

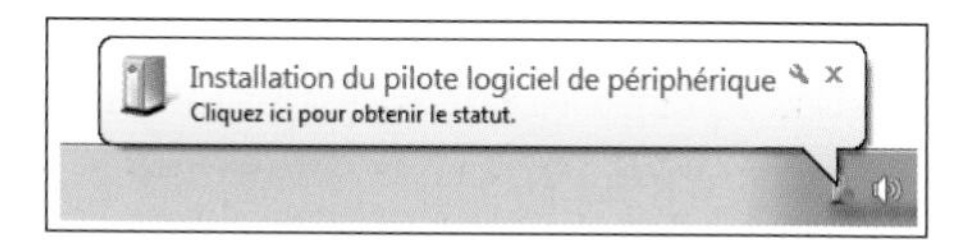

Figure 18.9 : Windows 7 a reconnu le nouveau périphérique.

Des messages d'alerte de Windows

Signification : Par le message de la Figure 18.10, Windows 7 signale discrètement qu'un ou plusieurs éléments nécessitent votre attention.

Cause probable : Des tâches de maintenance s'imposent, qu'il s'agisse de configurer un logiciel antivirus, de sauvegarder des fichiers ou de modifier des paramètres de sécurité.

Solution : Cliquez sur l'info-bulle ou sur l'icône en forme de drapeau blanc, dans la barre de notification, pour accéder au Centre de maintenance. Vous y trouverez des informations sur les tâches à accomplir.

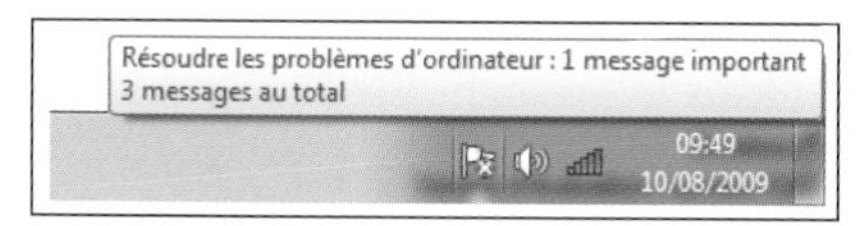

Figure 18.10 : Windows 7 a quelque chose à vous dire.

Windows ne parvient pas à ouvrir ce fichier

Signification : Le message de la Figure 18.11 apparaît lorsque Windows 7 ne sait pas avec quel programme il doit ouvrir le fichier.

Cause probable : Windows se base sur l'extension du fichier – les caractères après le point – pour identifier le programme auquel il est associé. Par exemple, quand un fichier a une extension .txt (comme «texte») Windows sait qu'il doit l'ouvrir avec le Bloc-notes. Mais si une extension n'a pas été associée à un programme, Windows ne sait pas quoi faire.

Solution : Si vous savez quel programme a créé le mystérieux fichier, choisissez l'option Sélectionner un programme dans la Liste des programmes installés, et sélectionnez le programme en question. Cochez ensuite la case Toujours utiliser ce programme pour ouvrir ce type de fichier.

Si vous avez un doute, choisissez l'option Utiliser le service Web pour trouver le programme approprié. Windows cherchera sur l'Internet et suggérera plusieurs logiciels qui lui semblent appropriés. L'association des fichiers aux programmes est exposée au Chapitre 5.

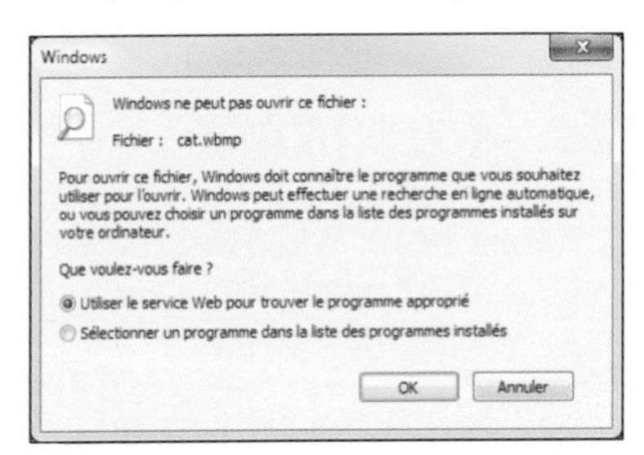

Figure 18.11 : Windows ne sait pas avec quel logiciel ouvrir ce fichier.

Vous n'avez pas le droit d'accéder à ce dossier

Signification : Le message de la Figure 18.12 vous informe que Windows 7 vous interdit d'accéder au contenu du dossier que vous tentez d'ouvrir. Le nom du dossier, PerfLogs en l'occurrence – un dossier système de Windows –, est mentionné dans la barre de titre.

Cause probable : Le propriétaire de l'ordinateur ne vous a pas donné la permission. Ou encore, comme ici, le système de protection de Windows 7 monte la garde.

Solution : Seul un utilisateur ayant un compte Administrateur – généralement le propriétaire de l'ordinateur – peut accorder l'accès à certains dossiers.

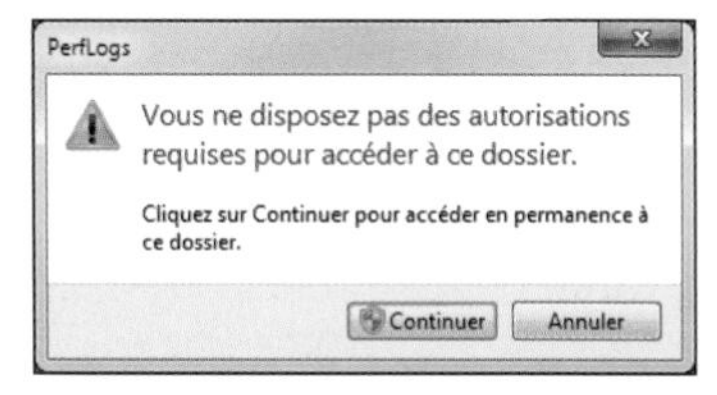

Figure 18.12 : Seuls les administrateurs ont le droit d'ouvrir ce dossier.

Chapitre 19

Migrer d'un ancien ordinateur vers un nouveau

Dans ce chapitre

- Copier les fichiers de l'ancien PC et les installer dans le nouveau
- Utiliser le programme Transfert de fichiers et paramètres Windows
- Transférer des fichiers par un câble, le réseau ou un disque dur externe
- Se débarrasser de l'ancien ordinateur

Quand vous déballez chez vous le tout nouvel ordinateur prééquipé avec Windows 7, il lui manque l'élément le plus important : les fichiers de l'ancien ordinateur sous Windows XP ou Vista. Comment transférer les données d'un PC vers un autre sans rien perdre ? Microsoft a résolu ce problème avec un camion de déménagement virtuel : le programme Transfert de fichiers et paramètres Windows.

Tout le monde n'a pas besoin de ce programme. Si vous procédez à la mise à niveau d'un ordinateur sous Windows Vista, vos fichiers ainsi que la plupart des paramètres sont conservés. Rien n'a à être transféré, puisque tout se passe dans le même ordinateur et vous pourrez vous dispenser de lire ce chapitre.

En revanche, si vous devez copier des informations d'un PC vers un autre, ces pages vous expliqueront comment procéder.

Remarque : le programme Transfert de fichiers et paramètres Windows ne fonctionne pas avec des versions anciennes de Windows, comme 95, 98 et Me.

Préparer le déménagement vers le nouveau PC

La réussite d'un déménagement dépend de la préparation. Ici, au lieu de tout ranger dans des cartons et les fermer avec du ruban adhésif, vous devrez exécuter deux tâches avant de faire appel au programme Transfert de fichiers et paramètres Windows :

- Choisir la technique de transfert entre les deux PC.
- Installer les programmes de l'ancien PC dans le nouveau.

Les techniques de transfert de données

Les ordinateurs sont parfaits pour copier des données, ce qui suscite d'ailleurs l'inquiétude des industries du divertissement. Les techniques de copie ne manquent pas.

Par exemple, le programme Transfert de fichiers et paramètres Windows propose pas moins de quatre moyens de copier les données vers le nouveau PC, qui se différencient par la difficulté de mise en œuvre et la vitesse de la migration. Vous avez le choix entre :

- **Le câble de transfert USB-USB :** Tous les PC étant équipés d'au moins un port USB, le câble de transfert USB-USB est la solution la plus simple. Il se caractérise par la présence, à chaque extrémité de connecteurs USB mâles de type A, une sorte d'olive au milieu (voir Figure 19.1) et mesure généralement deux à trois mètres. Son prix est d'environ 50 euros (notez qu'un câble USB normal ne convient pas).

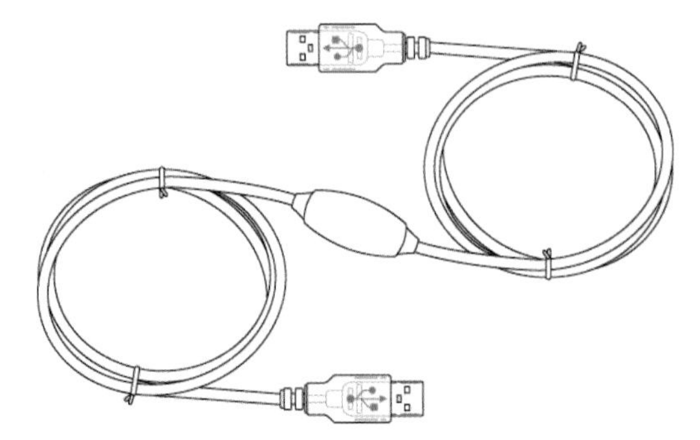

Figure 19.1 : Un câble USB-USB se reconnaît à ses deux prises USB mâles et au renflement au milieu.

- **Le disque dur externe :** D'un coût qui ne cesse de baisser, le disque dur externe est idéal pour le transfert des données d'un PC à un autre. La plupart se branchent à la fois au secteur et à une prise USB.

- **La clé USB :** Ces petites mémoires flash pas plus grandes qu'un porte-clés, et dont la capacité peut atteindre les 16 Go, sont commodes pour transférer des fichiers.
- **Le réseau :** Windows 7 peut acheminer les données par le réseau, si vous en avez établi un entre les deux PC.

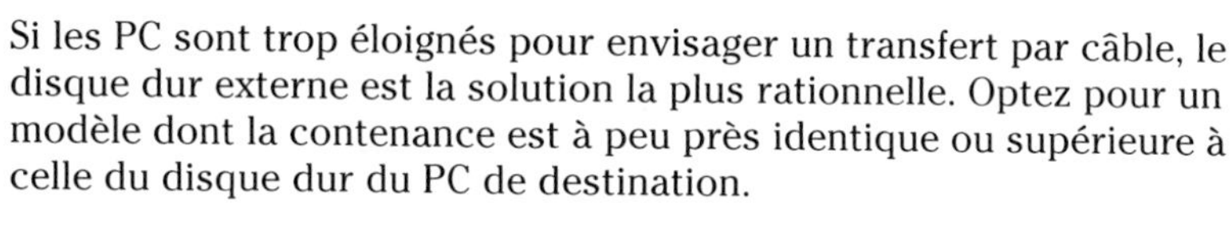

Si les PC sont trop éloignés pour envisager un transfert par câble, le disque dur externe est la solution la plus rationnelle. Optez pour un modèle dont la contenance est à peu près identique ou supérieure à celle du disque dur du PC de destination.

Après le transfert, vous utiliserez le disque dur externe pour vos sauvegardes quotidiennes, une tâche indispensable, vivement recommandée, expliquée au Chapitre 12.

Installer les programmes de l'ancien PC dans le nouveau

Le programme Transfert de fichiers et paramètres Windows est capable de transférer non seulement les données que vous avez créées – textes, courriers électroniques, photos… – mais aussi les paramètres des programmes, comme la liste de vos sites Web favoris.

En revanche, il ne peut pas copier les programmes eux-mêmes. Vous devrez donc les réinstaller dans le nouveau PC *avant* de démarrer le logiciel Transfert de fichiers et paramètres Windows. C'est logique : les programmes doivent être prêts, à destination, à recevoir les paramètres entrants.

Pour installer les anciens programmes, retrouvez leur CD d'installation ainsi que leur code. Le code figure généralement sur le boîtier du CD ou est collé dans le manuel. Si vous avez acheté des programmes en ligne, vous devriez avoir conservé les numéros de série ou les codes. Imprimez-les. Si vous ne les avez pas, vous devriez pouvoir les récupérer sur le site Web de l'éditeur.

Malheureusement, tous vos programmes ne tourneront pas forcément sous Windows 7. La plupart des antivirus, notamment, exigent une version conçue spécifiquement pour Windows 7.

Transférer les données entre deux PC

Le programme Transfert de fichiers et paramètres Windows ne nécessite parfois que peu d'étapes ou au contraire plusieurs, selon la technique de migration choisie : par câble, par le réseau ou avec un lecteur amovible. Les prochaines sections expliquent comment procéder à ces différents types de transfert.

Veillez à ouvrir une session avec un compte Administrateur, car les comptes limités n'ont pas le droit de copier des fichiers. Vous pourrez à tout moment revenir à l'écran précédent en cliquant sur le bouton fléché en haut à gauche.

Transférer les données par un câble

Si vous transférez les données à l'aide d'un câble USB-USB semblable à celui de la Figure 19.1, et que votre ancien ordinateur tourne sous Windows XP, assurez-vous d'avoir d'abord installé son pilote. Pas de problème avec Windows Vista, car il reconnaît ce type de câble sitôt que vous l'avez branché.

Pour tester le câble, connectez-le au PC sous Windows XP. Si une info-bulle, en bas à droite de l'écran, signale qu'il a été reconnu, c'est bon. Débranchez le câble et attendez que le PC vous demande de le brancher à nouveau.

Voici comment transférer des fichiers *via* un câble USB-USB :

1. **Fermez tous les programmes en cours sur le PC tournant sous Windows 7.**
2. **Cliquez sur le bouton Démarrer, puis cliquez sur Tous les programmes > Accessoires > Outils système > Transfert de fichiers et paramètres Windows.**

   La fenêtre d'accueil du programme apparaît.
3. **Cliquez sur Suivant.**
4. **Choisissez l'option Câble Transfert de fichiers et paramètres.**

   Le programme demande si vous opérez à partir du nouvel ordinateur ou de l'ancien.
5. **Cliquez sur l'option Il s'agit de mon nouvel ordinateur.**

   Le programme demande si vous désirez installer ou non le programme Transfert de fichiers et paramètres Windows dans l'ancien ordinateur.
6. **Choisissez l'option Je dois l'installer maintenant.**

Le programme propose deux manières d'installer son *alter ego* sur l'ancien PC :

- **Disque dur externe ou dossier réseau partagé :** Branchez et allumez le disque dur externe si vous désirez y stocker le programme.
- **Lecteur flash USB :** C'est le terme technique pour ce que l'on appelle communément une clé USB. Insérez-la dans le lecteur si vous choisissez cette option.

Après avoir choisi l'une des options, la boîte de dialogue Rechercher un dossier apparaît (voir Figure 19.2).

Figure 19.2 : Choisissez l'emplacement de stockage du programme, généralement un disque dur externe.

Vous n'avez ni disque dur externe, ni clé USB, ni réseau ? Dans ce cas, reportez-vous à l'encadré «Impossible de copier le programme de transfert dans mon ancien PC !» Après avoir installé le programme, passez directement à l'Étape 8.

7. **Naviguez jusqu'à l'emplacement où stocker le programme Transfert de fichiers et paramètres Windows, puis cliquez sur OK.**

   Pour trouver le disque dur externe ou la clé, cliquez sur Ordinateur, dans la fenêtre Rechercher un dossier. Tous les lecteurs seront listés ; cliquez sur celui que vous désirez utiliser.

   Une copie du programme Transfert de fichiers et paramètres Windows est placée dans le dossier distant, ce qui permettra de l'exécuter à partir de l'ancien ordinateur.

8. **Déconnectez le lecteur du nouvel ordinateur et connectez-le au port USB de l'ancien ordinateur afin de démarrer le programme Transfert de fichiers et paramètres Windows.**

Le programme devrait démarrer automatiquement sur l'ancien ordinateur (vous devrez peut-être cliquer sur OK pour autoriser son exécution).

9. **Sur l'ancien ordinateur, cliquez sur Suivant afin de quitter l'écran d'accueil. Choisissez ensuite l'option Câble Transfert de fichiers et paramètres.**

10. **Sur l'ancien ordinateur, choisissez l'option Il s'agit de mon ancien ordinateur.**

    Connectez les deux ordinateurs à l'aide du câble USB-USB.

11. **Sur chacun des ordinateurs, cliquez sur Suivant.**

    À cette étape, le même écran du programme Transfert de fichiers et paramètres Windows est affiché. Quel que soit l'ordinateur sur lequel vous cliquez sur Suivant, ils s'échangent l'information et poursuivent les opérations.

    Le nouvel ordinateur sous Windows 7 commence à rechercher dans l'ancien ordinateur tout ce qui peut être transféré.

12. **Choisissez ce qui doit être transféré.**

    Le programme recopie normalement tous les comptes en entier. Pour sélectionner exactement ce qui doit être transféré, reportez-vous à la section « Choisir les fichiers, dossiers et comptes à transférer », plus loin dans ce chapitre.

13. **Cliquez sur le bouton Transférer, sur le nouvel ordinateur, pour commencer à copier les données.**

    Ne touchez à aucun des ordinateurs au cours du transfert.

14. **Terminez les opérations.**

    Le programme vous propose de choisir parmi deux options :

    - **Voir ce qui a été transféré :** Ce rapport, assez technique, montre tout ce qui a été copié dans le nouvel ordinateur.

    - **Voir une liste de programmes susceptibles d'être installés dans le nouvel ordinateur :** Un autre rapport, tout aussi technique, indique les programmes que vous pourriez installer afin d'ouvrir certains des fichiers transférés.

C'est terminé. Débranchez le câble USB-USB des ordinateurs.

Impossible de copier le programme de transfert dans mon ancien PC !

Windows 7 est capable de placer une copie du programme Transfert de fichiers et paramètres Windows sur une clé USB, dans un disque dur externe ou dans un emplacement sur le réseau, ce qui permet de le mettre à disposition de Windows XP ou Vista. Mais comment ferez-vous si vous avez le câble USB-USB, mais ni réseau, ni clé USB, ni disque dur externe ? Il est fort heureusement possible de démarrer le programme sur l'ancien ordinateur par l'une de ces méthodes :

- **Télécharger le programme depuis Internet :** Microsoft le met à disposition sur son site (www.microsoft.fr/). Après l'avoir installé, passez immédiatement à l'Étape 8 précédente de la procédure "Transférer les données par un câble".
- **Utiliser le DVD de Windows 7 :** Le programme Transfert de fichiers et paramètres Windows s'y trouve. Mais si Windows 7 était préinstallé sur le nouvel ordinateur, vous n'avez peut-être pas reçu ce DVD.

Si vous avez acheté Windows 7 à part, insérez le DVD dans le lecteur de disque de l'ancien ordinateur. Si le programme d'installation démarre spontanément, annulez-le en cliquant sur le bouton Fermer, en haut à droite de la fenêtre. Procédez ensuite ainsi :

1. **Cliquez sur le bouton Démarrer puis cliquez, soit sur Poste de travail (Windows XP), soit sur Ordinateur (Windows Vista).**
2. **Cliquez du bouton droit sur l'icône du DVD et choisissez Explorer.**
3. **Ouvrez le dossier Support.**

Le programme Transfert de fichiers et paramètres Windows se trouve dans un dossier nommé MigWiz (abréviation de *Migration Wizard,* Assistant Migration). Pour exécuter le programme sur votre ancien ordinateur, ouvrez ce dossier MigWiz, puis double-cliquez sur le fichier MigSetup ou MigSetup.exe.

Transférer les données par le réseau

La réalisation d'un réseau – une tâche quelque peu délicate –, est décrite au Chapitre 14. Il faut installer l'équipement et configurer des paramètres jusqu'à ce que tous les ordinateurs veuillent bien échanger entre eux, comme on dit aujourd'hui. Mais une fois que le réseau est opérationnel, il est très facile d'échanger des fichiers entre des PC et des Mac.

Procédez comme suit pour siphonner les fichiers de votre ancien PC jusque dans celui sous Windows 7 :

1. **Fermez tous les programmes en cours sur le PC tournant sous Windows 7.**
2. **Cliquez sur le bouton Démarrer, puis cliquez sur Tous les programmes > Accessoires > Outils système > Transfert de fichiers et paramètres Windows.**

   La fenêtre d'accueil du programme apparaît.

3. **Cliquez sur Suivant.**
4. **Choisissez l'option Un réseau.**
5. **Cliquez sur l'option Il s'agit de mon nouvel ordinateur.**
6. **Choisissez l'option Je dois l'installer maintenant.**

   Une copie du programme Transfert de fichiers et paramètres Windows se trouve déjà dans l'ancien ordinateur ? Dans ce cas, vous pouvez passer à l'Étape 9.

7. **Choisissez Disque dur externe ou dossier réseau partagé.**

   La boîte de dialogue Rechercher un dossier apparaît (voir Figure 19.3).

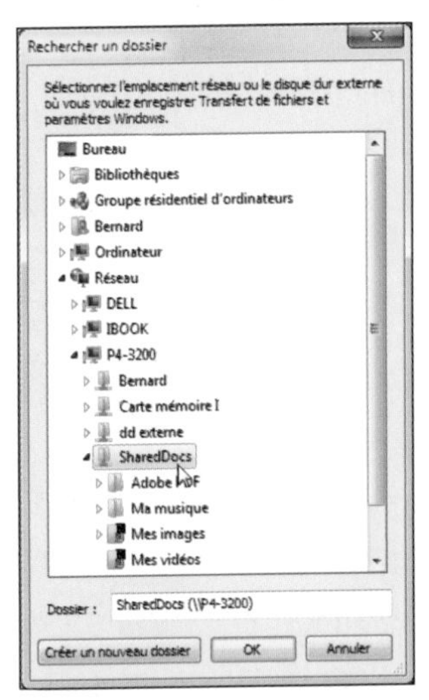

Figure 19.3 : Cliquez sur Réseau puis choisissez un dossier partagé sur l'ancien PC.

8. **Naviguez jusqu'à l'emplacement où stocker le programme Transfert de fichiers et paramètres Windows, puis cliquez sur OK.**

   Le réseau étant déjà configuré, copiez le programme Transfert de fichiers et paramètres Windows dans un dossier partagé de l'ancien ordinateur.

Après avoir cliqué sur OK, le programme Transfert de fichiers et paramètres Windows place une copie de lui-même dans l'ancien ordinateur.

9. **Sur l'ancien ordinateur, démarrez la copie du programme Transfert de fichiers et paramètres Windows.**

Ouvrez le dossier partagé, sur l'ancien ordinateur en réseau, puis double-cliquez sur l'icône du programme Transfert de fichiers et paramètres Windows (dans la marge, l'icône sous Windows XP). Le programme démarre aussitôt.

Vous ne trouvez pas le dossier partagé ? Revenez au PC sous Windows 7 et cliquez sur le lien Ouvrir le dossier où vous avez enregistré Transfert de fichiers et paramètres Windows. Vous verrez la fenêtre contenant le programme. L'Explorateur Windows s'ouvrira sur le dossier contenant le programme. Le nom de l'ordinateur ainsi que le chemin vers ce dossier est mentionné dans la barre d'adresse, en haut de la fenêtre.

10. **Sur l'ancien PC, cliquez sur Suivant pour quitter l'écran d'accueil.**

11. **Toujours sur l'ancien PC, choisissez l'option Il s'agit de mon ancien ordinateur.**

    Le programme Transfert de fichiers et paramètres Windows affiche un mot de passe à six chiffres. Notez-le car vous devrez le saisir dans le nouvel ordinateur pour récupérer les fichiers provenant de l'ancien ordinateur.

12. **Sur le nouvel ordinateur, cliquez sur Suivant, saisissez le mot de passe à six chiffres puis cliquez sur Suivant.**

    À cette étape, le même écran du programme Transfert de fichiers et paramètres Windows est affiché. Quel que soit l'ordinateur sur lequel vous cliquez sur Suivant, ils s'échangent l'information et poursuivent les opérations.

    Les deux ordinateurs communiquent et votre nouveau PC recherche les fichiers à transférer.

13. **Sur le nouvel ordinateur, choisissez ce qui doit être transféré.**

    Le programme recopie normalement tous les comptes en entier. Pour sélectionner exactement ce qui doit être transféré, reportez-vous à la section «Choisir les fichiers, dossiers et comptes à transférer», plus loin dans ce chapitre.

14. **Cliquez sur le bouton Transférer, sur le nouvel ordinateur, pour commencer à copier les données.**

    Ne touchez à aucun des ordinateurs au cours du transfert.

15. **Sur l'ancien ordinateur, cliquez sur Fermer afin de quitter le programme Transfert de fichiers et paramètres Windows.**

16. **Terminez les opérations.**

    Le programme vous propose de choisir parmi deux options :

    - **Voir ce qui a été transféré :** Ce rapport, assez technique, montre tout ce qui a été copié dans le nouvel ordinateur.
    - **Voir une liste de programmes susceptibles d'être installés dans le nouvel ordinateur :** Un autre rapport, tout aussi technique, indique les programmes que vous pourriez installer afin d'ouvrir certains des fichiers transférés.

Transférer les données par un disque dur externe ou par une clé USB

À moins que vous ayez peu d'informations à transférer depuis l'ancien ordinateur, ne vous compliquez pas la vie avec une clé USB. Même une clé de plusieurs gigaoctets sera insuffisante si vous avez un certain nombre de photos, de morceaux de musique ou de vidéos à transférer. Le disque dur externe est une solution beaucoup plus rationnelle.

Ne branchez pas encore le disque dur externe, mais suivez ces étapes, sur le nouvel ordinateur, pour démarrer le programme Transfert de fichiers et paramètres Windows.

1. **Fermez tous les programmes en cours sur le PC tournant sous Windows 7.**

2. **Cliquez sur le bouton Démarrer, puis cliquez sur Tous les programmes > Accessoires > Outils système > Transfert de fichiers et paramètres Windows.**

   La fenêtre d'accueil du programme apparaît.

3. **Cliquez sur Suivant.**

4. **Choisissez l'option Un disque dur externe ou un disque mémoire flash USB.**

   Le disque mémoire flash USB est tout bêtement une clé USB.

5. **Cliquez sur l'option Il s'agit de mon nouvel ordinateur.**

6. **Cliquez sur Non.**

Vous indiquez ainsi au programme que vous n'avez pas encore collecté les informations depuis votre ancien ordinateur.

7. **Choisissez l'option Je dois l'installer maintenant, puis connectez le disque dur externe à l'un des ports USB de l'ordinateur sous Windows 7.**

   Si c'est la première fois que vous connectez le disque dur externe, Windows 7 installe automatiquement son pilote.

8. **Choisissez l'option Disque dur externe ou dossier réseau partagé.**

   La fenêtre Rechercher un dossier, semblable à celle de la Figure 19.2, apparaît.

9. **Naviguez jusqu'à l'emplacement où stocker le programme Transfert de fichiers et paramètres Windows, puis cliquez sur OK.**

   Dans la fenêtre Rechercher un dossier, cliquez sur Ordinateur puis sur la lettre du disque dur externe. Cliquez ensuite sur OK

   Après avoir cliqué sur OK, le programme Transfert de fichiers et paramètres Windows place une copie de lui-même dans l'ancien ordinateur.

10. **Après que le programme s'est copié dans le disque dur externe, éteignez ce dernier, débranchez-le puis rebranchez-le à un port USB de l'ancien ordinateur. Rallumez le disque.**

    Le programme devrait démarrer automatiquement sur l'ancien ordinateur (vous devrez peut-être cliquer sur OK pour autoriser son exécution).

11. **Sur l'ancien ordinateur, cliquez sur Suivant afin de quitter l'écran d'accueil. Choisissez ensuite l'option Un disque dur externe ou un disque mémoire flash USB.**

12. **Sur l'ancien ordinateur, choisissez l'option Il s'agit de mon ancien ordinateur.**

13. **Choisissez ce qui doit être transféré, puis cliquez sur Suivant.**

    Le programme recopie normalement tous les comptes en entier. Pour sélectionner exactement ce qui doit être transféré, reportez-vous à la section «Choisir les fichiers, dossiers et comptes à transférer», plus loin dans ce chapitre.

14. **Si vous le désirez, saisissez un mot de passe afin de protéger les données, puis cliquez sur Enregistrer.**

Cette étape facultative, mais prudente, évite que quelqu'un d'autre s'approprie vos données (pour plus de sécurité, reformatez le disque dur de l'ancien ordinateur après avoir transféré toutes ses données).

15. **Choisissez un emplacement de stockage pour les données, cliquez sur Ouvrir, puis sur Enregistrer.**

    Dès que la fenêtre du Transfert de fichiers et paramètres Windows apparaît, cliquez sur la lettre du disque dur externe, cliquez sur Ouvrir pour voir son contenu, puis cliquez sur Enregistrer. Le programme attribue au fichier le nom Transfert de fichiers et paramètres Windows - Éléments de l'ancien ordinateur.

16. **Cliquez sur Suivant, débranchez le disque dur externe de l'ancien ordinateur et reconnectez-le au nouvel ordinateur.**

17. **Sur le nouvel ordinateur, cliquez sur Suivant et cliquez sur Oui pour signaler que vous avez sélectionné les données à transférer.**

18. **Ouvrez le dossier contenant les fichiers transférés.**

    Double-cliquez sur le fichier nommé Transfert de fichiers et paramètres Windows - Éléments de l'ancien ordinateur.

    Saisissez au besoin le mot de passe défini précédemment, puis cliquez sur Suivant.

19. **Cliquez sur le bouton Transférer pour commencer à copier les données.**

    Ne touchez à aucun des PC pendant le transfert. Si vous avez sélectionné plus de données que le nouveau PC peut en contenir, la fenêtre Choisir les éléments à transférer depuis cet ordinateur – celle de l'Étape 11 – vous sera de nouveau présentée (cette fenêtre est décrite plus en détail à la prochaine section).

20. **Terminez les opérations.**

    Le programme vous propose de choisir parmi deux options :

    - **Voir ce qui a été transféré :** Ce rapport, assez technique, montre tout ce qui a été copié dans le nouvel ordinateur.
    - **Voir une liste de programmes susceptibles d'être installés dans le nouvel ordinateur :** Un autre rapport, tout aussi technique, indique les programmes que vous pourriez installer afin d'ouvrir certains des fichiers transférés.

Choisir les fichiers, dossiers et comptes à transférer

Quelle que soit la méthode adoptée pour transférer les fichiers, vous rencontrerez la fenêtre de la Figure 19.4 qui vous demande ce qui doit être transféré.

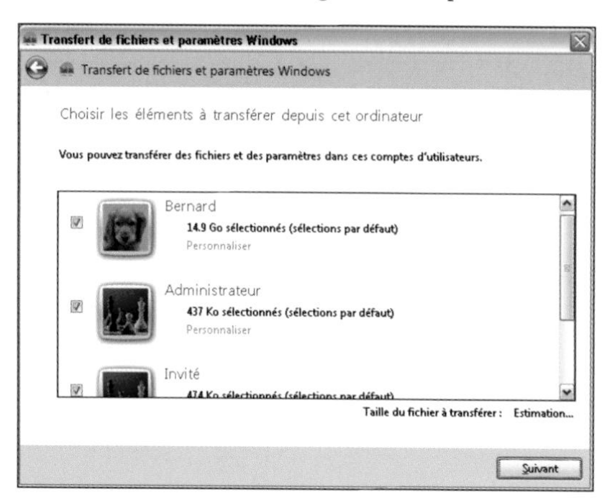

Figure 19.4 : Cliquez sur Suivant pour transférer les éléments sélectionnés.

Cette fenêtre apparaît sur l'ancien ordinateur lorsque vous transférez *via* un lecteur amovible, et sur le nouvel ordinateur lorsque vous transférez par câble ou par le réseau.

Pour tout transférer, de tous les comptes de l'ancien ordinateur, cliquez simplement sur le bouton Transférer ou sur Suivant. Si la place est suffisante sur le disque dur du nouvel ordinateur, le programme copie tout de l'un à l'autre. Vous pourrez toujours supprimer des éléments superflus dans le nouveau PC, si vous le désirez.

Mais si la place n'est pas suffisante sur le disque dur du nouvel ordinateur, ou si vous ne tenez pas à tout transférer, voici les éléments que vous pouvez choisir de transférer ou non :

- **Comptes d'utilisateurs :** Si vous ne voulez transférer que votre compte d'utilisateur sur le nouveau PC hyper performant, mais laisser les autres sur le PC hors d'âge, décochez la ou les cases des différents utilisateurs (voir Figure 19.4).

- **Options avancées :** Vous n'avez pas configuré de comptes d'utilisateurs pour tout le monde sur votre nouvel ordinateur ? La rubrique Options avancées, juste au-dessus du bouton Transférer, permet de créer de nouveaux comptes d'utilisateurs sur le nouveau PC et de les garnir avec les fichiers appropriés. Cette rubrique est aussi commode pour les anciens PC équipés de plusieurs disques durs, car elle permet de choisir quel contenu de quel ancien disque dur doit aller dans le disque dur du nouvel ordinateur.
- **Personnaliser :** Il n'est parfois pas nécessaire de tout transférer. Pour sélectionner les éléments qui doivent l'être et ceux auxquels vous renoncez, cliquez sur le bouton Personnaliser, en bas de chaque élément. Une sous-fenêtre apparaît, comme à la Figure 19.5, permettant de décocher les éléments à ne pas transférer.

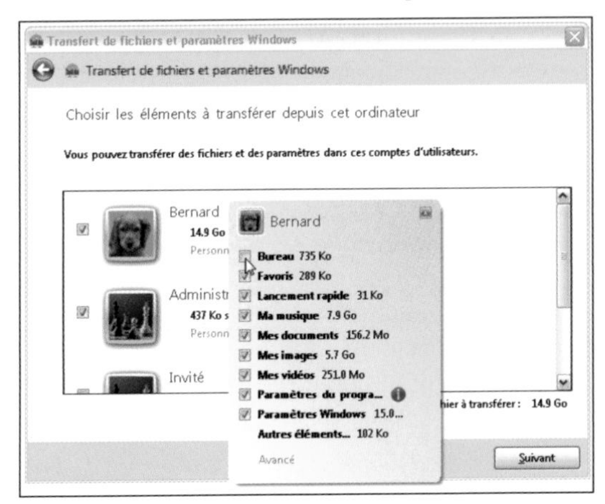

Figure 19.5 : Cliquez sur Personnaliser pour affiner la sélection.

- **Avancé :** Située à la fin de la liste Personnaliser, cette commande s'adresse aux férus d'informatique un brin pinailleurs. Elle permet en effet de sélectionner fichier par fichier.

Après avoir personnalisé le transfert, cliquez sur le bouton Enregistrer pour revenir à la fenêtre de choix des éléments à transférer. Cliquez sur Transférer ou sur Suivant pour démarrer le processus de transfert.

Se débarrasser de l'ancien ordinateur

Après avoir transféré les données et paramètres de l'ancien ordinateur vers le nouveau, que ferez-vous du vieux PC ? Vous avez le choix entre plusieurs options :

- **Le donner aux enfants :** S'ils ne sont pas trop grands... Parce que, passé un certain âge, ils exigeront un PC hyper puissant, avec une carte graphique surdimensionnée et de la mémoire à foison pour jouer à leurs impressionnants jeux en ligne.
- **En faire don à une association :** Plusieurs associations reconditionnent les ordinateurs pour les distribuer dans des écoles, des hôpitaux pour enfants (Docteur Souris, www.docteursouris.asso.fr/) ou dans des pays du tiers-monde. Une recherche sur Google avec quelques mots-clés, comme « don », « ordinateurs », etc., fournit quantité d'adresses d'associations. Assurez-vous que l'ordinateur est en état de marche et donnez-le avec son écran.
- **L'offrir à quelqu'un qui est dans le besoin et qui en a besoin :** Étudiant, chômeur, salarié modeste, pauvre trader vivotant avec seulement quelques misérables millions d'euros de bonus...
- **Le recycler :** Plusieurs fabricants ont des programmes de recyclage d'anciens ordinateurs. Renseignez-vous auprès de celui de votre ordinateur.
- **Le jeter à la déchetterie :** Il sera dépecé et les matériaux récupérés par des sociétés spécialisées (beaucoup de gens ne soupçonnent pas la quantité d'or plaquée sur les broches des innombrables connecteurs).
- **Le garder pour les pièces détachées :** Ne vous faites pas d'illusions : hormis les lecteurs de CD et DVD et les disques durs, qui peuvent remplacer ou compléter un matériel défaillant ou insuffisant, ou les barrettes de mémoire, les autres éléments seront vites obsolètes en raison de l'évolution très rapide des technologies. Avec un peu de chance, vous pourrez aussi récupérer la carte graphique ou audio, ou des périphériques spéciaux (acquisition vidéo, par exemple). Mais tout cela exige quelques connaissances techniques.

Conservez l'ordinateur quelques semaines avant de vous en débarrasser. Vous risquez de vous souvenir d'un important fichier ou paramètres qui s'y trouveraient encore.

Effacer le disque dur d'un ordinateur mis au rebut

Le disque dur d'un ordinateur mis au rebut est une aubaine pour les malfaiteurs. Il peut en effet contenir les mots de passe vers les sites Web, des comptes de messagerie et des logiciels, mais aussi des numéros de cartes de crédit, des identificateurs personnels, voire des relevés bancaires ou financiers. Toutes informations qui ne doivent surtout pas tomber entre de mauvaises mains.

Si votre disque dur contient des données sensibles, achetez un logiciel de destruction de données. Il efface complètement le disque dur et le remplit de caractères aléatoires. Quelques-uns de ces logiciels répètent ce processus plusieurs fois afin d'obtenir un effacement total et irrécupérable, même par les outils les plus sophistiqués.

Ou alors, démontez-le (il faut des clés spéciales, faciles à trouver dans les boutiques de bricolage) ou détruisez-le à la masse. Dan Gookin, l'auteur de *Word Pour les Nuls,* les détruit à coups de fusil (NdT : Au risque de voir le projectile ricocher et provoquer un accident. En démontant le disque dur, ce qui est moins teigneux que la technique « Columbine », vous récupérerez une paire d'aimants extrêmement puissants qui feront le bonheur d'un bricoleur).

Chapitre 20

Le système d'Aide de Windows 7

Dans ce chapitre

- Trouver rapidement le bon conseil
- Trouver de l'aide pour un problème ou un programme en particulier

Voici comment trouver l'information qui sauve, dans Windows 7 :

- **Appuyez sur F1 :** Que ce soit à partir de Windows ou d'un quelconque programme, appuyer sur la touche F1 ouvre aussitôt une aide circonstanciée.
- **Cliquez sur le menu Démarrer :** Cliquez ensuite sur le bouton Aide et support.
-  **Le point d'interrogation :** Il se trouve en haut à gauche de certaines fenêtres.

Chacune de ces actions démarre le programme Aide et support, à présent agrémenté de tableaux, de graphiques et d'instructions pas à pas. Ce chapitre explique comment l'exploiter le plus efficacement possible.

Consulter l'expert qui sommeille dans Windows 7

Presque chaque programme de Windows est doté de son propre système d'aide. Pour tirer de sa torpeur l'expert niché dans un programme, appuyez sur la touche F1 ou choisissez le caractère « point d'interrogation » (?) dans un menu. Voici par exemple comment trouver de l'aide dans Windows Mail :

1. Cliquez sur « ? », dans le menu du programme, et choisissez Afficher l'aide. Ou alors, appuyez sur F1.

La fenêtre de l'aide en ligne du programme apparaît. La Figure 20.1 montre celle du Lecteur Windows Media.

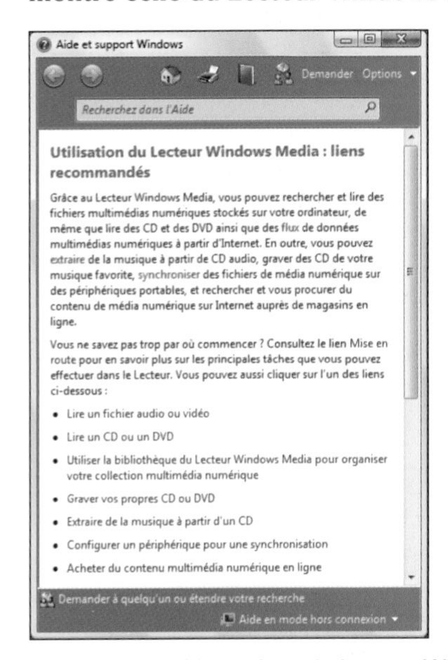

Figure 20.1 : L'aide en ligne du Lecteur Windows Media.

2. Cliquez sur le sujet à propos duquel vous demandez de l'aide.

3. Choisissez un sous-sujet qui vous intéresse.

Après une brève explication du sujet, la page d'aide offre plusieurs sous-sujets : lire un fichier de votre bibliothèque, ou lire un fichier sur Internet en entrant son URL (NdT : L'URL, *Uniform Resource Locator,* « adresse de ressource unifie », est tout simplement l'adresse Web du site, comme dans www.editionsfirst.fr). Ne manquez pas le lien Voir aussi, en bas d'une page, qui pointe vers des informations complémentaires.

4. Suivez les instructions étape par étape afin de terminer la tâche.

Windows 7 indique souvent les étapes nécessaires pour accomplir une tâche ou corriger un problème. Lisez les informations complémentaires proposées à chaque étape. Vous y trouverez souvent des conseils qui vous faciliteront la tâche, la prochaine fois.

Vous butez sur un terme technique dans l'Aide ? S'il est d'une autre couleur et souligné, cliquez dessus pour afficher un phylactère contenant une définition en quelques lignes.

Essayez de placer la fenêtre Aide et support juste à côté de la fenêtre programme en cours. Vous pourrez ainsi appliquer les étapes préconisées sans que les fenêtres se chevauchent.

Recourir au système d'Aide de Windows est souvent une tâche accaparante, car il vous oblige à parcourir des menus incroyablement détaillés pour trouver une information spécifique. Mais c'est souvent votre dernier recours quand cette information est introuvable ailleurs. Et c'est souvent moins embarrassant que de demander au fils du voisin (celui qui réussit à interfacer un PC avec un paratonnerre).

Si une page d'aide vous semble particulièrement intéressante, imprimez-la en cliquant sur l'icône Imprimer.

Trouver une information utile dans le Centre d'aide et de support

Si vous ne savez pas par où commencer, démarrez le Centre d'aide et de support et commencez à chercher par le haut.

Pour lancer ce programme, cliquez sur le bouton Démarrer, puis sur Aide et support. La fenêtre Aide et support Windows apparaît. Elle est divisée en trois parties :

- **Trouver une réponse :** Saisissez l'objet de vos soucis dans le champ Rechercher dans l'Aide. Ne vous limitez pas au seul mot **Imprimante,** mais entrez une phrase plus explicite comme **Mon imprimante ne fonctionne pas** (où « ce matin, alors que le soleil se levait à peine, j'allumais l'ordinateur d'un doigt badin, en chantonnant sous la douche… », mais là, je ne suis pas sûr que Windows comprenne…)
- **Savoir par où commencer :** Si le champ Rechercher n'a rien trouvé, cliquez sur le lien Notions de base sur Windows pour obtenir quelques conseils pour débuter avec Windows.
- **Plus d'informations sur le nouveau site Web de Microsoft :** N'utilisez cette ressource que si vous êtes connecté à l'Internet. Le contenu de ce site est généralement plus à jour que l'aide intégrée à Windows.

Le programme Aide et support fonctionne un peu à la manière d'un site Web. Pour revenir à la page précédente, cliquez sur le bouton fléché bleu, en haut à gauche de la page. Il est surtout utile quand vous vous fourvoyez dans une impasse.

Faire appel au dépanneur de Windows 7

En cas de dysfonctionnement, la partie du programme Aide et support consacrée au dépannage peut trouver un correctif. Elle fonctionne parfois comme un index qui remonte peu à peu au travers d'une arborescence jusqu'à l'origine du problème, présentant l'unique bouton qui le résout. Ce bouton est ensuite affiché dans la page d'aide afin que vous puissiez y accéder d'un seul clic.

Dans d'autres cas, un bouton magique est loin d'être suffisant. Par exemple, si le signal d'une connexion sans fil est trop faible, le dépanneur vous recommandera de rapprocher l'ordinateur portable du transmetteur.

Voici comment démarrer le programme de dépannage :

1. **Cliquez sur le bouton Démarrer > Panneau de configuration. À la rubrique Système et sécurité, cliquez sur le lien Rechercher et résoudre des problèmes.**

   La fenêtre de l'aide en ligne s'ouvre (voir Figure 20.2).

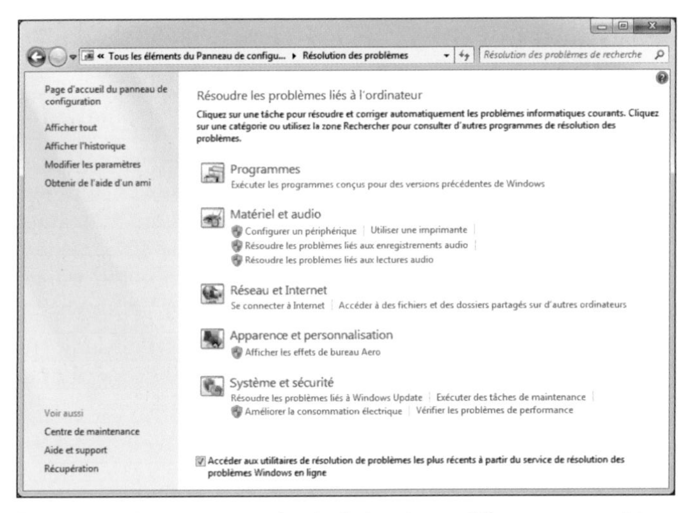

Figure 20.2 : Le programme de résolution des problèmes est capable de résoudre de nombreux dysfonctionnements.

2. **Cliquez sur le sujet qui vous tourmente.**

   Cinq thèmes sont proposés sous forme de rubriques, dont l'intitulé est le même que ceux du Panneau de configuration étudié au Chapitre 11 :

   - **Programmes :** Vous serez guidé si vous éprouvez quelques difficultés à exécuter des programmes anciens sous Windows 7. Les dysfonctionnements du navigateur Web sont aussi évoqués.
   - **Matériel audio :** Cette rubrique aide à résoudre les problèmes de pilotes, l'une des principales sources de problèmes lorsqu'un élément connecté au PC ne fonctionne pas correctement, voire pas du tout. Les problèmes d'imprimante, de haut-parleurs et de microphone sont eux aussi diagnostiqués ici.
   - **Réseau et Internet :** Vous y trouverez de l'aide concernant les connexions Internet ou la mise en réseau de vos ordinateurs.
   - **Apparence et personnalisation :** Vous ne parvenez pas à voir les magnifiques effets de transparence de Windows 7 ? Vous configurerez ici la carte vidéo afin de voir Windows 7 dans toute sa splendeur.
   - **Système et sécurité :** C'est une zone fourre-tout, où l'on trouve entre autres des sujets concernant la sécurité et les performances du PC.

   Cliquez sur un sujet, et Windows 7 ouvre la page traitant des problèmes les plus courants. Parcourez les sous-sujets jusqu'à ce que vous ayez trouvé celui traitant de votre problème particulier.

3. **Suivez les étapes recommandées.**

   Vous trouverez très souvent des procédures pas à pas qui devraient résoudre votre problème. Appliquez scrupuleusement chaque étape.

En cliquant du bouton droit sur une icône qui se comporte bizarrement, vous verrez peut-être apparaître une option Dépannage des problèmes, dans le menu contextuel. Cliquez dessus pour démarrer une procédure de dépannage sur ce problème particulier, ce qui vous fera gagner du temps.

En bas de la fenêtre, ne manquez pas de cocher la case Accéder aux utilitaires de résolution de problèmes les plus récents à partir du service de résolution des problèmes Windows en ligne. Microsoft ajoutera ainsi d'autres outils de dépannage, *via* Internet, à votre panoplie.

Septième partie

Les dix commandements

"Julien, très honnêtement je ne crois pas qu'il soit possible d'éviter un embrasement du foin avec le Pare-feu Windows."

Dans cette partie...

Un *Pour les Nuls* serait vraiment nul sans les dix commandements. Autrement dit, les dix conseils, ou informations ou tuyaux qui peuvent vous être utiles.

Les possesseurs d'un ordinateur portable ont droit à un chapitre rien que pour eux. Windows 7 est en effet doté de fonctions réservées aux utilisateurs nomades, itinérants, voyageurs ou ceux qui préfèrent travailler au lit, douillettement vautré sous la couette avec une liaison Wi-Fi (ou une liaison d'une autre sorte, légitime ou non...).

Vous trouverez aussi des instructions pas à pas pour les ordinateurs portables : les différentes manières de se connecter à l'Internet, ou encore comment changer de fuseau horaire.

Chapitre 21

Dix points que vous détesterez (et comment les corriger)

Dans ce chapitre

- En finir avec les demandes de permission
- Trouver les menus de Windows 7
- Désactiver Aero pour accélérer Windows 7

Windows 7 serait génial si… *(insérez vos récriminations ici).* Bref, si vous lisez ce chapitre, c'est parce qu'il vous arrive souvent de vous en prendre à Windows. Vous trouverez donc une liste de dix points – et peut-être même un peu plus que cela – hautement agaçants au sujet de Windows 7, et comment en venir à bout.

Ras le bol de ces demandes de permission !

L'écran de demande de permissions de Windows 7 peut être supprimé de deux manières :

- **Celle que Microsoft préfère :** Avant de cliquer machinalement sur le bouton Continuer, demandez-vous si vous avez entrepris une action. Si oui, cliquez sur Continuer afin que l'ordinateur exécute votre commande. En revanche, si la demande de permission est spontanée, sans aucune action de votre part, cliquez sur Annuler, car ce n'est pas normal.

- **La solution de facilité :** Désactivez la demande de permission comme je l'ai expliqué au Chapitre 17. L'ordinateur sera toutefois plus exposé aux virus, vers, espiogiciels et autres logiciels malfaisants qui écument l'Internet.

Aucune de ces options n'est la panacée, mais c'est la seule alternative que Microsoft vous offre : étudier chaque demande de permission ou faire confiance à vos logiciels antivirus et antiespiogiciels.

Je recommande l'approche préconisée par Microsoft. C'est un peu comme la ceinture de sécurité : pas très confortable mais plus sûre. Mais en fin de compte, c'est à vous de choisir entre le confort et la sécurité.

Impossible de copier dans mon iPod de la musique extraite ou achetée

Vous ne trouverez jamais le mot iPod dans les menus de Windows 7, dans les écrans d'aide ni même sur le site de Microsoft. Concurrent de Microsoft, Apple a réussi un coup de maître avec l'iPod, que Microsoft s'efforce d'ignorer superbement.

Ce qui ne saurait être ignoré, ce sont les problèmes auxquels vous êtes confrontés chaque fois que vous essayez de copier dedans des morceaux stockés dans le Lecteur Windows Media. Vous vous heurtez en effet à deux obstacles :

- Les morceaux extraits de CD avec le Lecteur Windows Media sont illisibles sur un iPod, car ils sont eux aussi enregistrés au format WMA.
- Vous pouvez certes connecter l'iPod à l'ordinateur. Windows le reconnaîtra en tant que lecteur amovible – comme un disque dur externe – et vous permettra même d'y placer des fichiers de musique, mais l'iPod ne saura ni les trouver, ni les lire.

La solution la plus simple consiste à télécharger la version pour Windows du programme iTunes édité par Apple (www.apple.com/fr/itunes). Comme le Lecteur Windows Media se chamaillera sans doute pour les préférences de fichiers audio, vous finirez sans doute par n'utiliser qu'iTunes. Pour qu'il démarre automatiquement les fichiers de musique, cliquez sur le bouton Démarrer > Programmes par défaut > Configurer les programmes par défaut. Dans la liste Programmes, cliquez sur iTunes puis sur le bouton Définir le programme comme programme par défaut.

Tous les menus ont disparu

Dans leur zèle de faire de Windows 7 un petit chef d'œuvre de design et de graphisme, les programmeurs ont escamoté les menus utilisés depuis des années dans Windows. Pour les revoir, appuyez sur la touche Alt. Vous pourrez ainsi accéder de nouveau aux bonnes vieilles options.

Pour empêcher les menus de disparaître de nouveau, cliquez sur le bouton Organiser, choisissez Disposition puis Barre de menus.

Les effets de transparence ralentissent mon ordinateur portable

L'un des effets graphiques les plus appréciés de Windows 7, Aero, n'est pas toujours sans conséquence. Il rend les cadres des fenêtres translucides, comme si elles étaient en matière plastique. C'est cet effet aussi qui permet à certains programmes, comme le jeu d'échec, de «léviter», permettant de l'orienter à votre gré et de le regarder sous n'importe quel angle.

Les calculs requis pour ces effets visuels ralentissent sensiblement les PC qui ne sont pas équipés d'une carte graphique haut de gamme, ce qui est le cas de beaucoup d'ordinateurs portables.

Pire, l'effet Aero peut réduire l'autonomie de la batterie. Si vous ne voulez plus qu'il plombe votre PC, désactivez-le en procédant comme suit :

1. **Cliquez du bouton droit dans une partie vide du Bureau et choisissez Personnaliser afin d'ouvrir le Panneau de configuration.**

2. **À la rubrique Thèmes de base et à contraste élevé, cliquez sur Windows 7 Basic.**

   L'apparence de Windows change aussitôt.

Si l'ordinateur est encore trop lent, choisissez Windows Classique, à l'Étape 2.

Pour rétablir les effets Aero, histoire d'épater la galerie, répétez la manipulation mais à l'Étape 3, choisissez Windows Aero.

Si Windows 7 n'est toujours pas très vif, cliquez sur le bouton Démarrer, puis cliquez du bouton droit sur Ordinateur et choisissez Propriétés. Dans le volet de gauche, cliquez sur Paramètres système avancés et à la rubrique Performances, cliquez sur le bouton Paramètres et sélectionnez l'option Ajuster afin d'obtenir les meilleures performances.

La barre d'outils Lancement rapide est partie !

Beaucoup de gens ignoraient le nom de cette petite barre d'outils placée dans la barre des tâches, juste à côté du bouton Démarrer dans Windows XP et Vista, mais elle était bien commode. Elle permettait en effet de démarrer des programmes d'un seul clic, mais sans que leur icône encombre le Bureau.

La barre d'outils Lancement rapide a disparu de la nouvelle barre des tâches relookée de Windows 7. Les icônes d'Internet Explorer, du Lecteur Windows Media et des Bibliothèques se trouvent à présent directement sur la barre des tâches, tout près du bouton Démarrer. Ces icônes ne vous plaisent pas ? Cliquez du bouton droit sur l'une d'elles et, dans le menu contextuel, choisissez Détacher ce programme de la barre des tâches.

Vous pouvez aussi faire d'une partie de la barre des tâches une barre de Lancement rapide improvisée en y plaçant vos propres icônes :

1. **Ouvrez le menu Démarrer et localisez le programme que vous affectionnez.**

2. **Cliquez du bouton droit sur son icône et dans le menu, choisissez Épingler à la barre des tâches.**

En épinglant un programme dans la partie gauche de la barre des tâches, vous le gardez à part des icônes des programmes en cours d'exécution qui, eux, se trouvent dans la partie droite.

Windows 7 me demande tout le temps de me reconnecter

Quand l'écran de veille est activé, Windows 7 propose deux manières de le quitter et de redevenir opérationnel : afficher l'écran d'ouverture où vous devrez rouvrir votre session, ou alors, il peut afficher de nouveau le programme que vous utilisiez quand l'écran de veille s'est manifesté.

Certaines personnes préfèrent la sécurité de l'écran d'ouverture. Ainsi, comme le mot de passe est demandé pour se reconnecter, personne ne peut profiter de la pause café pour farfouiller subrepticement dans l'ordinateur et lire le courrier.

D'autres, moins concernés par la sécurité, préfèrent simplement retourner rapidement au travail en cours. Voici comment réconcilier les deux camps :

1. **Cliquez dans une partie vide du Bureau et choisissez Personnaliser.**
2. **En bas à droite de la fenêtre, cliquez sur Écran de veille.**

   Windows 7 affiche les options de l'écran de veille, et cela que Windows doive quitter l'état de veille ou le reprendre.

3. **Selon vos préférences, cochez ou non la case À la reprise, afficher l'écran d'ouverture.**

   Si la case est cochée, la sécurité est accrue. Lorsque l'écran de veille s'arrête, l'écran d'ouverture prend le relais. L'utilisateur doit rouvrir une session dans les règles, avec un mot de passe s'il est exigé. Si la case n'est pas cochée, Windows 7 est plus laxiste. Lorsque l'écran de veille s'arrête, il reprend là vous en étiez auparavant.

4. **Cliquez sur le bouton OK afin d'enregistrer vos changements.**

Si vous ne voulez jamais voir l'écran d'ouverture, n'utilisez qu'un seul compte d'utilisateur, sans mot de passe. La sécurité offerte par le système de comptes d'utilisateur est désactivée, mais c'est plus commode si vous vivez seul.

La barre des tâches prend son indépendance

La barre des tâches est une fonctionnalité très commode. Elle se trouve généralement en bas de l'écran. Mais parfois, elle prend la clé des champs. Vous trouverez ici quelques moyens de la ramener au bercail.

Si la barre des tâches s'accroche au bord gauche ou droit de l'écran, voire en haut, tirez-la vers le bas de l'écran. Mais, au lieu de la tirer par un de ses bords, tirez-la par le milieu. Dès que le pointeur arrive près du bord inférieur de l'écran, la barre se met en place. Relâchez le bouton de la souris.

Voici quelques conseils qui empêcheront la barre des tâches de se balader :

- Pour immobiliser la barre des tâches et l'empêcher de flotter, cliquez dessus du bouton droit et choisissez Verrouiller la Barre des tâches.
- Si la barre des tâches disparaît sous l'écran chaque fois que le pointeur de la souris s'en éloigne, désactivez l'option d'escamotage automatique : cliquez sur une partie vide de la barre des tâches et, dans le menu, choisissez Propriétés. Décochez ensuite la case Masquer automatiquement la Barre des tâches.

Impossible de voir les fenêtres ouvertes

Vous n'avez pas à voir toutes les fenêtres ouvertes. Windows 7 s'en charge très bien tout seul, grâce à la combinaison de touches Alt + Tab. Une petite barre apparaît au milieu de l'écran, affichant une icône par fenêtre ouverte. La touche Alt toujours enfoncée, appuyez plusieurs fois sur Tab afin de sélectionner tour à tour chacune des icônes. Dès que celle qui vous intéresse est sélectionnée, relâchez les touches et la fenêtre correspondante s'affiche au premier plan.

Ou alors, utilisez la barre des tâches, décrite au Chapitre 2. Toutes les fenêtres y figurent. Cliquez sur le bouton de celle qui vous intéresse et elle se place au-dessus de la pile.

Si l'icône d'un programme, dans la barre des tâches, révèle que plusieurs fenêtres sont ouvertes – c'est le cas lorsque vous travaillez simultanément sur plusieurs documents Word –, cliquez dessus du bouton droit. Un menu apparaît, vous permettant de choisir la fenêtre à activer.

Le Chapitre 6 explique comment s'y retrouver dans un Bureau en désordre et comment le ranger.

Impossible d'aligner deux fenêtres côte à côte

Avec Windows 7, rien n'est plus facile que le couper-coller d'un programme vers un autre. Il en est de même du glisser-déposer, qui permet de faire glisser un contact depuis le carnet d'adresses jusque dans la lettre que vous êtes en train d'écrire.

Le plus difficile est d'aligner deux fenêtres côte à côte afin de faciliter ces manipulations. C'est là que la barre des tâches entre en jeu. Ouvrez d'abord les deux fenêtres n'importe où dans l'écran. Réduisez ensuite toutes les autres fenêtres dans la barre des tâches en cliquant sur l'icône Réduire, à droite dans la barre de titre.

À présent, cliquez du bouton droit dans une partie vide de la barre des tâches et choisissez, soit Afficher les fenêtres empilées, soit Afficher les fenêtres côte à côte. Les deux fenêtres sont maintenant parfaitement superposées ou juxtaposées.

Dans Windows 7, les fenêtres peuvent être juxtaposées en les faisant glisser vivement vers le côté gauche ou droit de l'écran. Faites de même avec une seconde fenêtre, et les deux sont côte à côte.

Windows 7 ne me laisse rien faire, sauf si je suis administrateur

Windows 7 est très pointilleux sur qui a le droit de faire quoi. Le propriétaire de l'ordinateur reçoit un compte d'utilisateur Administrateur. L'administrateur, lui, octroie des comptes Standard aux autres personnes. Or, seul un administrateur a le droit d'effectuer les tâches suivantes :

- Installer des programmes et du matériel.
- Créer des comptes d'utilisateurs ou les modifier.
- Se connecter à Internet avec un modem téléphonique à bas débit.
- Connecter certains équipements comme un appareil photo numérique ou un lecteur MP3.
- Exécuter des actions affectant les autres utilisateurs du PC.

Les détenteurs d'un compte d'utilisateur Standard ne peuvent effectuer que des tâches élémentaires comme :

- Exécuter des programmes installés.
- Modifier l'image de leur compte ainsi que leur mot de passe.

Le compte Invité est réservé aux hôtes de passage, comme la baby-sitter ou des visiteurs qui n'utilisent que sporadiquement l'ordinateur. S'il est connecté en haut débit, ils peuvent aller sur l'Internet, relever du courrier et en envoyer, et démarrer les programmes. Comme expliqué au Chapitre 13, un invité n'est pas autorisé à démarrer une session Internet, mais il peut utiliser la connexion en cours.

Si Windows signale que seul un administrateur peut exécuter telle ou telle action, vous avez deux possibilités : demander à un administrateur de taper son mot de passe, ce qui autorise l'action, ou alors demander à l'administrateur de promouvoir votre compte en compte Administrateur (voir Chapitre 13).

Je ne connais pas ma version de Windows

Windows a connu plus d'une douzaine de versions depuis sa sortie en novembre 1985. Comment savoir laquelle est installée dans votre ordinateur ?

Ouvrez le menu Démarrer, cliquez du bouton droit sur Ordinateur et choisissez Propriétés. Vous trouverez votre version sous Informations système générales : Starter, Édition Familiale Basique, Édition Familiale Premium, Professionnel, Entreprise ou Édition Intégrale.

Pour les versions antérieures à Windows 7, l'information se trouve à la rubrique Système.

La touche Impr.écran ne fonctionne pas

Quand vous appuyez sur la touche Impr.écran (son nom varie quelque peu selon les claviers) Windows 7 n'envoie pas le contenu de l'écran vers l'imprimante, mais le stocke dans le Presse-papiers, autrement dit dans une partie de sa mémoire vive. Vous pouvez ainsi le coller dans une autre fenêtre.

Si vous appuyez sur Impr.écran en maintenant la touche Alt enfoncée, Windows mémorise l'image de la fenêtre active.

Si vous tenez à imprimer l'écran, appuyez sur Impr.écran (il ne se passe apparemment rien, mais c'est normal). Cliquez ensuite sur Démarrer, choisissez Tous les programmes, puis Accessoires. Ouvrez Paint et, dans le menu Édition, choisissez Coller. L'image de l'écran apparaît. Choisissez ensuite Fichier, Imprimer puis envoyez l'image de l'écran vers l'imprimante.

Impossible de mettre à niveau de Windows XP vers Windows 7

La plus grande joie des possesseurs de Windows Vista est la possibilité de migrer vers Windows 7 pour un coût relativement modique grâce à un disque de mise à niveau. Tous les fichiers et programmes restent en place, mais Windows Vista disparaît dans les oubliettes.

En revanche, les utilisateurs de Windows XP sont désavantagés à deux égards. Ils doivent acheter la version complète de Windows 7 et en plus, l'installation de la nouvelle version efface entièrement le disque dur, car Windows 7 doit être installé sur un disque réinitialisé.

J'explique dans l'Annexe de ce livre comment rendre cette opération aussi peu douloureuse que possible.

Chapitre 22

Dix trucs pour les ordinateurs portables

Dans ce chapitre

- Régler les paramètres à la volée
- Changer de fuseau horaire

Presque tout, dans ce livre, s'applique aussi bien aux PC de bureau qu'aux PC portables. Windows 7 contient toutefois quelques paramètres accessibles uniquement aux ordinateurs portables. Vous les trouverez dans ce chapitre, avec en prime quelques astuces pour les utilisateurs pressés, ce qui est souvent le cas lorsqu'on utilise un portable.

Configurer rapidement l'ordinateur portable

Windows 7 est équipé de fonctions spéciales pour les ordinateurs portables. Réunies dans le Centre de mobilité, elles permettent d'accéder rapidement aux paramètres de base, comme la luminosité de l'écran, le volume sonore, la charge de la batterie ou l'état d'une connexion. Voici comment accéder au Centre de mobilité :

1. **Cliquez sur Démarrer et choisissez Panneau de configuration.**

2. **Maintenez la touche Windows enfoncée et appuyez sur la touche X.**

   Le Centre de mobilité apparaît (Figure 22.1).

Figure 22.1 : Le Centre de mobilité réunit dans un seul panneau tous les réglages les plus courants d'un ordinateur portable.

3. Effectuez les réglages.

Le Centre de mobilité est un tableau de bord permettant de vérifier l'état de l'ordinateur d'un seul coup d'œil, et de régler divers paramètres. Le nombre d'options varie selon le modèle de l'ordinateur, car elles sont personnalisées en usine. En voici la liste :

- **Affichage externe :** Vous voulez brancher l'ordinateur à un écran de grande taille ou à un projecteur pour faire une présentation ? C'est ici que cela se passe.

- **Centre de synchronisation :** Windows 7 permet de synchroniser l'ordinateur avec des équipements extérieurs comme un organiseur, un téléphone mobile, un lecteur de musique, *etc.*, afin que les informations soient à jour sur tous ces appareils et sur le PC portable. Il n'est hélas pas possible de synchroniser l'ordinateur portable avec un PC de bureau ou un iPod. Le bouton Paramètres de synchronisation ouvre le Centre de synchronisation, où vous définissez les échanges de données entre l'ordinateur portable et vos équipements. Cliquez sur Tout synchroniser pour démarrer les opérations.

- **État de la batterie :** En plus de la charge exprimée en pourcentage, vous pouvez choisir entre Équilibré pour le travail au quotidien, Économie d'énergie lorsque vous êtes loin d'une prise de courant et Hautes performances lorsque l'ordinateur est branché sur le secteur.

- **Luminosité :** Une glissière permet de réduire la luminosité de l'écran dans un environnement sombre, ce qui économise la batterie, ou de l'augmenter pour travailler en extérieur.

- **Paramètres de présentation :** Cette option permet de contrôler ce qui apparaît sur le projecteur auquel vous connectez l'ordinateur. Vous pouvez aussi changer l'arrière-plan, désactiver l'écran de veille, régler le volume et désactiver d'autres éléments distractifs.

- **Réseau sans fil :** Si l'ordinateur est équipé de la Wi-Fi, c'est ici que vous pouvez l'activer ou la désactiver afin d'économiser la batterie.

- **Volume :** Vous souhaitez rester discret dans le train ou dans un cybercafé ? Réduisez le son ou mieux, cochez la case Muet pour le rendre silencieux, ce qui économise de surcroît la batterie.

Bien que le Centre de mobilité soit avant tout un panneau de réglages, c'est aussi votre première étape vers la personnalisation de votre ordinateur portable en fonction de son environnement.

Configurer la fermeture de l'écran

Quand vous avez fini d'utiliser un ordinateur portable, vous rabattez son écran. Mais pour combien de temps ? Toute la nuit ? Le temps de prendre le métro ? De déjeuner ? Windows 7 permet de configurer le comportement de l'ordinateur portable lorsque vous le refermez. Voici comment :

1. **Cliquez sur Démarrer, choisissez Panneau de contrôle puis Système et maintenance.**

2. **Choisissez Options d'alimentation puis, dans le volet de gauche, sélectionnez Choisir l'action de la fermeture du couvercle.**

   Vous pouvez choisir des options différentes selon que l'ordinateur fonctionne sur sa batterie ou est branché au secteur. Chaque menu en contient trois : Ne rien faire, Veille prolongée ou Arrêter.

   Dans la journée, choisissez de préférence Veille prolongée, un état où l'ordinateur tombe en léthargie, mais se réveille promptement, permettant de reprendre votre travail où vous l'aviez laissé. En revanche, si vous n'utilisez pas le portable de toute la nuit, il vaut mieux que la fermeture de l'écran l'arrête totalement.

   Vous pouvez aussi définir un mot de passe qui sera demandé chaque fois que l'ordinateur se réveille.

   Enfin, vous pouvez aussi choisir ce qui se passe lorsque vous cliquez sur l'un des deux boutons d'alimentation du menu Démarrer (ils sont décrits au Chapitre 2).

3. **Cliquez sur Enregistrer les modifications afin de les rendre permanentes.**

En déplacement

Un PC de bureau ne quitte généralement pas son bureau, ce qui facilite certaines configurations. Par exemple, vous n'entrez son emplacement géographique qu'une seule fois, après quoi Windows 7 configure automatiquement le fuseau horaire, le symbole monétaire et autres paramètres qui varient de par le monde.

En revanche, un ordinateur portable bouge beaucoup. Vous devrez souvent lui indiquer où il se trouve.

Modifier le fuseau horaire

Procédez comme suit pour indiquer à l'ordinateur portable que le fuseau horaire n'est plus le même :

1. **Cliquez sur l'horloge, dans la zone de notification à droite de la barre des tâches.**

   Un calendrier et une horloge analogique apparaissent dans une petite fenêtre.

2. **Choisissez Modifier les paramètres de la date et de l'heure.**

   La boîte de dialogue Date et heure apparaît.

3. **Choisissez Changer de fuseau horaire. Choisissez une zone dans le menu déroulant Fuseau horaire puis cliquez deux fois sur OK.**

Si vous changez fréquemment de fuseau horaire, ne manquez pas de tirer parti de l'onglet Horloges supplémentaires, à l'Étape 3. Elle permet d'ajouter jusqu'à deux horloges de plus. Pour connaître l'heure à la fois à Caracas ou à Katmandou, il suffit d'immobiliser le pointeur de la souris sur l'horloge. Un menu déroulant affiche l'heure locale ainsi que celles du ou des autres lieux.

Se connecter à une borne Wi-Fi

Chaque fois que vous vous connectez à un réseau sans fil, Windows 7 mémorise ses paramètres afin que vous puissiez vous y reconnecter de nouveau la prochaine fois. Les réseaux sans fil sont décrits au Chapitre 14. Voici un bref rappel :

1. **Si nécessaire, activez l'adaptateur sans fil de l'ordinateur portable.**

Vous pouvez le désactiver et le réactiver à partir du Centre de mobilité, comme nous l'avions expliqué précédemment. Sur certains ordinateurs portables, vous trouverez un bouton d'activation et de désactivation de la Wi-Fi.

2. **Cliquez sur l'icône de réseau, dans la barre des tâches.**

   Windows 7 liste toutes les façons par lesquelles il peut se connecter à l'Internet, y compris les réseaux sans fil s'il en trouve à portée.

3. **Connectez-vous au réseau sans fil en cliquant sur son nom, puis sur Connexion.**

   La liaison s'établit immédiatement. Mais si l'ordinateur demande d'autres informations, continuez à l'Étape 4.

4. **Entrez le nom du réseau sans fil ainsi de sa clé de cryptage, si ces informations sont demandées, puis cliquez sur Connexion.**

   Certains réseaux discrets ne divulguent pas leur nom. Windows 7 les affiche avec la mention Réseau sans nom. Si vous devez vous connecter à l'un d'eux, vous devrez trouver son propriétaire et lui demander le nom du réseau ainsi que la clé de sécurité.

   Après avoir cliqué sur Connexion, Windows 7 confirme que la liaison est établie. Veillez à cochez les case Enregistrer ce réseau et Démarrer automatiquement cette connexion afin de faciliter la connexion la prochaine fois que vous arriverez à portée.

La connexion Wi-Fi terminée, désactivez l'adaptateur de réseau sans fil afin d'économiser la batterie de l'ordinateur portable.

Sauvegarder les données de l'ordinateur portable avant de voyager

La sauvegarde des données est expliquée en détail au Chapitre 12. La procédure est la même pour les PC portables que pour les PC de bureau. Pensez à sauvegarder systématiquement les données de votre portable chaque fois que vous quittez votre domicile ou votre lieu de travail. Il court en effet beaucoup plus le risque d'être volé qu'un ordinateur de bureau. Un ordinateur portable est remplaçable, mais pas les données qu'il contient.

Conservez les sauvegardes en lieu sûr ou, si vous devez les emporter, dans une poche bien fermée ou dans une valise, jamais dans le même sac que l'ordinateur portable.

Annexe A

La mise à niveau vers Windows 7

Dans cette annexe

- Préparer le terrain pour Windows 7
- Migrer de Windows Vista vers Windows 7
- Installer Windows 7 par-dessus Windows XP

Windows 7 est préinstallé dans les ordinateurs vendus actuellement. C'est quasiment inévitable. Si vous prenez la peine de lire ce chapitre, c'est peut-être parce que votre ordinateur tourne sous Windows XP ou Vista. Inutile de vous lancer dans une mise à jour s'il tourne encore sous Windows 98 ou Me : Windows 7 exige un PC puissant équipé de composants haut de gamme.

Mettre votre PC à niveau à partir de Windows Vista est facile : insérez le DVD et Windows 7 remplace Vista en laissant tous vos programmes et tous vos fichiers intacts.

C'est moins idyllique pour les utilisateurs sous Windows XP qui doivent naviguer sur une mer démontée (la mer, pas le PC), car Windows 7 n'exécutera pas la mise à niveau. Vous devrez l'effectuer manuellement, au travers de multiples étapes expliquées ici.

La migration depuis Windows XP ou Vista est un processus sans retour. Une fois que le processus a été lancé, vous ne pouvez plus revenir en arrière. N'effectuez la mise à niveau ou l'installation que si vous êtes certain de vouloir passer à Windows 7.

Préparer le terrain pour Windows 7

Windows 7 convient aux ordinateurs achetés ces trois ou quatre dernières années. Effectuez la check-list suivante avant de procéder à la mise à jour :

- **Puissance de l'ordinateur :** Veillez à ce que l'ordinateur soit suffisamment puissant pour exécuter Windows 7. Les prérequis sont répertoriés au Chapitre 1.
- **Compatibilité :** Avant toute mise à jour ou installation de Windows 7, insérez le DVD de Windows 7 puis cliquez sur Vérifier la compatibilité en ligne. Après avoir été connecté au site de Microsoft, vous devez télécharger et démarrer le logiciel Windows 7 Upgrade Advisor. Le programme signalera tous les composants qu'il juge appropriés ou trop faibles pour Windows 7. Vous pouvez aussi tester l'ordinateur, même sans posséder le DVD de Windows, en allant directement sur le site www.microsoft.com/windows7/ (NdT : Le site est en anglais mais une version en français est prévue).
- **Sécurité :** Avant de procéder à la mise à jour vers Windows 7, vous devez désactiver votre logiciel antivirus ainsi que tous les autres logiciels de sécurité. Ils risqueraient en effet d'empêcher en toute innocence l'installation correcte de Windows.
- **Procédure de mise à niveau** : Les versions de Windows XP et Windows Vista étant si nombreuses, le Tableau A.1 indique quelles versions sont appropriées à quel type de mise à niveau.

Tableau A.1 : Les compatibilités de mise à niveau

Cette version de Vista...	*... peut migrer vers cette version de Windows 7*
Windows Vista Édition familiale Premium	Windows 7 Édition familiale Premium
Windows Vista Entreprise	Windows 7 Professionnel
Windows Vista Édition intégrale	Windows 7 Édition intégrale

- Après une mise à jour, il est possible – moyennant le paiement du surcoût – de déverrouiller une version plus évoluée de Windows 7.
- **Sauvegarde :** Sauvegardez préalablement toutes les données importantes qui se trouvent dans l'ordinateur sous Windows XP.

Migrer de Windows Vista à Windows 7

Procédez comme suit pour effectuer la mise à niveau de Windows Vista vers Windows 7 :

1. **Insérez le DVD de Windows 7 dans le lecteur de DVD et cliquez sur Installer, comme le montre la Figure A.1.**

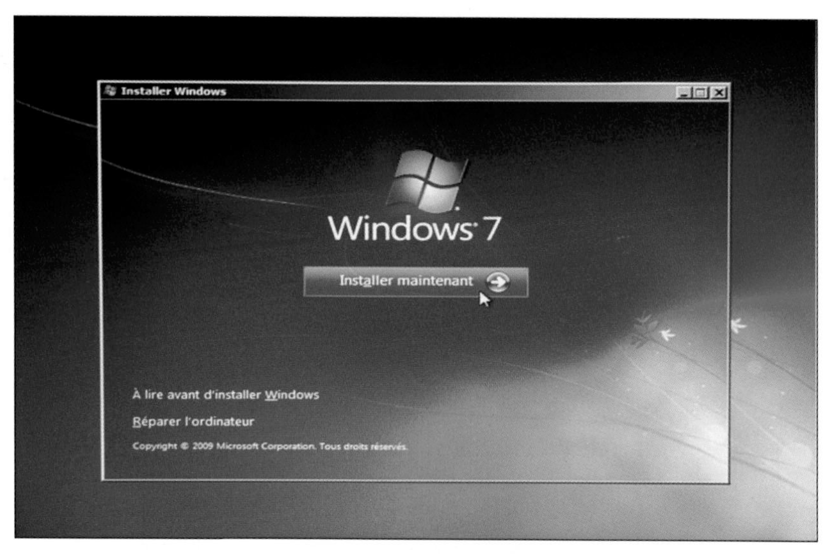

Figure A.1 : Prêt à faire le grand saut !

2. **Choisissez Télécharger les dernières mises à jour pour l'installation (recommandé).**

   Windows 7 se connecte au site de Microsoft et télécharge les dernières mises à jour – pilotes, correctifs… – qui faciliteront l'installation.

3. **Lisez l'accord de licence, cochez la case indiquant que vous en acceptez les termes, puis cliquez sur Suivant.**

   Lisez les 25 pages de la licence. Vous devez l'accepter pour que l'installation puisse se poursuivre.

4. **Choisissez Mise à jour, puis cliquez sur Suivant.**

   La mise à niveau préserve vos fichiers personnels, paramètres et programmes. Si elle ne démarre pas, les causes peuvent être :

   - Une mise à niveau depuis Windows XP, ce qui n'est pas réalisable.

- Une tentative de mise à jour depuis une version de Vista non prévue pour cette migration (reportez-vous au Tableau A.1).
- Une mise à niveau depuis une version de Windows Vista n'ayant pas été mise à jour avec le Service Pack 2. Pour corriger ce problème, visitez le site www.windowsupdate.com et installez le Service Pack 2. Si le site refuse l'installation, c'est parce que votre exemplaire de Windows Vista n'est pas authentique. Contactez le vendeur de ce produit.
- La capacité du disque dur est insuffisante. Il faut 16 Go de libres pour installer Windows 7.

5. **Lisez le rapport de compatibilité, s'il vous est transmis, puis cliquez sur Suivant.**

   Si vous avez autorisé Windows 7 à se connecter à Internet, à l'Étape 2, il signale tous les problèmes de compatibilité susceptibles d'affecter les programmes de votre PC. Après avoir cliqué sur Suivant, la mise à niveau démarre, ce processus peut durer plusieurs dizaines de minutes, voire quelques heures.

6. **Saisissez la clé du produit, puis cliquez sur Suivant.**

   La clé du produit se trouve généralement sur une étiquette apposée sur le boîtier du DVD. Si vous ne la possédez pas, vous ne pourrez pas aller plus loin. Si vous réinstallez une version de Windows 7 qui était préinstallée dans l'ordinateur, l'étiquette avec la clé du produit devrait être collée sur le capot du PC (si vous ne l'avez pas encore fait, notez soigneusement cette clé sur le manuel ou la documentation de l'ordinateur).

Ne cochez pas la case **Activer automatiquement Windows quand je serai en ligne**, car vous pourrez le faire plus tard, quand vous serez certain que Windows 7 fonctionne correctement.

Recopiez la clé de produit de Windows 7 sur son DVD, avec un feutre indélébile. Ainsi, vous ne perdrez pas la précieuse clé. Veillez à écrire sur le dessus imprimé, et surtout pas sur la face lue par le rayon laser.

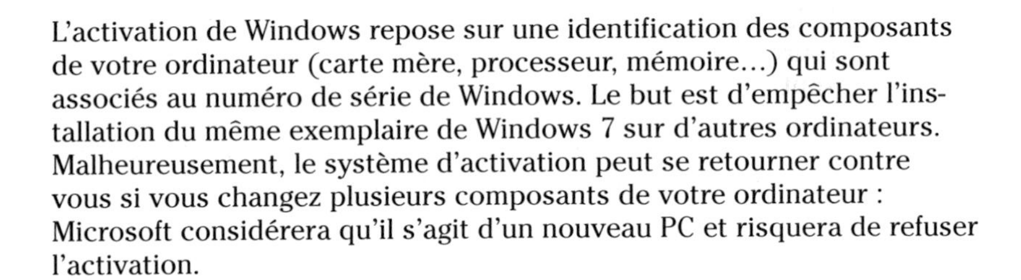

L'activation de Windows repose sur une identification des composants de votre ordinateur (carte mère, processeur, mémoire…) qui sont associés au numéro de série de Windows. Le but est d'empêcher l'installation du même exemplaire de Windows 7 sur d'autres ordinateurs. Malheureusement, le système d'activation peut se retourner contre vous si vous changez plusieurs composants de votre ordinateur : Microsoft considérera qu'il s'agit d'un nouveau PC et risquera de refuser l'activation.

7. **Choisissez le pays, le format de date, le symbole monétaire et le type de clavier, puis cliquez sur Suivant.**

   Ces données seront non seulement utilisées par Windows, mais aussi par certains de vos logiciels. Par exemple, un tableur se basera sur le symbole monétaire choisi pour la mise en forme des chiffres, dans une comptabilité.

8. **Choisissez Utiliser les paramètres recommandés.**

   Les paramètres de sécurité de Windows garantiront sa mise à jour et sa correction automatique.

9. **Confirmez la date et l'heure, puis cliquez sur Terminer.**

   Après avoir mouliné pendant quelques minutes de plus et disparu un moment de l'écran, Windows revient en lice, affichant la page d'ouverture de session. Mais ne croyez pas que tout est terminé. Il reste encore de quoi s'occuper pour achever la mise à jour :

- **Appliquer Windows Update :** Visitez le site de Windows Update (voir Chapitre 10) et téléchargez les correctifs de sécurité et mises à jour de pilotes édités par Microsoft.
- **Vérifiez la reconnaissance de vos logiciels par Windows 7 :** Exécutez chacun de vos programmes et vérifiez leur bon fonctionnement. Vous devrez peut-être en remplacer certains par des versions plus récentes (voyez sur le site de l'éditeur s'il propose des mises à jour gratuites) ou forcer la compatibilité avec les versions antérieures de Windows, comme cela est expliqué au Chapitre 17.
- **Vérifier les comptes d'utilisateurs :** Assurez-vous qu'ils fonctionnent correctement en y séjournant quelques minutes et en testant des logiciels.

Cela fait, bienvenue dans Windows 7 !

Installer Windows 7 par-dessus Windows XP

Une mise à niveau vers Windows 7 depuis Windows XP n'est pas possible. Cela signifie que si vous voulez installer Windows 7 sur votre ordinateur tournant sous Windows XP, vous devrez effectuer les étapes suivantes, qui sont un peu rébarbatives :

1. **Sur le PC sous Windows XP, exécutez le programme Transfert de fichiers et paramètres Windows.**

Ce logiciel est étudié au Chapitre 19. Pour de meilleurs résultats, transférez les fichiers et les paramètres vers un disque dur externe dont la capacité est au moins égale à celle du disque dur de l'ordinateur sous XP. Débranchez-le ensuite et mettez-le de côté.

2. **Renommez le disque dur sous XP.**

   Cette étape n'est pas indispensable, mais elle vous permettra d'identifier le disque dur sans risque de vous tromper. Dans le menu Démarrer, choisissez Poste de travail puis cliquez su bouton droit sur le lecteur C:. Choisissez l'option Renommez puis tapez XP et appuyez sur la touche Entrée.

3. **Insérez le DVD de Windows 7 dans le lecteur et redémarrez l'ordinateur.**

   L'ordinateur redémarre sur le DVD de Windows 7 (vous devrez peut-être appuyer sur une touche – n'importe laquelle – pour que le démarrage s'effectue depuis le CD-ROM et non depuis le disque dur).

4. **Cliquez sur Suivant.**

5. **Cliquez sur le bouton Installer maintenant.**

6. **Lisez la licence d'agrément, acceptez-la, puis cliquez sur Suivant.**

7. **Choisissez Personnalisé (avancé).**

   Si vous tentez de démarrer la mise à niveau, le programme demande de charger Windows XP et démarre ensuite le DVD d'installation. Et quand vous retournez à cet écran et cliquez sur Mise à niveau, un message vous informe qu'il est impossible de procéder à une mise à niveau depuis Windows XP.

   L'option Personnalisé montre les lecteurs et partitions présents dans l'ordinateur.

8. **Cliquez sur le lecteur de Windows XP, cliquez sur Options de lecteur (avancé), cliquez sur Formater, puis cliquez sur OK pour approuver le formatage du disque dur. Cliquez ensuite sur Suivant.**

   Le lecteur contenant Windows XP s'appelle XP, car c'est ainsi qu'il a été renommé à l'Étape 2.

   Le formatage efface complètement le disque dur, sans possibilité de revenir en arrière. Après avoir cliqué sur Suivant, Windows 7 s'installe sur le disque dur qui contenait Windows XP, un processus qui dure de 10 à 30 minutes selon les performances du PC.

Le programme d'installation suspend sa besogne et demande la clé du produit.

9. **Saisissez votre nom d'utilisateur, un nom d'ordinateur, puis cliquez sur Suivant.**

   Si vous le voulez, utilisez le même nom d'utilisateur que sous XP, mais rien ne vous empêche d'en choisir un autre.

10. **Saisissez ou ressaisissez un mot de passe, saisissez un indice qui vous permettra de vous le remémorer, puis cliquez sur Suivant.**

    L'indice doit vous permettre de vous souvenir du mot de passe, mais sans pour autant être compréhensible par quelqu'un d'autre que vous. Par exemple, si le mot de passe est le nom de votre premier établissement scolaire, l'indice sera «là où j'en ai pris pour quinze ans».

11. **Continuez à l'Étape 6 de la section précédente, «Migrer de Windows Vista à Windows 7».**

    À partir de là, la procédure est commune aux deux installations.

Arrivé au terme de la procédure, Windows 7 est installé et opérationnel, avec tous vos fichiers, programmes et paramètres de connexion Internet et autres.

Index

Symboles

A

B

C

D

E

F

G

M

N

O

P

Q

R

S

T

V

W

Z